메가랜드 공인중개사

2023

부동산학개론/민법 및 민사특별법

메가랜드 부동산교육연구소 편

그래프로 보는 최근 5년간 출제경향

부동산학개론

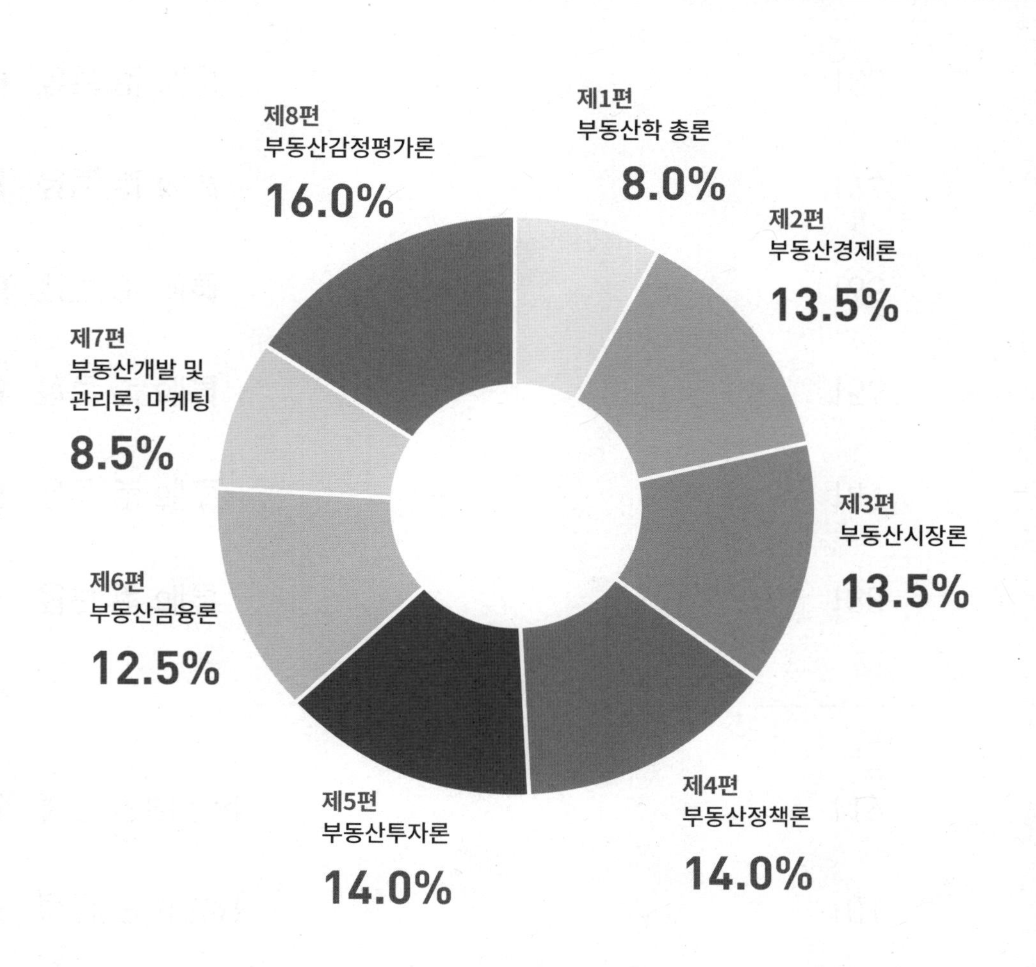

민법 및 민사특별법

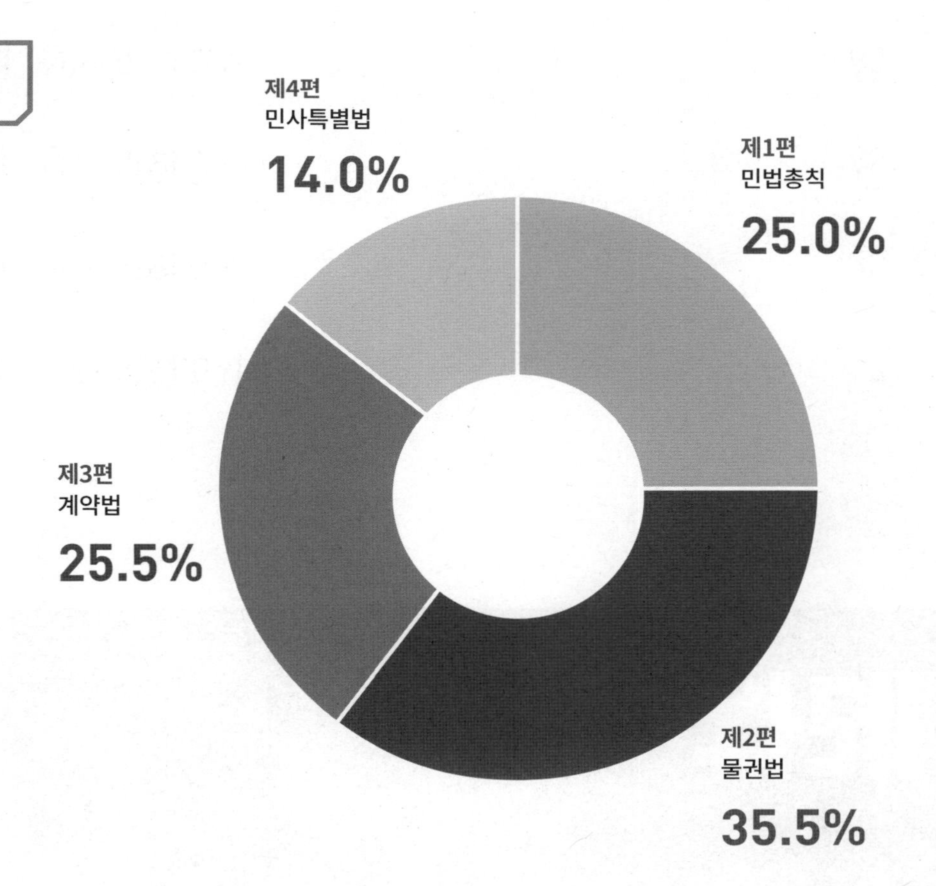

실전 모의고사 1차

차례

문제편

문제편은 각 회차별로 분리하여 사용할 수 있습니다.
시험을 보는 것처럼 풀어보며 실전감각을 키워보세요.

제 1 회 실전 모의고사

100분 / 80문항

부동산학개론

01

부동산의 개념에 관한 설명으로 옳은 것은?

① 무형적 개념의 부동산은 부동산을 위치, 자연, 공간 등으로 이해하는 것이다.
② 제거하여도 건물의 기능 및 효용의 손실이 없는 부착된 물건은 일반적으로 정착물로 취급된다.
③ 토지와 건물이 각각 독립된 거래의 객체이면서도 마치 하나의 결합된 상태로 다루어져 부동산활동의 대상으로 인식될 때 이를 복합개념의 부동산이라 한다.
④ 매년 경작의 노력을 요하지 않는 나무는 토지와 독립된 것으로 취급되지 않는다.
⑤ 준부동산은 등기 · 등록의 공시방법을 갖추어 부동산에 준하여 취급되는 특정의 동산 등을 의미하며, 「민법」상의 부동산에 포함된다.

02

이용상태에 따른 토지용어의 설명으로 <u>틀린</u> 것은?

① 일단지는 용도상 불가분의 관계에 있고, 지가형성요인이 같은 2필지 이상의 일단의 토지를 말한다.
② 건부지의 가격은 건부감가에 의해 나지의 가격보다 낮게 평가되는 것이 일반적이다.
③ 공지는 대지 중 건축 바닥면적을 제외한 빈 공간으로 건폐율이 상향될수록 커진다.
④ 후보지는 임지지역 · 농지지역 · 택지지역 상호간에 다른 지역으로 전환되고 있는 토지를 말한다.
⑤ 포락지는 물에 의한 침식으로 인해 수면 아래로 잠기거나 하천으로 변한 토지를 말한다.

03

부동산의 특성에 관한 설명으로 옳은 것은?

① 토지는 물리적 위치가 고정되어 있어 부동산시장이 국지화된다.
② 토지는 생산요소와 자본의 성격을 가지고 있지만, 소비재의 성격은 가지고 있지 않다.
③ 토지는 부동성으로 인해 주변환경에 의한 상대적 위치는 불변적이다.
④ 토지의 부증성으로 인해 토지공급은 특정 용도의 토지에 대해 완전비탄력적이다.
⑤ 토지는 영속성으로 인해 물리적 측면에서의 감가상각을 적용하게 한다.

04

다음 중 주택에 대한 수요곡선을 좌측으로 이동시키는 경우는 모두 몇 개인가?

○ 건설임금의 상승
○ 주택의 가격 상승
○ 주택의 가격 하락 예상
○ 대체재인 오피스텔의 가격 하락
○ 보완재인 A의 가격 상승
○ 건축원자재 가격 하락
○ 총부채상환비율(DTI) 하락
○ 대출금리의 하락

① 1개　　② 2개
③ 3개　　④ 4개
⑤ 5개

05

최근 부동산시장에서 A부동산의 가격이 5% 상승함에 따라 A부동산의 수요량은 8% 감소한 반면 B부동산의 수요는 4% 증가했고, B부동산의 가격은 3% 상승하였다. ( ) 안에 들어갈 내용으로 옳은 것은? (단, 다른 조건은 불변임)

> ○ A부동산 수요의 가격탄력성: (ㄱ)
> ○ A부동산과 B부동산의 관계: (ㄴ)
> ○ B부동산 수요의 교차탄력성: (ㄷ)

	ㄱ	ㄴ	ㄷ
①	탄력적	보완재	0.6
②	탄력적	대체재	0.8
③	단위탄력적	보완재	1.0
④	비탄력적	보완재	1.2
⑤	비탄력적	대체재	1.5

06

부동산 수요와 공급에 관한 설명으로 틀린 것은? (단, 다른 조건은 동일함)

① 공급의 가격탄력성이 비탄력적이면 가격의 변화율에 비해 공급량의 변화율이 작다.
② 소득에 의해 수요량이 변화되면 수요곡선이 이동한다.
③ 물리적 토지공급량이 불변이라면 토지의 물리적 공급은 토지가격 변화에 대해 완전비탄력적이다.
④ 수요의 가격탄력성이 1보다 작은 경우 임대료를 상승할수록 임대인의 전체 수입은 증가한다.
⑤ 부동산 수요가 감소할 때 부동산 공급곡선이 비탄력적일수록 부동산 가격은 더 작게 하락한다.

07

다음의 ( )에 들어갈 내용으로 옳은 것은? (단, P는 가격, Q_d는 수요량이며, 다른 조건은 동일함)

> 어떤 도시의 이동식 임대주택시장의 수요함수는 $Q_d = 600-2P$, 공급함수는 $P_1 = 100$이다. 공급함수가 $P_2 = 200$으로 변할 경우 균형거래량의 변화량은 (ㄱ)이고, 공급곡선은 가격에 대하여 (ㄴ)이다.

	ㄱ	ㄴ
①	100 증가	완전비탄력적
②	100 증가	완전탄력적
③	100 증가	단위탄력적
④	200 감소	완전비탄력적
⑤	200 감소	완전탄력적

08

부동산경기변동과 관련된 설명으로 틀린 것은?

① 상업용 부동산의 경기는 일반경기와 순행하는 경향이 있다.
② 상향국면에서 매수자는 가격 상승을 기대하여 거래의 성립을 미루려는 경향이 있다.
③ 부동산경기는 각 주기별 순환국면이 불규칙적이고 불명확한 특징이 있다.
④ 총부채상환비율(DTI) 규제 완화 후 주택거래 증가는 경기변동요인 중 불규칙 변동요인에 속한다.
⑤ 회복국면에서 과거사례의 가격은 새로운 거래가격의 하한이 되거나 기준이 될 수 있다.

09

A와 B부동산시장의 함수조건하에서 가격변화에 따른 동태적 장기 조정과정을 설명한 거미집이론(Cob-web theory)에 의한 모형 형태는? (단, P는 가격, Q_D는 수요량, Q_S는 공급량이고, 가격변화에 수요는 즉각적인 반응을 보이지만 공급은 시간적인 차이를 두고 반응하며, 다른 조건은 동일함)

○ A부동산시장: $2P = 500 - Q_D$, $3P = 300 + 4Q_S$
○ B부동산시장: $P = 400 - 2Q_D$, $2P = 100 + 3Q_S$

	A부동산시장	B부동산시장
①	순환형	수렴형
②	발산형	순환형
③	발산형	수렴형
④	수렴형	순환형
⑤	수렴형	발산형

10

효율적 시장에 관한 설명으로 옳은 것은? (단, 다른 조건은 동일함)

① 준강성 효율적 시장은 공표된 것이건 그렇지 않은 것이건 어떠한 정보도 이미 가치에 반영되어 있는 시장이다.
② 부동산시장은 여러 가지 불완전한 요소가 많으므로 할당 효율적 시장이 될 수 없다.
③ 할당 효율적 시장은 정보가치와 정보비용이 일치하여 실질적인 초과이윤이 발생하지 않는 시장을 말한다.
④ 준강성 효율적 시장은 공식적으로 이용가능한 정보를 기초로 기본적 분석을 하여 투자하면 초과이윤을 얻을 수 있다.
⑤ 약성 효율적 시장은 과거 정보가 이미 반영된 시장이므로 기술적 분석을 통해서는 정상이윤을 얻을 수 없다.

11

정부의 부동산시장 개입에 관한 설명 중 틀린 것은?

① 시장실패를 보완하기 위한 정부의 개입은 경제적 기능에 해당한다.
② 공원 등과 같은 공공재의 경우 무임승차의 문제로 인한 과소생산이 발생될 수 있기 때문에 정부는 시장에 개입할 수 있다.
③ 외부경제가 발생하는 경우 정부는 세금 부과나 규제 등을 통해 자원분배의 비효율성을 감소시킬 수 있다.
④ 소득재분배, 주거복지의 증진 등 사회적 목표를 달성하기 위해 정부는 시장에 개입할 수 있다.
⑤ 부동산시장 진입의 제약은 시장실패를 일으키는 원인에 해당한다.

12

부동산정책에 관한 설명으로 틀린 것은?

① 용도지역은 토지의 경제적 · 효율적 이용과 공공복리의 증진을 도모하기 위해 지정된다.
② 공영개발은 개발대상 지역을 전면 매수 또는 수용하여 개발한 후 분양 또는 임대하는 사업으로 개발기간을 단축시킬 수 있다.
③ 수용방식과 환지방식을 혼용한 방식을 혼합방식이라 한다.
④ 국가는 공공기관의 개발사업 등으로 인하여 토지소유자의 노력과 관계없이 정상지가 상승분을 초과하여 개발이익이 발생한 경우, 이를 개발부담금으로 환수할 수 있다.
⑤ 토지은행제도는 정부 등이 사전에 토지를 비축하여 토지시장의 안정과 공공사업 등을 원활하게 추진하기 위한 간접적 시장개입수단이다.

13

주택정책에 관한 설명으로 틀린 것은? (단, 다른 조건은 불변임)

① 정부가 임차인에게 임대료를 직접 보조해 주면 장기적으로 시장임대료는 상승하게 된다.
② 정부가 임대료 상승을 균형임대료 이하로 규제하면 장기적으로 기존 임대주택이 다른 용도로 전환되면서 임대주택의 공급량이 감소하게 된다.
③ 임대료 보조정책 중 현금보조방식은 수요자의 효용측면에서 가격보조방식보다 유리하다.
④ 정부가 규제하는 주택임대료의 상한이 시장의 균형임대료보다 낮아야 시장에 영향을 준다.
⑤ 주택임대료 보조정책을 시행할 경우 장기적으로 임대주택의 공급은 증가할 수 있다.

14

부동산조세에 관한 설명으로 옳은 것은? (단, 우하향하는 수요곡선을 가정함)

① 주택의 취득세율을 낮추면 주택의 수요가 감소한다.
② 부동산 관련 조세가 부과되면 수요가 탄력적일수록 거래를 크게 감소시켜 경제적 순손실을 크게 발생시킨다.
③ 소유자가 거주하는 주택에 재산세를 부과하면, 주택수요가 증가한다.
④ 토지 공급의 가격탄력성이 0인 경우, 부동산조세 부과시 조세의 전가가 크게 발생되어 임차인의 부담이 커진다.
⑤ 증여세와 종합부동산세는 부동산의 보유단계에 부과한다.

15

부동산마케팅 전략에 관한 설명으로 틀린 것은?

① 관계마케팅 전략에서는 소비자와 공급자의 관계를 일시적이 아닌 장기적 관계를 지향한다.
② 고객점유 마케팅 전략은 AIDA원리로 대표되는 소비자중심의 마케팅 전략이다.
③ 4P 믹스의 가격관리에서 신축가격정책은 위치, 방위, 층, 지역 등에 따라 다른 가격으로 판매하는 정책이다.
④ 다른 아파트와 차별화되도록 '혁신적인 내부구조로 설계된 아파트'는 제품(product) 전략의 예이다.
⑤ 판매촉진(promotion) 전략은 다양한 공급경쟁자들 사이에서 자신의 상품을 어디에 위치시킬 것인가를 정하는 전략이다.

16

D도시(인구 60만명) 인근에 A, B, C 세 개의 쇼핑센터가 있다. 허프(D. Huff)의 상권분석모형을 적용할 경우, 각 쇼핑센터의 이용객 수는? (단, 거리마찰계수: 2, D도시인구의 40%가 위 쇼핑센터의 이용객이고, A, B, C 중 한 곳에서만 쇼핑함)

구분	쇼핑센터 A	쇼핑센터 B	쇼핑센터 C
매장면적	$4,000m^2$	$10,000^2$	$20,000^2$
X지역 거주지로부터의 거리	10km	5km	10km

① A: 15,000명, B: 150,000명, C: 75,000명
② A: 15,000명, B: 155,000명, C: 70,000명
③ A: 15,000명, B: 160,000명, C: 65,000명
④ A: 16,000명, B: 150,000명, C: 74,000명
⑤ A: 16,000명, B: 155,000명, C: 69,000명

17

지대이론에 관한 설명으로 옳은 것을 모두 고른 것은?

ㄱ. 마르크스(K. Marx)는 지대 발생의 원인을 비옥한 토지의 희소성과 수확체감현상으로 설명하고, 토지의 질적 차이에서 발생하는 임대료의 차이로 보았다.
ㄴ. 마샬(A. Marshall)은 일시적으로 토지와 유사한 성격을 가지는 생산요소에 귀속되는 소득을 준지대로 설명하고, 단기적으로 공급량이 일정한 생산요소에 지급되는 소득으로 보았다.
ㄷ. 리카도(D. Ricardo)의 절대지대는 토지의 생산성과 무관하게 토지가 개인에 의해 배타적으로 소유되는 것으로부터 발생한다.
ㄹ. 튀넨(J. H. von Thünen)은 도시로부터 거리에 따라 농작물의 재배형태가 달라진다는 점에 착안하여, 수송비의 차이가 지대의 차이를 가져온다고 보았다.

① ㄱ, ㄴ ② ㄴ, ㄹ
③ ㄱ, ㄴ, ㄹ ④ ㄱ, ㄷ, ㄹ
⑤ ㄴ, ㄷ, ㄹ

18

도시공간구조 및 입지이론에 관한 설명으로 옳은 것은?

① 동심원이론에 의하면 점이지대는 고소득층 주거지역보다 도심의 원거리에 위치한다.
② 중심지이론에 의하면 중심지가 성립하기 위해서는 최소요구범위가 재화도달범위보다 커야 한다.
③ 뢰시는 생산측면에서 기업의 최적입지를 설명하였다.
④ 선형이론에 의하면 주택구입능력이 높은 고소득층의 주거지는 주요 간선도로를 축으로 하여 접근성이 양호한 지역에 입지하는 경향이 있다.
⑤ 다핵심이론에서는 다핵의 발생요인으로 유사활동 간 분산지향성, 이질활동 간 입지적 비양립성 등을 들고 있다.

19

부동산관리는 자산관리(asset management), 건물 및 임대차관리(property management) 및 시설관리(facility management)로 나눌 수 있다. 다음의 부동산관리 업무 중 자산관리에 해당하는 것은?

① 설비의 운전 및 보수
② 건물 청소관리
③ 에너지관리
④ 부동산의 매입과 매각관리
⑤ 방범, 방재 등 보안관리

20

주택공급제도에 관한 설명으로 틀린 것은?

① 선분양제도는 초기 주택건설자금의 대부분을 주택구매자로부터 조달하므로 건설자금에 대한 이자의 일부를 주택구매자가 부담하게 된다.
② 선분양제도는 개발업자의 초기 사업비 부담을 줄여 신규주택의 공급을 증가시킬 수 있다.
③ 후분양제도는 주택을 일정 절차에 따라 완공한 후에 분양하는 공급자 중심의 분양제도로 분양가격이 하락할 수 있는 장점이 있다.
④ 선분양제도는 분양권 전매를 통하여 가수요를 창출하여 부동산시장의 불안을 야기할 수 있다.
⑤ 소비자 측면에서 후분양제도는 선분양제도보다 공급자의 부실시공 및 품질 저하에 대처할 수 있다.

21

다음 표에서 A지역 부동산산업의 입지계수와 산업의 연결이 옳은 것은?

지역별 산업생산액(단위: 억원)

산업 \ 지역	A	B	전국
부동산	100	400	500
기타	200	200	400
전체	300	600	900

① 0.6 – 기반산업
② 0.6 – 비기반산업
③ 0.75 – 비기반산업
④ 1.2 – 기반산업
⑤ 1.2 – 비기반산업

22

다음에서 설명하는 사회기반시설에 대한 민간투자방식을 〈보기〉에서 올바르게 고른 것은?

ㄱ. 시설을 준공한 후 시설의 소유권을 정부 또는 지방자치단체에 귀속시키고, 해당 시설을 직접 운영하여 수익을 획득하는 방식이다.
ㄴ. 사업시행자가 사회기반시설을 준공한 후, 일정 기간 동안 타인에게 임대하고, 임대기간 종료 후 시설물을 국가 또는 지방자치단체로 이전하는 방식이다.

〈보기〉

가: BOT(Build-Operate-Transfer)방식
나: BOO(Build-Own-Operate)방식
다: BLT(Build-Lease-Transfer)방식
라: BTL(Build-Transfer-Lease)방식
마: BTO(Build-Transfer-Operate)방식

① ㄱ: 가, ㄴ: 나
② ㄱ: 나, ㄴ: 다
③ ㄱ: 다, ㄴ: 라
④ ㄱ: 라, ㄴ: 마
⑤ ㄱ: 마, ㄴ: 다

23

부동산투자의 위험과 수익에 관한 설명으로 틀린 것은?

① 두 자산의 상관계수가 0인 경우에는 포트폴리오 자산구성을 통한 위험감소효과가 나타나지 않는다.
② 분산투자효과는 포트폴리오를 구성하는 투자자산 종목의 수를 늘릴수록 비체계적 위험이 감소되어 포트폴리오 전체의 위험이 감소되는 것이다.
③ 위험을 혐오하는 투자자일수록 장래 기대되는 수익을 현재가치로 환원할 때 높은 환원율을 적용한다.
④ 투자자의 요구수익률은 예금금리가 상승함에 따라 커진다.
⑤ 개별자산만의 특성으로 나타나는 위험은 분산투자로 회피할 수 있다.

24

투자자 A는 주택구입자금을 마련하기 위하여 3년 동안 매년 연말 1,000만원씩을 불입하는 정기적금에 가입하였다. 이 적금의 이자율이 복리로 연 10%라면, 3년 후 이 적금의 미래가치는?

① 3,300만원 ② 3,310만원
③ 3,430만원 ④ 3,690만원
⑤ 3,950만원

25

부동산투자의 위험 및 위험관리에 관한 설명 중 틀린 것은?

① 유동성 위험이란 투자부동산을 현금으로 전환하는 과정에서 발생하는 시장가치의 손실가능성을 의미한다.
② 보수적 예측방법은 수익은 가능한 한 낮게 그리고 비용은 가능한 한 높게 추정하여 수익과 비용의 불확실성을 투자결정에 반영하는 것이다.
③ 부동산투자시 금융적 위험을 완전히 제거할 수 있다.
④ 시장위험이란 근로자의 파업, 관리자의 관리 미숙, 영업경비의 증가 등으로 야기될 수 있는 수익성의 불확실성을 의미한다.
⑤ 위험을 혐오하는 투자자일수록 무차별곡선의 경사가 급하다.

26

다음 1년간 현금흐름에 관한 비율이 틀린 것은? (단, 대출은 원리금균등분할상환 조건임)

○ 부동산가치: 1,000,000,000원
○ 지분투자액: 500,000,000원
○ 가능총소득: 100,000,000원
○ 유효총소득: 95,000,000원
○ 순영업소득: 57,000,000원
○ 세전현금흐름: 17,000,000원

① 저당비율(LTV) = 50%
② 부채비율 = 100%
③ 저당상수 = 0.07
④ 부채감당률 = 1.425
⑤ 영업경비비율(유효총소득 기준) = 40%

27

부동산 투자의사결정에 관한 설명으로 옳은 것은?

① 연평균순현가법이나 회계적 이익률법은 화폐의 시간가치를 고려하지 않는 투자결정기법이다.
② 내부수익률(IRR)은 투자로부터 발생하는 현재와 미래 현금흐름의 순현재가치를 1로 만드는 할인율을 말한다.
③ 순현재가치(NPV)는 투자자의 요구수익률로 할인한 현금유입의 현가에서 현금유출의 현가를 뺀 값이다.
④ 어림셈법 중 순소득승수법의 경우 승수값이 작을수록 자본회수기간이 길다.
⑤ 일반적으로 내부수익률법이 순현재가치법보다 투자의 준거로 선호된다.

28

부동산투자의 현금흐름 추정에 관한 설명으로 틀린 것은?

① 순영업소득은 금융조건이 반영되지 않은 소득이다.
② 영업경비는 부동산운영과 직접 관련 있는 경비로 화재보험료, 재산세, 수선비 등이 해당한다.
③ 세전현금흐름은 순영업소득에서 원리금상환액을 차감한 소득이다.
④ 세전지분복귀액은 자산의 순매각금액에서 미상환저당잔액을 차감하여 지분투자자의 몫으로 되돌아오는 금액을 말한다.
⑤ 세후지분복귀액은 세전지분복귀액에서 자본이득세인 영업소득세를 차감한 금액을 말한다.

29

주택금융에 관한 설명으로 틀린 것은?

① 이체증권(MPTS)의 투자자는 대출금의 조기상환에 따른 위험과 채무불이행위험을 모두 부담한다.
② 다른 조건이 동일할 때 변동금리 주택담보대출의 조정주기가 길수록 금융기관은 금리변동위험을 차입자에게 더 전가하게 된다.
③ 변동금리는 기준금리에 가산금리를 더하여 결정된다.
④ 주택저당채권담보부채권(MBB)은 발행기관이 투자 안정성을 높이기 위해 초과담보를 확보하므로 채권담보액이 MBB 발행액보다 많다.
⑤ 다계층저당증권(CMO)에서 선순위 증권의 신용등급은 후순위 증권의 신용등급보다 높다.

30

저당상환방법에 관한 설명 중 옳은 것은? (단, 대출금액과 기타 대출조건은 동일함)

① 원리금균등상환방식은 만기일시상환방식에 비해 대출채권의 가중평균상환기간(duration)이 길다.
② 원금균등상환방식의 경우, 매 기간에 상환하는 원리금상환액과 잔금이 점차적으로 증가한다.
③ 대출 초기에 저당비율(LTV)은 원금균등상환방식이 원리금균등상환방식보다 크다.
④ 대출기간 만기까지 대출기관의 총 이자수입 크기는 원리금균등상환방식이 원금균등상환방식에 비해 크다.
⑤ 원리금균등상환방식의 경우, 매 기간에 상환하는 원금상환액이 감소하는 만큼 이자상환액이 증가한다.

31

시장가격이 4억원이고 순영업소득이 연 6천만원인 상가를 보유하고 있는 A가 추가적으로 받을 수 있는 최대 대출가능금액은? (단, 주어진 조건에 한함)

> ○ 연간 저당상수: 0.15
> ○ 대출승인조건(모두 충족하여야 함)
> – 담보인정비율(LTV): 시장가격기준 60% 이하
> – 부채감당률(DCR): 2 이상
> ○ 상가의 기존 저당대출금: 1억원

① 8천만원
② 1억원
③ 1억 5천만원
④ 2억원
⑤ 2억 5천만원

32

다음에서 부동산금융의 자금조달방법 중 하나인 지분금융(equity financing)에 해당하는 것은 모두 몇 개인가?

> ○ 공모(public offering)에 의한 증자
> ○ 전환사채(CB)
> ○ 부동산투자신탁(REITs)
> ○ 조인트벤처(joint venture)
> ○ 자산유동화증권(ABS)
> ○ 부동산간접투자펀드
> ○ 주택저당대부

① 2개
② 3개
③ 4개
④ 5개
⑤ 6개

33

사업주(sponsor)가 특수목적 회사인 프로젝트 회사를 설립하여 프로젝트 금융을 활용하는 경우에 관한 설명으로 옳은 것은? (단, 프로젝트 회사를 위한 별도의 보증이나 담보 제공은 없음)

① 프로젝트 금융의 상환재원은 사업주의 모든 자산을 기반으로 한다.
② 프로젝트 사업의 자금은 차주가 자체계좌를 통해 관리한다.
③ 프로젝트 회사와 금융기관 사이에 정보의 비대칭성이 해소될 수 있다.
④ 프로젝트 회사는 일정한 요건을 갖추어도 법인세 감면 혜택을 받을 수 없다.
⑤ 해당 프로젝트가 부실화되더라도 대출기관의 채권회수에는 영향이 없다.

34

우리나라의 부동산투자회사(REITs)에 관한 설명으로 옳은 것은?

① 자기관리 부동산투자회사의 설립자본금은 7억원 이상으로 한다.
② 위탁관리 부동산투자회사는 영업인가를 받거나 등록을 한 날부터 6개월 이내에 30억원을 모집하여야 한다.
③ 자기관리 부동산투자회사와 기업구조조정 부동산투자회사는 모두 실체형 회사의 형태로 운영된다.
④ 기업구조조정 부동산투자회사는 본점 외의 지점을 설치할 수 있으며, 직원을 고용하거나 상근 임원을 둘 수 있다.
⑤ 위탁관리 부동산투자회사는 영업인가를 받거나 등록을 한 날부터 2년 이내에 발행하는 주식 총수의 100분의 30 이상을 일반의 청약에 제공하여야 한다.

35

「감정평가에 관한 규칙」에 대한 설명으로 옳은 것은?

① 「집합건물의 소유 및 관리에 관한 법률」에 따른 구분소유권의 대상이 되는 건물부분과 그 대지사용권을 일괄하여 감정평가하는 경우 수익환원법을 주된 평가방법으로 적용한다.
② 수익분석법에서는 대상물건이 장래 산출할 것으로 기대되는 순수익이나 미래의 현금흐름을 환원하거나 할인하여 가액을 산정한다.
③ 기준시점이란 대상물건의 감정평가액을 결정하기 위해 현장조사를 완료한 날짜를 말한다.
④ 원가법이란 대상물건의 재조달원가에 감가수정을 하여 대상물건의 가액을 산정하는 감정평가방법을 말한다.
⑤ 유사지역이란 대상부동산이 속한 지역으로서 부동산의 이용이 동질적이고 가치형성요인 중 지역요인을 공유하는 지역을 말한다.

36

「감정평가에 관한 규칙」상 시장가치기준에 관한 설명으로 틀린 것은?

① 시장가치란 감정평가의 대상물건이 통상적인 시장에서 충분한 기간 동안 거래를 위하여 공개된 후 그 대상물건의 내용에 정통한 당사자 사이에 신중하고 자발적인 거래가 있을 경우 성립될 가능성이 가장 높다고 인정되는 대상물건의 가액을 말한다.
② 감정평가법인 등은 법령에 다른 규정이 있는 경우에는 대상물건의 감정평가액을 시장가치 외의 가치를 기준으로 결정할 수 있다.
③ 감정평가법인 등은 대상물건의 특성에 비추어 사회통념상 필요하다고 인정되는 경우에는 대상물건의 감정평가액을 시장가치 외의 가치를 기준으로 결정할 수 있다.
④ 감정평가법인 등은 감정평가 의뢰인이 요청하여 시장가치 외의 가치를 기준으로 감정평가할 때에는 해당 시장가치 외의 가치의 성격과 특징을 검토하지 않는다.
⑤ 감정평가법인 등은 시장가치 외의 가치를 기준으로 하는 감정평가의 합리성 및 적법성이 결여(缺如)되었다고 판단할 때에는 의뢰를 거부하거나 수임(受任)을 철회할 수 있다.

37

감정평가의 대상이 되는 부동산(이하 '대상부동산')과 거래사례 부동산의 개별요인 항목별 비교내용이 다음과 같은 경우 상승식으로 산정한 개별요인 비교치는? (단, 주어진 조건에 한하며, 결괏값은 소수점 넷째 자리에서 반올림함)

> ○ 가로의 폭 · 구조 등의 상태에서 대상부동산이 사례부동산에 비해 10% 우세함
> ○ 고객의 유동성과의 적합성에서 대상부동산보다 사례부동산이 6% 열세함
> ○ 형상 및 고저는 동일함
> ○ 행정상의 규제 정도에서 대상부동산은 사례부동산보다 7% 우세함

① 1.252 ② 1.929
③ 1.935 ④ 1.989
⑤ 2.187

38

현재 대상부동산의 가치는 5억원이다. 향후 1년 동안 예상되는 현금흐름이 다음 자료와 같을 경우, 대상부동산의 자본환원율(종합환원율)은? (단, 가능총소득에는 기타소득이 포함되어 있지 않고, 주어진 조건에 한함)

> ○ 가능총소득: 3,000만원
> ○ 기타소득: 100만원
> ○ 공손실상당액: 300만원
> ○ 부채서비스액: 500만원
> ○ 영업경비: 450만원

① 3.0% ② 3.5%
③ 4.7% ④ 5.0%
⑤ 5.6%

39

자본환원율에 관한 설명으로 옳은 것을 모두 고른 것은? (단, 다른 조건은 동일함)

> ㄱ. 자본의 기회비용을 반영하므로, 자본시장에서 시장금리가 상승하면 함께 상승한다.
> ㄴ. 부동산자산이 창출하는 순영업소득에 해당 자산의 가격을 곱한 값이다.
> ㄷ. 부동산투자의 위험이 높아지면 자본환원율은 하락한다.
> ㄹ. 자본환원율이 하락하면 자산가격이 상승한다.

① ㄱ, ㄴ ② ㄱ, ㄹ
③ ㄴ, ㄷ ④ ㄴ, ㄹ
⑤ ㄷ, ㄹ

40

부동산 가격공시에 관한 법령에 규정된 내용으로 옳은 것은?

① 표준지공시지가의 공시에는 표준지의 지번, 표준지의 단위면적당 가격, 표준지의 면적 및 형상, 표준지 및 주변토지의 이용상황, 그 밖에 대통령령으로 정하는 사항이 포함되어야 한다.
② 국토교통부장관이 표준주택가격을 조사 · 평가할 때에는 둘 이상의 감정평가법인 등에게 의뢰하여야 한다.
③ 개별공시지가는 국유지의 사용료, 부담금을 결정하고, 토지가격비준표를 작성하기 위한 기준이 된다.
④ 시장 · 군수 또는 구청장은 공시기준일 이후에 분할 · 합병 등이 발생한 토지에 대하여는 6월 1일을 기준으로 하여 개별공시지가를 결정 · 공시하여야 한다.
⑤ 표준공동주택가격은 개별공동주택가격을 산정하는 경우에 그 기준이 된다.

민법 및 민사특별법

41

다음 중 의무부담행위가 아닌 것은?

① 교환
② 임대차
③ 재매매예약
④ 주택분양계약
⑤ 채권양도

42

반사회적 법률행위에 관한 설명으로 틀린 것은? (다툼이 있으면 판례에 따름)

① 반사회적 법률행위의 무효는 선의의 제3자에게도 대항할 수 있다.
② 첩계약의 대가로 부동산소유권을 이전하여 주었다면 부당이득을 이유로 그 반환을 청구할 수 없다.
③ 반사회적 법률행위는 당사자가 무효인 줄 알고 추인하면 새로운 법률행위로서 유효하게 된다.
④ 양도소득세를 회피하기 위한 방법으로 부동산을 명의신탁한 경우, 그 명의신탁이 반사회질서행위에 해당되지는 않는다.
⑤ 형사사건에 관하여 체결된 성공보수약정은 선량한 풍속 기타 사회질서에 위반된다.

43

甲이 자신의 부동산을 乙에게 매도하였는데, 그 사실을 잘 아는 丙이 甲의 배임행위에 적극 가담하여 그 부동산을 매수하여 소유권이전등기를 받은 경우에 관한 설명으로 틀린 것은? (다툼이 있으면 판례에 따름)

① 甲 · 丙 사이의 매매계약은 무효이다.
② 乙은 丙에게 소유권이전등기를 청구할 수 없다.
③ 乙은 甲을 대위하여 丙에게 소유권이전등기의 말소를 청구할 수 있다.
④ 丙으로부터 그 부동산을 전득한 丁이 선의이면 소유권을 취득한다.
⑤ 乙은 甲 · 丙 사이의 매매계약에 대하여 채권자취소권을 행사할 수 없다.

44

甲이 乙에게 부동산을 증여하면서 증여세를 면하기 위해 매매한 것으로 짜고 乙에게 소유권이전등기를 경료해 주었다. 다음 설명 중 틀린 것은? (다툼이 있으면 판례에 따름)

① 甲과 乙 간의 증여계약은 은닉행위로서 요건을 갖춘 경우 유효가 된다.
② 甲과 乙 사이의 매매계약은 허위표시로서 무효이다.
③ 丙이 허위표시임을 알면서도 乙로부터 매수하여 소유권이전등기를 마친 경우에는 유효하게 소유권을 취득할 수 없다.
④ 丙으로부터 등기를 넘겨받은 丁은 악의인 경우에도, 甲은 丁에게 진정명의회복에 의한 이전등기청구할 수 없다.
⑤ 甲과 乙 사이의 소유권이전등기가 사해행위에 해당하는 경우라면 채권자는 사해행위를 이유로 채권자취소소송을 제기할 수 있다.

45

착오와 사기에 의한 의사표시에 관한 설명으로 틀린 것은? (다툼이 있으면 판례에 따름)

① 착오를 이유로 취소하기 위해서 착오자는 내용의 중요부분의 착오가 있다는 점을 입증하면 되고, 중과실이 없다는 사실을 스스로 입증할 필요는 없다.
② 채권자와 제3자 간의 근저당권설정계약에 있어서 채무자의 동일성에 관한 착오는 중요부분에 관한 착오에 해당한다.
③ 표의자가 착오를 이유로 의사표시를 취소하여 상대방이 손해를 입은 경우, 상대방은 불법행위를 이유로 손해배상을 청구할 수 없다.
④ 기망행위로 인하여 동기의 착오가 있을 뿐 중요부분의 착오가 아니라도 표의자는 사기에 의한 의사표시로서 취소할 수 있다.
⑤ 채무자가 물상보증인을 기망하여 저당권설정계약을 체결한 경우, 물상보증인은 채권자가 선의 · 무과실이라 하더라도 그 저당권설정계약을 취소할 수 있다.

46

甲의 대리인 乙이 매수인 丙과 부동산 매매계약을 체결하였다. 다음 설명 중 옳은 것은? (다툼이 있으면 판례에 따름)

① 乙이 대리인임을 표시하지 않고 계약을 체결한 경우, 丙이 대리행위임을 알 수 있었다 하더라도 丙은 甲에게 이행을 청구할 수 없다.
② 乙이 매매대금을 횡령할 생각으로 매매계약을 체결한 경우, 원칙적으로 丙은 甲에게 이행을 청구할 수 없다.
③ 乙이 丙에게 사기를 행한 경우, 甲이 그 사실을 전혀 몰랐다 하더라도 丙은 甲에게 매매계약을 취소할 수 있다.
④ 乙이 제한능력자인 경우, 甲은 乙의 제한능력을 이유로 대리행위를 취소할 수 있다.
⑤ 매매계약이 불공정한 법률행위인가를 판단함에는 궁박은 乙을 표준으로 판단하여야 한다.

47

대리권 없는 乙이 甲을 대리하여 丙에게 甲소유의 토지를 매도하였다. 다음 설명 중 옳은 것은? (다툼이 있으면 판례에 따름)

① 丙이 甲에게 상당한 기간을 정하여 매매계약의 추인 여부의 확답을 최고하였으나 甲의 확답이 없었던 경우, 甲이 이를 추인한 것으로 본다.
② 甲이 丙에게 추인한 후에는 丙은 매매계약을 철회할 수 없다.
③ 甲이 매매계약의 내용을 변경하여 추인한 경우, 丙의 동의가 없더라도 추인의 효력이 있다.
④ 乙이 대리권을 증명하지 못한 경우, 자신의 선택에 따라 丙에게 계약을 이행하거나 손해를 배상할 책임을 진다.
⑤ 乙이 甲을 단독상속한 경우, 乙은 본인 甲의 지위에서 추인을 거절할 수 있다.

48

甲소유의 토지에 대하여 乙의 사기에 의해 甲과 乙이 매매계약을 체결하였다. 다음 설명 중 <u>틀린</u> 것은? (다툼이 있으면 판례에 따름)

① 사기사실을 안 甲이 乙에게 매매대금지급을 청구한 경우, 甲은 매매계약을 취소할 수 없다.
② 乙이 사기사실을 안 甲에게 소유권이전등기를 청구한 경우, 甲은 매매계약을 취소할 수 없다.
③ 사기사실을 안 甲이 乙로부터 매매대금을 받은 경우, 甲은 매매계약을 취소할 수 없다.
④ ③의 경우, 甲이 이의를 보류한 때에는 甲은 매매계약을 취소할 수 있다.
⑤ 甲이 사기사실을 안 날로부터 3년이 경과된 후에는 매매계약 후 10년 내라 하더라도 甲은 매매계약을 취소할 수 없다.

49

「부동산 거래신고 등에 관한 법률」과 관련한 토지거래계약에 관한 설명으로 <u>틀린</u> 것은? (다툼이 있으면 판례에 따름)

① 허가를 받기 전에는 토지매매계약은 무효이므로 매수인은 매도인에게 지급한 계약금에 대한 부당이득반환을 청구할 수 있다.
② 토지거래계약이 유동적 무효인 상태에서 그 토지에 대한 토지거래허가구역 지정이 해제된 경우, 토지거래계약은 확정적 유효가 된다.
③ 토지거래허가구역 내의 토지 매매계약체결시에 한 허가신청협력의무 불이행에 대한 손해배상액 약정의 효력은 유효하다.
④ 토지거래규제구역 내의 토지와 지상건물을 일괄하여 매매한 경우, 토지에 대한 매매거래허가 전에 토지에 대한 이전등기청구뿐만 아니라 건물에 대한 이전등기청구도 할 수 없다.
⑤ 거래계약이 확정적으로 무효가 됨에 있어서 귀책사유가 있는 자라고 하더라도 그 계약의 무효를 주장할 수 있다.

50

조건 및 기한에 관한 설명으로 <u>틀린</u> 것은? (다툼이 있으면 판례에 따름)

① 조건부 권리는 아직 효력이 확정되지 않았으므로, 조건의 성취가 미정인 동안에는 처분할 수 없다.
② 매매계약에서 매도인에게 부과될 공과금을 매수인이 책임진다는 취지의 특약은 불법조건에 해당하지 않는다.
③ 조건이 법률행위 당시 이미 성취한 것인 경우에는 그 조건이 해제조건이면 무효이고, 정지조건이면 조건 없는 법률행위가 된다.
④ 기한도래의 효과는 당사자 사이의 의사에 의해서도 소급시킬 수 없다.
⑤ 불확정한 사실이 발생한 때를 이행기한으로 정한 경우, 그 사실의 발생이 불가능하게 된 때에도 이행기한은 도래한 것으로 보아야 한다.

51

乙은 甲소유의 X토지를 권원 없이 불법점유하고 있다. 다음 설명 중 <u>틀린</u> 것은? (다툼이 있으면 판례에 따름)

① 甲이 X토지의 소유권을 상실하면 더 이상 乙에게 토지의 반환을 청구하지 못한다.
② 甲은 乙의 지시를 받아 X토지를 사실상 지배하고 있는 자에게도 X토지의 반환을 청구할 수 있다.
③ 乙이 X토지 위에 건물을 신축하여 거주하고 있는 경우 甲은 乙에게 건물에서의 퇴거를 청구할 수 없다.
④ 甲이 X토지의 반환을 청구할 수 있는 권리는 X토지의 소유권과 분리하여 타인에게 양도하지 못한다.
⑤ 甲은 乙이 X토지 위에 신축한 미등기건물을 매수하여 점유하고 있는 자에 대하여 그 건물의 철거를 청구할 수 있다.

52

부동산 물권변동에 관한 설명으로 <u>틀린</u> 것은?

① 부동산의 매매를 원인으로 하는 소유권이전등기청구소송에서 매수인의 승소판결이 확정되면 매수인은 등기 없이도 부동산의 소유권을 취득한다.
② 경매에 의한 물권변동은 매수인이 매각대금을 다 낸 때에 일어난다.
③ 복구가 심히 곤란할 정도로 포락되어 토지로서의 효용을 상실한 토지가 다시 성토된 경우 종전의 소유자가 그 소유권을 회복하는 것은 아니다.
④ 공유물분할청구소송에서 현물분할의 협의가 성립하여 조정이 된 때 공유자들의 소유권 취득은 등기하여야 된다.
⑤ 저당권의 피담보채무를 변제하면 그 저당권은 말소등기 없이도 소멸한다.

53

甲은 그 소유의 부동산을 乙에게 매도하고 점유를 이전하였으나 아직 소유권이전등기를 경료하지는 않았다. 다음 설명 중 <u>틀린</u> 것은? (다툼이 있으면 판례에 따름)

① 乙의 甲에 대한 등기청구권은 乙이 점유를 계속하고 있는 동안에는 시효로 소멸하지 않는다.
② 乙이 丙에게 부동산을 전매하고 점유를 승계하여 주었다면 乙의 甲에 대한 등기청구권은 乙이 점유를 상실한 때로부터 소멸시효가 진행된다.
③ 甲은 乙로부터 부동산을 매수하여 점유하고 있는 丙에게 소유권에 기한 반환청구권을 행사할 수 없다.
④ 乙이 丙에게 부동산을 전매하였고, 甲 · 乙 · 丙 전원의 합의가 있는 경우에는 丙이 甲에게 직접 소유권이전등기를 청구할 수 있다.
⑤ 甲은 매매대금이 완제될 때까지 소유권이전등기의 이행을 거절할 수 있다.

54

간접점유에 관한 설명으로 <u>틀린</u> 것은? (다툼이 있으면 판례에 따름)

① 간접점유자도 점유물반환청구권을 행사할 수 있다.
② 간접점유자도 물권적 청구권의 상대방이 될 수 있다.
③ 간접점유자는 원칙적으로 자력구제권을 행사할 수 없다.
④ 간접점유를 통해서는 부동산에 대한 시효취득이 불가능하다.
⑤ 간접점유자도 유치권을 행사할 수 있다.

55

점유자와 회복자의 관계에 관한 설명으로 틀린 것은?

① 선의의 점유자라도 직접 물건을 사용함으로써 얻은 이득은 회복자에게 반환하여야 한다.
② 악의의 점유자는 수취한 과실의 반환뿐만 아니라 자신의 책임 있는 사유로 수취하지 못한 과실의 대가도 보상하여야 한다.
③ 선의의 타주점유자가 자신의 책임 있는 사유로 점유물을 멸실·훼손하였다면 그로 인한 손해의 전부를 배상하여야 한다.
④ 점유자가 과실을 취득한 경우, 통상의 필요비는 상환을 청구할 수 없다.
⑤ 악의의 점유자도 점유물에 지출한 필요비의 상환을 청구할 수 있다.

56

주위토지통행권에 관한 설명으로 틀린 것은? (다툼이 있으면 판례에 따름)

① 명의신탁자는 주위토지통행권자가 될 수 없다.
② 공로에 접하는 기존의 통로가 있는 경우에도 그 통로가 충분한 기능을 하지 못하고 있다면 주위토지통행권이 인정될 수 있다.
③ 주위토지통행권은 「건축법」상의 도로의 폭에 관한 규정보다 더 넓게 인정될 수도 있다.
④ 토지의 분할로 인하여 무상의 주위토지통행권이 성립한 이상 제3자의 토지를 통행할 수 있는 주위토지통행권은 인정되지 않는다.
⑤ 일단 성립한 주위토지통행권은 토지의 이용상황이 변경되더라도 변경되거나 소멸되지 않는다.

57

부동산의 점유취득시효에 관하여 틀린 것은? (다툼이 있으면 판례에 따름)

① 취득시효로 인한 소유권 취득의 효과는 점유를 개시한 때에 소급한다.
② 시효취득을 주장하는 점유자는 자주점유를 증명할 책임이 없다.
③ 시효취득자가 제3자에게 목적물을 처분하여 점유를 상실하면 그의 소유권이전등기청구권은 즉시 소멸한다.
④ 취득시효완성 후 이전등기 전에 제3자 앞으로 소유권이전등기가 경료되면 시효취득자는 등기명의자에게 시효취득을 주장할 수 없음이 원칙이다.
⑤ 부동산 명의수탁자는 신탁부동산을 점유시효취득할 수 없다.

58

취득시효의 대상이 될 수 있는 것은? (다툼이 있으면 판례에 따름)

① 집합건물의 공용부분
② 점유권
③ 공유지분
④ 행정재산
⑤ 유치권

59

甲과 乙은 X토지를 각각 2/3, 1/3 지분비율로 공유하고 있다. 다음 설명 중 틀린 것은? (다툼이 있으면 판례에 따름)

① 乙은 甲의 동의를 받지 않고 단독으로 자기지분에 대해서 저당권을 설정할 수 있다.
② 甲이 乙의 동의를 받지 않고 단독으로 丙에게 임대차한 경우, 乙은 丙에게 방해제거를 청구하지 못한다.
③ 甲이 乙의 동의를 받지 않고 단독으로 X토지에 건물을 신축한 경우, 乙은 甲에게 건물철거를 청구하지 못한다.
④ 甲이 乙의 동의를 받지 않고 단독으로 X토지 전부를 배타적으로 점유하는 경우, 乙은 甲에게 방해제거를 청구하지 못한다.
⑤ 乙이 甲의 동의를 받지 않고 X토지를 丙에게 매매하고 등기해 준 경우, 甲은 丙에게 등기 전부의 말소를 청구하지 못한다.

60

지상권에 관한 설명으로 <u>틀린</u> 것은? (다툼이 있으면 판례에 따름)

① 지료의 지급은 지상권 성립의 요건이 아니다.
② 상린관계에 관한 규정은 지상권자와 인지소유자 사이에도 준용된다.
③ 기존 건물을 사용하기 위해 지상권을 설정받은 경우 지상권의 최단 존속기간에 관한 「민법」규정이 적용된다.
④ 건물 이외의 공작물의 소유를 목적으로 하는 때에도 30년의 존속기간을 설정할 수 있다.
⑤ 지상권이 존속기간의 만료로 소멸하더라도 지상물이 현존하는 때에는 지상권자는 계약갱신을 청구할 수 있다.

61

지역권에 관한 설명으로 옳은 것은?

① 토지의 일부를 위한 지역권은 인정되지 않는다.
② 지역권의 이전을 위해서 지역권의 이전등기가 필요하다.
③ 지역권은 물권이므로 요역지와 분리하여 양도할 수 있다.
④ 요역지의 공유자 1인은 자신의 지분에 관하여 지역권을 소멸시킬 수 있다.
⑤ 요역지의 전세권자는 특별한 사정이 없으면 지역권을 행사할 수 없다.

62

전세권에 관한 설명으로 옳은 것은? (다툼이 있으면 판례에 따름)

① 건물의 일부에 대하여 전세권이 설정되어 있는 경우 전세권자는 그 부분에 한하여 우선변제권이 있다.
② 전세권자는 목적부동산의 사용 · 수익의 방법에 어떠한 제한도 받지 않는다.
③ 전세권이 존속하는 동안 전세권을 존속시키기로 하면서 전세금반환채권만을 전세권과 분리해서 양도할 수 있다.
④ 장차 전세목적물에 대한 전세권자의 사용 · 수익을 완전히 배제하는 것이 아니라면, 채권을 담보하기 위하여 설정된 전세권도 유효하다.
⑤ 전세권자는 전세권설정자에게 그 목적물의 인도와 전세권설정등기의 말소등기에 필요한 서류를 제공하지 않더라도 전세금반환채권을 원인으로 한 경매를 청구할 수 있다.

63

유치권에 관한 설명으로 <u>틀린</u> 것은? (다툼이 있으면 판례에 따름)

① 점유를 침탈당한 유치권자가 점유회수의 소를 제기하여 승소판결을 받았더라도 점유를 회복하지 않으면 유치권이 부활하지 않는다.
② 계약명의신탁의 신탁자는 매매대금 상당의 부당이득반환청구권을 피담보채권으로 하여, 자신이 점유하는 신탁부동산에 대해 유치권을 행사할 수 없다.
③ 다세대주택의 창호 등의 공사를 완성한 수급인이 공사대금채권의 변제를 받기 위하여 다세대주택 중 한 세대를 점유한 경우, 그 한 세대의 공사비채권에 대하여 유치권이 성립한다.
④ 유치권을 행사하는 甲이 스스로 유치물인 주택에 거주하더라도 이는 유치물의 보존에 필요한 사용에 해당하지만, 甲은 차임 상당의 이득을 유치물의 소유자에게 반환할 의무가 있다.
⑤ 채권자가 채무자를 직접점유자로 하여 간접점유하는 경우에는 유치권은 성립할 수 없다.

64

근저당권에 관한 설명으로 옳은 것은? (다툼이 있으면 판례에 따름)

① 근저당권의 실행비용도 채권최고액에 포함된다.
② 근저당권의 피담보채권이 확정되기 전에 발생한 원본채권에 관하여 확정 후에 발생하는 이자나 지연손해금채권은 채권최고액의 범위 내에서 근저당권에 의하여 담보된다.
③ 후순위 근저당권자가 경매를 신청한 경우, 선순위 근저당권자의 피담보채권도 후순위 근저당권자의 경매신청시 함께 확정된다.
④ 피담보채무가 확정되기 전에 채무자가 변경되면 변경 후는 물론 변경 전의 채무자에 대한 채권도 근저당권으로 담보된다.
⑤ 근저당권자가 피담보채무의 불이행을 이유로 경매신청을 하여 경매개시결정이 있은 후에 경매신청이 취하된 경우에는 채무확정의 효과가 번복된다.

65

계약에 관한 설명으로 틀린 것은?

① 현상광고는 편무계약이며 유상계약이다.
② 당사자의 의사가 일치되지 않음으로 인하여 계약이 성립되지 않았다면 착오를 이유로 취소할 수 있는 여지가 없다.
③ 격지자 간의 계약에서 승낙의 의사표시는 그 통지가 상대방에게 도달한 때에 계약 성립의 효력이 발생한다.
④ 승낙기간이 지난 후에 승낙이 도착한 경우에도 청약자가 이를 새로운 청약으로 보아 승낙하면 계약이 성립될 수 있다.
⑤ 우리 「민법」은 계약체결상의 과실과 관련하여 원시적 전부불능의 경우에 대한 책임만을 규정하고 있다.

66

동시이행의 관계에 관한 설명으로 옳은 것을 모두 고른 것은? (다툼이 있으면 판례에 따름)

ㄱ. 채무의 변제와 영수증의 교부는 동시이행의 관계에 있다.
ㄴ. 쌍무계약상의 부수적 채무는 원칙적으로 상대방의 주된 채무와 동시이행관계가 인정되지 않는다.
ㄷ. 채무자의 변제와 저당권자의 저당권설정등기 말소의무는 동시이행의 관계에 있다.
ㄹ. 동시이행관계에 있더라도 이를 원용하지 않으면 이행기에 채무를 이행하지 않고 있는 쌍방 당사자는 이행지체로 인한 책임을 면하지 못한다.
ㅁ. 매매계약이 무효 또는 취소로 인하여 효력을 잃은 경우 쌍방 당사자의 부당이득반환의무도 동시이행의 관계에 있다.

① ㄱ, ㄴ, ㄷ ② ㄱ, ㄴ, ㅁ
③ ㄴ, ㄷ, ㄹ ④ ㄴ, ㄹ, ㅁ
⑤ ㄷ, ㄹ, ㅁ

67

甲이 乙에게 X건물을 매도하는 계약을 체결하였다. 다음 설명 중 틀린 것은?

① 甲의 과실로 화재가 발생하여 X건물이 소실되면, 乙은 계약을 해제하고 손해의 배상을 청구할 수 있다.
② 乙의 과실로 화재가 발생하여 X건물이 소실되면, 甲은 乙에게 매매대금을 청구할 수 있다.
③ 원인모를 화재로 인하여 X건물이 소실되면, 甲은 乙에게 매매대금의 지급을 청구할 수 없다.
④ 甲이 이행기에 계약을 이행하지 않으면 乙은 계약을 해제하지 않더라도 甲에게 손해배상을 청구할 수 있다.
⑤ 乙이 매매대금의 지급을 지체하면 甲은 그 이행을 최고하지 않아도 매매계약을 해제할 수 있다.

68

제3자를 위한 계약에 관한 설명으로 틀린 것은? (다툼이 있으면 판례에 따름)

① 제3자는 계약체결 당시에 현존하거나 특정되어 있어야 하는 것은 아니다.
② 제3자가 하는 수익의 의사표시는 요약자를 상대로 하여야 한다.
③ 요약자와 낙약자의 법률관계가 무효로 되면 낙약자는 수익자에 대한 채무의 이행을 거절할 수 있다.
④ 수익자는 낙약자의 채무불이행을 이유로 계약을 해제하지 못한다.
⑤ 제3자를 위한 계약이 허위표시에 해당하는 경우, 수익자는 선의의 제3자로 보호받지 못한다.

69

계약의 법정해제에 관한 설명으로 틀린 것은? (다툼이 있으면 판례에 따름)

① 당사자 사이에 약정이 없는 이상 합의해제로 인하여 반환할 금전에 그 받은 날로부터의 이자를 가산하여 반환하여야 한다.
② 계약해제의 의사표시는 철회하지 못한다.
③ 당사자의 일방 또는 쌍방이 수인인 경우에는 계약의 해지나 해제는 그 전원으로부터 전원에 대하여 하여야 한다.
④ 매매계약 해제 후 등기 말소 전에 해제 사실을 알고 목적물을 양수하여 소유권이전등기를 경료한 양수인은 제3자로 보호받을 수 없다.
⑤ 계약이 해제되었음에도 불구하고, 상대방이 계약이 존속함을 전제로 계약상 의무의 이행을 구하는 경우, 계약을 위반한 당사자도 당해 계약이 상대방의 해제로 소멸되었음을 들어 그 이행을 거절할 수 있다.

70

매매계약에 관한 설명으로 틀린 것은? (다툼이 있으면 판례에 따름)

① 매매의 일방예약에 있어서 예약완결권자가 매매를 완결할 의사를 표시하면 상대방의 동의가 없어도 매매의 효력이 생긴다.
② 당사자가 예약완결권의 행사기간을 정하지 않은 경우, 그 예약이 성립한 날로부터 10년 동안 예약완결권을 행사할 수 있다.
③ 대금을 완납한 매수인도 물건을 인도 받기 전에는 그 물건에서 발생된 과실을 취득할 수 없다.
④ 매매계약과 동시에 체결하는 환매특약은 부동산의 경우 5년을 넘지 못한다.
⑤ 매매목적물의 인도와 동시에 대금을 지급할 경우에는 목적물의 인도장소가 대금지급 장소가 되는 것이 원칙이다.

71

계약금계약에 관한 설명으로 틀린 것은? (다툼이 있으면 판례에 따름)

① 계약금계약은 요물계약이다.
② 주 계약이 어떠한 사유로 인하여 무효가 되면 계약금계약은 당연히 효력을 잃는다.
③ 매도인이 지급받은 계약금의 배액을 상환하고 계약을 해제하는 경우에도 손해배상청구권이 발생된다.
④ 매수인의 채무불이행을 이유로 매도인이 매매계약을 해제하는 경우에도 특별한 사정이 없으면 매수인이 매도인에게 지급한 계약금은 매도인에게 귀속되지 않는다.
⑤ 계약금에 의한 해제가 가능한 경우에도 채무불이행으로 인한 법정해제권의 성립이 배제되는 것은 아니다.

72

매도인의 담보책임에 관한 설명으로 틀린 것은?

① 매매목적물의 전부가 타인의 권리임으로 인하여 매도인이 소유권을 이전할 수 없는 경우에 그 사실을 알고 있었던 매수인은 매매계약을 해제하지 못한다.
② 매매목적물의 일부가 타인의 권리임으로 인하여 매수인이 그 일부를 취득할 수 없는 경우에 그 사실을 알고 있었던 매수인도 대금의 감액을 청구할 수 있다.
③ 매매목적물에 저당권이 설정되어 있다는 사실만으로는 매도인의 담보책임이 인정되지 않는다.
④ 매도인에게 과실 기타 귀책사유가 없는 경우에도 매도인의 매수인에 대한 담보책임이 인정된다.
⑤ 물건의 하자로 인한 담보책임은 경매의 경우에는 적용하지 않는다.

73

토지에 대한 임대차계약에 관한 설명으로 틀린 것은? (다툼이 있으면 판례에 따름)

① 임차권이 등기된 경우 제3자에 대해서도 임차권을 주장할 수 있다.
② 임대차의 존속기간에 관하여 정함이 없는 경우 임차인이 계약의 해지를 통고하면 1개월이 경과함으로써 임대차가 종료한다.
③ 임대인은 임대차기간 중에 임대차 목적물을 유지하고 수선할 의무를 부담한다.
④ 임차인의 비용상환청구권을 포기하기로 하는 당사자 사이의 특약은 효력이 없다.
⑤ 임차인이 임대인의 동의 없이 임차지상에 축조한 건물에 대해서도 지상물매수청구권이 인정된다.

74

甲이 乙에게 건물(상가 아님)을 임대한 경우에 관한 설명으로 틀린 것은? (다툼이 있으면 판례에 따름)

① 乙이 건물의 보존을 위하여 지출한 비용에 대해서는 그 즉시 甲에게 상환을 청구할 수 있다.
② 乙이 2기분의 차임을 연체하면 甲은 즉시 임대차계약을 해지할 수 있다.
③ 乙이 甲의 동의를 얻어 부속시킨 乙소유의 물건은 임대차 종료시에 乙이 甲에게 그 매수를 청구할 수 있다.
④ 乙이 계약 존속 중 보증금이 있음을 이유로 차임의 지급을 거절하지 못한다.
⑤ 乙이 甲의 동의를 얻지 않고 임대차 목적인 건물에 대하여 제3자와 체결한 전대차계약은 효력이 없다.

75

주택임차권의 대항력에 관한 설명으로 틀린 것은? (다툼이 있으면 판례에 따름)

① 주민등록이 주택임차인의 의사에 의하지 않고 제3자에 의하여 임의로 이전되었다면 대항력은 상실하지 않는다.
② 대항요건으로서의 주민등록은 임차인 본인뿐만 아니라 다른 가족의 주민등록도 가능하다.
③ 주민등록의 신고는 행정청에 도달한 때가 아니라, 행정청이 수리한 때 효력이 발생한다.
④ 임대인의 동의하에 전대한 경우, 전차인이 주택을 인도받고 간접점유자인 임차인의 이름으로 주민등록이 되어 있다면 임차인은 제3자에 대하여 대항력을 갖는다.
⑤ 저당권자의 저당권설정등기의 일자가 임차인의 주택인도·주민등록전입의 일자와 같은 경우에는 경매시 임차권의 대항력은 인정되지 않는다.

76

주택임대차에 관한 설명으로 틀린 것은? (다툼이 있으면 판례에 따름)

① 우선변제권 있는 임차인이 배당요구를 하지 아니하여 후순위 채권자에게 먼저 배당된 경우에, 임차인이 그에게 부당이득반환청구를 할 수 없다.
② 경매절차에서 임차주택의 대지만을 매수한 자는 임대인의 지위를 승계하는 임차주택의 양수인에 해당하지 않는다.
③ 소액임차인은 임차주택과 그 대지가 함께 경매될 경우, 그 대지의 환가대금에서도 우선변제를 받을 수 있다.
④ 임대차가 종료된 후 보증금의 전부 또는 일부를 반환받지 못한 임차인은 임차권등기명령을 신청할 수 있다.
⑤ 차임증액청구시 제한규정은 임대차계약종료 전 당사자의 합의로 차임 등이 증액된 경우에도 적용된다.

77

「상가건물 임대차보호법」에 관한 설명으로 틀린 것은?

① 건물인도와 사업자등록을 신청한 다음 날부터 대항력이 발생하며, 확정일자는 대항요건이 아니다.
② 임차인의 계약갱신요구권은 대통령령이 정하는 보증금액을 초과하는 경우에는 인정되지 않는다.
③ 상가임대차의 법정갱신은 전체 임대차기간이 10년을 초과하더라도 가능하다.
④ 임대차기간을 1년 미만으로 정한 특약이 있는 경우, 임차인은 그 기간의 유효함을 주장할 수 있다.
⑤ 임차인의 보증금 중 일정액이 상가건물의 가액의 2분의 1을 초과하는 경우에는 상가건물 가액의 2분의 1에 해당하는 금액에 한하여 최우선변제권이 있다.

78

「가등기담보 등에 관한 법률」에 관한 설명으로 틀린 것은? (다툼이 있으면 판례에 따름)

① 동법은 재산권 이전의 예약 당시의 그 재산가액이 차용액 및 이에 붙인 이자의 합산액을 초과하는 경우에 한하여 적용된다.
② 실행통지의 상대방이 채무자 등 여러 명인 경우, 그 모두에 대하여 실행통지를 하여야 통지로서의 효력이 발생한다.
③ 일단 청산금의 평가액을 통지한 채권자는 그가 통지한 청산금의 금액에 관하여 다툴 수 없다.
④ 청산금 미지급으로 본등기가 무효로 되었다면, 그 후 청산절차를 마치더라도 유효한 등기가 될 수 없다.
⑤ 매매대금의 지급을 담보하기 위하여 가등기를 한 경우에는 「가등기담보 등에 관한 법률」이 적용되지 않는다.

79

2023년 10월 5일 甲은 乙과 乙명의로 丙의 부동산을 매수한 뒤 甲의 요청이 있으면 매수부동산의 소유권을 甲에게 이전시켜 주기로 합의한 다음, 매수자금 2억원을 乙에게 지급하였고, 乙은 그 돈으로 丙의 부동산을 매수한 뒤 丙으로부터 소유권이전등기를 경료받았다. 다음 설명 중 틀린 것은? (다툼이 있으면 판례에 따름)

① 丙이 선의이면 甲과 乙 간의 명의신탁약정은 유효이다.
② 丙이 甲과 乙 사이의 명의신탁약정이 있었다는 사실을 알지 못한 경우에는 乙과 丙 간의 매매계약은 유효하다.
③ 丙이 선의인 경우에 乙은 甲에게 매매대금 2억원을 반환할 의무가 있다.
④ 丙이 선의인 경우에 乙이 부동산의 소유권을 甲에게 이전해 주었다면 대물변제로서 甲은 그 소유권을 취득할 수 있다.
⑤ 乙이 악의의 丁에게 소유권이전등기를 경료해 주면, 丁의 소유권 취득은 유효하다.

80

「집합건물의 소유 및 관리에 관한 법률」에 관한 설명으로 틀린 것은? (다툼이 있으면 판례에 따름)

① 구분건물의 전유부분만에 관하여 설정된 저당권이나 압류 등의 효력은 특별한 사정이 없는 한 그 대지사용권에도 미친다.
② 특별한 사정이 없는 한 대지사용권을 전유부분과 분리하여 처분할 수는 없으며, 이를 위반한 대지사용권의 처분은 법원의 강제경매절차에 의한 것이라 하더라도 무효이다.
③ 전유부분의 공유지분이 동등하여 의결권 행사자를 정하지 못할 경우에는 그 전유부분의 각 공유자는 지분비율로 개별적으로 의결권을 행사하여야 한다.
④ 아파트의 전 입주자가 체납한 관리비는 공용부분에 관한 관리비에 한해서는 그 특별승계인에게 승계되지만, 그 연체료는 승계되지 않는다.
⑤ 관리단집회에서 재건축의 결의를 할 때에는 구분소유자 및 의결권의 각 5분의 4 이상의 다수의 결의가 있어야 한다.

제 2 회 실전 모의고사

100분 / 80문항

부동산학개론

01

부동산의 개념에 관한 것 중 경제적 개념에 해당하는 것을 모두 고른 것은?

ㄱ. 자본	ㄴ. 준부동산
ㄷ. 공간	ㄹ. 생산요소
ㅁ. 자연	ㅂ. 상품
ㅅ. 공장재단	ㅇ. 정착물

① ㄱ, ㄷ, ㄹ　② ㄱ, ㄹ, ㅂ
③ ㄴ, ㄹ, ㅅ　④ ㄴ, ㅁ, ㅇ
⑤ ㄹ, ㅁ, ㅅ

02

토지의 분류에 관한 설명으로 옳은 것은?

① 표준지란 지가변동률 조사·산정대상 지역에서 행정구역별·용도지역별·이용상황별로 지가변동을 측정하기 위하여 선정한 대표적인 토지를 말한다.
② 「건축법」상 부지는 지상에 건축물이 있거나 건축물을 바로 설치할 수 있도록 기반시설이 완비된 토지를 말한다.
③ 빈지란 대지 등으로 개발되기 이전의 자연 상태로서의 토지를 말한다.
④ 획지란 하나의 지번이 부여되는 토지의 법률적 등록단위로 소유자의 권리를 구분하기 위한 표시단위이다.
⑤ 나지는 건물 및 정착물이 없고, 사법상의 제한이 없는 토지로 건부지에 비해 토지의 가치가 높은 것이 일반적이다.

03

토지의 자연적 특성에 관한 설명으로 틀린 것은?

① 토지의 부증성은 토지공개념을 도입한 근거를 제시한다.
② 토지의 부동성은 부동산시장이 지역적 시장이 되므로 중앙정부나 지방자치단체의 상이한 규제와 통제를 받게 한다.
③ 토지의 개별성은 일물일가법칙이 적용되지 않게 하며, 부동산시장을 불완전경쟁시장으로 만든다.
④ 토지의 부증성은 부동산학에서 있어서 원리나 이론의 도출을 어렵게 한다.
⑤ 토지의 영속성은 감가상각과 재생산이론을 배제시킨다.

04

건축물 A의 현황이 다음과 같을 경우, 건축법령상 용도별 건축물의 종류는?

> ○ 층수가 4층인 1개 동의 건축물로서 지하층과 필로티 구조는 없음
> ○ 전체 층을 주택으로 쓰며, 주택으로 쓰는 바닥면적의 합계가 600m^{2}임
> ○ 세대수 합계는 8세대로서 모든 세대에 취사시설이 설치됨

① 기숙사　② 다중주택
③ 다세대주택　④ 다가구주택
⑤ 연립주택

05

부동산의 수요 및 공급에 관한 설명으로 옳은 것은? (단, 다른 조건은 일정한 것으로 가정함)

① 공급량은 일정 기간에 주어진 가격수준에서 실제로 매도한 수량이다.
② 주택 임대료가 상승하면 다른 재화의 가격이 상대적으로 하락하여 임대 수요량이 감소하는 것은 소득효과에 대한 설명이다.
③ 부동산의 초과공급은 임대료를 상승시키는 요인으로 작용한다.
④ 노동자 임금과 같은 생산요소 가격의 하락은 부동산 공급을 증가시키는 요인이 된다.
⑤ 부동산 수요자의 소득이 변하여 동일 가격수준에서 부동산의 수요곡선이 이동하는 것을 수요량의 변화라 한다.

06

아파트에 대한 수요의 가격탄력성은 0.5, 소득탄력성은 0.3이고, 오피스텔 가격에 대한 아파트 수요량의 교차탄력성은 0.4이다. 아파트 가격과 오피스텔 가격이 각각 3%씩 상승하고 소득이 4% 증가하게 될 경우, 아파트 전체 수요량의 변화율은? (단, 두 부동산은 모두 정상재이고 서로 대체재이며, 아파트에 대한 수요의 가격탄력성은 절댓값으로 나타내며, 다른 조건은 동일함)

① 0.9% 증가
② 1.8% 감소
③ 2.8% 감소
④ 3.9% 증가
⑤ 변화 없음

07

수요의 가격탄력성에 관한 설명으로 <u>틀린</u> 것은? (단, 수요의 가격탄력성은 절댓값을 의미하며, 다른 조건은 불변이라고 가정함)

① 비싼 재화일수록 수요의 가격탄력성은 일반적으로 탄력적이 된다.
② 수요의 가격탄력성이 탄력적이라는 것은 가격의 변화율에 비해 수요량의 변화율이 크다는 것을 의미한다.
③ 오피스텔에 대한 대체재가 감소함에 따라 오피스텔 수요의 가격탄력성이 작아진다.
④ 공급의 가격탄력성은 단기에 비해 장기가 더 탄력적이다.
⑤ 임대주택 수요의 가격탄력성이 1보다 큰 경우 임대주택의 임대료가 상승함에 따라 전체 임대료 수입은 증가한다.

08

부동산경기변동과 거미집이론에 관한 설명으로 옳은 것은?

① 거미집이론은 주거용 부동산보다 상·공업용 부동산에 적합한 이론이다.
② 부동산시장의 수요함수는 3P = 400 − 2Q이고, 공급함수는 P = 100 + 2Q라면 거미집이론에서 발산형 모형이 나타난다.
③ 경기변동의 회복국면에서는 과거 거래사례가격은 새로운 가격의 기준이 되거나 상한선이 된다.
④ 부동산시장의 수요의 탄력성이 공급의 탄력성보다 크면 거미집이론에서 발산형 모형이 나타난다.
⑤ 경기변동의 후퇴국면에서는 매도자가 거래를 미루려는 경향이 크고, 매수자가 시장을 주도한다.

09

부동산시장과 경기변동에 관한 설명으로 <u>틀린</u> 것은?

① 부동산경기변동 중 정부 규제완화에 따른 건축경기의 변화는 불규칙적 경기변동에 해당한다.
② 부동산경기는 지역별로 다르게 변동할 수 있으며 같은 지역에서도 부분시장에 따라 다른 변동양상을 보일 수 있다.
③ 부동산은 고가성으로 인하여 금융시장의 변화에 큰 영향을 받게 된다.
④ 통상적으로 50년 이상 기간 동안 추세적이고 지속적으로 경기가 변하였다면 이는 장기적 경기변동에 해당한다.
⑤ 일반적으로 부동산의 공급에는 상당한 시간이 소요되기 때문에 장기적으로 가격의 왜곡이 발생할 가능성이 있다.

10

부동산시장의 효율성에 관한 설명으로 <u>틀린</u> 것은?

① 준강성 효율적 시장에서는 공표된 자료를 토대로 투자분석하여 투자하면 초과이윤을 획득하기 어렵다.
② 약성 효율적 시장에서는 기술적 분석을 통해 정상이윤을 획득할 수 있다.
③ 강성 효율적 시장에서는 이미 모든 정보가 부동산가치에 반영되어 있으므로 초과이윤을 획득할 수 없고, 정보비용이 존재하지 않는다.
④ 부동산시장에서 투기가 발생하는 것은 부동산의 개별성 등과 같은 불완전한 요소로 인해 부동산시장이 불완전하기 때문이다.
⑤ 할당 효율적 시장이 언제나 완전경쟁시장이 되는 것은 아니다.

11

다음 중 리카도(D. Ricardo)의 차액지대론에 관한 설명으로 틀린 것은?

① 토지소유자는 토지소유라는 독점적 지위를 이용하여 최열등지에도 지대를 요구한다.
② 조방적 한계의 토지에는 지대가 발생하지 않으므로 무지대(無地代) 토지가 된다.
③ 지대 발생의 원인으로 비옥한 토지의 부족과 수확체감의 법칙을 제시하였다.
④ 지대는 잉여이기에 토지생산물의 가격이 지대를 결정한다.
⑤ 토지의 질적 차이로 인한 수확물 생산량의 차이가 지대의 차이를 가져온다고 보았다.

12

도시공간구조이론에 관한 설명으로 옳은 것은?

① 도시공간구조의 변화를 야기하는 요인은 교통의 발달이지 소득의 증가와는 관계가 없다.
② 호이트(H. Hoyt)는 도시의 공간구조형성이 침입, 경쟁, 천이 등의 과정으로 나타난다고 보았다.
③ 다핵심이론에서 다핵의 발생요인은 유사활동 간 입지적 양립성, 이질활동 간의 분산지향성 등이다.
④ 동심원이론에 의하면 점이지대는 고급주택지구보다 도심으로부터 원거리에 위치한다.
⑤ 버제스(E. Burgess)는 도시의 성장과 분화가 주요 교통망에 따라 확대되면서 나타난다고 보았다.

13

A지역 아파트시장에서 수요함수는 일정한데, 공급함수는 다음 조건과 같이 변화하였다. 이 경우 균형가격(ㄱ)과 공급곡선의 기울기(ㄴ)는 어떻게 변화하였는가? (단, 가격과 수량의 단위는 무시하며, 주어진 조건에 한함)

> ○ 공급함수: $Q_{s1} = 30 + P$(이전) ⇨
> $Q_{s2} = 30 + 2P$(이후)
> ○ 수요함수: $Q_d = 150 - 3P$
> ○ P는 가격, Q_s는 공급량, Q_d는 수요량, X축은 수량, Y축은 가격을 나타냄

① ㄱ: 6 감소, ㄴ: $\frac{1}{2}$ 감소
② ㄱ: 6 감소, ㄴ: 1 감소
③ ㄱ: 6 증가, ㄴ: 1 증가
④ ㄱ: 10 감소, ㄴ: $\frac{1}{2}$ 감소
⑤ ㄱ: 10 증가, ㄴ: $\frac{1}{2}$ 증가

14

외부효과에 관한 설명으로 틀린 것은? (단, 다른 조건은 불변임)

① 부(−)의 외부효과에 대한 규제는 부동산에 대한 수요곡선을 좌측으로 이동시켜 가격을 하락시키는 효과를 가져올 수 있다.
② 정(+)의 외부효과의 경우 사적 편익은 사회적 편익에 비해 작다.
③ 정(+)의 외부효과가 발생되는 경우 사회적으로 핌피(PIMFY)현상이 발생할 수 있다.
④ 부(−)의 외부효과가 있는 재화의 사회적 비용은 사적 비용보다 크다.
⑤ 부(−)의 외부효과가 발생하는 재화의 경우 시장에만 맡겨두면 지나치게 많이 생산될 수 있다.

15

우리나라 토지와 관련한 제도의 설명으로 틀린 것은?

① 국토교통부장관은 주택가격의 안정을 위해 주거정책심의위원회의 심의를 거쳐 일정 지역을 투기과열지구로 지정할 수 있다.
② 토지적성평가제도는 토지의 개발과 보전의 경합이 발생했을 때 이를 조정하기 위한 수단이 된다.
③ 주택마련 또는 리모델링하기 위해 결성하는 주택조합에는 주택법령상 지역주택조합, 직장주택조합, 리모델링주택조합이 있다.
④ 용도지역 중 자연환경보전지역은 도시지역 중에서 자연환경 · 수자원 · 해안 · 생태계 · 상수원 및 문화재의 보전과 수산자원의 보호 · 육성을 위하여 필요한 지역이다.
⑤ 개발부담금제도는 개발사업의 시행으로 이익을 얻은 사업시행자로부터 개발이익의 일정액을 환수하는 제도이다.

16

임대료를 시장임대료 이하로 규제하는 임대료상한제에 관한 설명 중 틀린 것은? (단, 다른 조건은 일정하다고 가정함)

① 임대료상한제의 장기적 실시는 임대주택의 용도전환을 증가시킬 수 있다.
② 상한가격이 시장가격보다 높을 경우 시장에서는 아무런 변화가 나타나지 않는다.
③ 상한가격이 시장가격보다 낮을 경우 규제임대료와 암거래에 따른 임대료로 이중가격이 형성될 수 있다.
④ 공급은 장기적으로 가격탄력성이 탄력적으로 변하기 때문에 임대주택의 공급량은 증가하게 되어 초과수요량이 더 커진다.
⑤ 임대료상한제는 기존 임차인들의 주거이동을 저하시켜 교통 혼잡의 문제를 일으킬 수 있다.

17

민간임대주택과 공공임대주택의 용어 정의로 틀린 것은?

① 공공지원민간임대주택은 주택도시기금의 출자를 받아 건설 또는 매입하는 민간임대주택 등 10년 이상 임대할 목적으로 취득하여 임대하는 민간임대주택을 말한다.
② 국민임대주택은 국가나 지방자치단체의 재정이나 주택도시기금의 자금을 지원받아 대학생, 사회초년생, 신혼부부 등 젊은 층의 주거안정을 목적으로 공급하는 공공임대주택을 말한다.
③ 영구임대주택은 국가나 지방자치단체의 재정을 지원받아 최저소득 계층의 주거안정을 위하여 50년 이상 또는 영구적인 임대를 목적으로 공급하는 공공임대주택을 말한다.
④ 장기전세주택은 국가나 지방자치단체의 재정이나 주택도시기금의 자금을 지원받아 전세계약의 방식으로 공급하는 공공임대주택을 말한다.
⑤ 기존주택전세임대주택은 국가나 지방자치단체의 재정이나 주택도시기금의 자금을 지원받아 기존주택을 임차하여 「국민기초생활 보장법」에 따른 수급자 등 저소득층과 청년 및 신혼부부 등에게 전대(轉貸)하는 공공임대주택을 말한다.

18

부동산조세에 관한 설명으로 옳은 것을 모두 고른 것은?

> ㄱ. 양도소득세와 부가가치세는 국세에 속한다.
> ㄴ. 취득세와 등록면허세는 지방세에 속한다.
> ㄷ. 상속세와 재산세는 부동산의 취득단계에 부과한다.
> ㄹ. 재산세와 종합부동산세의 과세대상물은 동일하다.

① ㄱ ② ㄱ, ㄴ
③ ㄴ, ㄹ ④ ㄱ, ㄷ, ㄹ
⑤ ㄴ, ㄷ, ㄹ

19

부동산관리에 관한 설명으로 옳은 것은?

① 건물과 부지의 부적응을 개선시키는 활동은 경제적 관리에 해당한다.
② 부동산관리자가 공업용 부동산의 임차자를 선정할 때는 매상고가 중요한 기준이 된다.
③ 조임대차(gross lease)는 임차자 총수입의 일정 비율을 임대료로 지불하는 것을 말한다.
④ 대응적 유지활동은 시설 등이 본래의 기능을 발휘하는 데 장애가 없도록 유지계획에 따라 시설을 교환하고 수리하는 사전적 유지활동을 의미한다.
⑤ 포트폴리오 관리, 투자리스크 관리, 재투자 결정 등은 자산관리(asset management) 영역에 해당한다.

20

부동산마케팅 전략에 관한 설명으로 틀린 것은?

① 4P에 의한 마케팅 믹스 전략의 구성요소는 제품(product), 유통경로(place), 판매촉진(promotion), 가격(price)이다.
② 브랜드 전략은 대표적인 관계마케팅 전략의 예이다.
③ 시장세분화(segmentation) 전략은 고객행동변수 및 고객특성변수에 따라 시장을 나누어서 몇 개의 세분시장으로 구분하는 것이다.
④ 유통경로(place) 전략은 목표시장에서 고객의 욕구를 파악하여 경쟁 제품과 차별성을 가지도록 제품 개념을 정하고 소비자의 지각 속에 적절히 위치시키는 것이다.
⑤ 다른 아파트와 차별화되도록 '혁신적인 내부구조로 설계된 아파트'는 제품(product) 전략의 예가 될 수 있다.

21

부동산투자에서 타인자본을 60% 활용하는 경우(ㄱ)와 타인자본을 활용하지 않는 경우(ㄴ), 각각의 1년간 자기자본수익률(%)은? (단, 주어진 조건에 한함)

- ○ 부동산 매입가격: 20,000만원
- ○ 1년 후 부동산 처분
- ○ 순영업소득(NOI): 연 700만원(기간 말 발생)
- ○ 보유기간 동안 부동산가격 상승률: 연 3%
- ○ 대출조건: 이자율 연 5%, 대출기간 1년, 원리금은 만기 일시상환

① ㄱ: 7.0, ㄴ: 6.0　② ㄱ: 7.5, ㄴ: 6.0
③ ㄱ: 7.5, ㄴ: 6.5　④ ㄱ: 8.75, ㄴ: 6.0
⑤ ㄱ: 8.75, ㄴ: 6.5

22

부동산투자의 기대수익률과 위험에 관한 설명으로 옳은 것은? (단, 위험회피형 투자자라고 가정함)

① 부동산투자안이 채택되기 위해서는 기대수익률이 요구수익률보다 작아야 한다.
② 무위험(수익)률의 상승은 투자자의 요구수익률을 하락시키는 요인이다.
③ 평균-분산 지배원리에 따르면 A투자안과 B투자안의 기대수익률이 같은 경우, A투자안보다 B투자안의 기대수익률의 표준편차가 더 크다면 A투자안이 선호된다.
④ 투자자가 위험을 회피할수록 위험(표준편차, X축)과 기대수익률(Y축)의 관계를 나타낸 투자자의 무차별곡선의 기울기는 완만하다.
⑤ 투자위험(표준편차)과 기대수익률은 부(-)의 상관관계를 가진다.

23

상가 경제상황별 예측된 확률이 다음과 같을 때 상가의 기대수익률이 6%라고 한다. 정상적 경제상황의 경우 (　　)에 들어갈 예상수익률은? (단, 주어진 조건에 한함)

상가의 경제상황		경제상황별 예상수익률(%)	상가의 기대수익률(%)
상황별	확률(%)		
비관적	20	4	6
정상적	40	(　)	
낙관적	40	8	

① 5　② 6
③ 8　④ 10
⑤ 12

24

화폐의 시간가치에 관한 설명으로 옳은 것은?

① 일시불의 현재가치계수는 이자율(r)이 상승할수록 커진다.
② 3년 후 주택 구입에 필요한 자금 2억원을 모으기 위해 매월 말 불입해야 하는 적금액을 계산하려면 2억원에 연금의 내가계수(월 기준)의 역수를 곱하여 계산한다.
③ 원금균등상환방식으로 주택저당대출을 받은 경우, 저당대출의 매기 원리금상환액을 계산하려면 대출액에 저당상수를 곱하여 계산한다.
④ 매년 1원씩 받게 되는 연금을 이자율 r%로 적립했을 때 n년 후에 달성되는 금액을 나타내는 계수는 감채기금계수이다.
⑤ 임대기간 동안 월 임대료를 모두 적립할 경우, 이 금액의 현재시점 가치를 산정한다면 일시불의 현가계수를 사용한다.

25

부동산투자분석의 현금흐름 계산에서 (가) 순영업소득과 (나) 세전지분복귀액을 산정하는 데 각각 필요한 항목을 모두 고른 것은? (단, 투자금의 일부를 타인자본으로 활용하는 경우를 가정함)

ㄱ. 공실 및 불량부채	ㄴ. 매도경비
ㄷ. 영업 외 수입	ㄹ. 미상환저당잔금
ㅁ. 재산세	ㅂ. 양도소득세
ㅅ. 영업소득세	ㅇ. 감가상각

	(가)	(나)
①	ㄱ, ㄴ	ㄹ
②	ㄱ, ㄷ	ㄴ, ㄹ
③	ㄱ, ㄷ, ㄹ	ㄴ, ㅂ
④	ㄱ, ㄷ, ㅁ	ㄴ, ㄹ
⑤	ㄱ, ㅇ, ㅅ	ㄹ, ㅂ

26

다음 표와 같은 투자사업들이 있다. 이 사업들은 모두 사업기간이 1년이며, 사업 초기(1월 1일)에 현금지출만 발생하고 사업 말기(12월 31일)에 현금유입만 발생한다고 한다. 할인율이 연 7%라고 할 때 다음 중 옳은 것은?

사업	초기 현금지출	말기 현금유입
A	3,000만원	7,490만원
B	1,500만원	3,210만원
C	1,000만원	2,675만원
D	1,500만원	4,815만원

① A와 C의 순현재가치(NPV)는 같다.
② 순현재가치(NPV)가 가장 큰 사업은 D이다.
③ 수익성지수(PI)가 가장 작은 사업은 B이다.
④ 수익성지수(PI)가 가장 큰 사업은 A이다.
⑤ D의 순현재가치(NPV)는 B의 3배이다.

27

비율분석에 관한 설명으로 옳은 것은?

① 부채서비스액은 부채에 따른 상환액에서 이자지급액을 제외한 원금상환액을 말한다.
② 부채감당률이란 순영업소득에 대한 원리금상환액의 비율을 의미한다.
③ 부채비율은 총투자액에 대한 대부액의 비율이다.
④ 대출기관이 채무불이행 위험을 낮추기 위해서는 해당 대출조건의 부채감당률을 낮추는 것이 유리하다.
⑤ 임대사업에 따른 영업현금수지에서 부채감당률이 1이면 세전현금흐름은 0이 된다.

28

아파트 재건축사업시 조합의 사업성에 긍정적인 영향을 주는 요인은 모두 몇 개인가? (단, 다른 조건은 동일함)

○ 건설자재 가격의 상승
○ 일반분양분의 분양가 상승
○ 조합원 부담금 인상
○ 용적률의 할인
○ 이주비 대출금리의 하락
○ 공사기간의 연장
○ 기부채납의 증가

① 2개 ② 3개
③ 4개 ④ 5개
⑤ 6개

29

부동산개발에 관한 설명으로 옳은 것을 모두 고른 것은?

ㄱ. 개발의 7단계 중 타당성분석은 개발사업으로 예상되는 수입과 비용을 개략적으로 계산하여 수익성을 검토하는 것이다.
ㄴ. 공사기간 중 이자율의 변화, 시장침체에 따른 공실의 장기화 등은 시장위험으로 볼 수 있다.
ㄷ. 흡수율분석의 궁극적인 목적은 과거 및 현재의 임대되거나 분양된 비율의 추세를 정확하게 파악하는 데 있다.
ㄹ. 개발사업에 있어서 법적 위험은 토지이용규제와 같은 사법적인 측면과 소유권 관계와 같은 공법적인 측면에서 발생할 수 있는 위험을 말한다.
ㅁ. 시장분석은 개발된 부동산이 현재나 미래의 시장상황에서 매매, 임대될 수 있는 가능성 정도를 조사하는 것을 말한다.

① ㄴ ② ㄱ, ㄹ
③ ㄴ, ㄹ ④ ㄴ, ㅁ
⑤ ㄴ, ㄹ, ㅁ

30

주택담보대출에 관한 설명으로 옳은 것은? (단, 다른 조건은 동일하고 단기금리가 장기금리보다 낮으며, 금리변동위험이 상환불이행위험보다 크다고 가정함)

① 주택담보대출금리가 하락하면 정상재인 주택의 수요는 줄어든다.
② 일반적으로 대출비율(loan to value)이 높아질수록 주택담보대출금리는 낮아진다.
③ 대출시점에 고정금리 주택담보대출의 금리가 변동금리 주택담보대출의 금리보다 낮다.
④ COFIX금리가 상승하면 COFIX금리를 기준금리로 하는 변동금리 주택담보대출의 금리는 반대로 하락한다.
⑤ 대출금리가 고정금리일 때, 대출시점의 예상 인플레이션보다 실제 인플레이션이 높게 발생하면 차입자에게는 이익이다.

31

주택저당대출방식 중 고정금리대출방식인 원금균등분할상환과 원리금균등분할상환에 관한 설명으로 틀린 것은? (단, 다른 대출조건은 동일하다고 가정함)

① 원리금균등분할상환방식은 원금균등분할상환방식에 비해 초기 원리금에서 이자가 차지하는 비중이 크다.
② 첫 회 상환하는 이자는 원금균등상환방식과 원리금균등상환방식의 경우 동일하다.
③ 차입자 입장에서는 원금균등분할상환방식보다 원리금균등분할상환방식으로 대출하는 것이 대출 초기에 원리금상환에 따른 부담이 크다.
④ 원리금균등분할상환방식은 원금균등분할상환방식에 비해 대출 초기에 담보인정비율(LTV)이 크다.
⑤ 중도상환시 차입자가 상환해야 하는 저당잔금은 원금균등분할상환방식이 원리금균등분할상환방식보다 적다.

32

다음 자료를 활용하여 산정한 대상 부동산의 순소득승수는? (단, 주어진 조건에 한함)

ㅇ 총투자액: 8,000만원
ㅇ 지분투자액: 6,000만원
ㅇ 가능총소득(PGI): 1,100만원/년
ㅇ 유효총소득(EGI): 1,000만원/년
ㅇ 영업비용(OE): 500만원/년
ㅇ 부채서비스액(DS): 260만원/년
ㅇ 영업소득세: 120만원/년

① 14　② 16
③ 18　④ 20
⑤ 22

33

다음 자금조달방법 중 지분금융(equity financing)을 모두 고른 것은?

ㄱ. 신주인수권부사채(BW)
ㄴ. 자산유동화증권(ABS)
ㄷ. 부동산투자회사(REITs)
ㄹ. 주택저당담보부채권(MBB)
ㅁ. 부동산 신디케이트(syndicate)

① ㄱ, ㄴ　② ㄱ, ㅁ
③ ㄴ, ㄷ　④ ㄷ, ㄹ
⑤ ㄷ, ㅁ

34

우리나라 부동산투자회사(REITs)에 관한 설명 중 틀린 것은?

① 위탁관리 부동산투자회사와 기업구조조정 부동산투자회사의 설립자본금은 3억원 이상으로 한다.
② 위탁관리 부동산투자회사는 본점 외의 지점을 설치할 수 없으며, 직원을 고용하거나 상근 임원을 둘 수 없다.
③ 부동산투자회사는 현물출자를 받는 방식으로 신주를 발행하여 설립할 수 없다.
④ 영업인가를 받거나 등록을 한 날부터 6개월이 지난 기업구조조정 부동산투자회사의 자본금은 70억원 이상이 되어야 한다.
⑤ 자산관리회사는 자본금이 70억원 이상이어야 하며, 자산운용전문인력을 5인 이상 확보하여야 한다.

35

감정평가 과정에서 지역분석과 개별분석에 관한 설명으로 틀린 것은?

① 해당 지역 내 부동산의 표준적 이용과 가격수준 파악을 위해 지역분석이 필요하다.
② 지역분석은 개별분석보다 먼저 이루어진다.
③ 인근지역이란 부동산의 이용이 동질적이고 가치형성요인 중 지역요인과 개별요인을 공유하는 지역으로 대상부동산이 속한 지역을 말한다.
④ 동일수급권이란 대상부동산과 대체 · 경쟁 관계가 성립하고 가치형성에 서로 영향을 미치는 관계에 있는 다른 부동산이 존재하는 권역을 말하며, 인근지역과 유사지역을 포함한다.
⑤ 개별분석은 대상부동산의 최유효이용을 판정하기 위해 균형의 원칙을 적용한다.

36

부동산감정평가에서 가격의 제 원칙에 관한 설명으로 <u>틀린</u> 것은?

① 감정평가시 기준시점 확정의 필요성은 변동의 원칙과 관련된다.
② 수익배분의 원칙은 토지잔여법의 근거가 된다.
③ 균형의 원칙은 내부적인 요인에 의해 가치가 결정된다는 원칙으로 부동산 구성요소의 결합에 따른 최유효이용을 강조하는 것이다.
④ 경쟁의 원칙은 부동산의 가치는 생산비의 합으로 결정되지 않는다는 것으로 추가 투자의 판단과 밀접한 관련이 있다.
⑤ 대체의 원칙은 대체성 있는 2개 이상의 재화가 존재할 때 그 재화의 가격은 서로 관련되어 이루어진다는 원칙으로, 소비자는 동일한 효용에서 가격이 낮은 재화를 선택하게 된다.

37

감정평가방식의 체계에서 다음 (　　) 안에 들어갈 내용으로 옳은 것은?

○ (ㄱ): 원가방식 – 가격: 원가법, 임대료: 적산법
○ 시장성: 비교방식 – 가격: 거래사례비교법 및 공시지가기준법, 임대료: 임대사례비교법
○ 수익성: 수익방식 – 가격: (ㄴ), 임대료: (ㄷ)

	ㄱ	ㄴ	ㄷ
①	효용성	관찰법	배분법
②	비용성	수익환원법	수익분해법
③	비용성	수익환원법	수익분석법
④	객관성	수익분석법	수익환원법
⑤	공정성	수익분석법	엘우드법

38

다음과 같이 조사된 건물의 기준시점의 감정평가액은? (단, 감가수정은 정액법에 의함)

○ 기준시점: 2022.10.30.
○ 건축비: 300,000,000원(2020.10.30. 준공)
○ 건축비는 매년 10%씩 상승하였음
○ 기준시점 현재 경제적 잔존내용연수: 48년
○ 내용연수 만료시 잔존가치율: 10%

① 349,932,000원　② 354,995,000원
③ 368,298,000원　④ 389,932,000원
⑤ 394,892,000원

39

다음 자료를 활용하여 거래사례비교법으로 산정한 대상토지의 비준가액은? (단, 주어진 조건에 한함)

○ 평가대상토지: X시 Y동 210번지, 110m^2, 일반상업지역
○ 기준시점: 2022.9.1.
○ 거래사례
　– 소재지: X시 Y동 250번지
　– 지목 및 면적: 120m^2
　– 용도지역: 일반상업지역
　– 거래가격: 2억 4천만원
　– 거래시점: 2022.2.1.
　– 거래사례는 정상적인 매매임
○ 지가변동률(2022.2.1. ~ 9.1.): X시 상업지역 5% 상승
○ 지역요인: 대상토지는 거래사례의 인근지역에 위치함
○ 개별요인: 대상토지는 거래사례에 비해 4% 우세함
○ 상승식으로 계산할 것

① 226,600,000원　② 240,240,000원
③ 244,340,000원　④ 283,156,000원
⑤ 285,516,000원

40

「부동산 가격공시에 관한 법률」에 규정된 내용으로 틀린 것은?

① 표준주택에 전세권 또는 그 밖의 단독주택의 사용 · 수익을 제한하는 권리가 설정되어 있을 때 그 권리가 존재하지 아니하는 것으로 보고 적정가격을 산정하여야 한다.
② 개별공시지가에 이의가 있는 자는 그 결정 · 공시일부터 30일 이내에 서면으로 국토교통부장관에게 이의를 신청할 수 있다.
③ 표준주택가격은 국가 · 지방자치단체 등이 그 업무와 관련하여 개별주택가격을 산정하는 경우에 그 기준이 된다.
④ 시장 · 군수 또는 구청장은 공시기준일 이후에 토지의 분할 · 합병이 발생한 경우에는 7월 1일을 기준으로 하여 개별공시지가를 결정 · 공시하여야 한다.
⑤ 표준지공시지가의 공시기준일은 매년 1월 1일이다.

민법 및 민사특별법

41

법률행위 중 행위자에게 처분권한이 있어야만 효력이 발생하는 경우가 아닌 것은?

① 지상권설정계약 ② 채권양도
③ 채무면제 ④ 임대차계약
⑤ 전세권의 포기

42

법률행위에 관한 설명으로 틀린 것은?

① 채권행위는 처분권이 없는 자가 한 경우에도 유효이다.
② 매매계약체결 당시에 목적물과 대금은 반드시 구체적으로 확정하여야 하는 것은 아니다.
③ 법률행위의 목적이 원시적 불능인 경우에도 손해배상책임은 발생할 수 있다.
④ 법률행위 성립 당시에는 실현가능하였으나 그 후 목적이 불능으로 되더라도 법률행위는 유효하다.
⑤ 강행법규에 스스로 위반하여 상대방과 약정한 자는 그 약정의 무효를 주장할 수 없다.

43

반사회적 법률행위에 관한 설명으로 옳은 것은?

① 조세포탈목적으로 한 중간생략등기는 사회질서에 반하여 무효이다.
② 부첩관계의 종료를 해제조건으로 하는 증여계약은 반사회적 법률행위로서 무효이다.
③ 부동산 이중매매가 반사회적 법률행위로서 무효가 되는 경우, 제1매수인은 직접 제2매수인 명의로 된 소유권이전등기의 말소를 청구할 수 있다.
④ 도박채무의 변제를 위하여 채무자로부터 부동산의 처분을 위임받은 채권자가 그 부동산을 제3자에게 매도한 경우, 그 매매계약은 무효이다.
⑤ 양도소득세를 회피하기 위한 방법으로 부동산을 명의신탁한 것은 반사회적 법률행위로서 무효이다.

44

진의 아닌 의사표시에 관한 설명 중 옳은 것은? (다툼이 있는 경우 판례에 따름)

① 공무원이 사직할 뜻이 없이 사직의 의사표시를 하여 의원면직된 경우에도 진의 아닌 의사표시에 관한 규정이 적용된다.
② 진의 아닌 의사표시에서의 진의란 특정한 내용의 의사표시를 하고자 하는 표의자의 생각을 의미하는 것이 아니라 표의자가 진정으로 마음속에서 바라는 사항을 뜻하는 것이다.
③ 표의자가 진의와 표시가 일치하지 않는다는 것을 알고 있어야 하는 것은 아니다.
④ 진의 아닌 의사표시로 행해진 입양은 무효가 된다.
⑤ 대리인이 진의 아닌 의사표시를 한 경우에 대리행위의 의사와 표시의 불일치는 본인의 진의를 기준으로 판단한다.

45

통정한 허위의 의사표시에 관한 설명 중 틀린 것은? (다툼이 있으면 판례에 따름)

① 통정한 허위의 의사표시는 당사자 사이에서는 언제나 무효이다.
② 통정한 허위의 의사표시는 상대방 있는 단독행위에도 적용된다.
③ 통정한 허위의 의사표시로 사해행위를 한 채무자의 채권자는 채권자취소권을 행사할 수 있다.
④ 통정한 허위의 의사표시를 기초로 새로운 이해관계를 맺은 제3자의 선의는 제3자 자신이 입증하여야 한다.
⑤ 통정한 허위의 의사표시로 부동산에 근저당권을 설정하는 것은 반사회질서행위에 해당되지 않는다.

46

甲은 채권자 A의 강제집행을 피하기 위하여 친구인 乙에게 부동산을 매도한 것처럼 가장하고, 乙의 협력하에 乙의 명의로 소유권이전등기를 경료하였다. 다음 설명 중 틀린 것은? (다툼이 있으면 판례에 따름)

① 甲은 乙에게 등기의 말소를 청구할 수 있다.
② A는 효력이 없는 甲과 乙의 매매계약에 대하여 채권자 취소권을 행사할 수 없다.
③ 乙로부터 그 부동산을 선의로 매수하여 등기를 경료 한 丙은 유효하게 소유권을 취득할 수 있다.
④ 乙로부터 그 부동산에 저당권을 설정받은 丁이 甲과 乙의 허위표시를 알지 못한데 과실이 있더라도 저당권에 기한 경매를 신청할 수 있다.
⑤ 乙이 사망한 경우 乙의 상속인은 선의인 경우에도 그 부동산의 소유권을 취득하지 못한다.

47

착오로 인한 의사표시에 관한 설명으로 옳지 않은 것은? (다툼이 있으면 판례에 따름)

① 법률행위 내용의 중요부분에 착오가 있더라도 표의자에게 중대한 과실이 있는 경우에는 법률행위를 취소할 수 없다.
② 채권자와 제3자 간의 근저당권설정계약에 있어서 채무자의 동일성에 관한 착오는 일반적으로 법률행위 내용의 중요부분에 관한 착오에 해당한다.
③ 착오로 인한 취소는 표의자의 주관적 이익을 보호하는 제도이므로, 표의자의 경제적인 불이익은 법률행위 내용의 중요부분의 판단에 고려되지 않는다.
④ 착오로 인한 의사표시의 취소는 선의의 제3자에게 대항하지 못한다.
⑤ 착오가 상대방의 적극적 행위에 의하여 유발된 경우에는 그 착오가 표시되지 아니한 동기의 착오라도 이를 이유로 법률행위를 취소할 수 있다.

48

사기에 의한 의사표시에 관한 설명 중 <u>틀린</u> 것은? (다툼이 있으면 판례에 따름)

① 사기에 의한 의사표시의 취소는 선의의 제3자에게 대항하지 못한다.
② 상품의 선전 · 광고에 있어 다소의 과장 · 허위가 수반되는 것은 그것이 일반 상거래의 관행과 신의칙에 비추어 시인될 수 있는 한 기망성이 결여된다.
③ 기망행위로 인하여 법률행위의 동기에 착오를 일으킨 경우 표의자는 그 법률행위를 사기에 의한 의사표시로서 취소할 수 있다.
④ 제3자가 사기를 행한 경우에는 상대방이 그 사실을 알았을 경우에만 취소할 수 있다.
⑤ 제3자의 사기행위로 계약을 체결한 경우 그 계약을 취소하지 않고 제3자에 대하여 불법행위로 인한 손해배상을 청구할 수 있다.

49

대리권의 제한에 관한 다음의 설명 중 <u>틀린</u> 것은?

① 수인의 대리인이 있는 경우에는 원칙적으로 공동대리이다.
② 본인의 허락이 있는 경우에는 쌍방대리도 무방하다.
③ 자기계약이나 쌍방대리는 절대무효가 아니라 무권대리가 된다.
④ 채무의 이행은 자기계약으로 할 수 있다.
⑤ 자기계약과 쌍방대리의 금지규정은 법정대리, 임의대리 양자에 적용된다.

50

甲은 乙의 대리인이다. 다음 설명 중 옳은 것은? (다툼이 있으면 판례에 따름)

① 임의대리인 甲은 자기책임으로 자유롭게 복대리인을 선임할 수 있다.
② 甲이 복대리인을 선임하는 경우 甲은 乙의 이름으로 복대리인을 선임하여야 한다.
③ 甲이 선임한 복대리인 丙은 甲의 이름으로 법률행위를 하여야 한다.
④ 甲이 선임한 복대리인 丙의 복대리권은 甲의 대리권이 소멸하여도 소멸하지 않는다.
⑤ 법정대리인 甲이 부득이한 사유로 복대리인 丙을 선임한 경우, 甲은 乙에 대하여 丙의 선임감독에 관한 책임이 있다.

51

무권대리에 관한 다음 설명 중 옳은 것은?

① 무권대리인의 행위는 본인이 추인하여도 효력이 없다.
② 무권대리의 추인에는 소급효가 없는 것이 원칙이다.
③ 본인이 상대방의 최고를 받은 후 상당한 기간 안에 확답을 발하지 않으면 무권대리인의 행위를 추인한 것으로 본다.
④ 무권대리인은 자신의 선택에 좇아 상대방에게 계약의 이행 또는 손해배상의 책임을 부담한다.
⑤ 상대방이 무권대리인의 대리권 없음을 알았거나 알 수 있었을 경우에는 무권대리인은 상대방에게 책임을 부담하지 아니한다.

52

취소할 수 있는 법률행위의 추인에 관한 설명으로 옳지 <u>않은</u> 것은? (다툼이 있으면 판례에 따름)

① 상대방이 취소권자에 대하여 이행의 청구를 한 경우에는 법정추인이 된다.
② 추인은 그 행위가 취소할 수 있는 것임을 알고 하여야 한다.
③ 취소권자가 취소할 수 있는 법률행위를 적법하게 추인하면 더 이상 취소할 수 없다.
④ 법정대리인은 취소원인이 종료하기 전이라도 추인할 수 있다.
⑤ 취소권자가 추인할 수 있는 후에 이의를 유보하지 않고 담보를 제공한 경우에는 추인한 것으로 간주된다.

53

조건부 법률행위에 관한 설명으로 옳은 것은?

① 법률행위 당시에 정지조건이 이미 성취된 것이면 그 법률행위는 무효이다.
② 법률행위의 조건이 선량한 풍속 기타 사회질서에 위반한 것인 때에도 그 법률행위는 유효하다.
③ 조건을 붙을 수 없는 법률행위에 조건을 붙인 경우에 그 법률행위는 원칙적으로 전부무효가 된다.
④ 건축허가를 받지 못할 때에는 토지매매계약을 무효로 하기로 한 약정은 정지조건부 법률행위에 해당한다.
⑤ 조건이 법률행위의 당시에 이미 성취할 수 없는 것인 경우에 그 조건이 해제조건이면 그 법률행위는 무효이다.

54

물권에 관한 일반적 설명으로 가장 옳은 것은?

① 물권은 법률 또는 관습법에 의하는 외에 당사자의 계약으로도 창설할 수 있다.
② 경매에 의한 부동산에 관한 물권의 취득은 등기를 요하지 않는다.
③ 동일한 물건에 대한 소유권과 다른 물권이 동일한 사람에게 귀속한 때에는 그 다른 물권이 제3자의 권리의 목적이 된 때에도 소멸한다.
④ 물권적 청구권을 보존하기 위하여 가등기를 할 수 있다.
⑤ 대법원은 사인의 토지에 관한 관습법상 통행권을 인정하고 있다.

55

부동산물권의 변동에 관한 설명 중 옳지 않은 것은?

① 부동산에 관한 법률행위로 인한 물권의 득실변경은 등기하여야 그 효력이 생긴다.
② 상속 · 공용징수 · 판결 · 경매 기타 법률의 규정에 의한 부동산에 관한 물권의 취득은 등기를 요하지 아니하나, 이를 처분하려면 등기하여야 한다.
③ 부동산에 관한 점유권 · 유치권은 등기를 요하지 아니하나, 법정지상권의 취득은 등기를 요한다.
④ 부동산 점유취득시효에 의한 소유권의 취득은 「민법」 제187조의 예외로서 등기를 요한다.
⑤ 건물의 신축에 의한 소유권의 취득은 「민법」 제187조에 의거 등기를 요하지 아니한다.

56

부동산 물권변동에 관한 다음 설명 중 틀린 것은? (다툼이 있으면 판례에 따름)

① 甲이 자기소유의 건물이 멸실되어 다시 신축하였는데, 甲이 기존건물의 보존등기를 유용한 경우, 그 등기는 무효이다.
② 甲이 자기소유 토지에 대해 乙과 지상권설정계약을 맺었는데, 乙이 그 등기를 하기 전에 甲이 그 토지를 丙에게 양도한 경우, 乙은 지상권을 취득하지 못한다.
③ 甲이 자기소유 부동산에 대해 이중으로 보존등기를 경료하고 나중에 경료된 보존등기에 기해 乙에게 소유권이전등기를 경료한 경우, 乙은 소유권을 취득한다.
④ 甲이 자기소유의 X부동산을 乙에게 매도하는 계약을 체결하였는데, 소유권이전등기는 Y부동산에 대해 경료된 경우, 그 등기는 무효이다.
⑤ 乙소유의 부동산에 대한 甲의 등기부취득시효가 완성된 후 甲명의의 등기가 적법한 원인 없이 말소되더라도 甲은 소유권을 상실하지 않는다.

57

甲소유의 물건을 점유할 권리 없이 점유하여 비용을 지출한 현재의 점유자 乙에 대해 甲이 소유권에 기하여 반환을 청구하였다. 단, 乙은 그 물건으로부터 과실을 취득한 것은 없다. 다음 중 틀린 것은? (다툼이 있으면 판례에 따름)

① 乙이 악의의 점유자인 경우에도 지출한 필요비의 상환을 청구할 수 있다.
② 乙이 그 물건을 사용하면서 손상된 부품을 교체하는 데 비용을 지출하였다면, 이는 필요비에 해당한다.
③ 乙이 책임 있는 사유로 그 물건을 훼손한 경우, 乙이 선의의 자주점유자라면 이익이 현존하는 한도에서 배상하여야 한다.
④ 乙이 유익비를 지출한 경우, 가액의 증가가 현존한 때에 한하여 乙의 선택에 따라 지출금액이나 증가액의 상환을 청구할 수 있다.
⑤ 만약 乙의 점유가 불법행위로 인하여 개시되었다면, 乙이 지출한 유익비의 상환청구권을 기초로 하는 乙의 유치권의 주장은 배척된다.

58

점유취득시효에 대한 판례의 설명으로 틀린 것은?

① 점유취득시효의 경우 등기를 하여야 부동산의 소유권을 취득한다.
② 상대방에 대한 등기청구권은 법률규정에 의해 발생하는 채권적 청구권의 성질이라는 것이 다수설과 판례이다.
③ 취득시효완성자는 등기청구권에 기해 시효완성 후 소유권이전등기를 경료받은 제3자에 대해 시효취득을 주장할 수 있다.
④ 시효취득이 완성되어 소송상 입증까지 마쳤음에도 불구하고 제3자가 적극 가담하여 소유권이전등기를 경료받았다면 그 행위는 반사회질서행위로서 무효이다.
⑤ 부동산의 소유자가 취득시효가 완성된 부동산을 제3자에게 처분하였다 하여 채무불이행에 의한 책임이 발생하는 것은 아니다.

59

공동소유에 관한 설명으로 틀린 것은?

① 공유자는 다른 공유자의 동의 없이 그 지분을 처분할 수 있다.
② 공유물의 관리에 관한 사항은 공유자의 지분의 과반수로써 결정한다.
③ 공유자가 1년 이상 공유물의 관리비용 기타의 의무이행을 지체한 때에는 다른 공유자는 상당한 가액으로 지분을 매수할 수 있다.
④ 공유자는 다른 공유자가 분할로 인하여 취득한 물건에 대하여 담보책임을 지지 않는다.
⑤ 법인이 아닌 사단의 사원이 집합체로서 물건을 소유할 때에는 총유로 한다.

60

지상권에 관한 설명으로 틀린 것은?

① 지상권은 건물 기타 공작물이나 수목을 소유하기 위하여 타인의 토지를 사용하는 권리이다.
② 토지사용의 대가인 지료의 지급은 지상권의 성립요소이다.
③ 지상권자는 타인에게 그 지상권을 양도할 수 있다.
④ 지상권자는 지상권의 존속기간 내에서 그 토지를 임대할 수 있다.
⑤ 지상권의 존속기간은 약정하지 아니한 경우, 건물 이외의 공작물의 소유를 목적으로 하는 지상권의 존속기간은 5년이다.

61

유치권에 대한 설명으로 틀린 것은?

① 도급인이 공급한 재료로 주택의 신축공사를 한 수급인이 그 건물을 점유하고 있고 또 그 건물에 관하여 생긴 공사대금채권이 있다면, 수급인은 그 채권을 변제받을 때까지 건물에 대하여 유치권을 행사할 수 있다.
② 유치권자는 유치물의 과실을 수취하여 다른 채권보다 먼저 그 채권의 변제에 충당할 수 있다.
③ 유치권을 행사하는 한 피담보채권의 소멸시효는 진행하지 아니한다.
④ 유치권자는 채권의 변제를 받기 위하여 유치물을 경매할 수 있다.
⑤ 채무자는 상당한 담보를 제공하고 유치권의 소멸을 청구할 수 있다.

62

저당권에 대한 다음의 설명 중 옳지 아니한 것은?

① 수개의 채권을 담보하기 위하여 동일한 부동산에 수개의 저당권이 설정된 때에는 그 순위는 설정등기의 선후에 의한다.
② 후순위 저당권자가 경매를 신청하더라도 선순위 저당권은 소멸하며 그 배당에서 우선변제를 받게 된다.
③ 저당권의 효력은 법률에 특별한 규정 또는 설정행위에 다른 약정이 없으면 저당부동산에 부합된 물건과 종물에도 미친다.
④ 저당권은 그 담보한 채권과 분리하여 타인에게 양도하거나 다른 채권의 담보로 제공할 수 있다.
⑤ 전세권을 목적으로 저당권을 설정한 자는 저당권자의 동의 없이 전세권을 소멸하게 하는 행위를 하지 못한다.

63

청약에 관한 설명으로 옳은 것은? (다툼이 있으면 판례에 따름)

① 청약에는 계약의 내용을 결정할 수 있을 정도의 사항이 포함되어야 한다.
② 계약의 청약은 상대방이 승낙을 하기 전에는 자유롭게 철회할 수 있다.
③ 청약은 상대방 있는 의사표시이므로, 상대방이 특정되어야 한다.
④ 청약을 할 때에는 반드시 승낙기간을 정하여야 한다.
⑤ 청약의 상대방이 제한능력자인 경우, 그의 법정대리인이 청약이 도달한 사실을 알았더라도 청약자는 그 청약으로써 상대방에게 대항할 수 없다.

64

동시이행의 항변권에 대한 설명으로 타당성이 없는 것은? (다수설 · 판례에 따름)

① 변제와 영수증의 교부는 동시이행관계로 본다.
② 동시이행의 항변권을 가지는 자는 이행기에 이행하지 않더라도 이행지체책임을 부담하지 않는다.
③ 계약해제로 인한 각 당사자의 원상회복의무와 전세계약의 종료시 전세금반환의무와 전세목적물인도 및 전세권말소등기에 필요한 서류의 교부의무는 동시이행의 관계이다.
④ 동시이행의 항변권이 붙은 채권을 자동채권으로 상계할 수 없다.
⑤ 동시이행의 항변권은 유치권과 달리 상당한 담보의 제공으로 소멸시킬 수 있다.

65

제3자를 위한 계약에 관한 다음 설명 중 틀린 것은?

① 제3자는 계약체결 당시에 현존하거나 특정될 필요는 없다. 따라서 '설립 중의 법인'도 제3자가 될 수 있다. 다만 수익의 의사표시를 할 때에는 현존 · 특정되어야 한다.
② 제3자의 권리는 그 제3자가 채무자에 대하여 계약의 이익을 받을 의사를 표시한 때에 생긴다.
③ 제3자의 권리가 생긴 후에라도 원칙적으로 당사자는 이를 자유롭게 변경 또는 소멸시킬 수 있다.
④ 낙약자는 요약자와의 기본계약에서 발생되는 무효, 취소, 채무불이행 등의 항변사유를 제3자에게 주장할 수 있음이 원칙이다.
⑤ 낙약자의 귀책사유에 의하여 채무가 불이행된 경우에 제3자는 낙약자에 대하여 손해배상을 청구할 수 있다.

66

계약의 법정해제에 관한 설명으로 옳지 않은 것은? (다툼이 있으면 판례에 따름)

① 해제는 해제권자의 일방적 의사표시로 그 효과가 발생하는 단독행위이다.
② 해제 후 원상회복을 위해 금전을 반환할 자는 해제한 날로부터 이자를 가산하여야 한다.
③ 계약해제로부터 보호받는 제3자란 해제된 계약으로부터 생긴 법률적 효과를 기초로 해제 전에 새로운 이해관계를 가졌을 뿐만 아니라 등기 · 인도 등으로 완전한 권리를 취득한 자를 말한다.
④ 채무자의 책임 있는 사유로 이행불능이 된 경우, 채권자는 이행기를 기다리지 않고, 최고 없이 계약을 해제할 수 있다.
⑤ 계약의 일방 또는 쌍방이 여러 명인 경우, 특약이 없는 한 전원이 또는 전원에 대하여 해제의 의사표시를 하여야 한다.

67

「민법」 제565조의 해약금에 관한 설명으로 옳은 것은? (다툼이 있으면 판례에 따름)

① 매매계약의 일부 이행에 착수한 매수인은 매도인의 이행착수 전이라도 임의로 계약금을 포기하고 계약을 해제할 수 없다.
② 해약금에 의한 해제도 손해배상의 청구에 영향을 미치지 아니한다.
③ 계약금계약은 낙성계약에 속한다.
④ 매매계약 성립 후에 교부된 계약금도 계약금으로서의 효력이 없다.
⑤ 계약금은 위약금으로 한다는 특약이 없어도 계약금이 손해배상금으로 당연히 귀속된다.

68

甲은 乙에게 토지 500m²를 5,000만원에 매각하는 매매계약을 체결하였으나 그중 50m²가 丙의 소유인 경우에 있어서, 甲의 乙에 대한 담보책임의 내용에 관하여 틀린 것은?

① 乙이 선의인 경우 잔존한 450m²만이면 이를 매수하지 아니하였을 때에는 계약 전부를 해제할 수 있다.
② 권리의 일부가 타인에게 속하는 경우의 담보책임문제이다.
③ 乙이 선의이면 甲에 대하여 손해배상을 청구할 수 있다.
④ 乙이 악의인 경우에도 50m²에 해당하는 대금의 감액을 청구할 수 있다.
⑤ 선의의 乙은 담보책임을 계약한 날로부터 1년 이내에 행사하여야 한다.

69

甲은 전용면적이 28평인 아파트를 평당 1,000만원에 분양계약을 체결하고 잔금만 남긴 채 입주일만 기다리고 있는데, 입주 전에 확인해보니 공용면적은 변함이 없고 전용면적이 25평으로 밝혀졌다. 다음 중 타당하지 않은 주장은?

① 甲은 아파트대금을 2억 5천만원으로 할 것을 주장할 수 있다.
② 면적이 25평이라면 甲이 매수하지 않았을 것이 확실한 경우 甲은 계약을 해제할 수 있다.
③ 甲은 계약해제 외에 손해가 난 경우 손해배상을 청구할 수 있다.
④ 甲은 감액청구 외에 손해가 난 경우 손해배상을 청구할 수 있다.
⑤ 甲의 청구는 이러한 사실을 안 날로부터 6월 내에 행사하여야 한다.

70

임대차에 관한 다음의 설명 중 옳지 <u>않은</u> 것은?

① 부동산임차인은 당사자 사이에 반대약정이 없으면 임대인에 대하여 그 임대차등기절차에 협력할 것을 청구할 수 있다.
② 임대인의 행위가 임대물의 보존에 필요한 행위라 하더라도 임차인은 그것이 자신의 의사에 반할 경우 거절할 수 있다.
③ 임차물의 일부가 임차인의 과실 없이 멸실 기타 사유로 인하여 사용·수익할 수 없는 경우 그 잔존부분만으로 임차의 목적을 달성할 수 없는 때에는 임차인은 계약을 해지할 수 있다.
④ 임차물에 대하여 권리를 주장하는 자가 있는 때에는 임차인은 지체 없이 임대인에게 이를 통지하여야 한다.
⑤ 건물 기타 공작물 임대차의 경우 임차인의 차임연체액이 2기의 차임액에 달하는 때에는 임대인은 계약을 해지할 수 있다.

71

건물임차인의 부속물매수청구권에 관한 설명으로 옳지 <u>않은</u> 것은? (다툼이 있으면 판례에 따름)

① 일시사용이 명백한 임대차에서도 부속물매수청구권이 인정된다.
② 부속물이 건물의 구성부분으로 독립성을 갖추지 못한 경우에는 부속물매수청구의 대상이 될 수 없다.
③ 임차인이 사용의 편익을 위하여 임대인의 동의를 얻어 건물에 부속한 물건에 대해서 임대차종료시 행사할 수 있는 권리이다.
④ 임차인이 임대인으로부터 매수한 부속물에 대하여도 부속물매수청구권이 인정된다.
⑤ 임대차계약이 임차인의 채무불이행으로 인하여 해지된 경우에는 임차인은 부속물매수청구권을 행사할 수 없다.

72

다음 「민법」 규정 중 옳지 <u>않은</u> 것은?

① 쌍무계약의 당사자 일방은 상대방이 그 채무이행을 제공할 때까지 자기의 채무이행을 거절할 수 있다. 그러나 상대방의 채무가 변제기에 있지 아니한 때에는 그러하지 아니하다.
② 당사자 일방이 상대방에게 먼저 이행하여야 할 경우에 언제나 동시이행항변권이 없다.
③ 동시이행항변권을 가진 자는 비록 이행기에 이행을 하지 않더라도 이행지체의 책임을 지지 않는다.
④ 쌍무계약의 당사자 일방의 채무가 당사자 쌍방의 책임 없는 사유로 이행할 수 없게 된 때에는 채무자는 상대방의 이행을 청구하지 못한다.
⑤ 동시이행항변권은 항변권과의 원용(주장)에 의해서만 효력이 생긴다. 법원은 항변권자의 원용이 없는 한 직권으로 항변권의 존재를 고려하지 못한다.

73

해제의 효과에 관한 다음 기술 중 옳지 <u>않은</u> 것은?

① 해제의 효과는 계약의 효력을 처음으로 소급하여 소멸시키는 것이다.
② 해제로 인하여 계약이 소급적으로 실효되더라도 해제권자는 손해배상을 청구할 수 있다.
③ 해제를 원인으로 반환할 금전에는 그 받은 날의 익일부터 이자를 가산하여야 한다.
④ 해제에 의하여 제3자의 권리를 해하지 못한다.
⑤ 계약이 해제된 경우에는 각 당사자는 그 상대방에 대하여 원상회복의 의무가 있다.

74

권리의 일부가 타인에게 속하는 경우의 매도인의 담보책임에 관한 설명 중 틀린 것은?

① 선의의 매수인은 대금감액청구 또는 전부의 해제 외에 손해배상을 청구할 수 있다.
② 매수인이 악의인 경우에도 대금의 감액을 청구할 수 있다.
③ 악의의 매수인의 대금감액청구권은 계약한 날로부터 1년 내에 행사하여야 한다.
④ 매수인은 악의인 경우에도 계약을 해제할 수 있다.
⑤ 매수인의 대금감액청구권은 일방적 의사표시에 의하여 행사한다.

75

전세권과 부동산 임차권에 대한 설명이다. 틀린 것은?

① 전세권자와 임차인은 목적물에 지출한 필요비와 유익비의 상환을 청구할 수 있다.
② 임차인은 전세권자와 마찬가지로 임대인의 동의를 얻어 부속시킨 부속물에 대하여 임대차의 종료 후에 그 매수를 청구할 수 있다.
③ 임차인의 파산은 전세권의 경우와 달리 임대차관계의 해지통고사유가 된다.
④ 전세권은 임차권과 달리 전세권자와 그 양수인 사이의 합의만으로 유효하게 양도될 수 있다.
⑤ 전세권에는 최장기간에 대한 제한을 두고 있다.

76

임대차에 관한 다음 설명 중 틀린 것은?

① 임차인이 유익비를 지출한 경우에는 임대인은 임대차 종료시에 그 가액의 증가가 현존한 때에 한하여 임차인의 지출한 금액이나 그 증가액을 상환하여야 한다.
② 임차인이 임대인의 동의를 얻어 임차물을 전대한 때에는 전차인은 직접 임대인에 대하여 의무를 부담한다.
③ 임대차기간의 약정이 없는 때에는 당사자는 언제든지 계약해지의 통고를 할 수 있다.
④ 건물임대차에는 임차인의 차임연체액이 2기의 차임액에 달하는 때에는 임대인은 계약을 해지할 수 있다. 그러나 토지임대차의 경우에는 임차인의 1회의 차임연체로도 임대인은 계약을 해지할 수 있는 것이 원칙이다.
⑤ 건물 기타 공작물의 임차인이 적법하게 전대한 경우에 전차인이 그 사용의 편익을 위하여 임대인의 동의를 얻어 이에 부속한 물건이 있는 때에는 전대차의 종료시에 임대인에 대하여 그 부속물의 매수를 청구할 수 있다.

77

「상가건물 임대차보호법」상 임차인의 계약갱신요구에 대하여 임대인이 거절할 수 있는 사유가 아닌 것은?

① 임차인이 임차한 건물의 일부를 경과실로 파손한 경우
② 임차인이 임대인의 동의 없이 목적 건물의 일부를 전대한 경우
③ 임차인이 3기의 차임액에 달하도록 차임을 연체한 사실이 있는 경우
④ 임차한 건물의 일부가 멸실되어 임대차의 목적을 달성하지 못할 경우
⑤ 임대인이 목적 건물의 대부분을 철거하기 위해 목적 건물의 점유회복이 필요한 경우

78

「가등기담보 등에 관한 법률」의 내용 및 적용과 관련한 설명으로 옳지 않은 것은? (다툼이 있으면 판례에 따름)

① 채무자 등은 채권자로부터 청산금을 지급받기 전에는 원칙적으로 채무원리금을 변제하고 소유권이전등기 또는 가등기의 말소를 청구할 수 있다.

② 「가등기담보 등에 관한 법률」은 재산권이전의 예약 당시의 그 재산가액이 차용액 및 이에 붙인 이자의 합산액을 초과하는 경우에 한하여 적용된다.

③ 「가등기담보 등에 관한 법률」은 차용물의 반환에 갈음하여 다른 재산권을 이전할 것을 예약한 경우에 적용되는 것으로서, 매매대금의 지급을 담보하기 위하여 부동산의 소유권을 이전하는 경우에도 적용된다.

④ 담보가등기 후에 대항력 있는 임차권을 취득한 자에게는 청산금의 범위 안에서 동시이행항변에 관한 「민법」규정을 준용한다.

⑤ 채권자는 담보부동산에 관하여 이미 소유권이전등기가 경료된 경우에는 청산기간 경과 후 청산금을 채무자 등에게 지급한 때에 목적부동산의 소유권을 취득한다.

79

「집합건물의 소유 및 관리에 관한 법률」에 대한 설명으로 틀린 것은? (다툼이 있으면 판례에 따름)

① 전(前) 구분소유자의 특별승계인은 체납된 공용부분 관리비는 물론 그에 대한 연체료도 승계한다.

② 재건축결의에는 구분소유자 및 의결권의 각 5분의 4 이상의 다수에 의한 결의가 필요하다.

③ 분양대금을 완납하였음에도 분양자 측의 사정으로 소유권이전등기를 경료받지 못한 수분양자도 관리단에서 의결권을 행사할 수 있다.

④ 재건축결의에 찬성하지 않은 구분소유자에게 매도청구권을 행사하기 위한 전제로서의 최고는 반드시 서면으로 해야 한다.

⑤ 재건축 비용의 분담액 또는 산출기준을 확정하지 않은 재건축결의는 무효임이 원칙이다.

80

집합건물의 재건축에 관한 설명으로 틀린 것은?

① 「집합건물의 소유 및 관리에 관한 법률」상 구 건물을 철거하고 그 대지와 인접한 주위 토지를 합하여 이를 신 건물의 대지로 이용하기로 하는 재건축결의는 허용되지 않는다.

② 재건축의 결의가 있는 경우 집회를 소집한 자는 지체 없이 그 결의에 찬성하지 않은 구분소유자에 대하여 재건축에의 참가 여부에 대한 회답을 서면으로 최고하여야 한다.

③ 재건축의 결의에 찬성한 각 구분소유자, 재건축의 결의의 내용에 따른 재건축에 참가할 뜻을 회답한 각 구분소유자 및 구분소유권 또는 대지사용권을 매수한 각 매수지정자(이들의 승계인을 포함한다)는 재건축의 결의의 내용에 따른 재건축에 합의한 것으로 본다.

④ 하나의 단지 내에 있는 여러 동의 집합건물을 재건축함에 있어서 일부 동에 재건축결의의 요건을 갖추지 못하였지만 나머지 동에 재건축결의의 요건을 갖춘 경우, 그 나머지 동의 구분소유자 중 재건축결의에 동의하지 아니한 구분소유자에 대하여 매도청구권을 행사할 수 있다.

⑤ 한 단지 내에 있는 여러 동의 건물을 일괄하여 재건축하려는 경우, 재건축결의는 각각의 건물마다 있어야 한다는 것이 판례이다.

제 3 회 실전 모의고사

100분 / 80문항

부동산학개론

01

다음 중 부동산의 개념에 관한 설명으로 옳은 것은?

① 광의의 부동산은 「민법」상 개념으로 토지 및 그 정착물을 말한다.
② 토지와 건물 등이 각각의 독립된 객체이지만 일체로 거래되거나 결합된 상태로 부동산활동의 대상이 될 때, 이를 복합개념의 부동산이라 한다.
③ 건물에 부착된 어떤 물건을 제거하는 경우 기능적인 면에서 건물의 효용에 손상이 미치지 않는다면 이 물건은 정착물에 해당한다.
④ 임대주택의 경우 임차인이 설치한 부착물은 일반적으로 정착물로 간주된다.
⑤ 경제적 측면에서의 부동산은 자산, 생산요소, 상품 등을 말하며, 이는 부동산을 무형적 측면으로 이해하는 데 도움이 된다.

02

부동산의 소유권에 관한 설명으로 옳은 것을 모두 고른 것은?

> ㄱ. 지중권은 토지소유자가 지하공간으로부터 어떤 이익을 획득하거나 사용할 수 있는 권리를 말하며, 물을 이용할 수 있는 권리가 이에 포함된다.
> ㄴ. 토지소유권은 공중이나 지하공간에 대해 무한히 연장되고, 토지의 상하에 미친다.
> ㄷ. 우리나라 「민법」에서는 광업권의 객체가 되는 광물과 지하수에 대해서도 토지소유권의 효력이 미치는 것으로 보고 있다.
> ㄹ. 용적률 인센티브제도, 개발권양도제도(TDR) 등은 지하공간의 구체적 활용과 관련이 있다.
> ㅁ. 국가가 공익사업을 목적으로 한계심도 이내의 사유지 지하 일부를 사용하기 위해 구분지상권을 설정할 수 있다.

① ㅁ　② ㄱ, ㄴ
③ ㄱ, ㄷ　④ ㄱ, ㅁ
⑤ ㄴ, ㅁ

03

건부지(建附地)와 나지(裸地)의 특성에 관한 설명으로 옳은 것은?

① 나지는 지상권 등 토지의 사용 · 수익을 제한하는 사법상의 제한과 공법상의 제한이 설정되어 있지 않은 토지이다.
② 부동산 가격공시제도에서 표준지 평가는 건부지상태를 전제로 평가한다.
③ 건부지는 건물 등이 부지의 최유효이용에 적합하지 않은 경우, 나지에 비해 최유효이용의 기대가능성이 낮다.
④ 나지는 지상에 있는 건물에 의하여 사용 · 수익이 제한되는 경우가 있다.
⑤ 건부지가격은 건부감가에 의해 나지가격보다 낮게 평가되지만, 규제가 완화된 지역에서는 예외적으로 건부증가가 발생할 수 있다.

04

주택 매매시장의 수요와 공급에 관한 설명으로 틀린 것은? (단, x축은 수량, y축은 가격, 수요의 가격탄력성은 절댓값을 의미하며, 다른 조건은 동일함)

① 주택수요곡선이 완전탄력적이라면 주택의 가격은 공급의 변화와 무관하게 일정하다.
② 소득이 증가하여 주택의 수요량이 변하면 수요곡선은 우측으로 이동한다.
③ 주택의 수요는 증가하고, 공급이 감소하면 균형거래량의 변화는 알 수 없다.
④ 주택의 공급곡선이 수직선인 경우에 수요가 증가하면 균형가격은 상승하고 균형거래량은 변하지 않는다.
⑤ 해당 주택가격 상승하여 주택의 수요량이 변하면 동일한 수요곡선상에서 점이 좌하향으로 이동한다.

05

아파트 수요곡선을 우측으로 이동시키는 요인을 모두 고른 것은? (단, 다른 조건은 일정 불변이라고 가정함)

> ㄱ. 주택담보대출의 금리 하락
> ㄴ. 건축원자재 가격 하락
> ㄷ. LTV, DTI 하향 조정
> ㄹ. 아파트 가격 하락
> ㅁ. 아파트 가격 상승 기대감 고조

① ㄱ, ㅁ　② ㄷ, ㅁ
③ ㄱ, ㄴ, ㄷ　④ ㄱ, ㄷ, ㅁ
⑤ ㄱ, ㄹ, ㅁ

06

토지의 특성에 관한 설명으로 옳은 것은?

① 부증성은 부동산활동을 국지화시켜 지역시장으로 나타나게 한다.
② 개별성은 재고시장과 임대차시장의 발달 근거가 된다.
③ 부증성은 지가고 현상과 집약적인 토지이용을 일으킨다.
④ 부동성은 부동산에 대한 정보의 비공개성과 관련이 깊다.
⑤ 용도의 다양성은 토지의 용도전환을 가능하게 하며, 토지의 물리적 공급을 가능하게 한다.

07

개별수요함수 및 공급함수가 각각 $Q_{D1} = 800 - 3P$, $Q_S = 2P$에서 공급은 일정한 상태에서 수요자 수가 2배 증가한 경우의 시장수요함수로 변화되는 경우 균형가격은 어떻게 변화하는가? [여기서 P는 가격(단위: 만원), Q_{D1}은 수요량(단위: m^2), Q_S는 공급량(단위: m^2), 다른 조건은 일정하다고 가정함]

① 40만원 상승　② 80만원 하락
③ 100만원 상승　④ 160만원 하락
⑤ 200만원 상승

08

수요와 공급의 탄력성에 관한 설명으로 <u>틀린</u> 것은?

① 생산에 소요되는 시간이 단기일수록 부동산 공급은 더 탄력적이다.
② 공급이 탄력적일 때 수요가 증가하면 균형가격은 더 크게 상승한다.
③ 부동산에 대한 수요의 가격탄력성은 대체재가 많을수록 커지는 경향이 있다.
④ 수요의 가격탄력성이 1보다 작은 경우 임대료를 상승할수록 공급자의 총수입은 증가한다.
⑤ 수요의 가격탄력성이 1보다 크면 수요량의 변화율(%)이 가격의 변화율(%)보다 크다.

09

거미집이론에서 수렴형 모형에 해당하는 것은 몇 개인가? (단, x축은 수량, y축은 가격을 나타내며, 다른 조건은 동일함)

> ㄱ. 수요의 탄력성 0.5, 공급의 탄력성 0.5
> ㄴ. 수요의 탄력성 1.3, 공급의 탄력성 0.6
> ㄷ. 수요함수 $2Q = 100 - P$, 공급함수 $5Q = 300 + 2P$
> ㄹ. 수요곡선 기울기 −0.9, 공급곡선 기울기 0.4
> ㅁ. 수요곡선 기울기 −0.3, 공급곡선 기울기 0.7

① 1개　② 2개
③ 3개　④ 4개
⑤ 5개

10

부동산 및 부동산시장의 특성에 관한 설명으로 <u>틀린</u> 것은? (단, 다른 조건은 동일함)

① 부동산은 개별성의 특성에 의해 표준화가 어려워 일반재화에 비해 대체가능성이 높다.
② 부동산은 내구성으로 인하여 구매빈도가 낮은 편이다.
③ 부동산시장은 개별성에 의해 불완전한 시장이 됨에도 불구하고 자원배분기능은 수행된다.
④ 부동산시장은 다양한 공적 제약에 의해 시장의 기능이 왜곡될 수 있다.
⑤ 부동산은 고가성으로 인해 부동산 수요자와 공급자의 시장 진출입에 제약을 줄 수 있다.

11

지대론에 대한 설명으로 틀린 것은?

① 차액지대설에서는 토지 비옥도의 차이가 지대의 차이를 결정하게 되며, 수확체감의 법칙을 전제한다.
② 절대지대설에 따르면 토지소유자는 한계지에 대해서도 지대를 요구할 수 있다.
③ 튀넨(J. H. von Thünen)의 고립국이론에 따르면 토지의 비옥도가 동일하더라도 위치에 따라 지대의 차이가 날 수 있다.
④ 입찰지대설에서는 가장 높은 지대를 지불할 의사가 있는 용도에 따라 토지이용이 이루어진다.
⑤ 리카도(D. Ricardo)의 지대이론에 의하면 생산물의 가격과 생산비가 일치하는 지점에서 지대가 발생한다.

12

허프(D. Huff) 모형에 관한 설명으로 옳은 것을 모두 고른 것은? (단, 다른 조건은 동일함)

ㄱ. 어떤 매장이 고객에게 주는 효용이 클수록 그 매장이 고객들에게 선택될 확률이 더 높아진다는 공리에 바탕을 두고 있다.
ㄴ. 해당 매장을 방문하는 고객의 행동력은 방문하고자 하는 매장의 크기에 비례하고, 매장까지의 거리에 반비례한다.
ㄷ. 공간(거리)마찰계수는 교통조건이 나빠지면 더 커진다.
ㄹ. 시간거리를 도입하였으며, 일반적으로 소비자는 가장 가까운 곳에서 상품을 선택하려는 경향이 있다.
ㅁ. 공간(거리)마찰계수는 일상용품점이 전문품점에 비해 더 크다.

① ㄱ, ㄴ
② ㄴ, ㄷ, ㄹ
③ ㄷ, ㄹ, ㅁ
④ ㄱ, ㄴ, ㄷ, ㅁ
⑤ ㄱ, ㄷ, ㄹ, ㅁ

13

A, B도시 사이에 인구 10만명의 C도시가 위치한다. 레일리의 소매인력법칙을 적용할 경우, C도시에서 A, B도시로 구매활동에 유인되는 인구규모는? (단, C도시의 인구의 80%만이 구매자이고, A, B도시에서만 구매하는 것으로 가정하며, 주어진 조건에 한함)

○ A도시 인구수: 800,000명
○ B도시 인구수: 200,000명
○ C도시와 A도시 간의 거리: 6km
○ C도시와 B도시 간의 거리: 3km

① A: 30,000명, B: 70,000명
② A: 40,000명, B: 40,000명
③ A: 40,000명, B: 60,000명
④ A: 50,000명, B: 50,000명
⑤ A: 75,000명, B: 25,000명

14

부동산경기변동에 관한 설명으로 옳은 것은?

① 상향시장 국면에서 과거 거래사례가격은 새로운 거래가격의 상한이 된다.
② 후퇴시장 국면에서는 경기상승이 지속적으로 진행되어 경기의 정점에 도달한다.
③ 하향시장 국면에서는 건축허가신청이 지속적으로 증가한다.
④ 회복시장 국면에서는 매수자가 주도하는 시장에서 매도자가 주도하는 시장으로 바뀌는 경향이 있다.
⑤ 안정시장 국면에서는 과거의 거래가격을 새로운 거래가격의 기준으로 활용하기 어렵다.

15

서민의 주거안정을 위해 마련된 주거복지정책에 관한 설명으로 틀린 것은? (단, 다른 조건은 일정하다고 가정함)

① 주택바우처(housing voucher)보조는 가격보조방식에 해당하고, 정부의 정책유도 측면에서 유리한 보조정책이다.
② 정부가 임대료를 보조해 주면 저소득층의 임대주택 소비가 늘어난다.
③ 정부가 임대료를 규제하면 장기적으로 공급이 탄력적으로 변하여 공급이 증가한다.
④ 정부가 임대료를 보조하면 단기적으로 임대인은 초과이윤을 얻을 수 있다.
⑤ 공공임대주택의 공급은 결과적으로 공적시장의 임차인에게만 혜택이 주어진다.

16

토지정책에 관한 설명으로 틀린 것은?

① 토지정책수단 중 개발이익환수제도에 따른 개발부담금은 정부의 간접개입방식에 해당한다.
② 개발이익환수제는 개발사업의 시행으로 이익을 얻은 사업시행자나 토지소유자로부터 불로소득적 증가분의 일정액을 환수하는 제도이다.
③ 지역지구제는 토지이용에 수반되는 부(−)의 외부효과를 제거하거나 완화시킬 목적으로 지정한다.
④ 토지선매란 토지거래허가구역 내에서 토지거래계약의 허가신청이 있을 때 공익목적을 위하여 사적 거래에 우선하여 국가 · 지방자치단체 · 한국토지주택공사 등이 그 토지를 매수할 수 있는 제도이다.
⑤ 토지거래허가제는 토지에 대한 개발과 보전의 문제가 발생했을 때 이를 합리적으로 조정하는 제도이다.

17

외부효과에 관한 설명 중 틀린 것은?

① 외부효과란 어떤 경제활동과 관련하여 거래당사자가 아닌 제3자에게 의도하지 않은 혜택이나 손해를 가져다 주면서도 이에 대한 대가를 받지도 지불하지도 않는 상태를 말한다.
② 외부불경제가 발생하는 경우 사회적인 문제로 님비(NIMBY) 현상이 발생할 수 있다.
③ 생산과정에서 외부불경제를 발생시키는 재화의 공급을 시장에 맡길 경우, 그 재화는 사회적인 최적 생산량보다 과소하게 생산되는 경향이 있다.
④ 인근지역에 쇼핑몰이 개발됨에 따라 주변 아파트 가격이 상승하는 경우, 정(+)의 외부효과가 나타난 것으로 볼 수 있다.
⑤ 토지이용행위에서 발생하는 부(−)의 외부효과는 토지이용규제의 명분이 된다.

18

다음 입지 및 도시공간구조 이론에 관한 설명으로 옳은 것을 모두 고른 것은?

ㄱ. 베버(A. Weber)의 최소비용이론은 산업입지의 영향요소를 운송비, 노동비, 집적이익으로 구분하고, 이 요소들을 고려하여 각 요인이 최소화되는 지점이 공장의 최적입지가 된다는 것이다.
ㄴ. 뢰시(A. Lösch)의 최대수요이론은 장소에 따라 수요가 차별적이라는 전제하에 수요측면에서 경제활동의 공간조직과 상권조직을 파악한 것이다.
ㄷ. 넬슨(R. Nelson)의 소매입지이론은 특정 점포가 최대 이익을 얻을 수 있는 매출액을 확보하기 위해서는 어떤 장소에 입지하여야 하는가에 대한 원칙을 제시한 것이다.
ㄹ. 해리스(C. Harris)와 울만(E. Ullman)의 다핵심이론은 단일의 중심업무지구를 핵으로 하여 발달하는 것이 아니라, 몇 개의 분리된 핵이 점진적으로 통합됨에 따라 전체적인 도시구조가 형성된다는 것이다.

① ㄱ, ㄴ
② ㄷ, ㄹ
③ ㄱ, ㄴ, ㄹ
④ ㄴ, ㄷ, ㄹ
⑤ ㄱ, ㄴ, ㄷ, ㄹ

19

주택시장에 대한 설명으로 옳은 것은?

① 어느 지역에서 현재 30만 세대의 주택이 존재하고, 이 중 3만 세대가 공가라면 주택유량의 수요량은 27만 세대이다.
② 고급주택에 대한 보수비용이 보수 후의 가치상승분보다 크다면 상향여과가 발생할 수 있다.
③ 주택시장의 분석은 물리적 측면의 주택개념이 아닌 효용적 주택개념으로 분석되는 것이 합리적이다.
④ 주거분리란 고소득층의 주거지역과 저소득층의 주거지역이 분리되는 용도별 분화현상을 말한다.
⑤ 불량주택은 시장의 불완전한 요인으로 인한 시장실패의 산물이다.

20

부동산관리에 관한 설명 중 틀린 것은?

① 우리나라에는 부동산관리와 관련된 전문자격제도로 주택관리사가 있다.
② 부동산관리자는 소유주를 대신하여 부동산의 임대차 관리, 임대료의 수납, 유지관리업무 등을 담당한다.
③ 부동산 간접투자규모가 커지면서 오피스 빌딩의 관리업무를 자산관리회사에 위탁하는 경향이 있다.
④ 도시화, 건축기술의 발전, 부재자 소유의 증가 등으로 인하여 부동산관리의 필요성이 커지고 있다.
⑤ 임차부동산에서 발생하는 총수입(매상고)의 일정 비율을 임대료로 지불한다면, 이는 임대차의 유형 중 순임대차에 해당한다.

21

부동산개발분석에 관한 설명 중 옳은 것을 모두 고른 것은?

ㄱ. 시장성분석은 개발된 부동산이 현재나 미래의 시장상황에서 매매 · 임대될 수 있는 가능성 정도를 조사하는 것을 말한다. ㄴ. 시장분석은 지역의 경제활동, 지역인구와 소득 등 대상지역 전체에 대한 총량적 지표를 분석한다. ㄷ. 흡수율분석의 궁극적인 목적은 과거의 추세를 정확하게 파악하는 데 있다. ㄹ. 시장세분화는 공급상품의 특성에 따라 개발부동산과 유사한 부동산을 소집단으로 나누는 것을 말한다. ㅁ. 투자분석단계에서는 순현가법 등의 투자분석기법이 활용되어 최종적인 투자결정이 이루어지는 단계이다.

① ㄱ, ㄴ
② ㄱ, ㅁ
③ ㄴ, ㄷ, ㄹ
④ ㄴ, ㄷ, ㅁ
⑤ ㄱ, ㄴ, ㄷ, ㅁ

22

부동산개발에 관한 설명으로 옳은 것은?

① 보전재개발은 현재 시설을 대부분 그대로 유지하면서 노후 · 불량화의 요인만을 제거하는 재개발을 말한다.
② 개발사업 부지에 군사시설보호구역이 일부 포함되어 사업이 지연되었다면 이는 시장위험 분석을 소홀히 한 결과이다.
③ 토지신탁(개발)방식과 사업수탁방식은 소유권을 이전하고 수수료 지급이 발생한다는 점이 동일하다.
④ 이용계획이 확정된 토지를 구입하는 것은 비용위험부담을 줄이기 위한 방안 중 하나이다.
⑤ BOT(Build-Operate-Transfer)방식은 민간사업자가 스스로 자금을 조달하여 시설을 건설하고, 일정 기간 소유 · 운영한 후, 사업이 종료한 때 국가 또는 지방자치단체 등에 시설의 소유권을 이전하는 것을 말한다.

23

부동산투자시 타인자본을 50% 활용하는 경우 1년간 자기자본 수익률은? (단, 주어진 조건에 한함)

ㅇ 기간 초 부동산 가격: 10억원 ㅇ 1년간 순영업소득(NOI): 연 3천만원(기간 말 발생) ㅇ 1년간 부동산 가격 상승률: 연 3% ㅇ 1년 후 부동산을 처분함 ㅇ 대출조건: 이자율 연 4%, 대출기간 1년, 원리금은 만기시 일시상환함

① 5%
② 6%
③ 7%
④ 8%
⑤ 9%

24

부동산 포트폴리오에 관한 다음의 설명 중 옳은 것은?

① 개별적인 자산의 특성으로부터 야기되는 위험은 분산투자로 감소시킬 수 없다.
② 포트폴리오를 구성하는 자산의 수가 많을수록 비체계적 위험이 제거되는 이유는 자산들의 예상수익률의 분포양상이 다르기 때문이다.
③ 두 자산의 수익률의 방향이 반대일 때 상관계수는 음(−)의 값을 가지고, 상관계수가 음(−)의 값을 나타낼수록 위험감소효과는 작아진다.
④ 인플레이션에 따른 위험은 체계적 위험으로 분산투자를 통해 제거가 가능하다.
⑤ 부동산은 위치가 고정되어 있기 때문에 부동산 포트폴리오를 구성한다는 것은 쉽지 않다.

25

다음 부동산투자 타당성분석방법 중 화폐의 시간가치가 적용된 분석방법은 모두 몇 개인가?

ㄱ. 순현재가치법	ㄴ. 단순회수기간법
ㄷ. 내부수익률법	ㄹ. 어림셈법
ㅁ. 회계적 수익률법	ㅂ. 비율분석법
ㅅ. 승수법	ㅇ. 연평균순현가법

① 2개 ② 3개
③ 4개 ④ 5개
⑤ 6개

26

부동산 운영수지분석에 관한 설명으로 틀린 것은?

① 가능총소득은 단위면적당 추정 임대료에 임대면적을 곱하여 구한 잠재적 총소득이다.
② 유효총소득은 가능총소득에서 공실 및 불량부채액(충당금)과 기타 수입을 차감하여 구한 소득이다.
③ 순영업소득은 유효총소득에서 운영경비를 차감하여 구한 소득이다.
④ 순영업소득은 세전현금흐름에 상환원리금을 더하여 구한 소득이다.
⑤ 세전현금흐름은 세후현금흐름에서 영업소득세를 더하여 구한 소득이다.

27

부동산투자분석기법에 관한 설명으로 틀린 것은?

① 동일한 현금흐름의 투자안이라도 투자자의 요구수익률에 따라 수익성지수(PI)가 달라질 수 있다.
② 투자규모에 차이가 있는 상호 배타적인 투자안의 경우 순현재가치법과 내부수익률법을 통한 의사결정이 달라질 수 있다.
③ 투자안의 경제성분석에서 민감도분석을 통해 투입요소의 변화가 그 투자안의 순현재가치에 미치는 영향을 분석할 수 있다.
④ 내부수익률법은 유입되는 현금의 미래가치와 유출되는 현금의 현재가치를 같게 만드는 할인율로서, 순현재가치(NPV)를 0으로 만드는 수익률이다.
⑤ 투자금액이 동일하고 순현재가치가 모두 0보다 큰 2개의 투자안을 비교·선택할 경우, 부의 극대화 원칙에 따르면 순현재가치가 큰 투자안을 채택한다.

28

부동산투자분석기법 중 비율분석법에 관한 설명으로 틀린 것은?

① 채무불이행률은 유효총소득이 영업경비와 부채서비스액을 감당할 수 있는 능력이 있는지를 측정하는 비율이며, 손익분기율이라고도 한다.
② 대부비율은 부동산가치에 대한 대출액의 비율을 가리키며, 대부비율을 저당비율이라고도 한다.
③ 대출자는 부채감당률이 1보다 작은 경우 부채서비스액을 순소득으로 감당하기에 부족하다고 판단한다.
④ 부채비율은 자기자본에 대한 타인자본의 비율이며, 부채비율을 융자비율이라고도 한다.
⑤ 비율분석법의 한계로는 요소들에 대한 추계산정의 오류가 발생하는 경우에 비율 자체가 왜곡될 수 있다는 점을 들 수 있다.

29

화폐의 시간가치 계산에 관한 설명으로 옳은 것은?

① 정년퇴직자가 매월 연금형태로 받는 퇴직금을 일정 기간 적립한 후에 달성되는 금액을 산정할 경우 연금의 현재가치계수를 사용한다.
② 주택마련을 위해 은행으로부터 원금균등분할상환방식으로 주택구입자금을 대출한 가구가 매월 상환할 금액을 산정하는 경우 저당상수를 사용한다.
③ 3년 후에 1억원을 모으기 위해 매기에 적립해야 하는 적립금을 계산할 경우 연금의 내가계수의 역수를 사용한다.
④ 현재 5억원인 주택이 매년 5%씩 가격이 상승한다고 가정할 때, 연금의 미래가치계수를 사용하여 10년 후의 주택가격을 산정할 수 있다.
⑤ 일시불의 내가계수, 연금의 내가계수, 저당상수는 미래가치를 구하기 위한 자본환원계수이다.

30

부동산금융에 관한 설명으로 틀린 것은?

① 역모기지론은 금융기관으로부터 연금과 같이 매월 노후생활자금을 받는 제도이다.
② 변동금리대출방식에서 대출기간 중 금리가 변하게 되는 것은 코픽스(Cost of Funds Index)가 변하기 때문이다.
③ 담보인정비율(LTV)은 차입자의 기존 대출에 대해 고려하지 않고, 주택의 담보가치를 중심으로 대출규모를 결정하는 기준이다.
④ 고정금리 주택담보대출은 차입자가 대출기간 동안 지불해야 하는 이자율이 동일한 형태로 시장금리의 변동에 관계없이 대출시 확정된 이자율이 만기까지 계속 적용된다.
⑤ 부동산금융에서 기준금리를 적용하는 대출방식은 차입자를 인플레위험으로부터 보호해 줄 수 있는 금융방식이다.

31

대출상환방식에 관한 설명으로 옳은 것은? (단, 대출금액과 기타 대출조건은 동일함)

① 원리금균등상환방식은 매기 원금상환액이 감소하는 만큼 이자상환액이 증가한다.
② 원리금균등상환방식은 원금균등상환방식에 비해 전체 대출기간 만료시 누적원리금상환액이 더 크다.
③ 대출실행시점에서 총부채상환비율(DTI)은 원리금균등상환방식이 원금균등상환방식보다 항상 더 크다.
④ 대출금을 조기상환하는 경우 미상환대출액인 잔금은 원리금균등상환방식에 비해 원금균등상환방식이 더 크다.
⑤ 체증(점증)상환방식은 대출잔액이 지속적으로 감소하므로 다른 상환방식에 비해 이자부담이 작다.

32

「부동산투자회사법」에 의한 부동산투자회사(REITs)에 관한 설명으로 틀린 것은?

① 부동산투자회사는 「부동산투자회사법」에서 특별히 정한 경우를 제외하고는 「상법」의 적용을 받는다.
② 위탁관리 부동산투자회사와 기업구조조정 부동산투자회사의 설립자본금은 3억원 이상으로 한다.
③ 자기관리 부동산투자회사는 그 설립등기일부터 10일 이내에 대통령령으로 정하는 바에 따라 설립보고서를 작성하여 국토교통부장관에게 제출하여야 한다.
④ 기업구조조정 부동산투자회사의 경우 주주 1인과 그 특별관계자는 발행주식 총수의 50%를 초과하여 소유하지 못한다.
⑤ 자기관리 부동산투자회사는 자산운용 전문인력을 영업인가시 3인 이상, 영업인가를 받은 후 6개월 경과시 5인 이상 두어야 한다.

33

저당담보부증권(MBS) 도입에 따른 부동산시장의 효과와 저당의 유동화에 관한 설명으로 옳은 것은? (단, 다른 조건은 동일함)

① 1차 저당시장에서는 차입자와 대출기관 사이에 모기지(mortgage)가 유통되는 시장이다.
② 저당의 유동화가 활성화되기 위해서는 2차 저당시장에서 발행되는 저당담보부증권(MBS)의 수익률이 주택대출금리보다 더 높아야 한다.
③ CMO(다계층채권)의 채무불이행위험은 한국주택금융공사가 부담한다.
④ MBB(주택저당채권담보부채권)의 저당채권의 소유권은 투자자가 갖는다.
⑤ 저당담보부증권(MBS)의 도입으로 자가소유가구 비중이 감소하고, 투자자에게 다양한 포트폴리오 자산구성이 용이해진다.

34

「감정평가에 관한 규칙」에 규정된 내용으로 틀린 것은?

① 기준시점이란 대상물건의 감정평가액을 결정하는 기준이 되는 날짜를 말한다.
② 거래사례비교법은 감정평가방식 중 비교방식에 해당하나, 공시지가기준법은 비교방식에 해당하지 않는다.
③ 적산법은 대상물건의 기초가액에 기대이율을 곱하여 산정된 기대수익에 대상물건을 계속하여 임대하는 데에 필요한 경비를 더하여 대상물건의 임대료를 산정하는 감정평가방법을 말한다.
④ 감정평가법인 등은 대상물건별로 정한 감정평가방법(이하 "주된 방법"이라 함)을 적용하여 감정평가하되, 주된 방법을 적용하는 것이 곤란하거나 부적절한 경우에는 다른 감정평가방법을 적용할 수 있다.
⑤ 수익환원법이란 대상물건이 장래 산출할 것으로 기대되는 순수익이나 미래의 현금흐름을 환원하거나 할인하여 대상물건의 가액을 산정하는 감정평가방법을 말한다.

35

「감정평가에 관한 규칙」에 규정된 내용이 아닌 것은?

① 시장가치란 완전경쟁시장에서 거래가 성립될 가능성이 있는 대상물건의 최고가액을 말한다.
② 감정평가법인 등은 감정평가 의뢰인이 요청하는 경우에는 대상물건의 감정평가액을 시장가치 외의 가치를 기준으로 결정할 수 있다.
③ 감정평가는 기준시점에서의 대상물건의 이용상황(불법적이거나 일시적인 이용은 제외한다) 및 공법상 제한을 받는 상태를 기준으로 한다.
④ 둘 이상의 대상물건이 일체로 거래되거나 대상물건 상호간에 용도상 불가분의 관계가 있는 경우에는 일괄하여 감정평가할 수 있다.
⑤ 하나의 대상물건이라도 가치를 달리하는 부분은 이를 구분하여 감정평가할 수 있다.

36

A씨는 원리금균등분할상환조건으로 2억원을 대출받았다. 은행의 대출조건이 다음과 같을 때, 대출 후 5년이 지난 시점에 남아있는 대출잔액은? (단, 주어진 조건에 한함)

○ 대출금리: 고정금리, 연 5%
○ 총 대출기간과 상환주기: 30년, 월말 분할상환
○ 기간이 30년인 저당상수(월 복리): 0.005
○ 기간이 25년인 연금의 현가계수(월 복리): 150
○ 기간이 5년인 연금의 현가계수(월 복리): 45

① 45,000,000원
② 100,000,000원
③ 135,000,000원
④ 140,000,000원
⑤ 150,000,000원

37

원가법에 의한 대상물건 기준시점의 감가수정액은?

○ 준공시점: 2018년 5월 30일
○ 기준시점: 2023년 5월 30일
○ 기준시점 재조달원가: 300,000,000원
○ 잔존 경제적 내용연수: 35년
○ 감가수정은 정액법에 의하고, 내용연수 만료시 잔존가치율은 20%

① 15,000,000원
② 18,000,000원
③ 20,000,000원
④ 25,000,000원
⑤ 30,000,000원

38

다음 자료를 활용하여 공시지가기준법으로 평가한 대상토지의 가액(원/m²)은? (단, 주어진 조건에 한함)

○ 소재지 등: A시 B구 C동 100, 일반상업지역, 상업용
○ 기준시점: 2022.10.26.
○ 표준지공시지가(A시 B구 C동, 2022.1.1. 기준)

기호	소재지	용도지역	이용상황	공시지가(원/m²)
1	C동90	일반공업지역	상업용	1,000,000
2	C동110	일반상업지역	상업용	2,000,000

○ 지가변동률(A시 B구, 2022.1.1. ~ 2022.10.26.)
 – 공업지역: 4% 상승
 – 상업지역: 5% 상승
○ 지역요인: 표준지와 대상토지는 인근지역에 위치하여 지역요인은 동일함
○ 개별요인: 대상토지는 표준지 기호 1, 2에 비해 각각 가로조건에서 10% 우세하고, 환경조건은 5% 열세하며, 다른 조건은 동일함(상승식으로 계산할 것)

① 1,144,000원/m²
② 1,155,500원/m²
③ 2,194,500원/m²
④ 2,284,500원/m²
⑤ 2,310,000원/m²

39

「감정평가에 관한 규칙」상 평가대상의 주된 감정평가방법으로 틀린 것은?

① 임대료 – 수익분석법
② 특허권 – 수익환원법
③ 건설기계 – 원가법
④ 과수원 – 거래사례비교법
⑤ 공장재단 – 수익환원법

40

부동산 가격공시에 관한 설명으로 틀린 것은?

① 표준지를 선정할 때에는 일반적으로 유사하다고 인정되는 일단의 토지 중에서 해당 일단의 토지를 대표할 수 있는 토지를 선정하여야 한다.
② 시장 · 군수 또는 구청장은 표준지로 선정된 토지에 대해서는 개별공시지가를 결정 · 공시하지 아니할 수 있고, 개별공시지가는 표준지공시지가로 본다.
③ 개별주택의 가격은 주택시장의 가격정보를 제공하고, 국가 · 지방자치단체 등의 기관이 과세 등의 업무와 관련하여 주택의 가격을 산정하는 경우에 그 기준으로 활용될 수 있다.
④ 국토교통부장관은 공시기준일 이후에 분할 · 합병 등이 발생한 토지에 대하여는 대통령령으로 정하는 날을 기준으로 하여 개별공시지가를 결정 · 공시하여야 한다.
⑤ 시장 · 군수 또는 구청장이 개별주택가격을 결정 · 공시하는 경우에는 해당 주택과 유사한 이용가치를 지닌다고 인정되는 표준주택가격을 기준으로 주택가격비준표를 사용하여 가격을 산정하되, 해당 주택의 가격과 표준주택가격이 균형을 유지하도록 하여야 한다.

민법 및 민사특별법

41

법률행위의 효력에 관한 설명으로 옳은 것은? (다툼이 있으면 판례에 따름)

① 법률행위의 성립 당시에 목적이 확정되지 않은 법률행위는 효력이 없다.
② 공인중개사가 법정 한도를 초과하여 체결한 중개수수료 지급약정은 그 전부를 무효로 한다.
③ 공인중개사 자격이 없는 자가 우연한 기회에 단 1회 타인의 거래를 알선하면서 체결한 수수료 지급약정이라고 할지라도 효력이 인정될 수 없다.
④ 부첩관계를 단절하면서 첩에게 생계비나 양육비를 지급하기로 하는 약정은 효력이 없다.
⑤ 강행규정을 위반하여 법률행위를 한 자가 스스로 그 법률행위의 무효를 주장하더라도 이를 신의칙에 반하는 것이라고 할 수 없다.

42

다음 중 단독행위에 해당하지 않는 것은?

① 무권대리행위에 대한 본인의 추인
② 계약의 취소
③ 유언
④ 합의해제
⑤ 채무면제

43

불공정한 법률행위에 관한 설명으로 틀린 것은?

① 무상행위는 불공정한 법률행위에 해당될 수 없다.
② 경매에 의한 재산권이전의 경우에는 불공정한 법률행위가 성립할 수 없다.
③ 급부와 반대급부 사이에 현저한 불균형이 존재하면 상대방의 폭리의사가 추정된다.
④ 무경험은 특정영역에 있어서의 경험부족이 아니라 거래일반에 대한 경험부족을 의미한다.
⑤ 대리인에 의한 법률행위의 경우에 궁박은 본인을 기준으로 판단하여야 한다.

44

법률행위에 관한 설명으로 옳은 것을 모두 고른 것은? (다툼이 있으면 판례에 따름)

ㄱ. 강행규정에 위반하지 않은 법률행위도 반사회적 법률행위에 해당하여 무효가 될 수 있다.
ㄴ. 법률행위의 동기가 반사회적인 경우에도 그 동기가 표시되었다면 법률행위 자체가 무효로 될 수 있다.
ㄷ. 미등기 전매행위 및 그로 인한 중간생략등기라도 사법상 효력까지 무효가 되지는 않는다.
ㄹ. 표시행위의 객관적 의미를 밝히는 해석을 자연적 해석이라고 한다.
ㅁ. 법률행위의 해석에 있어서 당사자의 의사와 임의규정이 다른 때에는 임의규정에 따라야 한다.

① ㄱ, ㄴ, ㄷ
② ㄱ, ㄷ, ㄹ
③ ㄴ, ㄷ, ㄹ
④ ㄴ, ㄹ, ㅁ
⑤ ㄷ, ㄹ, ㅁ

45

甲이 乙에게 부동산을 매도하는 계약을 체결하고 乙명의로 소유권이전등기가 경료되었다. 다음 설명 중 옳지 않은 것은?

① 甲에게 매매의 의사가 없었던 경우에도 특별한 사정이 없으면 乙은 소유권을 취득할 수 있다.
② 甲에게 매매의 의사가 없었던 경우에도 乙이 악의인 경우에는 乙은 소유권을 취득할 수 없다.
③ 甲에게 매매의 의사가 없었던 경우에도 선의·무과실인 乙로부터 그 부동산을 매수한 丙이 악의라면 丙은 소유권을 취득할 수 없다.
④ 甲과 乙의 매매계약이 허위표시에 해당하여 무효인 경우, 乙로부터 그 부동산을 매수한 선의의 丙은 소유권을 취득할 수 있다.
⑤ 甲과 乙의 매매계약이 허위표시에 해당하여 무효인 경우, 乙로부터 그 부동산을 매수한 악의의 丙은 소유권을 취득할 수 없다.

46

비진의표시에 관한 설명으로 틀린 것은? (다툼이 있으면 판례에 따름)

① 비진의표시는 무효임이 원칙이나, 선의의 제3자에게는 대항하지 못한다.
② 비진의표시에서 진의는 표의자가 진정으로 마음속에서 바라는 사항을 뜻하는 것은 아니다.
③ 비록 재산을 강제로 뺏긴다는 것이 표의자의 본심으로 잠재되어 있었다 하여도, 증여의 내심의 효과의사가 결여된 것이라고 할 수는 없다.
④ 甲이 법률상 또는 사실상의 장애로 자기명의로 대출받을 수 없는 乙을 위하여 대출금채무자로서의 명의를 빌려준 경우, 甲의 의사표시는 비진의표시라고 할 수 없다.
⑤ 공무원의 사직의 의사표시와 같은 사인의 공법행위에는 비진의표시에 관한 규정이 준용되지 않는다.

47

채권자 A의 강제집행을 면탈할 목적으로 甲은 자기소유의 토지를 乙과 통정하여 乙명의로 이전등기를 하였다. 그 후 乙은 선의인 丙에게 그 토지를 매도하여 丙명의로 이전등기가 경료되었다. 다음 설명 중 틀린 것은?

① 甲과 乙의 통정허위표시는 사회질서에 위반하는 것은 아니다.
② 甲은 乙에게 원인무효를 이유로 부당이득반환을 청구할 수 있다.
③ 채권자 A는 甲을 대위하여 丙에게 등기말소를 청구할 수 없다.
④ 乙의 丙에 대한 처분행위는 甲의 소유권을 침해하는 불법행위가 된다.
⑤ 丙이 악의인 丁에게 양도한 경우에는 甲은 악의인 丁에게 무효를 주장할 수 있다.

48

甲이 乙의 임의대리인인 경우 甲의 대리권 소멸사유가 아닌 것은?

① 甲의 사망
② 乙의 사망
③ 甲의 성년후견 개시
④ 乙의 성년후견 개시
⑤ 乙의 수권행위 철회

49

대리와 복대리에 관한 설명으로 옳지 않은 것은? (다툼이 있으면 판례에 따름)

① 법정대리인은 본인의 승낙이 없으면 복대리인을 선임하지 못한다.
② 대리인의 복대리인 선임행위는 대리행위가 아니다.
③ 복대리인은 성질상 항상 임의대리인이다.
④ 무권대리인이 한 대리행위는 본인이 이를 추인하기 전까지는 효력이 발생되지 않는다.
⑤ 무권대리인과 대리행위를 한 선의의 상대방은 본인이 추인하기 전까지는 철회권을 행사할 수 있다.

50

법률행위의 무효와 취소에 관한 설명으로 옳지 않은 것은? (다툼이 있으면 판례에 따름)

① 강행규정에 위반하여 무효인 법률행위는 당사자가 무효임을 알고 추인하면 새로운 법률행위를 한 것으로 본다.
② 법률행위의 일부분이 무효인 경우 원칙적으로 그 전부를 무효로 한다.
③ 제한능력자는 법정대리인의 동의가 없어도 취소권을 행사할 수 있다.
④ 법률행위를 취소하면 그 법률행위는 성립 당시에 소급하여 효력을 잃는다.
⑤ 취소할 수 있는 행위를 추인한 후에는 더 이상 그 법률행위를 취소할 수 없다.

51

조건과 기한에 관한 설명으로 옳은 것은? (다툼이 있으면 판례에 따름)

① 법률행위의 조건이 선량한 풍속 기타 사회질서에 위반한 사항을 내용으로 하는 것일 때에는 조건 없는 법률행위로 된다.
② 법률행위 당시에 이미 성취한 사항을 정지조건으로 하여 이루어진 법률행위는 무효로 한다.
③ 조건부 법률행위에 의한 권리는 그 조건의 성부가 미정인 동안에는 일반규정에 의하여 처분할 수 있다.
④ 기한 도래의 효과는 당사자의 특약에 의하여 소급효가 인정될 수 있다.
⑤ 기한의 이익은 채무자를 위한 것으로 간주한다.

52

다음 중 물권에 관한 다음 설명 중 옳지 <u>않은</u> 것은? (다툼이 있으면 판례에 따름)

① 지상권 또는 전세권 위에 저당권을 설정할 수 있다.
② 토지 일부 위에 저당권을 설정할 수 있다.
③ 물권법정주의를 위반하는 물권행위는 무효이다.
④ 등기된 부동산 임차권은 채권이다.
⑤ 아파트분양권은 소유권의 객체가 될 수 없다.

53

물권법정주의에 관한 설명 중 옳은 것을 모두 고른 것은? (다툼이 있으면 판례에 따름)

> ㄱ. 농지에 대해서는 지상권을 설정할 수 없다.
> ㄴ. 온천권은 관습법상 물권으로 인정되지 않는다.
> ㄷ. 지상권이나 전세권 위에 저당권을 설정할 수 있다.
> ㄹ. 지상권의 양도를 금지하는 약정은 유효하다.

① ㄱ, ㄴ　　② ㄱ, ㄷ
③ ㄴ, ㄷ　　④ ㄴ, ㄹ
⑤ ㄷ, ㄹ

54

부동산물권변동에 관하여 다음 중 옳지 <u>않은</u> 것은? (다툼이 있으면 판례에 따름)

① 상속에 의해 소유권을 취득하는 경우에는 등기 없이 취득한다.
② 피담보채권이 변제되면 저당권은 말소등기를 하지 않아도 소멸한다.
③ 건물의 전세권의 존속기간이 법정갱신되는 경우에는 등기가 필요하지 않다.
④ 소유권이전등기를 청구하는 소송을 제기하여 승소판결이 확정되면 소유권이전등기를 하지 않아도 소유권을 취득한다.
⑤ 상속으로 인한 부동산물권을 취득하기 위하여는 따로 소유권이전등기를 할 필요는 없다.

55

등기의 추정력에 관하여 옳지 <u>않은</u> 설명은? (다툼이 있으면 판례에 따름)

① 전 소유자가 사망한 후에 그의 신청에 의해 소유권이전등기가 이루어졌으나 사망 전에 등기원인이 존재한 경우에는 추정력이 깨지지 아니한다.
② 등기가 현재의 진실한 권리상태를 공시하면 그에 이른 과정이나 태양을 다소 다르게 주장해도 추정력이 깨지지 않는다.
③ 소유권보존등기가 원시취득에 의한 것이 아니라는 것이 증명되면 추정력이 깨진다.
④ 소유권이전등기의 원인으로 주장된 계약서가 진정하지 않은 것으로 증명되어도 추정력은 깨지지 않는다.
⑤ 가등기에는 추정력이 인정되지 않는다.

56

다음은 물권적 청구권에 관한 기술 중 옳지 <u>않은</u> 것은? (다툼이 있으면 판례에 따름)

① 최초의 침해자가 현재 점유하고 있지 않으면 상대방이 아니다.
② 물권적 청구권은 손해배상청구권을 항상 수반하는 것은 아니다.
③ 甲의 토지 위에 乙이 무단건축한 경우, 甲은 乙에 대해 건물에서의 퇴거를 청구할 수 없다.
④ 물권적 청구권을 물권과 분리하여 양도할 수 없다.
⑤ 甲의 토지 위에 乙이 무단건축한 후 미등기건물을 丙에게 매도한 경우, 丙에 대해 甲은 건물의 철거청구를 할 수 없다.

57

점유에 관한 설명으로 옳은 것은? (다툼이 있으면 판례에 따름)

① 점유자의 점유가 자주점유인지 타주점유인지의 여부는 점유자 내심의 의사에 의하여 결정된다.
② 점유자가 매매, 증여 등을 주장하였으나, 인정되지 않는다는 것만으로도 자유점유의 추정이 깨진다.
③ 점유물이 멸실 · 훼손된 경우, 선의의 타주점유자는 이익이 현존하는 한도 내에서 회복자에게 배상책임을 진다.
④ 매수인이 착오로 인접한 타인의 토지의 일부까지 매수한 것으로 믿고 이를 함께 점유하는 경우에는 타주점유이다.
⑤ 점유자의 특정승계인이 자기의 점유와 전(前) 점유자의 점유를 아울러 주장하는 경우, 그 하자도 승계한다.

58

점유취득시효에 관한 설명으로 옳지 않은 것은? (다툼이 있으면 판례에 따름)

① 점유자가 취득시효기간이 완성된 후에 점유를 상실하면 이미 취득한 소유권이전등기청구권은 소멸한다.
② 국가재산 중 일반재산도 시효취득할 수 있으나, 등기 전에 행정재산이 된 경우에는 시효완성을 원인으로 한 소유권이전등기를 청구할 수 없다.
③ 취득시효완성 후 제3자가 소유자로부터 그 부동산을 양수하여 등기까지 마친 경우, 점유자는 그 제3자에 대하여 시효취득을 주장할 수 없다.
④ 취득시효완성 후 제3자가 소유권을 취득한 시점을 새로운 기산점으로 삼아 2차 취득시효를 주장할 수 있다.
⑤ 시효완성자가 소유자에게 등기청구권을 행사한 후 제3자에게 처분한 경우, 시효완성자는 부동산을 처분한 소유자에게 등기불능을 이유로 한 채무불이행책임을 물을 수 없다.

59

공유에 대한 설명으로 옳지 않은 것은? (다툼이 있으면 판례에 따름)

① 제3자가 공유물을 불법점유한 경우, 공유자는 단독으로 공유물 전부의 반환을 청구할 수 있다.
② 부동산 공유자는 자기지분 위에 다른 공유자의 동의 없이 저당권을 설정할 수 있다.
③ 공유자 중의 1인 상속인 없이 사망한 경우, 그 지분은 나머지 공유자의 지분의 비율로 귀속한다.
④ 공유자 간에 분할에 관해 이미 협의가 성립된 때에는 재판상 분할청구는 인정되지 않는다.
⑤ 지분과반수권자 甲이 다른 공유자 乙의 동의 없이 공유토지 전부를 丙에게 임대한 경우, 乙은 丙에게 방해배제를 청구할 수 있다.

60

지상권에 대한 다음 설명 중 옳지 않은 것은? (다툼이 있으면 판례에 따름)

① 견고한 건물 소유목적의 지상권을 설정하였으나, 기간의 약정이 없는 경우, 그 존속기간은 30년이다.
② 지상권 최단존속기간에 관한 규정은 강행규정이므로, 기존 건물의 사용을 목적으로 한 지상권에도 적용된다.
③ 2년 이상 지료를 연체한 경우, 지상권설정자는 지상권자에 대해 지상권소멸청구할 수 있다.
④ 지상권의 침해가 있는 경우, 지상권에 기한 물권적 청구권을 행사할 수 있다.
⑤ 수목 소유 목적으로 구분지상권을 설정할 수 없다.

61

지역권에 관한 설명으로 옳지 않은 것은? (다툼이 있으면 판례에 따름)

① 지역권은 요역지 소유권과 분리하여 양도하거나 저당권을 설정할 수 없다.
② 승역지의 점유가 침탈된 때에도 지역권자는 승역지의 반환을 청구할 수 없다.
③ 승역지는 1필의 토지이어야 하지만, 요역지는 1필의 토지 일부라도 무방하다.
④ 요역지의 전세권자는 특별한 사정이 없으면 지역권을 행사할 수 있다.
⑤ 공유자의 1인이 지역권을 취득한 때에는 다른 공유자도 이를 취득한다.

62

전세권과 관련된 설명 중 옳지 않은 것은? (다툼이 있으면 판례에 따름)

① 당사자의 설정행위로 전세권처분금지특약을 할 수 있다.
② 전세금은 반드시 현실적으로 지급하여야 하는 것은 아니고 기존의 채권으로 갈음할 수 있다.
③ 전세권설정자의 전세금반환의무는 전세목적물의 인도의무 및 전세권설정등기말소의무와 동시이행관계에 있다.
④ 건물의 일부에 대해 전세권이 설정된 경우, 일부 전세권자는 건물 전부에 대하여 우선변제권은 인정되나, 전부를 경매청구할 수 없다.
⑤ 토지전세권이 법정갱신된 경우 전세권자는 갱신의 등기 없이도 전세목적물을 취득한 제3자에 대하여 전세권을 주장할 수 있다.

63

다음 중 전세권자에게 인정되지 <u>않는</u> 권리는? (다툼이 있으면 판례에 따름)

① 과실수취권
② 필요비상환청구권
③ 부속물매수청구권
④ 물권적 청구권
⑤ 경매청구권

64

유치권에 대한 설명으로 <u>틀린</u> 것은?

① 유치권은 법률의 규정에 의하여 성립하는 담보물권으로서 물상대위성이 인정되지 아니한다.
② 유치권자는 유치물의 과실을 수취하여 다른 채권보다 먼저 그 채권의 변제에 충당할 수 있다.
③ 유치권을 행사하는 한 피담보채권의 소멸시효는 진행하지 아니한다.
④ 유치권자는 채권의 변제를 받기 위하여 유치물을 경매할 수 있다.
⑤ 채무자는 상당한 담보를 제공하고 유치권의 소멸을 청구할 수 있다.

65

유치권자에게 인정되는 권리에 관한 설명 중 <u>잘못된</u> 것은?

① 일정한 경우에는 유치물을 사용할 수 있다.
② 유치물의 과실을 수취하여 다른 채권보다 먼저 그 채권의 변제에 충당할 수 있다.
③ 정당한 이유가 있는 때에는 감정인의 평가에 의하여 유치물로 직접 변제에 충당할 것을 법원에 청구할 수 있다.
④ 유익비를 지출한 경우 그 가액의 증가가 현존한 경우에 한하여 소유자의 선택에 좇아 그 지출한 금액이나 증가액의 상환을 청구할 수 있다.
⑤ 유치권자는 다른 채권자 보다 우선해서 변제받을 수 있는 우선변제권이 있다.

66

유치권에 관한 다음 설명 중 <u>틀린</u> 것은?

① 유치권자는 우선변제권이 없으므로 유치물의 과실을 수취하여도 다른 채권보다 먼저 변제에 충당할 수 없다.
② 유치권자는 선량한 관리자의 주의로 유치물을 점유하여야 한다.
③ 유치권자가 채무자의 승낙 없이 대여한 경우 채무자는 유치권의 소멸을 청구할 수 있다.
④ 정당한 이유 있는 때에는 유치권자는 감정인의 평가에 의하여 유치물로 직접변제에 충당할 것을 법원에 청구할 수 있다.
⑤ 채무자는 상당한 담보를 제공하고 유치권의 소멸을 청구할 수 있다.

67

저당목적물에 대한 침해에 관한 다음 설명 가운데 <u>틀린</u> 것은?

① 침해가 있더라도 목적물의 잔존가치가 피담보채권을 충분히 만족시킬 수 있는 경우에는 저당권자의 침해자에 대한 손해배상청구권이 성립하지 않는다.
② 저당목적물에 대한 침해가 저당권설정자의 책임 있는 사유로 이루어진 경우에만 저당권자는 저당권설정자에 대해 담보물보충청구권을 가진다.
③ 저당목적물에 대한 침해가 채무자에 의해 이루어진 경우에는 저당권자는 채무자에 대해 즉시 변제를 청구할 수 있다.
④ 저당권자가 채무자에 대해 즉시 변제를 청구한 경우에는 담보물보충청구권을 행사할 수 없다.
⑤ 저당권자가 채무자에 대해 즉시 변제를 청구함과 동시에 손해배상을 청구할 수는 없다.

68

저당권 실행에 의한 경매로 저당권이 소멸한 경우에 관한 설명으로 <u>틀린</u> 것은? (다툼이 있으면 판례에 따름)

① 저당권보다 먼저 성립된 지상권은 경매에도 불구하고 소멸되지 않는다.
② 저당권보다 나중에 성립된 전세권은 배당요구 여부에 관계없이 소멸된다.
③ 경매개시결정등기 이후에 성립한 유치권으로는 경락인에게 대항하지 못한다.
④ 저당권설정 후에 전세권을 취득한 자는 목적물에 투입한 비용을 저당권자에 우선하여 변제받을 수 없다.
⑤ 저당권자가 후순위 전세권자에 우선하여 변제받을 수 있는 지연배상금은 변제기를 경과한 1년분에 한한다.

69

저당권에 관한 설명으로 옳지 않은 것은? (다툼이 있으면 판례에 따름)

① 저당권자가 경매를 신청하여 경매절차가 개시된 경우, 저당물의 제3취득자도 매수인이 될 수 있다.
② 지연이자에 대해서는 원본의 이행기가 경과한 후 1년분에 한하여 저당권을 행사할 수 있다.
③ 저당권은 그 담보한 채권과 분리하여 타인에게 양도하거나 다른 채권의 담보로 할 수 있다.
④ 저당권설정자의 책임 있는 사유로 저당물의 가액이 현저하게 감소되면 저당권자는 저당권설정자에 대하여 상당한 담보제공을 청구할 수 있다.
⑤ 채권자와 채무자 및 제3자 사이에 합의가 있고 채권이 그 제3자에게 실질적으로 귀속되었다고 볼 수 있는 특별한 사정이 있으면 그 제3자 명의의 저당권등기도 유효하다.

70

계약의 성립에 관한 설명으로 틀린 것은?

① 불특정 다수인에 대한 승낙도 유효하다.
② 계약은 일반적으로 당사자의 청약에 대한 상대방의 승낙으로 성립한다.
③ 청약은 그에 대응하는 승낙만 있으면 곧 계약이 성립하는 확정적 의사표시이다.
④ 교차청약에서는 양 청약이 상대방에게 도달한 때에 계약이 성립한다.
⑤ 의사실현이 있으면, 계약은 승낙의 의사표시로 인정되는 사실이 있는 때에 성립한다.

71

동시이행의 항변권에 대한 설명으로 타당성이 없는 것은? (다툼이 있으면 판례에 따름)

① 변제와 영수증의 교부는 동시이행관계로 본다.
② 동시이행의 항변권을 가지는 자는 이행기에 이행하지 않더라도 이행지체책임을 부담하지 않는다.
③ 계약해제로 인한 각 당사자의 원상회복의무와 전세계약의 종료시 전세금반환의무와 전세목적물인도 및 전세권말소등기에 필요한 서류의 교부의무는 동시이행의 관계이다.
④ 동시이행의 항변권이 붙은 채권을 자동채권으로 상계할 수 없다.
⑤ 동시이행의 항변권은 유치권과 달리 상당한 담보의 제공으로 소멸시킬 수 있다.

72

제3자를 위한 계약에 관한 설명으로 옳지 않은 것은?

① 제3자의 권리는 제3자가 채무자에 대하여 계약의 이익을 받을 의사를 표시한 때에 생긴다.
② 채무자는 상당한 기간을 정하여 계약 이익의 향수 여부의 확답을 제3자에게 최고할 수 있다.
③ 채무자가 상당한 기간을 정하여 계약 이익의 향수 여부의 확답을 제3자에게 최고하였으나 그 기간 내에 확답을 받지 못한 때에는 거절한 것으로 본다.
④ 채무자는 계약에 기한 항변으로 계약의 이익을 받을 제3자에게 대항할 수 없다.
⑤ 제3자의 권리가 생긴 후에는 계약당사자는 이를 변경 또는 소멸시킬 수 없다.

73

계약의 법정해제에 관한 설명으로 옳지 않은 것은? (다툼이 있으면 판례에 따름)

① 해제는 해제권자의 일방적 의사표시로 그 효과가 발생하는 단독행위이다.
② 해제 후 원상회복을 위해 금전을 반환할 자는 해제한 날로부터 이자를 가산하여야 한다.
③ 계약해제로부터 보호받는 제3자란 해제된 계약으로부터 생긴 법률적 효과를 기초로 해제 전에 새로운 이해관계를 가졌을 뿐만 아니라 등기·인도 등으로 완전한 권리를 취득한 자를 말한다.
④ 채무자의 책임 있는 사유로 이행불능이 된 경우, 채권자는 이행기를 기다리지 않고, 최고 없이 계약을 해제할 수 있다.
⑤ 계약의 일방 또는 쌍방이 여러 명인 경우, 특약이 없는 한 전원이 또는 전원에 대하여 해제의 의사표시를 하여야 한다.

74

계약의 해제에 관한 설명 중 옳은 것은?

① 해제권자의 고의나 과실로 인하여 계약의 목적물이 현저히 훼손되거나 이를 반환할 수 없게 된 때에는 해제권은 소멸한다.
② 당사자 일방의 책임 있는 사유로 이행이 불능하게 된 때에는 상대방은 최고를 하여야만 계약을 해제할 수 있다.
③ 계약의 성질에 의하여 일정한 기간 내에 이행하지 아니하면 계약의 목적을 달성할 수 없을 경우에 당사자 일방이 그 시기에 이행하지 아니한 때에는 상대방은 최고를 하여야만 계약을 해제할 수 있다.
④ 당사자의 쌍방이 수인인 경우에는 계약의 해제는 그 대표자에 대하여 하여야 한다.
⑤ 계약을 해제한 경우에는 별도의 손해배상을 청구할 수 없다.

75

계약금에 관한 설명 중 판례의 입장으로 틀린 것은?

① 계약금계약은 요물계약이며, 주된 계약에 부수하여 행해지는 종된 계약이다.
② 해약금에 의한 해제를 당사자 간에 배제하는 특약은 유효하다.
③ 매도인이 해약금에 의한 해제를 하려면 계약금 배액의 이행제공이 있어야 한다.
④ 매도인이 매매계약의 이행에 착수한 바가 없더라도 중도금을 지급한 매수인은 계약금을 포기하고 매매계약을 해제할 수 없다.
⑤ 수수된 계약금을 위약금으로 한다는 약정이 없는 경우에도 손해배상액의 예정으로서의 성질을 갖는다.

76

「주택임대차보호법」에 관한 설명 중 틀린 것은? (다툼이 있으면 판례에 따름)

① 영리법인이 임차한 주택을 양수한 자는 동법에 의하여 임대인의 지위를 승계한다.
② 임대차계약의 주된 목적이 주택을 사용하려는 것이 아니고, 실제로는 소액임차인으로 보호받아 채권의 회수를 목적으로 한 것이라면 소액임차인으로서 보호할 수 없다.
③ 우선변제권을 행사할 수 있는 주택임차인으로부터 임차권과 분리된 임차보증금반환채권만을 양수한 채권양수인은 우선변제권을 행사할 수 없다.
④ 임차주택을 간접점유하는 임차인이 주민등록을 마쳤다 하더라도 임차주택의 직접점유자가 주민등록을 마치지 않았다면, 임차인은 대항력을 취득할 수 없다.
⑤ 저당권설정일보다 늦게 대항력을 갖춘 임차인은 경매시 경락인에게 대항하지 못한다.

77

「상가건물 임대차보호법」에 관한 설명으로 틀린 것은?

① 건물인도와 사업자등록을 신청한 다음 날부터 대항력이 발생하며, 확정일자는 대항요건이 아니다.
② 기간의 정함이 없거나 기간을 1년 미만으로 정한 임대차는 그 기간을 1년으로 본다.
③ 임대차기간을 1년 미만으로 정한 특약이 있는 경우, 임차인은 그 기간의 유효함을 주장할 수 있다.
④ 임차인의 계약갱신요구권은 최초의 임대차기간을 포함하여 전체 임대차기간이 10년을 초과하지 않는 범위 내에서만 행사할 수 있다.
⑤ 상가건물의 환가대금에서 후순위 권리자보다 보증금을 우선변제받기 위해서는 사업자등록이 경매개시결정시까지 존속하면 된다.

78

「가등기담보 등에 관한 법률」에 대한 설명으로 옳은 것은? (다툼이 있으면 판례에 따름)

① 매매대금의 지급을 담보하기 위하여 가등기를 한 경우에도 「가등기담보 등에 관한 법률」이 적용된다.
② 후순위 권리자는 청산기간에 한정하여 그 피담보채권의 변제기가 도래하기 전이라도 담보목적 부동산의 경매를 청구할 수 있다.
③ 부동산의 평가액이 피담보채권액에 미달하는 경우에는 가등기담보권의 실행통지를 할 필요가 없다.
④ 양도담보목적 부동산을 양수한 제3자가 악의인 경우에도 채무자는 제3자 명의의 등기말소를 청구할 수 없다.
⑤ 채권자가 담보목적 부동산의 소유권을 취득하기 위하여는 가등기담보권의 실행통지가 상대방에게 도달한 날로부터 1개월이 지나야 한다.

79

A소유의 X부동산을 B가 매수하였으나, 등기과정 중 A의 양해를 받고 B, C 간의 명의신탁약정에 따라 C명의를 빌어 등기하였다. 다음 설명 중 틀린 것은? (다툼이 있으면 판례에 따름)

① A는 C에게 등기의 말소를 청구할 수 있다.
② B는 A에게 대금반환을 청구할 수 없다.
③ A, B 간의 매매계약의 효력은 유효이다.
④ B, C 간 명의신탁약정의 효력은 A가 선의라도 무효이다.
⑤ B는 C에게 진정명의회복을 원인으로 이전등기를 청구할 수 있다.

80

「집합건물의 소유 및 관리의 법률」관계에 관한 아래의 설명 중 틀린 것은?

① 일부의 구분소유자만의 공용에 제공되는 것임이 명백한 공용부분은 그들 구분소유자만의 공유에 속한다.
② 전 구분소유자가 체납한 관리비의 징수를 위해 특별승계인에 대해서 단전·단수 등의 조치를 취하는 관리단의 사용방해행위는 불법행위에 해당한다.
③ 지분이 동등하여 의결권 행사자를 정하지 못할 경우, 전유부분의 공유자들은 지분비율로 개별적으로 의결권을 행사할 수 있다.
④ 재건축결의에 따라 설립된 재건축조합이 재건축결의의 내용을 변경함에 있어서는 조합원 5분의 4 이상의 결의가 필요하다.
⑤ 주거용 집합건물을 철거하고 상가용 집합건물을 신축하는 것과 같이 건물의 용도를 변경하는 형태의 재건축결의도 허용된다.

제 4 회 실전 모의고사

100분 / 80문항

부동산학개론

01

토지의 자연적 · 인문적 특성에 관한 설명 중 틀린 것은?

① 용도의 다양성은 부증성과 함께 최유효이용의 근거를 제시한다.
② 개별성은 표준지 선정을 어렵게 하며 부동산시장을 비표준화시킨다.
③ 부증성에 기인한 특정 토지의 유한성은 공간에 대한 수요자 경쟁을 유발한다.
④ 영속성으로 소모를 전제로 하는 재생산이론 적용을 가능하게 한다.
⑤ 부동성과 인접성으로 외부환경의 영향을 받아 외부효과가 발생할 수 있다.

02

한국표준산업분류(KSIC)에 따른 부동산업의 세분류 항목으로 옳지 않은 것은?

① 주거용 건물건설업
② 부동산임대업
③ 부동산개발 및 공급업
④ 부동산관리업
⑤ 부동산중개, 자문 및 감정평가업

03

토지에 관한 설명으로 틀린 것은?

① 맹지는 타인의 토지에 둘러싸여 도로에 어떤 접속면도 가지지 못하는 토지이며, 「건축법」에 의해 원칙적으로 건물을 세울 수 없다.
② 후보지는 부동산의 주된 용도적 지역인 택지지역, 농지지역, 임지지역 상호간에 전환되고 있는 지역의 토지이다.
③ 빈지는 일반적으로 바다와 육지 사이의 해변 토지와 같이 소유권이 인정되며 이용실익이 있는 토지이다.
④ 이행지는 부동산의 주된 용도적 지역인 택지지역, 농지지역, 임지지역의 세분된 지역 내에서 용도전환이 이루어지고 있는 토지이다.
⑤ 법지는 택지경계와 접한 경사된 토지부분과 같이 법률상으로는 소유를 하고 있지만 이용실익이 없는 토지이다.

04

다음 제시된 유량(flow)과 저량(stock)변수 중에 저량변수에 해당하는 것은 모두 몇 개인가?

ㄱ. 순자산가치
ㄴ. 신규주택 공급량
ㄷ. 가계부채
ㄹ. A부동산의 감정평가액
ㅁ. 임대주택의 임대수입
ㅂ. 인구변동량
ㅅ. 통화량

① 1개　② 2개
③ 3개　④ 4개
⑤ 5개

05

아파트시장의 균형가격과 균형거래량의 변화에 관한 설명으로 틀린 것은? (단, 우하향하는 수요곡선과 우상향하는 공급곡선의 균형상태를 가정하며, 다른 조건은 동일함)

① 공급이 증가하고 수요가 증가하는 경우, 새로운 균형가격의 변화는 알 수 없다.
② 수요가 불변이고 공급이 증가하는 경우, 새로운 균형가격은 하락한다.
③ 공급의 감소와 수요의 감소가 동일한 경우, 새로운 균형가격은 하락하고 균형거래량은 감소한다.
④ 수요의 감소가 공급의 증가보다 큰 경우, 새로운 균형거래량은 감소한다.
⑤ 수요가 증가하고 공급이 감소하는 경우, 새로운 균형가격은 상승하고 균형거래량의 변화는 알 수 없다.

06

부동산의 공급곡선에 관한 설명으로 틀린 것은? (단, 다른 조건은 동일함)

① 토지 전체의 토지공급량이 불변이라면 토지공급의 가격탄력성은 0이다.
② 토지는 용도의 다양성으로 인해 우상향하는 공급곡선을 가진다.
③ 부동산 공급이 증가하면 부동산 수요곡선이 비탄력적일수록 시장균형가격이 더 작게 하락한다.
④ 주택의 단기공급곡선은 가용생산요소의 제약으로 장기공급곡선에 비해 더 비탄력적이다.
⑤ 개발행위허가기준의 강화와 같은 토지이용규제가 엄격해지면 토지의 공급곡선은 이전보다 더 비탄력적이 된다.

07

다음 조건에서 아파트 수요의 가격탄력성은? (단, 탄력성 계산시 기준가격과 수요량은 최초의 값으로 함)

아파트가격이 1,600만원에서 2,000만원으로 상승하고, 수요량은 1,600세대에서 1,200세대로 감소했다.

① 0.5　　② 1.0
③ 1.2　　④ 1.3
⑤ 1.5

08

부동산의 경기순환과 변동에 관한 설명으로 틀린 것은? (단, 다른 조건은 불변임)

① 대학교 근처의 임대주택이 방학을 주기로 공실이 높아지는 것은 계절적 경기변동에 해당한다.
② 부동산경기와 일반경기는 동일한 주기와 진폭으로 규칙적·반복적으로 순환한다.
③ 후퇴시장에서 거래사례가격은 새로운 거래가격의 상한이 되거나 기준이 된다.
④ 불규칙적 변동이란 예기치 못한 사태로 초래되는 비순환적 경기변동 현상을 말한다.
⑤ 상향시장에서는 공실률이 감소하는 현상이 나타난다.

09

아파트의 시장공급량이 300이고, A지역 아파트의 시장수요함수가 Q_{D1} = 1,400 − P에서 Q_{D2} = 1,800 − 3P로 변화하였다. 이때 아파트시장의 탄력성에 따른 공급곡선과 균형가격의 변화는? [단, P는 가격(단위: 만원), Q_{D1}과 Q_{D2}는 수요량이며, 다른 조건은 일정하다고 가정함]

① 완전비탄력적, 600만원 하락
② 완전비탄력적, 불변
③ 완전탄력적, 600만원 상승
④ 완전탄력적, 600만원 하락
⑤ 완전탄력적, 불변

10

부동산시장에 관한 설명으로 틀린 것은? (단, 다른 조건은 동일함)

① 부동산은 다양한 공적·사적 제한이 존재하며, 이는 부동산 가격의 왜곡을 초래할 수 있다.
② 과거의 역사적 자료를 분석하는 방법을 기술적 분석이라 한다.
③ 효율적 시장은 어떤 정보를 지체 없이 가치에 반영하는가에 따라 구분될 수 있다.
④ 약성 효율적 시장에서는 현재가치에 대한 과거자료를 분석해도 정상이익을 초과한 이익을 획득할 수 없다.
⑤ 강성 효율적 시장은 모든 정보가 시장가치에 반영되어 있는 시장이지만, 정보비용은 존재할 수 있다.

11

다음의 (　　)에 들어갈 이론 및 법칙으로 옳은 것은?

> ㅇ (ㄱ): 도시는 전체적으로 원을 반영한 부채꼴 모양의 형상으로 그 핵심의 도심도 하나이나 교통의 선이 도심에서 방사되는 것을 전제로 하였다.
> ㅇ (ㄴ): 도시의 공간구조를 도시생태학적 관점에서 접근하였으며, 튀넨(J. H. von Thünen)의 고립국이론을 도시 내부지역에 응용하였다.
> ㅇ (ㄷ): 서로 다른 지대곡선을 가진 농산물들이 입지경쟁을 벌이면서 각 지점에 따라 가장 높은 지대를 지불하는 농업적 토지이용에 토지가 할당된다고 보았으며 중심지에 가까울수록 집약 농업이 입지하고, 교외로 갈수록 조방 농업이 입지한다.

	ㄱ	ㄴ	ㄷ
①	선형이론	동심원이론	위치지대설
②	선형이론	다핵심이론	경제지대이론
③	동심원이론	다핵심이론	위치지대설
④	동심원이론	선형이론	절대지대설
⑤	다핵심이론	선형이론	차액지대설

12

공업입지론에 관한 설명으로 틀린 것은? (단, 기업은 단일 입지 공장이고, 다른 조건은 동일함)

① 보편원료를 많이 사용하는 산업은 시장지향형 입지가 유리하다.
② 원료지수가 1보다 큰 경우에는 시장지향형 입지가 유리하다.
③ 뢰시(A. Lösch)는 수요 측면의 입장에서 기업은 시장확대 가능성이 가장 높은 지점에 위치해야 한다고 보았다.
④ 베버(M. Weber)는 최소생산비 공업입지를 최소 수송비 지점, 노동비 절약지점, 집적이익이 큰 지점의 순으로 중요시했다.
⑤ 원료를 제품으로 생산하는 경우 중량이 감소하는 산업은 원료지향형 입지가 유리하다.

13

허프(D. Huff) 모형을 활용하여 X지역의 주민이 할인점 C를 방문할 확률과 할인점 C의 월 추정매출액을 순서대로 나열한 것은? (단, 주어진 조건에 한함)

> ㅇ X지역의 현재 주민: 4,000명
> ㅇ 1인당 월 할인점 소비액: 40만원
> ㅇ 공간마찰계수: 2
> ㅇ X지역의 주민은 모두 구매자이고, A, B, C할인점에서만 구매한다고 가정

구분	할인점 A	할인점 B	할인점 C
면적	$500m^2$	$300m^2$	$450m^2$
X지역 거주지로부터의 거리	5km	10km	15km

① 6%, 1억 2,000만원
② 8%, 1억 2,000만원
③ 8%, 1억 2,800만원
④ 12%, 2억 2,800만원
⑤ 12%, 2억 4,000만원

14

공공재에 관한 설명으로 옳은 것은?

① 공공재의 소비에는 배제성과 경합성이 있다.
② 생산을 시장에 맡길 경우 사회적 적정 생산량보다 과다하게 생산되는 경향이 있다.
③ 공공재는 일반적으로 사적주체가 공급하는 경우가 많다.
④ 공공재는 정(+) 외부효과를 유발하는 경우가 많다.
⑤ 공공재는 소비에 있어 규모의 경제가 나타날 수 없다.

15

우리나라에서 현재 시행하지 않는 부동산정책을 모두 고른 것은?

> ㄱ. 종합토지세　　ㄴ. 공한지세
> ㄷ. 토지거래허가제　　ㄹ. 택지소유상한제
> ㅁ. 분양가상한제　　ㅂ. 개발이익환수제
> ㅅ. 실거래가신고제　　ㅇ. 부동산실명제

① ㄱ, ㄴ, ㄹ
② ㄱ, ㅁ, ㅂ
③ ㄱ, ㅂ, ㅅ
④ ㄴ, ㄷ, ㅁ
⑤ ㄹ, ㅅ, ㅇ

16

한국주택금융공사(HF)의 업무에 해당하지 않는 것은?

① 주택저당채권의 실사 및 평가
② 주택저당유동화증권(MBS)의 발행
③ 각종 채권의 평가 및 보증
④ 유동화 중개기관 역할
⑤ 주택담보노후연금 공급기관 역할

17

토지정책에 관한 설명으로 틀린 것은?

① 하나의 대지에 용도지구는 중복지정할 수 있다.
② 토지거래허가구역은 토지의 투기적인 거래가 성행하거나 지가가 급격히 상승하는 지역과 그러한 우려가 있는 지역을 대상으로 한다.
③ 토지적성평가제도는 토지의 개발과 보전이 경합할 때 이를 합리적으로 조정하기 위한 수단으로 도시계획의 기초조사 단계에서 수행되는 평가제도이다.
④ 국토교통부장관은 도시의 무질서한 확산을 방지하고 도시의 자연환경을 보전하기 위하여 개발제한구역을 지정할 수 있다.
⑤ 도시·군관리계획은 국토의 계획 및 이용에 관한 법령상 특별시·광역시 또는 군의 관할 구역에 대하여 기본적인 공간구조와 장기발전방향을 제시하는 종합계획이다.

18

부동산의 조세정책에 대한 설명 중 틀린 것은? (단, 다른 조건은 일정하다고 가정함)

① 재산세를 동일과세로 부과하면 역진세적 현상이 발생하므로 누진세로 부과하는 것이 효율적이다.
② 양도소득세가 중과되면, 주택공급의 동결효과(lock in effect)로 인해 주택가격이 상승할 수 있다.
③ 임대주택에 재산세가 부과되면, 부과된 세금은 수요가 비탄력적일수록 임차인에게 더 전가될 수 있다.
④ 토지의 공급곡선이 완전비탄력적인 상황에서 토지보유세가 부과되면 자원배분의 왜곡이 크게 초래될 수 있다.
⑤ 헨리 조지는 지대수입을 모두 세금으로 징수하면 정부의 재정을 모두 충당할 수 있다고 보았으며, 이를 근거로 토지단일세를 주장하였다.

19

부동산관리에 관한 설명으로 옳은 것은?

① 자가관리방식은 건물관리의 전문성을 통하여 노후화의 최소화 및 효율적 관리가 가능하여 대형건물의 관리에 유용하다.
② 위탁관리방식은 관리자가 안일해지기 쉽고, 관리의 전문성이 결여될 수 있는 단점이 있다.
③ 혼합관리방식은 필요한 부분만 선별하여 위탁하기 때문에 관리의 책임소재가 분명해지는 장점이 있다.
④ 토지의 경계를 확인하기 위한 경계측량을 실시하는 등의 관리는 경제적 측면의 관리에 속한다.
⑤ 부동산관리는 법·제도·경영·경제·기술적인 측면이 있어, 설비 등의 기계적인 측면과 경제·경영을 포함한 종합적인 접근이 요구된다.

20

다음 중 부동산이용에 관한 설명으로 가장 옳은 것은?

① 직주접근현상에 의해 도심공동화현상이 나타날 수 있다.
② 직주분리현상의 원인으로는 도심의 지가고, 교통체증의 심화, 도심환경 악화 등이 있다.
③ 도시 외곽에서 발생하는 도시스프롤현상은 주거지역뿐만 아니라 상업·공업지역에서도 발생한다.
④ 지가구배현상이란 도심에서 외곽으로 갈수록 지가가 높아지는 현상을 말한다.
⑤ 도심의 재개발 등은 도심에 거주하는 소득계층이 고소득층에서 저소득층으로 유입·대체되는 도시회춘화현상이 나타나게 된다.

21

부동산개발이 다음과 같은 5단계로만 진행된다고 가정할 때, 일반적인 진행순서로 적절한 것은?

ㄱ. 사업 타당성분석　　ㄴ. 사업구상(아이디어)
ㄷ. 예비적 타당성분석　　ㄹ. 사업부지 확보
ㅁ. 건설

	1단계		2단계		3단계		4단계		5단계
①	ㄴ	⇨	ㄱ	⇨	ㄹ	⇨	ㄷ	⇨	ㅁ
②	ㄴ	⇨	ㄷ	⇨	ㄹ	⇨	ㄱ	⇨	ㅁ
③	ㄴ	⇨	ㄹ	⇨	ㄱ	⇨	ㄷ	⇨	ㅁ
④	ㄷ	⇨	ㄱ	⇨	ㄴ	⇨	ㅁ	⇨	ㄹ
⑤	ㄷ	⇨	ㄴ	⇨	ㄱ	⇨	ㄹ	⇨	ㅁ

22

각 도시의 산업별 고용자 수가 다음과 같을 때 A도시 X산업의 입지계수와 B도시 Y산업의 입지계수를 순서대로 나열한 것은? (단, 주어진 조건에 한하며, 결괏값은 소수점 셋째 자리에서 반올림함)

구분	A도시	B도시	전국
X산업	100	140	240
Y산업	120	200	320
합계	220	340	560

① 0.86, 1.03 ② 1.04, 1.05
③ 1.06, 1.03 ④ 1.06, 1.13
⑤ 1.16, 0.86

23

부동산개발에 관한 설명으로 옳은 것은?

① BTO(Build－Transfer－Operate): 사업시행자가 시설을 준공하여 소유권을 보유하면서 시설의 수익을 가진 후 일정 기간 경과 후 시설소유권을 국가 또는 지방자치단체에 귀속시키는 방식이다.
② BLT(Build－Lease－Transfer): 사업시행자가 사회기반시설을 준공한 후, 일정 기간 동안 타인에게 임대하고 임대기간 종료 후 시설물을 국가 또는 지방자치단체에 이전시키는 방식이다.
③ BOO(Build－Own－Operate): 사업시행자가 시설의 준공과 함께 소유권을 국가 또는 지방자치단체로 이전하고, 해당 시설을 국가나 지방자치단체에 임대하여 수익을 내는 방식이다.
④ BTL(Build－Transfer－Lease): 시설의 준공과 함께 시설의 소유권이 국가 또는 지방자치단체에 귀속되지만, 사업시행자가 정해진 기간 동안 시설에 대한 운영권을 가지고 수익을 내는 방식이다.
⑤ BOT(Build－Operate－Transfer): 시설의 준공과 함께 사업시행자가 소유권과 운영권을 갖는 방식이다.

24

대형마트가 개발된다는 다음과 같은 정보가 있을 때 합리적인 투자자가 최대한 지불할 수 있는 이 정보의 현재가치는? (단, 주어진 조건에 한함)

○ 대형마트 개발예정지 인근에 일단의 A토지가 있다.
○ 2년 후 대형마트가 개발될 가능성은 34%로 알려져 있다.
○ 2년 후 대형마트가 개발되면 A토지의 가격은 12억 1,000만원, 개발되지 않으면 4억 8,400만원으로 예상된다.
○ 투자자의 요구수익률(할인율)은 연 10%이다.

① 3억 1,200만원 ② 3억 2,500만원
③ 3억 5,400만원 ④ 3억 8,000만원
⑤ 3억 9,600만원

25

포트폴리오 이론에 따른 부동산투자의 포트폴리오 분석에 관한 설명으로 <u>틀린</u> 것은?

① 부동산시장의 경기변동 등의 위험은 분산투자를 통해 제거가 불가능하다.
② 투자자산 간의 상관계수가 －1인 경우 최대의 포트폴리오 효과가 발생하므로 포트폴리오 총위험은 0이 된다.
③ 2개의 투자자산의 수익률이 서로 다른 방향으로 움직일 경우, 상관계수는 음(－)의 값을 가진다.
④ 효율적 프론티어(Efficient Frontier)와 투자자의 무차별곡선이 접하는 지점에서 최적 포트폴리오가 결정된다.
⑤ 두 자산으로 포트폴리오를 구성할 경우 두 자산의 상관계수가 0이어도 분산투자 효과는 나타난다.

26

향후 2년간 현금흐름을 이용한 다음 사업의 순현재가치(NPV)는? (단, 연간 기준이며, 주어진 조건에 한함)

○ 모든 현금의 유입과 유출은 매년 말에 발생
○ 현금유입은 1년 차 1,000만원, 2년 차 1,200만원
○ 현금유출은 1,500만원
○ 1년 후 일시불의 현가계수 0.96
○ 2년 후 일시불의 현가계수 0.91

① 552만원 ② 584만원
③ 592만원 ④ 612만원
⑤ 635만원

27

부동산투자의 위험분석에 관한 설명으로 틀린 것은? (단, 위험회피형 투자자라고 가정함)

① 금리상승은 투자자의 요구수익률을 상승시키는 요인이다.
② 민감도분석은 투자효과를 분석하는 모형의 투입요소가 변화함에 따라 그 결과치에 어떠한 영향을 주는가를 분석하는 기법이다.
③ 변이계수는 평균에 대한 분산의 비율로, 변이계수가 작을수록 유리한 투자안으로 판단한다.
④ 동일 투자자산이라도 개별투자자가 위험을 기피할수록 요구수익률이 높아진다.
⑤ 보수적 예측방법은 투자수익의 추계치를 상향 조정함으로써, 미래에 발생할 수 있는 위험을 상당수 제거할 수 있다는 가정에 근거를 두고 있다.

28

다음 표와 같은 투자사업들이 있다. 이 사업들은 모두 사업기간이 1년이며, 사업 초기(1월 1일)에 현금지출만 발생하고 사업 말기(12월 31일)에 현금유입만 발생한다고 한다. 할인율이 연 7%라고 할 때 다음 중 틀린 것은?

사업	초기 현금지출	말기 현금유입
A	3,000만원	7,490만원
B	1,000만원	2,675만원
C	1,500만원	3,210만원
D	1,500만원	4,815만원

① 수익성지수(PI)가 가장 큰 사업은 B이다.
② 순현재가치(NPV)가 가장 큰 사업은 A이다.
③ 수익성지수(PI)가 가장 작은 사업은 C이다.
④ D의 순현재가치(NPV)는 B의 2배이다.
⑤ B와 C의 순현재가치(NPV)는 같다.

29

부동산투자와 관련한 재무비율과 승수를 설명한 것으로 틀린 것은?

① 부채비율은 타인자본을 자기자본으로 나눈 값이다.
② 채무불이행률은 유효총소득이 영업경비와 부채서비스액을 감당할 수 있는지를 측정하는 비율이다.
③ 부채감당률이 1보다 크면, 투자로부터 발생하는 순영업소득이 부채서비스액을 감당하기에 충분하다고 판단한다.
④ 동일한 투자안의 경우, 일반적으로 순소득승수가 총소득승수보다 작다.
⑤ 동일한 투자안의 경우, 일반적으로 세전현금수지승수가 세후현금수지승수보다 작다.

30

부동산금융에 관한 설명으로 옳은 것은?

① 자금조달방법 중 부동산 신디케이트(syndicate)는 부채금융(debt financing)에 해당한다.
② 시장이자율이 대출약정이자율보다 높아지면 대출자는 조기상환에 따른 위험에 노출된다.
③ 주택담보채권(MBB)의 투자자는 투자의 안정성을 확보하기 위하여 초과담보를 요구하고 콜방어를 실현시킨다.
④ 제2차 저당대출시장은 저당대출을 원하는 수요자와 저당대출을 제공하는 금융기관으로 형성되는 시장을 말하며, 주택담보대출시장이 여기에 해당한다.
⑤ 프로젝트 금융은 부외금융과 소구금융의 특징을 가지고 있다.

31

대출상환방식에 관한 설명으로 옳은 것을 모두 고른 것은? (단, 대출금액과 기타 대출조건은 동일함)

> ㄱ. 상환 첫 회의 원금은 원리금균등상환방식이 원금균등상환방식보다 크다.
> ㄴ. 원금균등상환방식의 경우, 매기에 상환하는 원리금이 점차적으로 감소한다.
> ㄷ. 대출상환기간 중 잔금은 원리금균등상환방식이 점증식 상환방식보다 크다.
> ㄹ. 원리금균등상환방식의 경우, 매기에 상환하는 원금액이 점차적으로 늘어난다.

① ㄱ, ㄴ　② ㄱ, ㄷ
③ ㄱ, ㄹ　④ ㄴ, ㄹ
⑤ ㄷ, ㄹ

32

주택담보대출을 희망하는 A의 소유 주택 시장가치가 5억원이고 연소득이 5,000만원일 때, 총부채원리금상환비율(DSR)을 고려하여 A가 받을 수 있는 최대 대출가능금액은? (단, 주어진 조건에 한함)

> ○ 연간 저당상수: 0.1
> ○ 대출승인기준
> – 담보인정비율(LTV): 시장가치기준 60%
> – 총부채원리금상환비율(DSR): 50%
> ※ 두 가지 대출승인기준을 모두 충족시켜야 함
> ○ 기존 대출의 연간 원리금상환액: 1,200만원

① 1억원　② 1억 3,000만원
③ 1억 5,000만원　④ 1억 8,000만원
⑤ 2억원

33

우리나라의 부동산투자회사에 관한 설명으로 <u>틀린</u> 것은?

① 자기관리 부동산투자회사는 설립등기일로부터 10일 이내에 설립보고서를 국토교통부장관에게 제출하여야 한다.
② 자기관리 부동산투자회사는 자산운용 전문인력을 포함한 임직원을 상근으로 두고 자산의 투자·운용을 직접 수행하는 회사이다.
③ 영업인가를 받은 날부터 6개월이 지난 기업구조조정 부동산투자회사의 최저자본금은 50억원 이상이 되어야 한다.
④ 위탁관리 부동산투자회사의 경우 주주 1인과 그 특별관계자는 발행주식 총수의 30%를 초과하여 주식을 소유하지 못한다.
⑤ 부동산투자회사는 「부동산투자회사법」에서 특별히 정한 경우를 제외하고는 「상법」의 적용을 받는다.

34

부동산의 타당성분석에 관한 설명 중 <u>틀린</u> 것은?

① 타당성분석에서는 경제적·법률적·기술적 타당성을 모두 고려하며, 이 중 수익성에 대한 분석은 경제적 타당성분석에서 이루어진다.
② 흡수율분석에서는 개발사업과 관련한 거시적 경기동향, 지역시장의 특성 등을 분석한다.
③ 개발사업에 대한 타당성분석 결과가 동일한 경우에도 분석된 투자안은 개발업자에 따라 채택될 수도 있고 그렇지 않을 수도 있다.
④ 시장성분석에서는 개발부동산이 현재나 미래에 매매되거나 임대될 가능성을 조사하는 분석이다.
⑤ 시장분석에서는 수요자의 특성에 따라 수요자를 소집단으로 세분화한다.

35

「감정평가에 관한 규칙」상의 용어의 정의로 옳은 것은?

① '기준시점'이란 대상물건의 감정평가액을 결정하기 위해 현장조사를 완료한 날짜를 말한다.
② '유사지역'이란 대상부동산이 속한 지역으로서 부동산의 이용이 동질적이고 가치형성요인 중 지역요인을 공유하는 지역을 말한다.
③ '가치발생요인'이란 대상물건의 경제적 가치에 영향을 미치는 일반요인, 지역요인 및 개별요인 등을 말한다.
④ '수익환원법'이란 대상물건이 장래 산출할 것으로 기대되는 순수익이나 미래의 현금흐름을 환원하거나 할인하여 대상물건의 가액을 산정하는 감정평가방법을 말한다.
⑤ '적산법'이란 대상물건의 재조달원가에 감가수정을 하여 대상물건의 가액을 산정하는 감정평가방법을 말한다.

36

「감정평가에 관한 규칙」에 규정된 내용 중 옳은 것을 모두 고른 것은?

ㄱ. 대상물건에 대한 감정평가액은 시장가치를 기준으로 결정한다.
ㄴ. 감정평가는 기준시점에서의 대상물건의 이용상황 및 공법상 제한을 받는 상태를 기준으로 한다.
ㄷ. 감정평가는 대상물건마다 개별로 행하여야 한다. 다만, 둘 이상의 대상물건이 일체로 거래되거나 대상물건 상호간에 용도상 불가분의 관계가 있는 경우에는 일괄하여 평가할 수 있다.
ㄹ. 산림을 감정평가할 때에 산지와 입목을 구분하여 감정평가해야 한다. 이 경우 소경목림은 거래사례비교법을 적용하여 평가한다.
ㅁ. 임대료의 평가는 수익분석법을 주된 방법으로 한다.

① ㄱ, ㄴ, ㄷ　　② ㄱ, ㄴ, ㄹ
③ ㄴ, ㄷ, ㄹ　　④ ㄱ, ㄷ, ㄹ, ㅁ
⑤ ㄴ, ㄷ, ㄹ, ㅁ

37

다음 자료를 활용하여 거래사례비교법으로 산정한 토지의 비준가액은? (단, 주어진 조건에 한함)

○ 대상토지: A시 B구 C동 350번지, 150m^2(면적), 대(지목), 주상용(이용상황), 제2종 일반주거지역(용도지역)
○ 기준시점: 2022.10.29.
○ 거래사례
　– 소재지: A시 B구 C동 340번지
　– 200m^2(면적), 대(지목), 주상용(이용상황)
　– 제2종 일반주거지역(용도지역)
　– 거래가격: 800,000,000원
　– 거래시점: 2022.6.1.
○ 사정보정치: 1.2
○ 지가변동률(A시 B구, 2022.6.1. ~ 2022.10.29.)
　: 주거지역 5% 상승, 상업지역 4% 상승
○ 지역요인: 거래사례와 동일
○ 개별요인: 거래사례에 비해 5% 열세
○ 상승식으로 계산

① 633,520,000원　　② 638,650,000원
③ 692,800,000원　　④ 705,350,000원
⑤ 718,200,000원

38

토지의 평가에 관한 설명으로 옳은 것을 모두 고른 것은?

ㄱ. 감정평가법인 등이 토지를 평가하는 경우, 적절한 실거래가가 있을 때는 이를 기준으로 평가할 수 있으며, 적절한 실거래가를 기준으로 감정평가할 때에는 거래사례비교법을 적용해야 한다.
ㄴ. 인근지역에 적절한 표준지가 없는 경우에는 인근지역과 유사한 지역적 특성을 갖는 동일수급권 안의 유사지역에 있는 표준지를 선정할 수 있다.
ㄷ. 공시지가기준법으로 토지를 평가할 때, 인근지역에 있는 표준지 중에서 대상토지와 용도지역·이용상황 등이 같거나 비슷한 비교표준지를 선정한다.
ㄹ. 공시지가기준법 적용에 따른 시점수정시 지가변동률을 적용하는 것이 적절하지 아니한 경우에는 통계청이 조사·발표하는 소비자물가지수에 따라 산정된 소비자물가상승률을 적용한다.

① ㄱ, ㄴ　　② ㄱ, ㄷ
③ ㄱ, ㄹ　　④ ㄱ, ㄴ, ㄷ
⑤ ㄱ, ㄴ, ㄷ, ㄹ

39

다음 자료를 활용하여 수익환원법을 적용한 평가대상 부동산의 수익가액은? (단, 주어진 조건에 한하며 연간 기준임)

> ○ 가능총소득: 5,000만원
> ○ 공실손실상당액: 가능총소득의 5%
> ○ 유지관리비: 가능총소득의 3%
> ○ 부채서비스액: 800만원
> ○ 화재보험료: 100만원
> ○ 개인업무비: 가능총소득의 10%
> ○ 기대이율 5%, 환원이율 6%

① 6억 5,000만원　② 7억 5,000만원
③ 8억 2,000만원　④ 9억 4,000만원
⑤ 10억 2,500만원

40

「부동산 가격공시에 관한 법률」상 표준지공시지가에 대한 이의신청에 관한 설명으로 옳은 것은?

① 표준지공시지가에 대한 이의신청은 공시기준일로부터 30일 이내에 서면으로 국토교통부장관에게 신청한다.
② 표준지공시지가를 결정하기 위해 토지가격비준표가 활용된다.
③ 개별주택가격 및 공동주택가격은 주택시장의 가격정보를 제공하고, 국가 · 지방자치단체 등이 그 업무와 관련하여 주택의 가격을 산정하는 경우에 그 기준으로 활용될 수 있다.
④ 시장 · 군수 또는 구청장은 표준지로 선정된 토지에 대해서도 개별공시지가를 결정 · 공시하여야 한다.
⑤ 표준지공시지가는 일반적인 토지거래의 지표가 되며, 국가 · 지방자치단체 등이 그 업무와 관련하여 지가를 산정하는 경우에 기준이 된다.

41

법률행위의 종류에 관한 연결이 틀린 것은?

① 유상행위 – 임대차
② 무상행위 – 증여
③ 처분행위 – 저당권설정행위
④ 상대방 없는 단독행위 – 계약해제
⑤ 채권행위 – 교환

42

반사회질서의 법률행위에 관한 판례의 태도로써 다음 중 옳지 않은 것은?

① 첩계약은 무효이나 첩관계를 단절하며 생존유지를 위한 생활비, 자녀의 양육비 등에 관한 약정은 유효하다.
② 법률행위의 성립과정에서 강박이 사용된 경우에는 의사표시의 하자나 의사의 흠결을 이유로 효력을 논의할 수는 있을지언정 반사회질서의 법률행위로서 무효라고 할 수는 없다.
③ 부동산을 이중으로 매매하는 것은 원칙적으로 무효이다.
④ 자(子)가 부모를 상대로 불법행위에 기한 손해배상청구를 하는 것은 허용되지 않는다.
⑤ 강제집행을 면할 목적으로 부동산에 허위의 근저당권설정등기를 경료하는 행위는 제103조의 선량한 풍속 기타 사회질서에 위반한 사항을 내용으로 하는 법률행위로 볼 수 없다.

43

법률행위의 해석에 관한 다음 설명 중 잘못된 것은?

① 임대인이 임차인의 권리금을 인정한다는 특약의 의미는 임차인이 나중에 임차권을 승계한 자로부터 권리금을 수수하는 것을 임대인이 용인하겠다는 의미이다.
② 규범적 해석이란 표의자의 진의가 아니라 표시행위에 부여된 객관적 의미를 탐구하는 것을 말한다.
③ 보충적 해석이란 법률행위의 내용에 간극 또는 공백이 발생한 경우에 이를 보충하기 위한 해석방법을 이야기하며 이는 제3자의 입장에서 제3자의 현실적 의사를 기준으로 행해진다.
④ 상대방 없는 단독행위의 경우에는 자연적 해석방법을 사용한다.
⑤ 법률행위의 해석은 법률문제로써 상고이유가 된다는 것이 지배적인 견해이다.

44

통정허위표시에 관한 다음 설명 중 틀린 것은? (다툼이 있으면 판례에 따름)

① 강제집행을 면할 목적으로 부동산의 소유자명의를 신탁하는 것이 허위표시에는 해당할 수 있으나, 불법원인급여에 해당한다고 할 수는 없다.
② 통정허위표시에 기초하여 새로운 법률적 이해관계를 가지게 된 제3자는 특별한 사정이 없는 한 선의로 추정되므로 제3자가 악의라는 사실에 관한 주장 중 증명책임은 그 허위표시의 무효를 주장하는 자에게 있다.
③ 통정허위표시에 있어서의 제3자는 그가 비록 선의라 하더라도 과실이 있다면 보호를 받지 못한다.
④ 통정허위표시에 의하여 외형상 형성된 법률관계로 생긴 채권을 가압류한 경우, 그 가압류권리자는 「민법」 제108조 제2항의 제3자에 해당한다.
⑤ 은닉행위가 법률행위로서의 요건을 구비하고 있다면, 그 은닉행위는 유효하다.

45

甲은 乙에게 부동산을 증여하면서 증여세를 포탈할 목적으로 乙과 통정하여 매매계약을 한 것처럼 가장하여 매매를 원인으로 한 소유권이전등기를 경료하였다. 丙은 乙로부터 위 부동산을 매수하여 丁에게 전매하였다. 다음 중 옳지 않은 것은?

① 甲과 乙 사이 매매계약은 무효이다.
② 甲과 乙 사이의 증여계약은 은닉행위로서 허위표시인 가장매매와는 구별된다.
③ 甲과 乙 사이의 증여계약은 증여에 대한 진정한 합의가 있는 이상 유효하다.
④ 丙이 선의이면 丙은 위 부동산의 소유권을 취득한다.
⑤ 丁이 악의이면 위 부동산의 소유권을 취득할 수 없다.

46

甲은 丙을 대리인으로 하여 乙과 토지 매매계약을 체결하였다. 매수인 乙은 그동안 공장을 경영해왔던 사람인데 공장부지를 확장하기 위하여 토지를 매입하고 그 토지에 공장을 건축할 계획이었다. 그러나 허가를 받을 수 없는 것으로 판명되었다. 다음 기술 중 옳은 것은? (다툼이 있으면 판례에 따름)

① 丙이 허위로 시가보다 다소 높은 가격을 乙에게 시가라고 하였다면 乙은 계약을 취소할 수 있다.
② 미성년자인 丙이 甲과 乙의 계약체결을 대리한 경우 乙은 당연히 계약을 취소할 수 있다
③ 乙은 설령 계약 전에 공장건축이 가능한지 여부를 알아보지 않았더라도 계약을 취소할 수 있다.
④ 甲과 乙의 계약은 목적이 불능인 법률행위이므로 당연히 무효이다.
⑤ 乙이 丙을 강박하여 매매계약을 체결한 경우에 甲은 강박당하지 아니하였다 할지라도 당해 계약을 취소할 수 있다.

47

본인과 그 대리인 및 복대리인 사이의 법률관계에 관한 다음 설명 중 옳은 것은?

① 복대리인은 대리인이 자신의 이름으로 선임한 대리인의 대리인이다.
② 임의대리인이 본인의 허락을 얻고 복대리인을 선임한 경우에는 대리인은 어떠한 책임도 부담하지 아니한다.
③ 복대리인이 대리인의 대리권의 범위를 초과한 행위를 한 경우에 이는 무권대리에 해당하므로 본인은 그 행위를 추인할 수 있다.
④ 복대리인은 본인의 대리인이므로 복대리인을 선임한 대리인이 사망하거나 대리권을 상실하여도 복대리권은 소멸하지 않는다.
⑤ 임의대리인은 언제든지 복대리인을 선임할 수 있으나, 법정대리인은 본인의 승낙이나 부득이한 사유가 있어야 복대리인을 선임할 수 있다.

48

甲의 아들 乙이 甲의 대리인이라고 사칭하여 甲의 토지를 丙에게 매매한 후에 丙의 명의로 이전등기가 경료되었다. 다음 중 옳은 것은?

① 甲의 추인이 있으면 매매계약은 추인한 때로부터 효력이 생긴다.
② 丙이 丁에게 토지를 전매하고 이전등기한 경우, 甲은 丁에 대하여 추인할 수는 없다.
③ 丙의 최고에 대하여 甲이 상당한 기간 내에 확답을 발하지 않으면 추인한 것으로 본다.
④ 악의인 丙도 甲에게 철회를 할 수 있으며, 丙이 철회한 경우에는 甲은 추인할 수 없다.
⑤ 乙이 甲을 단독상속한 경우, 乙은 추인거절을 주장하여 丙에게 등기말소를 청구할 수 없다.

49

무효와 취소에 관한 설명으로 틀린 것은? (다툼이 있으면 판례에 따름)

① 법률행위가 취소되면 소급하여 무효가 된다.
② 강행규정에 위반하여 무효인 법률행위는 추인하여도 아무런 효력이 없다.
③ 가장매매를 한 후 당사자가 무효임을 알고 추인하면 소급해서 유효로 되는 것이 원칙이다.
④ 토지거래허가를 받지 않아 유동적 무효인 매매계약도 사기를 이유로 취소할 수 있다.
⑤ 법정대리인은 취소원인의 종료 전에도 제한능력을 이유로 취소할 수 있는 법률행위를 추인할 수 있다.

50

조건 및 기한에 관한 다음의 기술 중 틀린 것은?

① 조건의 성취로 인하여 불이익을 받을 당사자가 신의성실에 반하여 조건의 성취를 방해한 때에는 상대방은 그 조건이 성취한 것으로 주장할 수 있다.
② 해제조건부 법률행위의 경우 법률행위 당시 조건이 이미 성취한 것인 때에는 그 법률행위는 조건 없는 법률행위로 된다.
③ 정지조건부 법률행위의 경우 법률행위 당시 조건이 이미 성취할 수 없는 것인 때에는 그 법률행위는 무효이다.
④ 부첩관계의 종료를 해제조건으로 하는 증여계약은 그 조건만이 무효인 것이 아니라 증여계약 자체가 무효이다.
⑤ 기한의 이익은 포기할 수 있으나, 상대방의 이익을 해치지 못한다.

51

물건에 관한 다음 기술 중 맞는 것을 모두 고른 것은?

ㄱ. 판례는 집합물의 경우에도 일정한 지정을 통해 특정할 수 있는 때에는 그 집합물 전부를 하나의 물건으로 인정한다.
ㄴ. 온천수는 토지와는 독립된 물건으로 다루어진다.
ㄷ. 농작물은 명인방법을 갖추지 않았더라도 경작자의 소유이다. 즉, 농작물은 토지에 부합되지 않는다.
ㄹ. 저당권의 효력은 저당권설정 당시 저당부동산의 종물에 미치고 그 설정 후의 종물에는 미치지 않는다.

① ㄱ, ㄷ ② ㄷ, ㄹ
③ ㄱ, ㄷ, ㄹ ④ ㄴ, ㄷ, ㄹ
⑤ ㄱ, ㄴ, ㄷ, ㄹ

52

다음 중 등기를 하여야 부동산물권변동의 효력이 발생하는 경우는? (다툼이 있으면 판례에 따름)

① 부동산매매계약이 해제되어 매수인에게 이전되었던 소유권이 매도인에게 복귀하는 경우
② 건물을 신축한 자가 보존등기를 하기 전에 사망함으로써 상속인이 그 건물의 소유권을 취득하는 경우
③ 부동산의 매수인이 매도인을 상대로 한 소유권이전등기청구소송에서 승소하여 그 소유권을 취득하는 경우
④ 부동산경매절차에서 경락인이 매매대금을 완납하여 소유권을 취득하는 경우
⑤ 어떤 토지의 지상권자가 그 토지의 소유권을 취득함으로써 지상권이 소멸하는 경우

53

혼동으로 인한 물권의 소멸에 관한 다음 설명 중 옳지 <u>않은</u> 것은?

① 甲토지의 저당권을 가진 자가 후에 그 토지의 소유권을 취득하면 그 저당권은 소멸한다.
② 甲토지의 A가 1번 저당권을, B가 2번 저당권을 가졌을 경우, B가 甲토지의 소유권을 취득하면 B의 2번 저당권은 소멸하지 않는다.
③ 소유권과 점유권은 혼동이 발생하지 아니한다.
④ 甲토지의 지상권자가 소유권을 취득하였더라도 그 지상권이 타인의 저당권의 목적이 되었을 때에는 혼동으로 소멸하지 않는다.
⑤ 혼동으로 인한 물권의 소멸은 법률의 규정에 의한 물권변동이므로 등기나 인도를 요하지 않는다.

54

자주점유와 타주점유에 관한 다음 기술 중 <u>잘못된</u> 것은? (다툼이 있으면 판례에 따름)

① 직접점유자는 간접점유자에 대하여 목적물반환의무를 부담하므로 직접점유자의 점유는 객관적으로 볼 때 항상 타주점유에 해당한다.
② 타주점유가 자주점유로 전환되기 위해서는 새로운 권원에 의하여 다시 소유의 의사로 점유하여야 한다.
③ 피상속인의 부동산에 대해 경락허가결정이 난 경우에는 타주점유로 전환된다.
④ 점유자 측에서 등기명의자를 상대로 매매나 시효취득을 원인으로 소유권이전등기를 청구하였다가 패소한 경우에는 자주점유는 타주점유로 전환된다.
⑤ 소유의 의사 유무는 점유자의 내심의 의사에 의해 결정되는 것이 아니라 점유취득권원의 성질에 의해 외형적 · 객관적으로 판단한다.

55

甲은 乙소유의 A토지를 20년간 소유의 의사로 점유함으로써 취득시효의 완성을 이유로 乙에 대하여 소유권이전등기를 청구할 수 있게 되었다. 이에 대한 설명 중 옳지 <u>않은</u> 것은? (다툼이 있으면 판례에 따름)

① 취득시효가 완성된 이상 乙은 甲에 대하여 A토지의 인도를 구할 수 없음은 물론이고, 시효가 기산된 이후의 기간에 관하여 甲이 얻은 사용이익을 부당이득으로 반환청구할 수 없고, 나아가 甲에 대하여 그 기간 동안의 불법점유를 이유로 하는 손해배상도 청구할 수 없다.

② 甲이 A토지를 계속 점유하고 있는 동안에는 취득시효가 완성된 후 10년이 경과하여도 甲의 소유권이전등기청구권은 시효로 소멸하지 않는다.

③ 甲이 자기 앞으로 소유권이전등기를 경료하지 아니한 채 A토지를 丙에게 매도하여 인도한 경우, 丙은 甲의 소유권이전등기청구권을 대위행사할 수 있을 뿐만 아니라 甲의 취득시효완성의 효과를 승계하여 직접 자신 명의로 소유권이전등기를 청구할 수 있다.

④ 甲이 자기 앞으로 소유권이전등기를 경료하지 아니하고 있는 동안 乙이 A토지에 대하여 丁 앞으로 소유권이전등기를 경료한 경우, 甲은 丁에 대하여 원래의 취득시효 완성을 이유로 하여 소유권이전등기를 청구할 수 없다.

⑤ 甲이 취득시효의 완성 후 A토지를 더 이상 점유하지 아니하게 되더라도 이를 시효이익의 포기로 볼 수 있는 경우가 아닌 한 그가 취득시효완성으로 취득한 소유권이전등기청구권은 소멸하지 않는다.

56

「민법」 제219조 주위토지통행권의 인정범위와 관련한 것으로 판례에 부합하지 <u>않는</u> 것은? (다툼이 있으면 판례에 따름)

① 토지의 이용방법에 따라서는 자동차 등이 통과할 수 있는 통로의 개설도 허용될 수 있다.

② 이미 기존의 통로가 있다면 그것이 실제 통로로서 충분한 기능을 하지 못한다해도 주위토지통행권은 인정되지 않는다.

③ 어느 토지와 공로 사이에 그 토지의 용도에 필요한 통로가 없는 경우, 그 토지소유자가 주위의 토지를 통행 또는 통로로 하지 않으면 공로에 전혀 출입할 수 없는 경우뿐만 아니라 과다한 비용을 요하는 때에도 인정될 수 있다.

④ 주위토지통행권은 현재의 토지의 용법에 따른 이용의 범위에서 인정되는 것이지 더 나아가 장차의 이용상황까지 미리 대비하여 통행로를 정할 것은 아니다.

⑤ 분할로 인하여 공로에 통하지 못하는 토지가 있는 때에는 그 토지소유자는 공로에 출입하기 위하여 다른 분할자의 토지를 통행할 수 있다. 이 경우에는 보상의 의무가 없다.

57

공유에 관한 설명 중 옳지 <u>않은</u> 것은? (다툼이 있으면 판례에 따름)

① 공유물의 관리비용, 세금 등은 공유자가 지분의 비율에 따라 부담한다.

② 공유물을 분할하기 위해서는 공유자 전원이 분할절차에 참여하여야 하므로, 그 분할절차에서 공유자의 일부가 제외된 공유물분할은 효력이 없다.

③ 불법행위에 기한 손해배상청구나 부당이득반환청구는 자신의 지분범위 내에서만 행사할 수 있고 다른 공유자의 지분에 대해서는 그 청구권이 없다.

④ 공유자는 5년을 넘지 않는 기간 내에 공유물을 분할하지 않을 것을 약정할 수 있고, 이 불분할약정은 갱신이 가능하며, 그 기간은 갱신일로부터 5년을 넘지 못한다.

⑤ 甲과 乙이 A토지의 특정부분을 각 증여받았으나 편의상 A토지 전체에 관하여 甲과 乙의 공유로 소유권이전등기를 마쳐 甲과 乙 사이에 소위 상호명의신탁 관계가 성립한 경우, 甲은 乙에 대하여 공유물의 분할을 청구할 수 있다.

58

법정지상권에 관한 다음 기술 중 <u>틀린</u> 것은? (다툼이 있으면 판례에 따름)

① 대지와 건물이 동일한 소유자에게 속하는 경우에 건물에 대해서만 전세권을 설정한 후 그 대지의 소유자가 변경된 때에는 전세권자는 법정지상권을 취득한다.

② 저당물의 경매로 인하여 토지와 그 지상건물이 다른 소유자에게 속하게 된 경우에 건물소유자는 법정지상권을 취득한다.

③ 입목의 경매 등으로 인하여 토지와 그 입목이 다른 소유자에게 속하게 된 경우에 입목의 소유자는 법정지상권을 취득한다.

④ 토지와 건물이 동일소유자에게 속하였다가 건물이나 토지가 매매 등으로 인하여 그 소유자가 다르게 된 때에는 건물소유자는 관습에 의한 법정지상권을 취득한다.

⑤ 이들 법정지상권은 등기 없이도 성립하지만 이를 처분하려면 등기하여야 한다.

59

지역권에 관한 다음 설명 중 <u>틀린</u> 것은? (다툼이 있으면 판례에 따름)

① 「민법」은 지역권의 존속기간은 10년을 넘지 못한다고 규정하고 있다.
② 요역지와 승역지는 서로 인접하고 있어야 하는 것은 아니다.
③ 지역권은 요역지소유권에 부종하여 이전하며 또는 요역지에 대한 소유권 이외의 권리의 목적이 된다.
④ 지역권은 요역지와 분리하여 이를 양도하거나 다른 권리의 목적으로 하지 못한다.
⑤ 토지공유자의 1인은 지분에 관하여 그 토지를 위한 지역권 또는 그 토지가 부담한 지역권을 소멸하게 하지 못한다.

60

전세권에 관한 다음 설명 중 옳지 <u>않은</u> 것은? (다툼이 있으면 판례에 따름)

① 전세권이 설정된 후 저당권이 설정된 때에 저당권자가 경매를 신청한 경우, 전세권은 소멸하지 않는 것이 원칙이다.
② 전세금이 반드시 현실적으로 수수되어야만 하는 것은 아니고 기존의 채권으로 전세금의 지급에 갈음할 수 있다.
③ 전세금의 일부가 남아 있더라도 전세권자는 원칙적으로 목적물의 전부를 경매할 권리가 있다.
④ 전세권은 물권이므로 특약에 의하여 양도를 금지할 수 없다.
⑤ 전세권이 성립한 후 전세목적물의 소유권이 이전된 경우, 전세권은 전세권자와 신 소유자 사이에서 계속 동일한 내용으로 존속한다.

61

「민법」상 전세권에 관한 다음의 설명 중 <u>틀린</u> 것은? (다툼이 있으면 판례에 따름)

① 전세권자는 전세금에 관하여 우선변제권이 있다.
② 전세권은 용익물권적 성격과 담보물권적 성격을 함께 가지고 있다.
③ 전세금의 지급은 전세권의 필수적 요소로 무상인 전세권은 없다.
④ 판례에 의하면 전세금의 지급은 전세권의 성립요건이지만, 전세금이 현실적으로 수수되어야 하는 것은 아니고 기존의 채권으로 전세금의 지급에 갈음할 수 있다고 한다.
⑤ 채권적 전세계약에 대해서도 「민법」상 전세권에 관한 규정이 준용된다.

62

다음 중 유치권에 대한 설명으로 옳지 <u>않은</u> 것은? (다툼이 있으면 판례에 따름)

① 채무자 소유가 아닌 타인의 물건에 관해서도 유치권은 성립할 수 있다.
② 채권이 목적물의 반환의무와 동일한 사실관계로부터 발생한 경우에도 유치권은 성립한다.
③ 유치권자에게 우선변제권은 없으나 채무자가 파산한 경우에는 별제권을 갖는다.
④ 유치권은 법정담보물권이므로 유치권의 발생을 배제하는 특약은 그 효력이 없다.
⑤ 유치권이 성립하려면 피담보채권은 변제기에 있어야 한다.

63

유치권이 인정되는 것은? (다툼이 있으면 판례에 따름)

① 임대차 종료 후 보증금을 반환받지 못한 임차인이 목적물을 계속 점유하고 있는 경우
② 매수인에게 등기를 이전하여 주었으나 매매잔대금을 받지 못한 매도인이 매매목적물을 점유하면서 인도를 거절하고 있는 경우
③ 다세대 주택의 12세대의 창호공사를 완료한 공사업자가 공사대금 전부의 변제를 요구하며 다세대주택 중 1세대를 점유하고 있는 경우
④ 임대차 종료시 목적물을 원상복구하기로 하는 특약을 한 임차인이 유익비의 상환을 요구하면서 목적물의 점유를 계속하고 있는 경우
⑤ 어떤 물건에 대하여 유치권을 행사하고 있던 중 제3자에 의하여 점유를 침탈당함으로써 점유를 상실한 경우

64

근저당권에 관한 설명으로 <u>틀린</u> 것은? (다툼이 있으면 판례에 따름)

① 피담보채권이 확정되기 전 채무의 범위나 채무자를 변경할 수 있다.
② 채권최고액에는 이자는 당연히 포함되나, 근저당권의 실행비용은 채권최고액에 포함되지 않는다.
③ 근저당권자가 스스로 경매신청을 한 경우에는 피담보채권은 경매신청시에 확정된다.
④ ③의 경우, 확정 전에 발생한 원본채권에 관하여 확정 후에 발생하는 이자나 지연이자는 채권최고액의 범위 내라도 근저당권에 의하여 담보되지 않는다.
⑤ 결산기에 확정된 채권액이 최고액을 초과하는 경우, 채무자는 확정된 채권액을 변제해야 근저당권의 말소를 청구할 수 있다.

65

甲은 乙로부터 1억 5천만원을 차용하면서 자신의 A, B, C 부동산에 저당권설정을 하였다. 그 후 乙은 甲이 채무를 변제하지 않자, 위 부동산을 동시에 경매하였다. 위 부동산에 관한 경락대금이 각 9천만원(A), 6천만원(B) 및 3천만원(C)였다면 乙이 C부동산으로부터 변제받게 되는 금액은 얼마인가?

① 7천 5백만원 ② 5천 5백만원
③ 5천만원 ④ 2천 5백만원
⑤ 3천만원

66

저당권의 효력에 관한 설명으로 <u>틀린</u> 것은? (다툼이 있으면 판례에 따름)

① 저당권설정자가 저당목적물로부터 저당권설정 이후 수취한 과실 전부에 대하여 저당권의 효력이 미친다.
② 저당권자와 저당권설정자 사이에 채무이행을 위한 위약금 약정이 행해진 경우 이 약정은 등기를 하여야만 저당권에 의해 담보될 수 있다.
③ 저당권이 설정된 토지의 소유자가 그 위에 건물을 신축하는 경우, 저당권자는 교환가치의 실현이 방해될 염려가 있으면 공사의 중지를 청구할 수 있다.
④ 저당권설정 후 경매가 이루어지는 경우 그 저당권자가 경매에서 배당요구를 하지 않았더라도 배당을 받을 수 있다.
⑤ 저당권자가 물상대위권을 행사하기 위한 요건인 '지급 또는 인도 전 압류'는 반드시 저당권자가 할 필요는 없다.

67

계약 성립에 관한 다음 설명 중 <u>잘못된</u> 것은? (다툼이 있으면 판례에 따름)

① 청약의 의사표시는 그 효력이 발생한 후에 철회할 수 없다.
② 격지자 간의 계약은 승낙의 통지가 도달한 때에 성립한다.
③ 승낙의 기간을 정한 계약의 청약은 청약자가 그 기간 내에 승낙의 통지를 받지 못한 때에는 그 효력을 잃는다.
④ 승낙의 기간을 정하지 아니한 계약의 청약은 청약자가 상당한 기간 내에 승낙의 통지를 받지 못한 때에는 그 효력을 잃는다.
⑤ 승낙자가 청약에 대하여 조건을 붙이거나 변경을 가하여 승낙한 때에는 그 청약의 거절과 동시에 새로 청약한 것으로 본다.

68

계약의 성립에 관한 설명으로 <u>틀린</u> 것은? (다툼이 있으면 판례에 따름)

① 청약은 계약의 내용을 결정할 수 있을 정도의 사항을 포함시키는 구체적 · 확정적 의사표시여야 한다.
② 승낙기간이 지난 후에 승낙이 도착한 경우, 청약자는 이를 새로운 청약으로 보아 승낙할 수 있다.
③ 교차청약의 경우에 후의 청약이 발송된 때에 계약이 성립한다.
④ 승낙은 청약자에 대하여 하여야 하고, 불특정 다수인에 대한 승낙은 허용되지 않는다.
⑤ 청약자가 "일정한 기간 내에 이의를 하지 않으면 승낙한 것으로 본다."는 뜻을 청약시 표시하였더라도, 상대방은 이에 구속되지 않음이 원칙이다.

69

매도인의 담보책임에 관하여 다음 중 <u>틀린</u> 것은? (다툼이 있으면 판례에 따름)

① 「민법」 제581조 종류매매에 있어서 하자담보책임의 법적 성질은 채무불이행책임이라는 점에 관해서는 견해가 일치한다.
② 수개의 권리를 일괄하여 매매의 목적으로 정한 경우에도 그 가운데 이전할 수 없게 된 권리부분이 차지하는 비율에 따른 대금산출이 불가능한 경우 등 특별한 사정이 없는 한 권리의 일부가 타인에게 속하는 경우에 관한 법 제572조가 적용된다.
③ 담보책임에 관한 규정은 임의규정이므로 당사자 간의 담보책임을 면제 · 감경 · 가중하는 특약은 유효하다.
④ '법률에 의한 장애'는 물건의 하자가 아니라 권리의 하자에 속한다.
⑤ 담보책임이 무과실책임이지만 공평의 원칙상 매수인의 잘못을 참작할 수 있다.

70

甲은 乙에게 자신의 토지를 1억원에 매도하는 매매계약을 체결하면서 계약금으로 1,000만원을 받았다. 다음 설명 중 <u>틀린</u> 것은? (다툼이 있으면 판례에 따름)

① 乙이 아직 이행에 착수하기 전이라면, 甲은 2,000만원을 乙에게 제공하고 乙과의 매매계약을 해제할 수 있다.
② ①의 경우, 乙이 2,000만원을 수령하지 아니한다 하여 이를 공탁할 필요는 없다.
③ 매매목적 토지가 토지거래허가구역 내의 토지이기 때문에 甲과 乙이 관할관청의 허가를 받았다면, 이행에 착수한 것으로서 그 후 乙은 계약금을 포기하고 甲과의 매매계약을 해제할 수 없다.
④ 甲이 乙에게 매매대금의 지급을 구하는 소송을 제기한 것만으로는 이행에 착수한 것은 아니므로, 乙은 1,000만원을 포기하고 해제할 수 있다.
⑤ 乙이 중도금지급기일 전에 중도금을 지급하였다면, 특별한 사정이 없는 한 甲은 2,000만원을 乙에게 제공하고 해제할 수 없다.

71

다음 중 매매에 관한 설명으로 틀린 것은? (다툼이 있으면 판례에 따름)

① 매도인이 매매의 목적이 된 권리를 이전할 의무와 매수인이 대금을 지급할 의무는 특별한 약정이 없는 경우에 동시에 이행하여야 한다.
② 매매목적물을 인도하기 전에는 매수인이 매매대금을 완납하더라도 과실수취권은 여전히 매도인에게 있다.
③ 원칙적으로 매매계약에 있어서 채무의 이행비용은 채무자의 부담이고, 계약체결비용은 계약당사자 쌍방이 균분하여 부담한다.
④ 경매로 취득한 물건에 하자가 있는 경우에는 하자담보책임이 발생하지 않는다.
⑤ 매수인은 목적물의 인도를 받은 날로부터 대금의 이자를 지급하여야 한다.

72

다음 중 담보책임으로 악의의 매수인에게 손해배상청구권이 인정되는 경우는? (다툼이 있으면 판례에 따름)

① 매매목적인 소유권의 전부가 계약당사자가 아닌 제3자에게 속한 경우
② 매매목적인 소유권의 일부가 계약당사자가 아닌 제3자에게 속한 경우
③ 수량을 지정해서 매매하였으나 수량이 부족한 경우
④ 토지 1필을 매매하기로 하였는데, 이미 대항력이 있는 임차권이 존재하는 경우
⑤ 계약 당시 제3자 명의로 저당권등기가 경료되어 있었는데, 그 후 저당권의 실행으로 매수인이 소유권을 상실한 경우

73

임대차에 관한 다음 설명 중 틀린 것은? (다툼이 있으면 판례에 따름)

① 임대인에게 수선의무가 있으므로, 임차인이 필요비를 부담하기로 하는 약정은 임차인에게 불리하므로 무효이다.
② 임대인이 필요비를 부담하여야 하며, 임대인이 보존행위를 하는 때에는 임차인은 이를 거절하지 못한다.
③ 통상의 임대차관계에 있어서 임대인이 임차인의 안전을 배려하여 주거나 도난을 방지하는 등의 보호의무까지 부담하는 것은 아니다.
④ 목적물의 파손 정도가 손쉽게 고칠 수 있을 정도로 사소하여 임차인의 사용·수익을 방해하지 아니한 경우에는 임대인은 수선의무를 부담하지 않는다.
⑤ 임대인의 수선의무를 면제하는 특약을 하면서 그 범위를 특정하지 않은 경우에는 대규모의 수선의무는 면제되는 것이 아니다.

74

임차인의 권리에 관한 다음 설명 중 틀린 것은? (다툼이 있으면 판례에 따름)

① 임차인은 임대차 존속 중에는 임대인에 대하여 유익비를 청구할 수 없다.
② 당사자 간에 원상복구약정을 한 경우에는 유익비는 포기한 것으로 해석한다.
③ 임차인의 차임연체 등 채무불이행을 이유로 임대차가 해지된 경우에도 임차인은 부속물매수청구를 할 수 있다.
④ 기간의 약정이 없는 토지임대차에서 임대인이 해지통고를 한 경우, 임차인은 갱신청구 없이 곧바로 지상물매수청구를 할 수 있다.
⑤ 임대차종료 전 지상물 일체를 포기하기로 하는 임대인과 임차인의 약정은 특별한 사정이 없는 한 무효이다.

75

토지임차인의 지상물매수청구권에 관한 설명 중 옳지 않은 것은? (다툼이 있으면 판례에 따름)

① 토지임차인의 지상물매수청구권은 기간의 정함이 없는 임대차에 있어서 임대인의 해지통고에 의하여 그 임차권이 소멸한 경우에도 인정된다.
② 임차인의 차임연체로 임대차계약이 해지되는 경우에는 지상물매수청구권은 인정되지 않는다.
③ 임차인의 지상물매수청구권을 행사한 경우에는 임대인과 임차인 사이에 지상물에 관한 매매가 성립하게 되며, 임대인은 그 매수를 거절하지 못한다.
④ 토지의 임대인이 임차인에 대하여 제기한 토지인도 및 건물철거청구소송에서 임차인이 패소하여 그 판결이 확정된 이상 그 철거 전이라도 토지의 임차인은 건물매수청구권을 행사할 수 없다.
⑤ 건물임차인의 부속물매수청구권은 임대차의 종료시에 인정되나, 토지임차인의 지상물매수청구권은 임대차의 기간이 만료한 경우에 인정된다.

76

다음은 주택임차권의 대항력에 관한 판례의 태도이다. 틀린 것은? (다툼이 있으면 판례에 따름)

① 「주택임대차보호법」상의 대항력을 행사하기 위해서는 그 요건인 주택의 인도 및 주민등록이 계속 존속하고 있어야 한다.
② 일단 대항력을 취득한 후 임차인은 어떤 이유에서든지 가족과 함께 일시적이나마 다른 곳으로 주민등록을 이전하였다면 대항력은 상실된다.
③ 주택양수인에 대항력 있는 임차권자라도 스스로 임대차관계의 승계를 원하지 아니할 경우, 임차주택이 임대차기간 만료 전에 경매되면 임대차계약을 해지하고 우선변제를 청구할 수 있다.
④ 입주 및 전입신고를 한 주택의 소유자가 그 주택을 타인에게 매도함과 동시에 종전의 상태를 유지한 채 그 주택을 다시 임차한 경우, 주택임차권의 대항력은 주택양도인의 최초 전입신고일 익일부터 발생한다.
⑤ 주민등록직권말소 후 「주민등록법」 소정의 이의절차에 의하여 재등록이 이루어진 경우, 그 재등록이 이루어지기 전에 임차주택에 새로운 이해관계를 맺은 선의의 제3자에 대해서도 기존의 주택임차권의 대항력은 유지된다.

77

「상가건물 임대차보호법」 및 동법 시행령에 관한 설명 중 틀린 것은? (다툼이 있으면 판례에 따름)

① 상가건물의 임차인이 건물의 인도와 사업자등록을 신청한 때에는 그 다음 날부터 제3자에 대하여 효력이 생긴다.
② 임대차가 종료한 후 보증금을 반환받지 못한 임차인은 임차건물의 소재지를 관할하는 법원에 임차권등기명령을 신청할 수 있다.
③ 기간의 정함이 없거나 기간을 2년 미만으로 정한 상가임대차는 그 기간을 2년으로 본다.
④ 「상가건물 임대차보호법」에는 사실혼자의 임차권승계규정이 존재하지 않는다.
⑤ 차임 또는 보증금의 증액청구는 청구 당시의 차임 또는 보증금의 100분의 5의 금액을 초과하지 못한다.

78

乙은 甲에 대한 대여금채권을 담보할 목적으로 甲소유의 건물에 가등기를 경료하였고, 그 후 丙은 그 건물에 저당권을 취득하였다. 乙이 「가등기담보 등에 관한 법률」에 따라 담보권을 실행하는 경우에 관한 설명으로 옳은 것은? (다툼이 있으면 판례에 따름)

① 담보권 실행통지 당시 건물의 평가액이 피담보채권액에 미달하여 청산금이 없는 경우에는 乙은 즉시 가등기에 기하여 본등기를 청구할 수 있다.
② 乙이 나름대로 평가한 청산금액이 객관적인 평가액에 미치지 못하는 경우에는 담보권 실행통지는 효력이 없다.
③ 乙이 甲에게 담보권 실행통지를 하였으나 丙에게는 통지하지 않은 경우, 乙은 담보목적 건물의 소유권을 취득할 수 없다.
④ 丙은 자기채권의 변제기가 도래하기 전이라도 청산기간 내에 한하여 건물의 경매를 청구할 수 있다.
⑤ 丙의 저당권 실행으로 건물이 매각되더라도 선순위인 乙의 담보가등기 권리는 소멸하지 않는다.

79

「집합건물의 소유 및 관리에 관한 법률」에 대한 설명으로 틀린 것은? (다툼이 있으면 판례에 따름)

① 구분소유자는 관리인 선임 여부에 관계없이 공용부분에 대한 보존행위를 각자 단독으로 할 수 있다.
② 구분소유자는 별도의 규약이 존재하는 등 특별한 사정이 없는 한 건물의 대지 전부를 지분의 비율에 따라 사용할 수 있는 권원을 가진다.
③ 관리인은 구분소유자일 필요가 없으며, 그 임기는 2년의 범위에서 규약으로 정한다.
④ 구분소유자의 승낙을 받아 전유부분을 점유하는 자는 공용부분의 관리에 관한 사항을 결의하기 위한 집회에 참석하여 구분소유자의 의결권을 행사할 수 있다.
⑤ 집합건물의 분양자뿐만 아니라 시공자도 구분소유자에 대하여 담보책임을 진다.

80

丙소유의 부동산을 취득하고자 하는 甲은 탈세목적으로 친구인 乙과 명의신탁약정을 맺고 乙에게 매수자금을 주면서 丙과 매매계약을 체결하도록 하였다. 乙은 甲의 부탁대로 丙과 매매계약을 체결하고 소유권이전등기를 경료하였다. 다음 설명 중 옳은 것은? (다툼이 있으면 판례에 따름)

① 丙이 甲, 乙 간의 명의신탁약정에 대해 선의인 경우, 그 명의신탁약정은 예외적으로 유효하다.
② 乙은 甲, 乙 간의 명의신탁약정에 대한 丙의 선·악을 불문하고 그 부동산의 소유권을 취득한다.
③ 선의의 丙은 乙을 상대로 소유권이전등기의 말소를 청구할 수 있다.
④ 甲은 乙을 상대로 명의신탁약정에 따른 소유권이전등기를 청구할 수 있다.
⑤ 乙로부터 그 부동산을 매수하여 소유권이전등기를 경료한 丁은 甲, 乙 간의 명의신탁약정에 대해 악의인 경우에도 그 부동산의 소유권을 취득한다.

제 5 회 실전 모의고사

100분 / 80문항

부동산학개론

01

부동산학과 부동산활동에 관한 설명으로 틀린 것은?

① 부동산학의 연구대상은 부동산활동 및 부동산현상을 포함한다.
② 부동산학은 부동산활동을 능률화하는 원리 및 그 응용 기술을 개척하는 종합응용과학이다.
③ 한국표준산업분류상 주거용 부동산임대업, 비주거용 부동산관리업, 부동산중개 및 투자업은 부동산업에 해당한다.
④ 종합식 접근방법이란 부동산활동과 직·간접으로 관련 있는 주변과학을 최대한 종합하여 이론을 구축하는 방법이다.
⑤ 부동산학은 체계화된 지식을 실무에 응용하는 측면에서는 기술성이 요구된다.

02

토지의 자연적 특성과 인문적 특성에 관한 설명 중 옳은 것은?

① 토지의 용도적 다양성으로 인하여 토지의 물리적 공급을 가능하게 한다.
② 토지의 영속성은 토지 사용이나 거래에 있어 법적으로 대체 가능성을 없게 만드는 원인이 되기도 한다.
③ 토지의 부증성은 부동산시장을 국지화시키거나 지역별 시장을 형성하게 한다.
④ 부동산은 지리적 위치의 고정성으로 주변에서 일어나는 환경조건의 변화가 부동산의 가격에 영향을 주는 외부효과를 발생시킬 수 있다.
⑤ 개별성으로 인해 공간수요의 입지경쟁이 발생하고, 이는 지가상승의 문제를 발생시키기도 한다.

03

부동산의 정착물에 관한 설명 중 틀린 것은?

① 가식 중의 수목은 정착물로 취급되지 않아 동산으로 간주된다.
② 토지와 서로 다른 부동산으로 간주되는 정착물에는 등기된 입목, 건물, 명인방법으로 소유권이 구분된 나무 등이 있다.
③ 제거하여도 건물의 기능 및 효용의 손실이 없는 부착된 물건은 정착물로 취급하지 않으므로 동산으로 간주된다.
④ 토지에 정착되어 있으나 매년 경작노력을 요하지 않는 나무와 다년생 식물 등은 부동산의 정착물로 취급되어 부동산중개의 대상이 될 수 있다.
⑤ 임차인이 설치한 영업용 선반 등 생활의 편의를 위해 설치한 정착물은 일반적으로 부동산으로 취급한다.

04

토지의 이용목적과 활동에 따른 토지 관련 용어에 관한 설명으로 옳은 것은?

① 공한지는 건부지 중 건물을 제외하고 남은 부분의 토지로, 건축법령에 의한 건폐율 등의 제한으로 인해 필지 내에 비어 있는 토지를 말한다.
② 획지는 공간정보의 구축 및 관리 등에 관한 법령과 부동산등기법령에서 정한 하나의 등록단위로 표시하는 토지를 말한다.
③ 빈지는 소유권이 인정되지 않지만 활용실익이 많은 해안선으로부터 지적공부가 시작되는 지점까지의 해변토지를 말한다.
④ 나지는 건물 및 기타 정착물이 존재하지 않고, 사법상 제한과 공법상의 제한이 존재하지 않는 토지를 말한다.
⑤ 소지는 지적공부에 등록된 토지가 침식되어 수면 밑으로 가라앉은 토지를 말한다.

05

주택시장 분석시에는 유량(flow)과 저량(stock)을 고려한다. 다음의 설명 중 틀린 것은?

① 유량은 일정한 기간을 정해야 측정이 가능한 개념이다.
② 저량은 일정 시점에서만 측정이 가능한 개념이다.
③ 저량의 예로는 부채, 주택재고량, 부동산투자회사의 자산 가치 등이 있다.
④ 유량의 예로는 주택거래량, 가치상승분, 지대 등이 있다.
⑤ A지역에는 현재 18만 호의 주택이 있는데, 그중 1만 호가 공가로 남아있다면 A지역의 주택유량의 공급량은 17만 호이다.

06

수요와 공급에 관한 설명으로 옳은 것은? (단, 다른 조건은 일정함)

① 수요량은 구매력을 갖춘 수요자가 실제로 구매한 최대수량이다.
② 아파트 가격이 상승하였음에도 불구하고 아파트 수요량이 증가하였다면 이는 아파트 가격 이외의 요인에 의한 수요의 변화가 발생한 것이다.
③ 수요곡선은 우상향하는 모양을 나타내고, 공급곡선은 우하향하는 모양을 나타낸다.
④ 부동산 가격이 상승할 것으로 예상되면 부동산 수요량이 감소하여 수요곡선이 좌측으로 이동한다.
⑤ 소득이 변하여 부동산 수요량이 변하면 수요곡선상의 점의 이동이 나타난다.

07

부동산 가격탄력성에 대한 설명 중 틀린 것은? (단, 다른 조건은 일정하다고 가정함)

① 대체재가 많은 재화일수록 가격탄력성은 더 탄력적이다.
② 건축 인·허가가 어려울수록 공급의 임대료탄력성은 더 비탄력적이다.
③ 사치품은 생필품에 비해 수요의 가격탄력성이 크다.
④ 생산량을 늘릴 때 생산요소가격이 하락할수록 공급의 임대료탄력성은 더 탄력적이다.
⑤ 생산에 소요되는 기간이 장기일수록 공급의 임대료탄력성은 더 탄력적이다.

08

A부동산에 대한 수요의 가격탄력성과 소득탄력성이 각각 0.5와 0.5이다. A부동산 가격이 6% 상승하고 소득이 2% 증가할 경우, A부동산 수요량의 전체변화율(%)은? (단, A부동산은 정상재이고, 가격탄력성은 절댓값으로 나타내며, 다른 조건은 동일함)

① 1% 감소 ② 1% 증가
③ 2% 감소 ④ 2% 증가
⑤ 변화 없음

09

다음은 부동산경기변동의 특징에 관한 설명이다. 틀린 것은?

① 부동산경기는 정점에서 저점에 이르는 기간은 장기간에 걸쳐 나타나는 반면, 저점에서 정점에 이르는 기간은 짧게 나타나는 경향이 있다.
② 부동산경기는 일반경기에 비해 주기와 경기의 변동폭이 큰 경향이 있다.
③ 주거용 부동산경기는 일반경기와 역행하는 경향이 있다.
④ 부동산은 공급의 비탄력성으로 인해 일반경기변동에 대응하여 민감하게 작용하지 못하는 특성이 있다.
⑤ 전체적으로 볼 때 부동산경기는 일반경기보다 시간적으로 후행하는 경향이 있다.

10

부동산시장에 관한 설명으로 틀린 것은? (단, 다른 조건은 모두 동일함)

① 부동산의 개별성이라는 특성은 부동산시장을 불완전하게 만드는 원인이다.
② 독과점이 존재하는 시장에서도 할당 효율적 시장이 이루어질 수 있다.
③ 부동산시장의 분화현상은 경우에 따라 부분시장(sub-market)별로 시장의 불균형을 초래하기도 한다.
④ 기회비용보다 싼 값으로 정보를 획득할 수 있는 것은 부동산시장이 불완전하기 때문이다.
⑤ 부동산시장은 지역의 경제적·사회적·행정적 변화에 따라 영향을 받으며, 수요·공급도 그 지역 특성의 영향을 받는다.

11

복합쇼핑몰 개발사업이 진행된다는 정보가 있다. 다음과 같이 주어진 조건하에서 합리적인 투자자가 최대한 지불할 수 있는 토지의 현재가치와 정보의 현재가치는? (단, 주어진 조건에 한하며, 십만원 자리 이하는 절사함)

> ○ 복합쇼핑몰 개발예정지 인근에 일단의 A토지가 있다.
> ○ 2년 후 도심에 복합쇼핑몰이 개발될 가능성은 60%로 알려져 있다.
> ○ 2년 후 도심에 복합쇼핑몰이 개발되면 A토지의 가격은 5억원, 개발되지 않으면 3억 3천만원으로 예상된다.
> ○ 투자자의 요구수익률(할인율)은 연 20%이다.

① 3억원, 4,700만원
② 3억원, 5,000만원
③ 3억 3,000만원, 4,700만원
④ 3억 3,000만원, 5,000만원
⑤ 3억 7,500만원, 4,700만원

12

다음에서 설명하는 내용을 〈보기〉에서 올바르게 고른 것은?

> ㄱ. 도시는 전체적으로 원을 반영한 부채꼴 모양의 형상으로 그 핵심의 도심도 하나이나 교통의 선이 도심에서 방사되는 것을 전제로 하였다.
> ㄴ. 공간적 중심지 규모의 크기에 따라 상권의 규모가 달라지고 중심지의 계층구조에 대해 실증하였다.
> ㄷ. 특정 점포가 최대 이익을 얻을 수 있는 매출액을 확보하기 위해서는 어떤 장소에 입지하여야 하는지를 제시하였다.

〈보기〉

> 가: 호이트(H. Hoyt)의 선형이론
> 나: 크리스탈러(W. Christaller)의 중심지이론
> 다: 허프(D. Huff)의 확률모형
> 라: 넬슨(R. Nelson)의 소매입지이론

① ㄱ: 가, ㄴ: 나, ㄷ: 다
② ㄱ: 가, ㄴ: 나, ㄷ: 라
③ ㄱ: 가, ㄴ: 다, ㄷ: 라
④ ㄱ: 나, ㄴ: 다, ㄷ: 가
⑤ ㄱ: 나, ㄴ: 다, ㄷ: 라

13

지대이론에 관한 설명으로 틀린 것은?

① 리카도(D. Ricardo)의 차액지대설은 지대 발생 원인을 비옥도에 따른 농작물의 수확량의 차이로 파악한다.
② 튀넨(Thünen)은 도시로부터 거리에 따라 농작물의 재배형태가 달라진다는 점에 착안하여 수송비의 차이가 지대의 차이를 가져온다고 보았다.
③ 마르크스(K. Marx)에 따르면 최열등지에서는 지대가 발생하지 않는다.
④ 알론소(W. Alonso)의 입찰지대곡선은 여러 개의 지대곡선 중 가장 높은 부분을 연결한 포락선이다.
⑤ 마샬(A. Marshall)은 일시적으로 토지의 성격을 가지는 기계, 기구 등의 생산요소에 대한 대가를 준지대로 규정하였다.

14

레일리(W. Reilly)의 소매인력법칙을 적용할 경우, 다음과 같은 상황에서 ( )에 들어갈 숫자로 옳은 것은?

> ○ 인구가 1만명인 A시와 2만명인 B시가 있다. A시와 B시 사이에 인구 3만명의 신도시 C가 들어섰다. 신도시 C로부터 A시, B시까지의 직선거리는 각각 1km, 2km이다.
> ○ 신도시 C의 인구 중 80%만이 A시, B시에서만 구매활동을 한다고 가정할 때, 신도시 C의 인구 중 A시로의 유인 규모는 (ㄱ)명이고, B시로의 유인 규모는 (ㄴ)명이다.

	ㄱ	ㄴ
①	8,000	16,000
②	10,000	12,000
③	10,000	20,000
④	12,000	18,000
⑤	16,000	8,000

15

토지와 관련한 부동산 정책 등에 대한 설명으로 <u>틀린</u> 것은?

① 개발부담금제는 토지이용규제로 인한 보전지역 토지소유자의 손실을 시장기구를 통해 보전하려 도입된 제도이다.
② 「국토의 계획 및 이용에 관한 법률」상 용도지역은 하나의 대지에 중복지정될 수 없다.
③ 환지사업은 미개발 토지를 토지이용계획에 따라 구획정리하고 기반시설을 갖추어 도시형 토지로 전환 후 원토지소유자에게 환지계획에 따라 조성된 토지를 재분배하는 방식을 말한다.
④ 토지적성평가제도는 토지의 개발과 보전의 경합이 발생했을 때 이를 합리적으로 조정하는 수단이다.
⑤ 택지소유상한제, 토지초과이득세제 등은 현재 우리나라에서 시행되고 있지 않는 제도이다.

16

토지비축제도에 관한 설명으로 옳은 것은?

① 공공이 장래에 필요한 토지를 미리 확보하여 보유하는 제도이며, 정부가 간접적으로 부동산시장에 개입하는 정책수단이다.
② 토지비축사업은 개발되기 이전의 토지를 강제적으로 매입하여 장래 공익사업의 원활한 시행과 토지시장의 안정에 기여할 수 있다.
③ 토지선매를 통해 공공시설용지를 저렴하게 공급할 수 있으나, 토지양도의사표시가 전제된다는 점에서 토지수용제도보다 토지소유자의 사적 권리를 침해하는 정도가 크다.
④ 투기방지책을 충분히 마련하지 않고 토지를 매입하면 과도한 지가상승으로 인한 투기가 발생될 수 있다.
⑤ 우리나라는 한국주택금융공사가 토지비축을 법적 업무로 부여받아 수행하고 있으며, 공공토지비축계획을 국토교통부장관이 수립한다.

17

외부효과에 관한 설명으로 <u>틀린</u> 것은?

① 외부효과는 시장을 통하지 않고 시장 외부에서 나타나는 현상을 말한다.
② 사회적 편익이 사적 편익을 초과하는 외부성이 발생하면 시장의 균형생산량은 사회적으로 바람직한 수준보다 크다.
③ 사회적 비용이 사적 비용을 초과하는 외부성이 발생하면 시장의 균형생산량은 사회적으로 바람직한 수준보다 크다.
④ 코즈(Coase)는 환경에 대한 재산권이 적절하게 설정되면 시장기구가 스스로 외부효과의 문제를 해결할 수 있다고 주장하였다.
⑤ 정(+)의 외부효과가 발생하면 사회가 부담하는 비용이 감소된다.

18

임대주택시장의 주택정책에 관한 설명으로 <u>틀린</u> 것은? (단, 다른 조건은 일정하다고 가정함)

① 균형임대료보다 임대료상한이 낮을 경우, 임대주택시장에서 이중가격이 형성될 수 있다.
② 임대료를 보조정책을 시행하면 장기적으로 공급이 탄력적으로 변하여 임대주택의 공급량이 증가하게 된다.
③ 균형임대료보다 임대료상한이 높을 경우, 균형임대료와 공급량에 아무런 영향을 미치지 않는다.
④ 임대료를 보조하면 단기적으로 임대인이 혜택을 누리지만, 장기적으로 임차인이 혜택을 얻게 된다.
⑤ 균형임대료보다 임대료상한이 낮을 경우, 단기에 비해 장기에 공급이 탄력적으로 변하게 되므로 초과공급이 더 크게 발생한다.

19

도시지역의 토지가격이 정상지가 상승분을 초과하여 급격히 상승한 경우 발생할 수 있는 현상이 <u>아닌</u> 것은?

① 택지가격을 상승시켜 토지의 이용을 집약적으로 만든다.
② 직주접근현상을 심화시켜 통근거리가 길어진다.
③ 높은 택지가격은 공동주택의 고층화를 촉진시킨다.
④ 주거지의 외연적 확산을 조장한다.
⑤ 한정된 사업비 중 택지비의 비중이 높아져 상대적으로 건축비의 비중이 줄어들기 때문에 주택의 성능이 저하될 우려가 있다.

20

부동산개발과 관련하여 다음 설명에 해당하는 「도시 및 주거환경정비법」상의 정비사업은?

> 도시저소득 주민이 집단거주하는 지역으로서 정비기반시설이 극히 열악하고 노후·불량건축물이 과도하게 밀집한 지역의 주거환경을 개선하거나 단독주택 및 다세대주택이 밀집한 지역에서 정비기반시설과 공동이용시설 확충을 통하여 주거환경을 보전·정비·개량하기 위한 사업

① 재건축사업 ② 주거환경관리사업
③ 재개발사업 ④ 주거환경개선사업
⑤ 가로주택정비사업

21

개발권양도제(TDR)에 관한 설명 중 틀린 것은?

① 규제지역의 토지소유자에게 소유권과 분리된 개발권을 부여하여 이루어지는 제도이다.
② 규제에 따른 손실 보전이 이루어진다는 장점이 있으나, 공공이 부담해야 되는 비용이 증가하는 단점이 있다.
③ 지역 간 형평성의 문제를 해소하기 위해 도입되었으나 아직 시행되지 않은 제도이다.
④ 개발지역의 개발업자는 개발권을 이전받아 초과용적률을 확보할 수 있다.
⑤ 개발권이전제도가 남용될 경우 예외적 개발이 만연하여 용도지역제 규제의 틀이 와해될 우려가 있다.

22

부동산관리에 관한 설명으로 옳은 것은?

① 기술적 측면의 부동산관리는 부동산의 유용성을 보호하기 위하여 법률상의 제반 조치를 취함으로써 법적인 보장을 확보하려는 것이다.
② 간접관리방식은 과도기에 적합한 관리방식으로 필요한 부분만을 위탁하는 부동산관리방식이다.
③ 직접관리방식은 위탁관리방식에 비해 기밀유지에 유리하고 의사결정이 신속한 경향이 있다.
④ 자산관리(asset management)는 부동산시설을 운영하고 유지하는 것으로 시설사용자나 기업의 요구에 따르는 소극적 관리에 해당한다.
⑤ 오피스 빌딩에 대한 대대적인 리모델링 투자의사결정은 부동산 관리업무 중 시설관리(facilities management)에 속한다.

23

다음은 투자부동산의 매입, 운영 및 매각에 따른 현금흐름이다. 이에 기초한 순현재가치는? (단, 0년 차 현금흐름은 초기투자액, 1년 차부터 7년 차까지 현금흐름은 현금유입과 유출을 감안한 순현금흐름이며, 기간이 7년인 연금의 현가계수는 3.50, 7년 일시불의 현가계수는 0.60이고, 주어진 조건에 한함)

(단위: 만원)

기간(년)	0	1	2	3	4	5	6	7
현금흐름	−1,100	150	150	150	150	150	150	1,450

① 195만원 ② 200만원
③ 205만원 ④ 210만원
⑤ 215만원

24

부동산투자의 수익률에 관한 설명으로 틀린 것은? (단, 주어진 조건에 한함)

① 요구수익률은 투자자에 따라 다르게 결정되는 주관적 수익률로서 기회비용의 의미를 내포하고 있다.
② 투자자의 요구수익률에는 시간에 대한 비용과 위험에 대한 비용이 포함되어 있다.
③ 기대수익률은 예상수입과 예상지출을 통해서 결정되는 (가중)평균수익률을 의미한다.
④ 어떤 부동산에 대한 투자자의 요구수익률이 기대수익률보다 큰 경우 대상부동산에 대한 가치는 상승하고, 점차 기대수익률은 하락한다.
⑤ 무위험률이 하락하면 투자자의 요구수익률은 낮아지게 된다.

25

부동산 포트폴리오에 관한 설명으로 틀린 것은? (단, 위험회피형 투자자를 가정함)

① 효율적 프론티어(Efficient Forntier)는 평균분산기준에 의해 동일한 기대수익률에서 위험이 가장 낮은 투자안의 집합이다.
② 경기변동, 이자율의 변화 등에 의해 야기되는 시장의 위험은 포트폴리오를 통하여 피할 수 있다.
③ 위험회피형 투자자 중에서 공격적인 투자자는 보수적인 투자자에 비해 무차별곡선의 기울기의 크기가 작다.
④ 두 자산으로 포트폴리오를 구성할 경우, 포트폴리오에 포함된 개별자산의 수익률 간 상관계수가 +1인 경우에는 비체계적 위험을 감소시킬 수 없다.
⑤ 포트폴리오 자산구성을 다양하게 할수록 개별자산에 따른 위험을 제거할 수 있다.

26

A씨는 8억원의 아파트를 구입하기 위해 은행으로부터 4억원을 대출받았다. 은행의 대출조건이 다음과 같을 때, A씨가 2회 차에 상환할 원금과 3회 차에 납부할 원리금을 순서대로 나열한 것은? (단, 주어진 조건에 한함)

- ㅇ 대출금리: 고정금리, 연 6%
- ㅇ 대출기간: 20년
- ㅇ 저당상수: 0.087
- ㅇ 원리금상환조건: 원리금균등상환방식, 연단위 매 기간 말 상환

① 10,800,000원, 34,800,000원
② 10,800,000원, 36,888,000원
③ 11,448,000원, 34,800,000원
④ 11,448,000원, 36,888,000원
⑤ 12,134,880원, 34,800,000원

27

투자 타당성분석에 관한 설명으로 옳은 것은?

① 수익성지수는 순현금 투자지출 합계의 현재가치를 사업기간 중의 현금수입 합계의 현재가치로 나눈 상대지수이다.
② 독립적인 단일 투자안에서 순현재가치법과 수익성지수법의 투자판단의 결과는 다를 수 있다.
③ 순현재가치법과 내부수익률법에서는 현재가치를 구하기 위해 적용되는 할인율이 동일하다.
④ 내부수익률이 기대수익률보다 큰 경우 투자안은 타당성이 있다고 판단한다.
⑤ 서로 다른 투자안 A, B를 결합한 새로운 투자안의 순현재가치는 A의 순현재가치와 B의 순현재가치를 합한 값이다.

28

어림셈법에 대한 설명으로 틀린 것은?

① 종합자본환원율은 총투자액에 대한 순영업소득의 비율을 말한다.
② 수익률은 커질수록 유리하고, 승수는 작을수록 유리하다.
③ 자본회수기간은 지분투자액을 순영업소득으로 나눈 값이다.
④ 세전현금흐름승수는 세후현금흐름승수보다 작다.
⑤ 지분배당률은 세전현금흐름을 지분투자액으로 나눈 값이다.

29

화폐의 시간가치계수에 대한 다음의 설명 중 옳은 것은? (단, 주어진 조건에 한함)

① 나대지에 투자하여 5년 후 8억원에 매각하고 싶은 투자자는 현재 이 나대지의 구입금액을 산정하는 경우 연금의 현가계수를 사용한다.
② 연금의 내가계수와 저당상수의 곱은 1이다.
③ 이자율이 r이고 기간이 n일 때, 매년 1원씩 n년 동안 받게 될 연금을 일시불로 환원한 액수를 구할 때 저당상수를 활용한다.
④ 5년 후 주택구입에 필요한 자금 3억원을 모으기 위해 매기 말 불입해야 하는 적금액을 계산하려는 경우에는 3억원에 연금의 내가계수를 곱하여 구한다.
⑤ 연금의 현가계수에 감채기금계수를 곱하면 일시불의 현재가치계수이다.

30

부동산금융에 관한 설명으로 틀린 것은?

① 지분투자방식으로는 조인트벤처(Joint Venture), 부동산투자신탁회사(REITs) 등이 있다.
② 지불이체채권(MPTB)은 조기상환에 따른 위험을 발행자가 부담하고, 주택저당채권의 소유권을 투자자가 갖는다.
③ 신주인수권부사채(BW), 전환사채(CB) 등은 메자닌 금융(Mezzanine Financing)의 유형에 해당한다.
④ 주택연금제도는 한국주택금융공사(HF)가 보증하고, 금융기관이 대출업무를 담당한다.
⑤ 다계층저당채권(CMO)의 발행자는 주택저당채권 집합물을 가지고 일정한 가공을 통해 위험과 수익구조가 다양한 트랜치의 증권을 발행한다.

31

부동산개발사업의 분류상 다음 (　　)에 들어갈 내용으로 옳은 것은?

> 토지소유자가 조합을 설립하여 농지를 택지로 개발한 후 보류지(체비지 · 공공시설 용지)를 제외한 개발토지 전체를 토지소유자에게 배분하는 방식
> ○ 개발 형태에 따른 분류: (ㄱ)
> ○ 토지취득방식에 따른 분류: (ㄴ)

① ㄱ: 신개발방식, ㄴ: 수용방식
② ㄱ: 신개발방식, ㄴ: 환지방식
③ ㄱ: 신개발방식, ㄴ: 혼용방식
④ ㄱ: 재개발방식, ㄴ: 수용방식
⑤ ㄱ: 재개발방식, ㄴ: 환지방식

32

주택금융의 저당시장에 관한 설명으로 틀린 것은?

① 1차 저당시장이란 저당대부를 원하는 수요자와 저당대부를 제공하는 금융기관으로 이루어진 시장을 말한다.
② 2차 저당시장 금융기관과 투자자로 이루어진 시장으로 저당의 매매가 이루어진다.
③ 1차 저당시장은 주택담보대출이 일어나는 시장이고, 2차 저당시장은 주택저당채권(모기지)의 유통시장이라 할 수 있다.
④ 1차 저당대출자들은 자금의 여유가 있더라도 저당을 자신들의 자산포트폴리오의 일부로 보유해서는 안 된다.
⑤ 2차 저당시장은 저당대부를 받은 원래의 저당 차입자와 직접적인 관계가 없다.

33

부동산투자회사에 관한 설명으로 틀린 것은?

① 자기관리 부동산투자회사는 실체가 있는 회사이고, 위탁관리 부동산투자회사는 명목상 회사이다.
② 감정평가사 또는 공인중개사로서 해당 분야에 5년 이상 종사한 사람은 자기관리 부동산투자회사의 상근 자산운용 전문인력이 될 수 있다.
③ 부동산투자회사는 해당 연도 이익의 90% 이상을 주주에게 배당하여야 하며, 위탁관리 부동산투자회사는 해당 연도 이익을 초과하여 배당할 수 있다.
④ 부동산투자회사는 영업인가를 받거나 등록을 한 날부터 3년 이내에 발행하는 주식 총수의 20% 이상을 일반의 청약에 제공하여야 한다.
⑤ 부동산투자회사의 장점은 일반인들이 소액으로도 부동산에 간접 투자할 수 있다는 점이다.

34

부동산마케팅 전략에 관한 설명으로 틀린 것은?

① 적응가격 전략이란 동일하거나 유사한 제품으로 다양한 수요자들의 구매를 유입하고, 구매량을 늘리도록 유도하기 위하여 가격을 다르게 하여 판매하는 것을 말한다.
② 시장점유 전략은 수요자 측면의 접근으로 목표시장을 선점하거나 점유율을 높이는 것을 말한다.
③ 마케팅믹스(4P MIX)의 판매촉진(Promotion) 전략은 표적시장의 반응을 빠르고 강하게 자극 · 유인하기 위한 전략으로 추첨을 통한 경품행사 등이 이에 해당한다.
④ 시장세분화 전략이란 수요자 집단을 인구 · 경제적 특성에 따라 세분하고, 세분된 시장에서 상품의 판매지향점을 분명히 하는 것을 말한다.
⑤ 고객점유 전략은 소비자의 구매의사결정 과정의 각 단계에서 소비자와의 심리적인 접점을 마련하고 전달하려는 정보의 취지와 강약을 조절하는 것을 말한다.

35

부동산 가격이론에서 가치와 가격에 관한 설명 중 옳은 것은?

① 가격은 주관적 · 추상적인 개념이고, 가치는 시장을 통하여 화폐단위로 구현된 객관적 · 구체적인 개념이다.
② 가치가 상승하면 가격은 상승하므로 화폐가치가 상승하면 부동산 가격은 상승한다.
③ 부동산의 가치는 장래 기대되는 유 · 무형의 편익을 미래가치로 환산한 값이다.
④ 부동산 가격은 평가목적에 따라 일정 시점에서 여러 개 존재하나, 부동산가치는 지불된 금액이므로 일정 시점에서 하나만 존재한다.
⑤ 수요와 공급의 변동에 따라 단기적으로 가치와 가격은 괴리되지만, 장기적으로 가격은 가치와 일치되는 경향을 보인다.

36

원가법에 의한 대상물건의 적산가액은? (단, 주어진 조건에 한함)

ㅇ 준공시점: 2018년 6월 30일
ㅇ 기준시점: 2023년 6월 30일
ㅇ 준공시점 신축공사비: 200,000,000원
ㅇ 경제적 잔존내용연수: 45년
ㅇ 2018년 6월 30일 건축비 지수: 100
　2023년 6월 30일 건축비 지수: 110
ㅇ 감가수정은 정액법에 의하고, 내용연수 만료시 잔존가치율: 10%

① 180,200,000원　② 194,060,000원
③ 200,000,000원　④ 200,200,000원
⑤ 220,420,000원

37

다음 자료를 활용하여 공시지가기준법으로 평가한 대상토지의 가액(원/m^2)은? (단, 주어진 조건에 한함)

ㅇ 대상토지 소재지 등: A시 B구 C동 100, 일반상업지역, 상업용
ㅇ 기준시점: 2022.10.26.
ㅇ 표준지공시지가: 2,000,000원/m^2
　(A시 B구 C동 110, 2022.1.1. 기준, 일반상업지역, 상업용)
ㅇ 지가변동률(A시 B구, 2022.1.1. ~ 2022.10.26.)
　상업지역: 5% 상승
ㅇ 지역요인: 표준지와 대상토지는 인근지역에 위치하여 지역요인은 동일함
ㅇ 개별요인: 대상토지는 표준지에 비해 가로조건에서 20% 우세하고, 환경조건은 10% 열세하며, 다른 조건은 동일함(상승식으로 계산할 것)
ㅇ 그 밖의 요인 보정치: 1.2

① 2,013,600원/m^2　② 2,155,000원/m^2
③ 2,650,000원/m^2　④ 2,721,600원/m^2
⑤ 2,810,400원/m^2

38

감정평가이론상 감가수정에 대한 설명 중 옳은 것은?

① 감가수정은 취득원가에 대한 비용배분의 개념이고, 회계목적의 감가상각은 재조달원가를 기초로 적정한 가치를 산정하는 개념이다.
② 경제적 감가요인에는 설계의 불량, 설비의 부족 또는 과잉, 부지와 건물의 부적합 등이 있다.
③ 정액법에 의한 연간 감가액은 일정하지만, 정률법에 의한 연간 감가액은 체감한다.
④ 감가요인을 물리적 · 경제적 · 기능적 요인으로 세분하고, 치유가능 · 치유불가능 항목으로 세분하여 감가수정액을 산정하는 방법은 관찰감가법이다.
⑤ 대상부동산의 상태를 직접 관찰한 후 감정평가사의 주관적 경험과 지식에 의존하는 것은 상환기금법이다.

39

다음과 같은 조건에서 대상부동산의 수익가치 산정시 적용할 환원이율(capitalization rate, %)은?

○ 순영업소득(NOI): 연 20,000,000원 ○ 부채서비스액(debt service): 연 10,000,000원 ○ 지분비율: 40% ○ 대출조건: 이자율 연 12%로 10년간 매년 원리금균등상환 ○ 저당상수(이자율 연 12%, 기간 10년): 0.177

① 3.54
② 5.31
③ 21.16
④ 21.24
⑤ 23.16

40

부동산 가격공시제도에 대한 설명 중 틀린 것은?

① 표준주택을 선정할 때에는 일반적으로 유사하다고 인정되는 일단의 단독주택 및 공동주택에서 해당 일단의 주택을 대표할 수 있는 주택을 선정하여야 한다.
② 개별주택가격은 매년 4월 30일까지 결정 · 공시된다.
③ 표준지공시지가는 일반적 토지거래의 지표가 되거나 토지시장의 지가정보를 제공해준다.
④ 개별공시지가에 이의가 있는 자는 개별공시지가의 결정 · 공시일로부터 30일 이내에 서면으로 시장 · 군수 또는 구청장에게 이의를 신청할 수 있다.
⑤ 개별공시지가는 국유지의 사용료, 재산세의 과세표준액, 개발부담금 등을 결정하는 기준이 된다.

민법 및 민사특별법

41

甲은 乙과 도박으로 자기 돈 200만원과 도박을 구경하던 丙으로부터 빌린 돈 100만원을 모두 잃었다. 그 후 乙과 외상도박으로 乙에게 300만원의 빚을 졌다. 이에 관한 설명으로 옳은 것은? (다툼이 있으면 판례에 따름)

① 甲과 乙의 도박계약은 유효하므로 甲은 乙에게 도박 빚 300만원을 변제하여야 한다.
② 甲과 乙의 도박계약은 무효이므로 甲은 乙에게 도박으로 잃은 돈 200만원의 반환을 청구할 수 있다.
③ 甲과 丙의 금전대여계약은 유효하므로 甲은 丙에게 100만원을 변제하여야 한다.
④ 甲과 丙의 금전대여계약은 무효이므로 甲이 丙에게 100만원을 변제하였다면 반환을 청구할 수 있다.
⑤ 甲과 乙의 도박계약 및 甲과 丙의 금전대여계약은 모두 무효이다.

42

불공정한 법률행위에 관한 설명으로 옳지 <u>않은</u> 것은? (다툼이 있으면 판례에 따름)

① 불공정한 법률행위가 성립하기 위한 요건인 궁박 · 경솔 · 무경험은 모두 구비되어야 하는 요건이 아니라 그중 일부만 갖추어져도 충분하다.
② 피해당사자가 궁박 · 경솔 또는 무경험의 상태에 있었다고 하더라도 그 상대방당사자에게 그와 같은 피해당사자 측의 사정을 알면서 이를 이용하려는 의사, 즉 폭리행위의 악의가 없었다면 불공정한 법률행위는 성립하지 않는다.
③ 증여계약과 같이 아무런 대가관계 없이 당사자 일방이 상대방에게 일방적인 급부를 하는 법률행위는 「민법」 제104조 소정의 불공정한 법률행위에 해당될 수 없다.
④ 대리인에 의하여 법률행위가 이루어진 경우 그 법률행위가 「민법」 제104조의 불공정한 법률행위에 해당하는지 여부를 판단함에 있어서 경솔과 무경험은 본인을 기준으로 하여 판단하고, 궁박은 대리인의 입장에서 판단하여야 한다.
⑤ 불공정한 법률행위로서 무효인 경우에는 추인에 의하여 무효인 법률행위가 유효로 될 수 없다.

43

A토지와 B토지를 소유하고 있는 매도인 甲은 매수인 乙과 A토지에 대한 매매계약을 체결하였다. 그런데 甲과 乙은 토지 지번에 관하여 착오를 일으켜 계약서에 B토지의 지번을 기재하였고, B토지에 관하여 소유권이전등기가 경료되었다. 그 후 乙은 B토지를 丙에게 매도하였고, 丙 앞으로 소유권이전등기를 마쳐주었다. 다음 중 <u>틀린</u> 설명은? (다툼이 있으면 판례에 따름)

① 甲과 乙 간의 매매계약은 착오에 의한 의사표시로 규율되어야 한다.
② 甲과 乙 간의 매매계약은 A토지에 관하여 성립한 것으로 보아야 한다.
③ 부동산등기에는 공신력이 없으므로 丙은 B토지에 관하여 소유권을 취득할 수 없다.
④ 甲은 乙에게 A토지에 관하여 소유권이전등기를 해 줄 의무가 있다.
⑤ 乙이 B토지에 관하여 소유권을 취득하지 못하는 것은 자연적 해석의 방법에 따라 법률행위를 해석하였기 때문이다.

44

통정허위표시에 관한 다음 설명 중 <u>틀린</u> 것은? (다툼이 있으면 판례에 따름)

① 강제집행을 면할 목적으로 부동산의 소유자 명의를 신탁하는 것이 허위표시에는 해당할 수 있으나, 불법원인급여에 해당한다고 할 수는 없다.
② 통정허위표시에 기초하여 새로운 법률적 이해관계를 가지게 된 제3자는 특별한 사정이 없는 한 선의로 추정되므로 제3자가 악의라는 사실에 관한 주장 중 증명책임은 그 허위표시의 무효를 주장하는 자에게 있다.
③ 통정허위표시에 있어서의 제3자는 그가 비록 선의라 하더라도 과실이 있다면 보호를 받지 못한다.
④ 통정허위표시에 의하여 외형상 형성된 법률관계로 생긴 채권을 가압류한 경우, 그 가압류권리자는 「민법」 제108조 제2항의 제3자에 해당한다.
⑤ 은닉행위가 법률행위로서의 요건을 구비하고 있다면, 그 은닉행위는 유효하다.

45

甲은 乙에게 부동산을 증여하면서 증여세를 포탈할 목적으로 乙과 통정하여 매매를 원인으로 한 소유권이전등기를 경료하였다. 丙은 乙로부터 위 부동산을 매수하여 丁에게 전매하였다. 다음 중 옳지 않은 것은? (다툼이 있으면 판례에 따름)

① 甲과 乙 사이 매매계약은 무효이다.
② 甲과 乙 사이의 증여계약은 은닉행위로서 허위표시인 가장매매와는 구별된다.
③ 甲과 乙 사이의 증여계약은 증여에 대한 진정한 합의가 있는 이상 유효하다.
④ 丙이 선의이면 丙은 위 부동산의 소유권을 취득한다.
⑤ 丁이 악의이면 위 부동산의 소유권을 취득할 수 없다.

46

착오에 의한 의사표시의 취소에 관한 설명 중 틀린 것은? (다툼이 있으면 판례에 따름)

① 동기를 의사표시의 내용으로 삼을 것을 상대방에게 표시하지 아니하여 의사표시의 해석상 법률행위의 내용으로 되지 않는 경우에는 표의자는 동기의 착오를 이유로 취소할 수 없다.
② 공장을 경영하는 자가 공장이 협소하여 새로운 공장을 설립할 목적으로 토지를 매수하면서 토지상에 공장을 건축할 수 있는지 여부를 관할관청에 알아보지 아니한 경우에는 중대한 과실이 인정되어 매매계약을 취소할 수 없다.
③ 동기의 착오가 법률행위의 내용의 중요부분의 착오에 해당함을 이유로 표의자가 법률행위를 취소하려면 그 동기를 당해 의사표시의 내용으로 삼을 것을 상대방에게 표시하고 의사표시의 해석상 법률행위의 내용으로 되어 있다고 인정되면 충분하다.
④ 매도인이 매매계약을 해제한 후라도 매수인은 착오를 이유로 매매계약을 취소할 수 있다.
⑤ 착오에 의한 의사표시를 수령한 상대방도 표의자의 착오를 이유로 취소할 수 있다.

47

다음 중 표현대리가 되지 않는 것은 어느 것인가? (다툼이 있으면 판례에 따름)

① 甲은 제3자에 대하여 乙이 자기의 법정대리인이 된 것을 통지하였으나 사실은 乙이 법정대리인이 되지 않았을 경우에 乙과 그 제3자 간의 법률행위
② 甲의 수금원 乙이 해고당했음에도 불구하고 이를 모르는 丙으로부터 여전히 甲의 대리인으로서 수금한 때
③ 甲으로부터 차금의 대리권을 받은 乙이 그 위임장을 변조하여 甲소유의 부동산을 매각한 때
④ 甲이 乙에게 甲의 대리인으로서 50만원의 차금을 의뢰하였는데, 乙이 자기도 돈이 필요하여 100만원의 차금을 한 때
⑤ 甲이 乙에게 대리권을 주었다고 신문에 광고하였으나 실은 아직 乙에게 수권하기 전에 乙이 甲의 대리인으로 계약을 체결한 때

48

권한을 넘은 표현대리에 관한 설명 중 틀린 것은? (다툼이 있으면 판례에 따름)

① 권한을 넘은 표현대리가 성립하기 위한 기본대리권은 권한을 넘은 행위와 동일한 종류 또는 유사한 것임을 요하지 않는다.
② 이미 소멸한 대리권에 기하여 그 대리권의 범위를 넘어서 대리권을 행사한 경우에는 권한을 넘은 표현대리가 성립할 수 있다.
③ 말소등기신청을 위한 대리권을 수여받은 자가 대물변제를 한 경우에 권한을 넘은 표현대리가 성립할 수 있다.
④ 본인을 사칭하여 인감증명을 발급받은 후 이를 이용하여 부동산을 매매한 경우에는 권한을 넘은 표현대리가 성립할 수 있다.
⑤ 법정대리에도 권한을 넘은 표현대리가 성립할 수 있다.

49

甲의 아들 乙은 甲의 대리인이라고 칭하고 甲소유의 부동산에 관하여 丙과 매매계약을 체결하였다. 다음 설명 중 옳은 것은? (다툼이 있으면 판례에 따름)

① 甲이 乙에 대하여 추인을 한 후에는 丙은 아직 그 사실을 알지 못하였더라도 乙과 맺은 계약을 철회할 수 없다.
② 甲은 丙에 대하여 추인을 거절한 후에도 이를 번복하여 추인할 수 있다.
③ 판례에 의하면, 甲이 사망하여 乙이 단독상속한 경우에 乙은 추인을 거절할 수 있다고 한다.
④ 丙이 甲에게 상당한 기간을 정하여 추인 여부의 확답을 최고한 경우에 甲이 그 기간 내에 확답을 발하지 않은 때에는 甲은 추인한 것으로 간주된다.
⑤ 甲의 추인이 있으면 원칙적으로 乙의 행위는 처음부터 유권대리행위였던 것과 동일한 법률효과를 발생한다.

50

조건부 법률행위로서 유효한 것은? (다툼이 있으면 판례에 따름)

① 딸과 사위가 이미 이혼한 사실을 모르는 장인이 이혼하면 돌려받기로 하고 그 사위에게 건물을 증여하기로 하는 약정
② 건물이 철거되면 그 부지를 매수하기로 하는 약정
③ 금괴밀수에 성공하면 5억원을 배당해 주기로 하는 약정
④ 사육하고 있는 진돗개가 죽으면 풍산개 한 마리를 사 주기로 하는 약정
⑤ 해저 1만 미터에 빠진 결혼반지를 찾아주면 사례금을 지급하기로 하는 약정

51

물권적 청구권에 관한 설명으로 옳은 것은? (다툼이 있으면 판례에 따름)

① 유치권자가 점유를 침탈당한 경우에는 유치권에 기한 반환을 청구할 수 있다.
② 甲의 소유물을 乙이 절취하여 점유보조자 丙에게 맡겨 둔 경우, 甲은 乙에게만 반환청구를 할 수 있다.
③ 미등기 건물의 양수인도 그 건물의 불법점유자에 대하여 직접 자신의 소유권에 기하여 건물의 반환을 청구할 수 있다.
④ 甲의 점유물을 乙이 甲을 기망하여 점유를 이전받은 경우, 甲은 乙에게 점유물반환을 청구할 수 있다.
⑤ 수인이 공동으로 불법점유를 하고 있는 경우, 소유자는 공동불법점유자 1인만을 상대로 물권적 청구권을 행사할 수 없다.

52

다음 중 등기를 요하지 아니하는 부동산물권변동에 해당하는 것을 모두 고른 것은? (다툼이 있으면 판례에 따름)

ㄱ. 포괄유증에 의한 부동산소유권의 취득
ㄴ. 소멸시효의 완성에 의한 부동산물권의 소멸
ㄷ. 증여로 인한 부동산소유권의 취득
ㄹ. 공유물분할판결에 의한 부동산물권의 변동
ㅁ. 점유취득시효완성에 의한 부동산소유권의 취득

① ㄱ, ㄴ, ㄹ
② ㄱ, ㄷ, ㅁ
③ ㄴ, ㄷ, ㄹ
④ ㄴ, ㄷ, ㅁ
⑤ ㄷ, ㄹ, ㅁ

53

甲은 자기소유의 부동산을 乙에게 매도하였고, 乙은 자기명의로의 소유권이전등기 없이 丙에게 전매하였다. 다음 설명 중 틀린 것은? (다툼이 있으면 판례에 따름)

① 甲, 乙, 丙 3자 간에 중간생략등기의 합의가 있더라도 乙의 甲에 대한 소유권이전등기청구권이 소멸하는 것은 아니다.
② 甲에서 직접 丙 앞으로 소유권이전등기가 경료되었다면 甲, 乙, 丙 3자 간에 중간생략등기의 합의가 없었다 하더라도 등기는 효력이 있다.
③ 乙이 甲에 대한 소유권이전등기청구권을 丙에게 양도하고 이를 甲에게 통지했다면, 丙은 직접 甲에 대해 소유권이전등기를 청구할 수 있다.
④ 생략등기합의 후 甲과 乙 간에 계약이 합의해지되면 丙의 소유권이전등기청구를 甲이 거절할 수 있다.
⑤ 甲, 乙, 丙 3자 간 중간생략등기의 합의 후 甲과 乙 사이에 매매대금을 인상하기로 하는 합의가 있는 경우, 甲은 인상된 매매대금이 지급되지 않았음을 이유로 丙의 소유권이전등기청구를 거절할 수 있다.

54

등기청구권의 법적 성질이 다른 것은? (다툼이 있으면 판례에 따름)

① 매수인의 매도인에 대한 등기청구권
② 청구권 보전을 위한 가등기에 기한 본등기청구권
③ 매매계약의 취소로 인한 매도인의 매수인에 대한 등기청구권
④ 시효취득에 기한 등기청구권
⑤ 중간생략등기에 있어서 최종 양수인의 최초 양도인에 대한 등기청구권

55

점유자와 회복자의 관계에 관한 설명 중 옳은 것은? (다툼이 있으면 판례에 따름)

① 선의의 점유자라도 본권에 관한 소에서 패소한 때에는 판결확정시부터 그 이후의 과실은 반환해야 한다.
② 선의의 점유자가 과실을 취득함으로써 타인에게 손해를 입힌 경우에는, 그 과실취득으로 인한 이득을 그 타인에게 반환할 의무가 있다.
③ 점유자의 귀책사유에 의해 물건이 훼손된 경우, 악의의 점유자와 선의의 타주점유자의 손해배상범위는 같다.
④ 악의의 점유자는 그의 귀책사유 없이 과실을 수취하지 못한 경우에도 그 과실의 대가를 보상하여야 한다.
⑤ 임차인이 적법하게 점유하고 있으면서 건물에 유익비를 지출한 경우에는, 임차인은 경락인에 대하여 점유자의 유익비상환청구를 할 수 있다.

56

乙은 甲소유의 토지를 20년간 소유의 의사로 평온 · 공연하게 점유하였음을 이유로 甲에게 소유권이전등기를 청구할 수 있게 되었다. 다음 설명 중 <u>틀린</u> 것은? (다툼이 있으면 판례에 따름)

① 甲이 시효완성 사실을 모르고 丙에게 처분한 경우에는 乙은 甲에게 불법행위책임을 물을 수는 없다.
② ①의 경우, 丙에게 소유권이 변동된 시점을 기산점으로 삼아도 다시 점유취득시효기간이 경과한 경우에는 乙은 丙에게 취득시효의 완성을 주장할 수 있다.
③ ②의 경우, 乙의 점유기간 중에 다시 丙에서 丁으로 소유자의 변동이 있는 경우에는 丁에 대하여 시효완성의 효과를 주장할 수 없다.
④ 乙이 등기를 경료하지 않고 있는 사이에 甲이 丙에게 그 토지를 매도하고 등기까지 마쳤다 하더라도, 乙의 등기청구권이 소멸하는 것은 아니다.
⑤ 따라서 甲과 丙 간의 매매가 해제됨으로 인하여 甲이 다시 토지소유권을 회복한 경우, 乙은 甲에게 시효완성을 주장할 수 있다.

57

甲, 乙, 丙은 X토지를 공유하며, 甲이 7분의 4, 乙이 7분의 2, 丙이 7분의 1의 지분을 가지고 있다. 다음 설명 중 <u>틀린</u> 것은? (다툼이 있으면 판례에 따름)

① 乙은 甲과 丙의 동의 없이도 자신의 지분에 저당권을 설정할 수 있다.
② 丁이 X토지를 불법점유하는 경우, 甲은 단독으로 丁을 상대로 X토지 전부에 대하여 반환을 청구할 수 있다.
③ ②의 경우, 甲은 단독으로 丁을 상대로 X토지 전부에 해당하는 손해배상을 청구할 수는 없다.
④ 甲이 단독으로 X토지를 배타적으로 점유하는 경우, 丙은 甲에게 X토지의 반환을 청구할 수 없다.
⑤ 乙이 단독으로 X토지를 배타적으로 점유하는 경우, 丙은 X토지 전부를 자신에게 인도할 것을 청구할 수 없다.

58

용익물권에 관한 설명으로 <u>틀린</u> 것은? (다툼이 있으면 판례에 따름)

① 지상권과 전세권은 원칙적으로 자유롭게 처분할 수 있다.
② 지상권과 지역권에는 최장기간에 관한 제한이 없다.
③ 건물에 관한 전세권은 2년보다 짧은 기간을 정할 수 없다.
④ 지상권, 지역권, 전세권의 경우 모두 필요비상환청구권이 인정되지 않는다.
⑤ 지상권, 지역권, 전세권의 경우 모두 방해제거청구권이 인정된다.

59

지상권에 관한 다음 설명 중 <u>틀린</u> 것은? (다툼이 있으면 판례에 따름)

① 지상권은 1필의 토지 일부에도 설정이 가능하다.
② 지상권자의 지료지급연체가 토지소유권의 양도 전후에 걸쳐 2년분에 달하는 경우, 토지양수인만에 대한 연체기간이 2년이 되지 않더라도 양수인은 지상권소멸청구를 할 수 있다.
③ 지상권설정 이후에 지상물이 멸실되는 경우에도 지상권은 소멸하지 않는다.
④ 지료에 관한 약정을 등기하지 않은 경우 지상권설정자로부터 토지를 양수한 양수인은 지료의 증액을 청구하지 못한다.
⑤ 법정지상권을 취득하기 위해서 등기를 필요로 하는 것은 아니지만, 그 법정지상권을 타에 처분하기 위해서는 등기를 하여야 한다.

60

분묘기지권에 관한 설명으로 옳지 않은 것은? (다툼이 있으면 판례에 따름)

① 분묘기지권은 당사자 간에 특약이 없으면 분묘가 존재하는 한 존속한다.
② 분묘기지권을 시효취득한 경우 소유자의 청구시부터 지료를 지급하여야 한다.
③ 분묘기지권자가 분묘기지권을 포기하는 의사를 표시한 경우에는 점유의 포기가 없더라도 분묘기지권은 소멸한다.
④ 분묘기지권은 분묘기지 그 자체에 한하여 인정될 뿐 분묘 주위의 공지에까지 미치지 않는다.
⑤ 분묘기지권의 취득에는 등기를 요하지 않는다.

61

甲은 乙소유의 건물에 대하여 전세권을 설정하였다. 다음 중 틀린 것은? (다툼이 있으면 판례에 따름)

① 甲이 주로 乙에 대한 채권담보의 목적으로 전세권을 설정하였고, 그 설정과 동시에 乙이 甲에게 목적물을 인도하지 않은 경우 그 전세권은 효력이 없다.
② 甲은 전세권의 존속기간 중에는 전세금반환채권을 전세권과 분리하여 제3자에게 확정적으로 양도하지 못한다.
③ 전세권이 소멸한 경우, 乙의 전세금반환채무와 甲의 목적물 인도 및 전세권말소등기에 필요한 서류의 교부의무는 동시이행의 관계에 있다.
④ 甲명의의 전세권에 대하여 丁이 저당권을 설정한 경우 甲의 전세권이 기간만료로 종료되면 丁은 전세권에 대하여 저당권을 실행하지 못한다.
⑤ 甲의 전세권이 건물의 일부에 관한 것인 때에는 甲은 건물 전부에 대한 경매를 신청하지 못한다.

62

다음 중 유치권의 효력에 관한 설명으로 옳지 않은 것은? (다툼이 있으면 판례에 따름)

① 경매개시결정 이후에 유치권을 취득한 유치권자는 경락인에게 유치권으로 대항할 수 없다.
② 유치권자가 유치권 목적인 주택에 거주하며 사용하는 것은 보존을 위한 것이므로 그 사용으로 인한 이익을 반환할 필요가 없다.
③ 유치권자는 유치권의 목적물을 경락받은 경락인에게 피담보채무의 변제를 청구하지 못한다.
④ 유치권자가 소유자의 승낙 없이 제3자에게 유치물을 임대한 경우, 임차인은 소유자에게 임대차의 효력을 주장할 수 없다.
⑤ 제3자의 침탈에 의하여 유치권자가 점유를 상실한 경우에도 유치권은 소멸한다.

63

다음 중 토지저당권자의 일괄경매청구권에 관한 설명으로 옳은 것은? (다툼이 있으면 판례에 따름)

① 일괄경매청구권이 인정되기 위해서는 토지에 저당권이 설정될 당시에 건물이 이미 존재하여야 한다.
② 저당권설정자로부터 용익권을 설정받은 자가 건축한 건물이라도 저당권설정자가 나중에 소유권을 취득하였다면 일괄경매청구가 허용된다.
③ 토지와 건물을 일괄하여 경매하는 경우 저당권자는 건물의 매각대금에서도 우선변제 받을 수 있다.
④ 저당권자는 반드시 일괄경매를 청구하여야 하고 토지만을 경매할 수는 없다.
⑤ 토지에 대한 저당권설정자가 신축한 건물이라면 그 후 제3자가 매수하여 소유하고 있는 건물도 일괄경매를 청구함에 지장이 없다.

64

다음 중 근저당권에 관한 설명으로 틀린 것은? (다툼이 있으면 판례에 따름)

① 근저당권설정시 채권최고액 및 존속기간은 필요적 등기사항이다.
② 근저당권설정자인 채무자는 확정된 피담보채권액 전액을 변제하여야 근저당권의 말소를 청구할 수 있다.
③ 후순위 저당권자의 경매신청으로 인하여 선순위 근저당권이 소멸하는 경우 선순위 근저당권의 피담보채권은 경락대금 완납시에 확정된다.
④ 근저당권의 실행비용은 채권최고액에 포함되지 않는다.
⑤ 근저당권에 있어서 우선변제 받을 수 있는 지연이자는 1년분에 한하지 않는다.

65

다음 중 계약의 종류에 관한 다음 설명 중 옳지 않은 것은?

① 모든 쌍무계약은 언제나 유상계약이다.
② 교환계약에도 담보책임이 문제된다.
③ 계약금계약은 계약금의 교부를 요건으로 하는 요물계약이다.
④ 증여 · 사용대차계약에서도 동시이행의 항변권이 문제된다.
⑤ 예약은 언제나 이행의 문제가 남은 채권계약이다.

66

계약의 성립에 관한 다음 설명 중 옳은 것은? (다툼이 있으면 판례에 따름)

① 청약의 상대방에게는 청약자가 회답할 것을 요구한 경우 회답할 의무가 인정된다.
② 격지자 간의 계약에서 승낙도 승낙기간 내에 도달하여야 승낙의 통지를 발송한 경우에 계약이 성립한다.
③ 청약의 유인은 특정의 청약자에게 하여야 한다.
④ 청약을 한 후에 상대방이 제한능력자가 된 경우에도 청약이 도달하면 청약자는 계약의 효력을 주장할 수 있다.
⑤ 연착된 승낙에 대해서 청약자가 승낙을 하더라도 계약은 성립하지 않는다.

67

다음 중 동시이행항변권에 관한 설명 중 옳지 않은 것은? (다툼이 있으면 판례에 따름)

① 쌍방의 채무가 별개의 계약에 기한 것이더라도 특약에 의해 동시이행의 항변권이 발생할 수 있다.
② 쌍방의 채무가 모두 이행되지 않고 이행기를 도과한 경우, 쌍방의 채무는 더 이상 동시이행의 관계가 아니다.
③ 매수인이 선이행의무 있는 중도금을 지급하지 않았다 하더라도 잔대금 지급일이 도래하면 매수인의 중도금, 중도금에 대한 지연이자 및 잔대금의 지급과 매도인의 소유권이전등기소요서류의 제공은 동시이행관계에 있다.
④ 임대인이 목적물을 사용 · 수익하게 할 의무를 불이행하여 임차인이 목적물을 전혀 사용할 수 없을 경우에는 임차인은 차임 전부의 지급을 거절할 수 있다.
⑤ 쌍무계약의 당사자 일방이 한 번 현실의 제공을 하였으나 상대방이 수령을 지체한 경우, 상대방은 동시이행의 항변권을 상실하지 않는다.

68

다음 중 동시이행관계가 아닌 것은? (다툼이 있으면 판례에 따름)

① 채무변제와 영수증의 교부의무
② 계약이 해제된 경우에 당사자 상호간의 원상회복의무
③ 임대인의 보증금반환의무와 임차인의 목적물반환의무 및 임대인의 협력하에 경료된 임차권등기말소의무
④ 저당권등기가 있는 부동산의 매매계약에 있어서 매도인의 소유권이전등기의무 및 저당권등기의 말소의무와 매수인의 대금지급의무
⑤ 근저당권 실행을 위한 경매가 무효가 된 경우, 낙찰자의 채무자에 대한 소유권이전등기말소의무와 근저당권자의 낙찰자에 대한 배당금반환의무

69

다음 중 해제권이 발생하는 사유가 아닌 것은? (다툼이 있으면 판례에 따름)

① 약정해제권을 유보한 경우 약정사유의 발생
② 채무자의 귀책사유에 의한 이행지체
③ 채무자의 귀책사유에 의하여 정기행위를 지체한 경우
④ 채무자의 귀책사유에 의한 후발적 이행불능
⑤ 토지매매계약 후 토지가 수용되어 소유권이전이 불가능한 경우

70

계약의 해제에 관한 다음 설명 중 옳지 않은 것은? (다툼이 있으면 판례에 따름)

① 채무자의 책임 있는 사유로 이행이 전부불능으로 된 경우, 채권자는 계약을 해제할 수 있다.
② 채무자의 책임 있는 사유로 계약 일부의 이행이 불능으로 된 경우, 이행이 가능한 나머지 부분만의 이행으로 계약의 목적을 달성할 수 없다면 계약 전부에 대하여 해제할 수 있다.
③ 쌍무계약에서 계약당사자의 일방은 상대방이 채무를 이행하지 아니할 의사를 명백히 표시한 경우에는 최고 없이 그 계약을 해제할 수 있다.
④ 채무불이행을 이유로 계약해제와 아울러 손해배상을 청구하는 경우 채무자는 신뢰이익을 배상하여야 한다.
⑤ 매도인의 소유권이전등기의무의 이행불능을 이유로 매수인이 매매계약을 해제함에 있어서 잔금을 제공할 필요가 없다.

71

다음 매매에 관한 설명 중 옳은 것은?

① 매매는 유상 · 편무계약이다.
② 매매의 목적물은 현존하는 것이어야 한다.
③ 타인의 물건 또는 권리도 매매의 목적으로 할 수 있다.
④ 매매계약은 재산권을 이전하고 대금을 지급함으로써 성립한다.
⑤ 매매계약은 채권계약이기 때문에 현실매매에는 매매에 관한 규정이 적용되지 않는다.

72

매도인의 담보책임에 관한 설명으로 틀린 것은? (다툼이 있으면 판례에 따름)

① 매매목적인 권리 전부가 타인에게 속한 경우, 악의의 매수인은 해제할 수 없다.
② 매매목적인 권리 전부가 타인에게 속한 경우, 매도인의 손해배상책임은 이행이익 상당액이다.
③ 매매목적인 권리 일부가 타인에게 속한 경우, 악의의 매수인도 대금감액을 청구할 수 있다.
④ 매매목적인 권리 일부가 타인에게 속한 경우, 선의의 매수인은 안 날로부터 1년 내에 권리를 행사해야 한다.
⑤ 저당권이 설정된 부동산의 매수인이 그 소유권을 보존하기 위해 출재한 경우, 악의의 매수인은 매도인에게 그 상환을 청구할 수 있다.

73

다음 중 환매에 대한 다음 설명 중 옳은 것은? (다툼이 있으면 판례에 따름)

① 매도인은 기간 내에 대금과 매매비용을 매수인에게 제공하지 않으면 환매할 권리를 잃는다.
② 부동산 환매특약을 10년으로 한 경우에는 환매특약은 무효가 된다.
③ 환매기간을 정한 때에도 당사자 합의에 의해서 다시 연장할 수 있다.
④ 환매기간을 정하지 않은 환매특약은 무효이다
⑤ 특약이 없는 한 환매대금에는 이자도 포함된다.

74

임대차에서 부속물매수청구권에 관한 설명 중 옳은 것은? (다툼이 있으면 판례에 따름)

① 건물의 구성부분으로 건물의 사용에 객관적인 편익을 가져오게 하는 물건이어야 한다.
② 임차인의 특수목적에 사용하기 위해 부속된 것도 매수청구할 수 있다.
③ 부속물매수청구권은 임대차종료시에 인정된다.
④ 일시사용을 위한 임대차에도 인정된다.
⑤ 임대인도 부속물매수청구권을 행사할 수 있으며, 임차인은 정당한 이유 없이 거절하지 못한다.

75

주택임대차에 관한 설명 중 옳지 않은 것은? (다툼이 있으면 판례에 따름)

① 「주택임대차보호법」상 대항력을 행사하기 위해서는 주택의 인도 및 주민등록이 경락기일까지 계속 존속하고 있어야 한다.
② 주민등록이 직권말소된 후 「주민등록법」 소정의 이의절차에 따라 그 말소된 주민등록이 회복된 경우에는 소급하여 대항력이 유지된다.
③ 대지에 저당권설정 후 건축된 주택을 임대차한 임차인은 대지의 경락대금에서 우선변제를 받을 수 없다.
④ 주택임차권의 대항력의 요건인 주민등록의 신고는 행정청이 수리하기 전이라도 행정청에 도달함으로써 바로 신고로서의 효력이 발생한다.
⑤ 처음에 다가구 단독주택으로 소유권보존등기가 경료된 건물의 일부를 임차하여 대항력을 적법하게 취득하였다면, 나중에 그 주택이 다세대주택으로 변경되더라도 이미 취득한 대항력을 상실하는 것은 아니다.

76

「주택임대차보호법」에 대한 다음 설명 중 옳지 않은 것은?

① 임차인 사망 당시 상속권자가 그 주택에서 가정공동생활을 하고 있지 아니한 때에는 그 주택에서 가정공동생활을 하던 사실상의 혼인관계에 있는 자와 2촌 이내의 친족은 공동으로 임차인의 권리와 의무를 승계한다.
② 임대차가 종료한 경우에도 임차인이 보증금을 반환받을 때까지는 임대차관계는 존속하는 것으로 본다.
③ 임차인이 주택의 인도와 주민등록을 마친 때에는 그 다음날부터 제3자에 대하여 효력이 생기고, 대항력 발생 후 임차주택이 양도되면 임차주택의 양도인은 보증금반환채무가 존속할 여지가 없다.
④ 임대인의 보증금반환과 임차인의 임차권등기명령에 의한 임차권등기말소는 동시이행관계가 아니다.
⑤ 기간의 정함이 없거나 기간을 2년 미만으로 정한 임대차는 그 기간을 2년으로 본다. 임차인은 2년 미만으로 정한 기간이 유효함을 주장할 수 있다.

77

2023년 10월 甲은 선순위 권리자가 없는 乙의 서울 소재 X 상가건물을 보증금 1억원, 월차임 40만원에 임차하여 대항요건을 갖추고 확정일자를 받았다. 다음 설명 중 <u>틀린</u> 것은? (다툼이 있으면 판례에 따름)

① 甲이 3기의 차임 상당액을 연체한 경우, 乙은 甲의 계약갱신요구를 거절할 수 있다.
② 임대기간에 대하여 별도의 약정이 없는 경우, 그 기간은 1년으로 본다.
③ 甲이 임대차 목적물인 상가건물을 1년 6개월 이상 영리목적으로 사용하지 아니한 경우에도 甲이 주선한 신규임차인이 되려는 丙으로부터 권리금 수수를 보호하여야 한다.
④ 甲이 X건물의 환가대금에서 보증금을 우선변제받기 위해서는 대항요건이 배당요구 종기까지 존속하여야 한다.
⑤ 보증금이 전액 변제되지 않는 한 X건물에 대한 경매가 실시되어 매각되더라도 甲의 임차권은 존속한다.

78

2023년 10월, 甲은 乙과 명의신탁약정을 맺고 甲이 乙에게 매수자금을 주어 乙이 丙의 X부동산을 매수하여 乙의 이름으로 소유권이전등기를 경료하였다. 다음 설명 중 <u>틀린</u> 것은? (다툼이 있으면 판례에 따름)

① 丙이 甲·乙 간에 명의신탁약정이 있다는 사실을 모른 경우, 乙은 소유권을 취득한다.
② ①의 경우 甲은 乙을 상대로 부당이득반환으로 X부동산의 등기이전을 청구할 수 있다.
③ 丙이 甲·乙 간에 명의신탁약정이 있다는 사실을 알고 있었던 경우, 乙명의의 이전등기는 무효이다.
④ 甲·乙 간의 명의신탁약정은 무효이다.
⑤ 만약 丙이 악의라도 乙에게 부동산을 매수하여 이전등기를 경료한 丁은 부동산의 소유권을 취득한다.

79

「집합건물의 소유 및 관리에 관한 법률」에 관한 설명으로 옳은 것은? (다툼이 있으면 판례에 따름)

① 분양자 아닌 시공자는 특별한 사정이 없는 한, 집합건물의 하자에 대하여 담보책임을 지지 않는다.
② 전유부분이 속하는 1동의 건물의 설치·보존의 흠으로 인하여 다른 자에게 손해를 입힌 경우, 그 흠은 전유부분에 존재하는 것으로 추정한다.
③ 아파트 전입주자가 체납한 관리비는 공용부분 및 그 연체료에 한하여 그 특별승계인에 승계된다.
④ 건물을 구분건물로 하겠다는 구분의사가 객관적으로 표시된 경우에는 구분건물로서 등기하지 않았다 하더라도 구분소유가 성립할 수 있다.
⑤ 규약으로 달리 정하는 경우를 제외하고는 전유부분과 분리하여 공용부분에 대한 지분을 처분할 수 없다.

80

「가등기담보 등에 관한 법률」에 관한 설명 중 <u>틀린</u> 것은? (다툼이 있으면 판례에 따름)

① 가등기의 주된 목적이 매매대금채권의 확보에 있고, 대여금채권의 확보는 부수적 목적인 경우 동법은 적용되지 않는다.
② 가등기담보권을 설정한 후에 채권자와 채무자의 약정으로 새로 발생한 채권을 기존의 가등기담보권의 피담보채권으로 추가할 수 있다.
③ 청산금은 실행통지 당시의 목적부동산 가액에서 피담보채권액을 공제한 차액이다. 다만, 후순위 담보권이 있는 경우에는 그 피담보채권액도 합산해서 공제하여야 한다.
④ 일단 청산금의 평가액을 통지한 채권자는 그가 통지한 청산금의 금액에 관하여 다툴 수 없다.
⑤ 채무자 등은 청산금채권을 변제받을 때까지 그 채무액을 채권자에게 지급하고 그 담보등기의 말소를 청구할 수 있으나, 변제기가 지난 때부터 10년이 지나거나, 선의의 제3자가 소유권을 취득한 경우에는 그렇지 않다.

제 6 회 실전 모의고사

100분 / 80문항

부동산학개론

01

토지는 사용하는 상황이나 관계에 따라 다양하게 불리는 바, 토지와 관련된 용어의 설명으로 틀린 것은?

① 지가의 공시를 위해 가치형성요인이 같거나 유사하다고 인정되는 일단의 토지 중에서 선정한 토지를 표준지라 한다.
② 토지와 도로 등 경계 사이의 경사진 부분의 토지를 빈지라 한다.
③ 용도상 불가분의 관계에 있고, 지가형성요인이 같은 2필지 이상의 일단의 토지를 일단지라 한다.
④ 과거에는 소유권이 인정되는 전·답 등이었으나, 지반이 절토되어 무너져 내린 토지로 바다나 하천으로 변한 토지를 포락지라 한다.
⑤ 도시개발사업에 필요한 경비에 충당하기 위해 환지로 정하지 아니한 토지를 체비지라 한다.

02

한국표준산업분류에 따른 부동산 관련 서비스업에 해당하는 것은?

① 주거용 부동산임대업
② 비주거용 부동산개발 및 공급업
③ 부동산 투자자문업
④ 기타 부동산관리업
⑤ 주거용 부동산건설업

03

다음 중 주택에 대한 설명으로 옳은 것은?

① 다중주택은 학생 또는 직장인 등 여러 사람이 장기간 거주할 수 있는 구조로 독립된 주거형태를 갖추지 아니하며, 3개 층 이하이고 1개 동의 주택으로 쓰이는 바닥면적의 합계가 660m^2 이하인 주택이다.
② 다가구주택은 주택으로 쓰는 1개 동의 바닥면적 합계가 660m^2 이하이고, 3개 층 이하인 공동주택이다.
③ 연립주택은 학교 또는 공장 등의 학생 또는 종업원 등을 위하여 쓰는 것으로서 1개 동의 공동취사시설 이용세대가 전체의 50% 이상인 주택이다.
④ 아파트는 주택으로 쓰는 1개 동의 바닥면적 합계가 660m^{2}를 초과하고, 4개 층 이하인 주택이다.
⑤ 도시형 생활주택은 국민주택규모의 300세대 미만으로 구성된 주택으로 단지형 연립주택, 단지형 다세대주택, 소형주택 등이 있으며 분양가규제가 적용된다.

04

토지의 자연적 특성 중 개별성에 관한 설명으로 옳은 것을 모두 고른 것은?

ㄱ. 표준지선정을 어렵게 하며 가치판단기준의 객관화를 어렵게 한다.
ㄴ. 토지의 집약적 이용과 토지 부족 문제의 근거가 된다.
ㄷ. 일물일가의 법칙이 배제되며, 토지시장에서 상품 간 완전한 대체관계가 제약된다.
ㄹ. 부동산활동을 국지화시키며, 감정평가시 지역분석을 필요로 한다.
ㅁ. 부동산활동을 장기적으로 배려하게 하며, 토지의 가치보존력을 우수하게 한다.

① ㄷ
② ㄱ, ㄷ
③ ㄱ, ㄷ, ㄹ
④ ㄱ, ㄷ, ㅁ
⑤ ㄴ, ㄷ, ㄹ, ㅁ

05

부동산의 수요와 공급에 관한 설명으로 옳은 것은? (단, 다른 조건은 불변임)

① 부동산의 재고주택공급은 일정한 기간 동안에 측정되는 유량(flow)개념이다.
② 인구의 감소라는 요인으로 수요곡선 자체가 이동하는 것은 수요량의 변화이다.
③ 주택의 공급규모가 커지면, 규모의 경제로 인해 생산단가가 높아져 건설비용이 증가될 수 있다.
④ 아파트와 대체관계에 있는 오피스텔의 선호도가 높아진다면 아파트의 가격은 하락하게 될 것이다.
⑤ 주택 소요(needs)란 경제학적 개념으로 구매력을 갖춘 중산층 이상의 소득계층을 대상으로 한다.

06

신규주택시장에서 공급을 감소시키는 요인을 모두 고른 것은? (단, 신규주택은 정상재이며, 신규주택의 공급자는 건설업체를 의미하며, 다른 조건은 동일함)

ㄱ. 주택가격의 상승 기대
ㄴ. 주택건설업체 수의 감소
ㄷ. 주택건설용 토지의 가격 하락
ㄹ. 주택건설에 대한 정부 보조금 축소
ㅁ. 주택건설기술 개발에 따른 원가절감

① ㄱ, ㄴ
② ㄱ, ㄹ
③ ㄴ, ㄹ
④ ㄷ, ㅁ
⑤ ㄱ, ㄴ, ㄹ

07

A지역의 아파트시장을 분석한 결과 임대료탄력성은 1.2이고, 소득탄력성은 1.5이다. 이 경우 임대료가 5% 인상되는데도 A지역 아파트의 수요량은 종전보다 3%가 감소하는 상황이라면 소득의 변화율(%)은 얼마인가?

① 2% 증가
② 2% 감소
③ 5% 증가
④ 6% 증가
⑤ 6% 감소

08

수요의 가격탄력성에 관한 설명으로 틀린 것은? (단, 수요의 가격탄력성은 절댓값을 의미하며, 다른 조건은 동일함)

① 수요의 가격탄력성이 1보다 큰 경우 전체 수입은 임대료가 하락함에 따라 증가한다.
② 공급이 증가하고 수요곡선이 탄력적인 경우, 균형가격은 더 크게 하락한다.
③ 수요가 비탄력적인 경우 공급이 감소하게 되면 균형가격은 더 상승한다.
④ 일반적으로 부동산 수요의 가격탄력성은 단기에서 장기로 갈수록 더 탄력적이 된다.
⑤ 우하향하는 선분으로 주어진 수요곡선의 경우, 수요곡선상의 측정지점에 따라 가격탄력성은 다르다.

09

부동산시장의 경기변동에 관한 설명으로 틀린 것은?

① 부동산경기변동은 일반적으로 저점에서 정점에 이르는 시간은 길고, 정점에서 저점에 이르는 시간은 짧다.
② 상향시장에서 직전 국면의 거래사례가격은 현재 시점에서 새로운 가격거래의 하한이 되는 경향이 있다.
③ 안정시장에서는 과거사례가격은 새로운 가격의 신뢰할 만한 기준이 될 수 있다.
④ 정부규제 완화에 따라 건축허가량이 증가되는 것은 무작위적 경기변동에 해당한다.
⑤ 하향시장에서는 매수자가 거래 성립시기를 당기려고 하고, 매도자는 미루려고 하는 경향이 있다.

10

부동산시장에 관한 설명으로 틀린 것은?

① 주택의 하향여과는 상위소득계층이 사용하던 기존주택이 하위소득계층의 사용으로 전환되는 것을 말한다.
② 부동산시장에 대한 통제가 어려운 이유는 개별성에 의한 부동산시장의 비조직화에 있다.
③ 주거분리는 도시 전체에서 뿐만 아니라 인접한 근린지역에서도 나타날 수 있다.
④ 소수의 투자자가 다른 사람보다 값싸게 정보를 획득할 수 있는 것은 부동산시장이 불완전하기 때문이다.
⑤ 준강성 효율적 시장에서는 기본적 분석을 통해 초과이윤을 획득할 수 없다.

11

A회사는 매출액이 5,000만원 이하이면 기본임대료만 부담하고, 5,000만원을 초과하는 매출액에 대하여는 일정 임대료율을 적용한 추가임대료를 가산하는 비율임대차(percentage lease)방식으로 임차하고자 한다. 향후 1년 동안 A회사가 지급할 것으로 예상되는 연 임대료는? (단, 매장의 면적은 400m^{2}이고, 주어진 조건에 한하며, 연간 기준임)

○ 예상매출액: 8,000만원
○ 기본임대료: 분양면적 m^{2}당 5만원
○ 초과 매출액에 대한 임대료율: 20%

① 2,200만원
② 2,300만원
③ 2,600만원
④ 3,000만원
⑤ 3,200만원

12

부동산입지에 관한 설명으로 옳은 것은?

① 넬슨(R. Nelson)은 완전히 단절된 고립국을 가정하여 이곳의 작물재배활동은 생산비와 수송비를 반영하여 공간적으로 분화된다고 보았다.
② 뢰시(A. Lösch)는 생산측면의 입장에서 기업의 최적의 입지는 비용이 최소가 되는 지점에 위치해야 한다고 보았다.
③ 허프(D. Huff)의 확률모형에 따르면 공간마찰계수는 교통이 편리할수록 커진다고 보았다.
④ 레일리(W. Reilly)의 소매인력법칙에 따르면 2개 도시의 상거래 흡인력은 두 도시의 인구에 비례하고, 두 도시의 배후지와의 거리의 제곱에 반비례한다.
⑤ 튀넨(J. H. von Thünen)은 점포가 최대이윤을 얻기 위해 어떤 장소에 입지해야 하는지를 설명한 소매입지이론을 제시하였다.

13

레일리(W. Reilly)의 소매중력모형에 따라 C신도시의 소비자가 A도시와 B도시에서 소비하는 월 추정소비액은 각각 얼마인가? (단, C신도시의 인구는 모두 소비자이고, A, B도시에서만 소비하는 것으로 가정함)

○ A도시 인구: 100,000명, B도시 인구: 64,000명
○ C신도시: A도시와 B도시 사이에 위치
○ A도시와 C신도시 간의 거리: 10km
○ B도시와 C신도시 간의 거리: 4km
○ C신도시 소비자의 잠재 월 추정소비액: 10억원

	A도시	B도시
①	1억원	9억원
②	1억 5천만원	8억 5천만원
③	2억원	8억원
④	2억 5천만원	7억 5천만원
⑤	3억원	7억원

14

크리스탈러(W. Christaller)의 중심지이론에 관한 설명으로 옳은 것을 모두 고른 것은?

ㄱ. 중심지이론은 도시분포의 규칙성과 계층구조를 설명한 이론이다.
ㄴ. '재화도달범위'란 중심지 활동이 제공되는 공간적 한계로, 중심지로부터 어느 기능에 대한 수요가 1이 되는 지점까지의 거리이다.
ㄷ. '최소요구치'는 중심지 기능이 유지되기 위한 최소한의 수요 요구 규모이다.
ㄹ. 중심지가 성립하기 위해서는 최소요구치의 범위보다 재화도달범위가 작아야 한다.

① ㄱ, ㄴ
② ㄱ, ㄷ
③ ㄱ, ㄴ, ㄹ
④ ㄱ, ㄷ, ㄹ
⑤ ㄴ, ㄷ, ㄹ

15

국토의 계획 및 이용에 관한 법령상 용도지역으로서 도시지역에 속하는 것을 모두 고른 것은?

ㄱ. 농림지역	ㄴ. 관리지역
ㄷ. 취락지역	ㄹ. 녹지지역
ㅁ. 상업지역	ㅂ. 유보지역

① ㄹ　② ㄷ, ㅁ
③ ㄹ, ㅁ　④ ㄱ, ㄴ, ㄹ
⑤ ㄴ, ㄷ, ㅂ

16

임대주택정책에 관한 설명으로 틀린 것은? (단, 다른 조건은 동일함)

① 임대료를 시장가격보다 낮게 규제하는 것은 최고가격제도에 해당한다.
② 임대료 보조정책은 단기적으로 임대인에게 혜택을 주고, 장기적으로는 임차인에게 혜택을 주게 된다.
③ 임대료 규제정책을 장기적으로 시행하면 임대주택의 용도전환이 활발해지고 임대주택의 질적 저하를 초래할 수 있다.
④ 임대료상한제를 실시하면 기존 임차인의 주거이동이 저하될 수 있다.
⑤ 임대료상한을 균형가격 이하로 규제하면 장기적으로 임대주택의 공급이 탄력적으로 변하여 공급이 증가하게 된다.

17

부동산정책과 관련된 설명으로 옳은 것은?

① 법령상 개발부담금제가 재건축부담금제보다 먼저 도입되었다.
② 개발권양도제는 현재 시행되고 있다.
③ 부동산가격공시제도는 정부가 직접적으로 부동산시장에 개입하는 수단이다.
④ 주택시장의 지표로서 PIR(Price to Income Ratio)은 개인의 주택지불능력을 나타내며, 그 값이 클수록 주택구매가 더 쉽다는 의미다.
⑤ 부동산실명제의 근거 법률은 「부동산등기법」이다.

18

주택구입에 대한 거래세 인상에 따른 경제적 후생의 변화로 틀린 것은? (단, 우상향하는 공급곡선과 우하향하는 수요곡선을 가정하며, 다른 조건은 일정함)

① 수요자가 실질적으로 지불하는 금액이 상승하므로 소비자잉여는 감소한다.
② 공급자가 받는 가격이 하락하므로 생산자잉여는 감소한다.
③ 거래세가 인상되면 시장에서는 경제적 순손실이 발생하게 된다.
④ 공급곡선이 가격에 대해 완전탄력적이면 모든 조세는 수요자가 부담하게 된다.
⑤ 공급곡선이 수요곡선에 비해 더 비탄력적이면 공급자에 비해 수요자의 조세부담이 더 커진다.

19

다음의 부동산마케팅 활동은 4P 믹스 전략 중 각각 어디에 해당하는가?

> ㄱ. 주택청약자 대상 경품 추첨으로 가전제품 제공
> ㄴ. 아파트 단지 내 자연친화적 실개천 설치

	ㄱ	ㄴ
①	판매촉진	제품
②	판매촉진	유통경로
③	판매촉진	가격
④	유통경로	제품
⑤	제품	판매촉진

20

부동산관리에 관한 설명으로 <u>틀린</u> 것은?

① 자산관리는 시장 및 지역경제분석, 경쟁요인 및 수요분석 등이 주요 업무이다.
② 시설관리는 건물의 설비, 기계운영 및 보수, 유지관리업무에 한한다.
③ 부동산관리에서 '유지'란 외부적인 관리행위로 부동산의 외형·형태를 변화시키지 않고 양호한 상태를 지속시키는 행위이다.
④ 부동산의 법률적 관리는 부동산자산의 포트폴리오 관점에서 자산과 부채의 재무적 효율성을 최적화하는 것이다.
⑤ 건물관리의 경우 생애주기비용(Life Cycle Cost)분석을 통해 초기투자비와 관리유지비의 비율을 조절함으로써 보유기간 동안 효과적으로 총비용을 관리할 수 있다.

21

토지이용에 관한 설명으로 <u>틀린</u> 것은?

① 한계지의 지가현상은 농경지의 지가수준과 무관한 경향이 있다.
② 도심에서 외곽으로 나갈수록 지가하락률이 점차 높아지는 현상을 지가구배현상이라고 한다.
③ 직주접근의 결과 도심의 오래된 건축물이 재건축됨에 따라 도심에 거주하는 저소득 계층이 내쫓기는 도시회춘화현상이 나타나기도 한다.
④ 도시스프롤이란 도시의 성장과정에서 도시 토지이용이 외곽으로 무계획적이고 무질서하게 확대되는 현상을 말한다.
⑤ 직주분리란 직장은 도시에 있고 주거지는 도심외곽에 위치함으로써 직장과 주거지가 분리되는 현상을 말한다.

22

부동산개발사업의 방식에 관한 설명 중 ㄱ과 ㄴ에 해당하는 것은?

> ㄱ. 토지소유자가 토지소유권을 유지한 채 개발업자에게 사업시행을 맡기고, 개발업자는 사업시행에 따른 수수료를 받는 방식
> ㄴ. 토지소유자가 제공한 토지에 개발업자가 공사비를 부담하여 부동산을 개발하고, 개발된 부동산을 제공된 토지가격과 공사비의 비율에 따라 나누는 방식

	ㄱ	ㄴ
①	토지신탁개발	컨소시엄개발
②	토지신탁개발	대물변제방식
③	사업위탁방식	등가교환방식
④	사업위탁방식	분양금정산방식
⑤	자체개발방식	합동개발방식

23

부동산투자에 따른 1년간 자기자본수익률은? (단, 주어진 조건에 한함)

> ○ 투자부동산 가격: 3억원(금융기관 대출: 2억원)
> ○ 대출조건
> – 대출기간: 1년
> – 대출이자율: 연 6%
> – 대출기간 만료시 이자와 원금은 일시상환
> ○ 1년간 순영업소득(NOI): 2천만원
> ○ 1년간 부동산가격 상승률: 4%

① 8%　② 13%
③ 18%　④ 20%
⑤ 23%

24

부동산투자의 위험에 관한 설명으로 틀린 것은?

① 장래에 인플레이션이 예상되는 경우 대출자는 고정이자율 대신 변동이자율로 대출하기를 선호한다.
② 비체계적 위험은 지역별 또는 용도별로 다양하게 포트폴리오를 구성하여 피할 수 있다.
③ 저당비율이 커질수록 레버리지 효과는 크게 나타나므로 부담해야 할 위험은 작아지게 된다.
④ 근로자의 파업 등으로 인해 수익성이 악화되는 위험은 사업상 위험 중 운영위험에 해당한다.
⑤ 유동성 위험(liquidity risk)이란 대상부동산을 현금화하는 과정에서 발생하는 시장가치의 손실가능성을 말한다.

25

화폐의 시간가치 계산에 관한 설명으로 옳은 것은?

① 연금의 내가계수에 일시불의 현가계수를 곱하면 연금의 현가계수이다.
② 상환비율과 잔금비율의 합은 0이다.
③ 매기 말 50만원씩 5년간 들어올 것으로 예상되는 임대료 수입의 현재가치를 계산하기 위해 일시불의 현가계수가 사용된다.
④ 원금균등분할상환방식으로 주택구입자금을 대출한 가구가 매기 상환할 금액을 산정하는 경우 저당상수를 사용한다.
⑤ 연금의 내가계수와 저당상수의 곱은 1이다.

26

부동산투자 타당성 평가에 관한 설명으로 틀린 것은?

① 내부수익률(IRR)이 투자자의 요구수익률보다 크면 투자타당성이 있다.
② 순현가법에서는 장래 수입을 현재가치로 할인하기 위한 할인율로 요구수익률을 사용하기 때문에 투자자에 따라 순현가는 달라질 수 있다.
③ 수익성지수는 현금유출의 현재가치에 대한 현금유입의 현재가치의 비율을 의미한다.
④ 내부수익률(IRR)은 수익성지수(PI)를 0으로 만드는 할인율이다.
⑤ 회계적 이익률(accounting rate of return)은 연평균순이익을 연평균투자액으로 나눈 비율이다.

27

다음은 임대주택의 1년간 운영실적에 관한 자료이다. 이와 관련하여 옳은 것은? (단, 문제에서 제시한 것 외의 기타조건은 고려하지 않음)

○ 호당 임대료	6,000,000원
○ 임대가능호수	40호
○ 공실률	10%
○ 운영비용	16,000,000원
○ 원리금상환액	90,000,000원
○ 융자이자	20,000,000원
○ 감가상가액	10,000,000원
○ 소득세율	30%

① 유효총소득 225,000,000원이다.
② 순영업소득은 210,000,000원이다.
③ 세전현금수지는 100,000,000원이다.
④ 영업소득세는 51,000,000원이다.
⑤ 세후현금수지는 58,000,000원이다.

28

승수법과 수익률법에 관한 설명으로 옳은 것은?

① 총소득승수(GIM)는 총투자액을 세후현금흐름(ATCF)으로 나눈 값이다.
② 세전현금흐름승수(BTM)는 총투자액을 세전현금흐름(BTCF)으로 나눈 값이다.
③ 순소득승수(NIM)는 지분투자액을 순영업소득(NOI)으로 나눈 값이다.
④ 지분투자수익률(ROE)은 순영업소득을 지분투자액으로 나눈 비율이다.
⑤ 세후현금흐름승수(ATM)는 지분투자액을 세후현금흐름으로 나눈 값이다.

29

주택금융시장에 관한 설명 중 옳은 것을 모두 고른 것은? (단, 다른 요인은 일정하다고 가정함)

ㄱ. 시장이자율이 약정이자율보다 낮아지면 차입자는 기존대출금을 조기상환하는 것이 유리하다.
ㄴ. 주택개발금융은 주택을 구입하려는 사람이 주택을 담보로 제공하고 자금을 제공받는 형태의 금융을 의미한다.
ㄷ. 주택저당증권(MBS)을 발행하여 주택저당대출의 공급이 늘게 되면 주택수요가 증가할 수 있다.
ㄹ. 다른 대출조건이 동일하다면 통상적으로 대출시점의 고정금리 주택저당대출의 금리는 변동금리 주택저당대출의 금리보다 높다.
ㅁ. 금융위원회는 주택저당대출의 대출기준인 대부비율(loan to value ratio)을 올려서 주택수요를 줄일 수 있다.

① ㄱ, ㄴ, ㄷ ② ㄱ, ㄷ, ㄹ
③ ㄴ, ㄷ, ㅁ ④ ㄴ, ㄹ, ㅁ
⑤ ㄷ, ㄹ, ㅁ

30

주택구입을 위해 은행으로부터 3억원을 대출받았다. 대출조건이 다음과 같을 때, 2회 차에 상환해야 할 원리금은? (단, 주어진 조건에 한함)

○ 대출금리: 고정금리, 연 5%
○ 대출기간: 20년
○ 원리금상환조건: 원금균등상환방식으로 연 단위로 매기말 상환

① 21,600,000원 ② 25,250,000원
③ 27,600,000원 ④ 28,450,000원
⑤ 29,250,000원

31

주택연금(Reverse Mortgage Loan)에 대한 다음의 설명으로 틀린 것은?

① 주택소유자 및 그 배우자는 모두 55세 이상이어야 가입할 수 있다.
② 주택연금은 주택을 담보로 맡기고 평생 또는 일정 기간 동안 매월 연금방식으로 노후생활자금을 지급받는 역모기지론이다.
③ 주택연금은 변동금리방식의 대출에 해당한다.
④ 아파트, 연립주택, 주거용 오피스텔, 지방자치단체에 신고된 노인복지주택 등은 주택연금 대상에 해당한다.
⑤ 처분된 주택가격보다 연금지급액이 큰 경우 부족한 부분은 상속인에게 상환청구하지 않는다.

32

저당담보부증권(MBS)에 관련된 설명으로 틀린 것은?

① MPTS(Mortgage Pass-Through Securities)증권의 수익은 기초자산인 주택저당채권 집합물(mortgage pool)의 현금흐름(저당지불액)에 의존한다.
② CMO(Collateralized Mortgage Obligation)의 발행자는 주택저당채권 집합물을 가지고 일정한 가공을 통해 위험-수익 구조가 다양한 트랜치의 증권을 발행한다.
③ MBB(Mortgage Backed Bond)는 채권형 증권이기 때문에 차입자의 조기상환에 따른 위험을 투자자가 부담한다.
④ MPTB(Mortgage Pay-Through Bond)는 MPTS와 MBB를 혼합한 특성을 지닌다.
⑤ CMBS(Commercial Mortgage Backed Securities)란 금융기관이 보유한 상업용 부동산 모기지(mortgage)를 기초자산으로 하여 발행하는 증권이다.

33

대출상환방식에 관한 설명으로 옳은 것을 모두 고른 것은? (단, 대출금액과 기타 대출조건은 동일함)

> ㄱ. 상환 초기의 원리금상환액은 원리금균등상환방식이 원금균등상환방식보다 크다.
> ㄴ. 중도상환시 상환액은 원금균등상환방식이 원리금균등상환방식보다 크다.
> ㄷ. 원금균등상환방식의 경우, 매기에 상환하는 원리금이 점차적으로 감소한다.
> ㄹ. 원리금균등상환방식의 경우, 매기에 상환하는 이자액이 점차적으로 늘어난다.
> ㅁ. 점증식방식은 초기 원리금상환액은 적고 점차 원리금상환액을 늘려가는 방식이다.
> ㅂ. 대출초기의 원리금에 대한 이자의 비율은 원리금균등상환방식이 원금균등상환방식보다 크다.

① ㄷ　② ㄴ, ㄷ
③ ㄱ, ㄷ, ㄹ　④ ㄷ, ㅁ, ㅂ
⑤ ㄱ, ㄷ, ㅁ, ㅂ

34

「부동산투자회사법」에 의한 부동산투자회사에 관한 설명으로 옳은 것은?

① 기업구조조정 부동산투자회사는 자산의 투자 · 운용업무를 부동산투자자문회사에 위탁하여야 한다.
② 감정평가사 또는 공인회계사로서 해당 분야에 5년 이상 종사한 사람은 자기관리 부동산투자회사의 상근 자산운용 전문인력이 될 수 있다.
③ 자기관리 부동산투자회사는 영업인가를 받거나 등록한 날부터 2년 이내에 발행하는 주식총수의 30% 이상을 일반의 청약에 제공하여야 한다.
④ 부동산투자회사는 현물출자에 의한 설립이 가능하다.
⑤ 자기관리 및 위탁관리 부동산투자회사는 지점을 설치할 수 있으며, 상근 임직원과 전문인력을 고용할 수 있다.

35

「감정평가에 관한 규칙」에 규정된 내용으로 <u>틀린</u> 것은?

① 감정평가법인 등은 산림을 감정평가할 때에 산지와 입목을 구분하여 감정평가해야 한다. 입목인 경우에는 거래사례비교법을 적용하되, 소경목림인 경우에는 원가법을 적용할 수 있다. 그러나 산지와 입목을 일괄 평가할 경우에는 거래사례비교법을 적용한다.
② 적정한 실거래가를 기준으로 토지가치를 평가할 때 도시지역은 3년 이내, 그 밖의 지역은 5년 이내인 거래가격 중에서 감정평가법인 등이 적정하다고 판단되는 거래가격을 선정하여 감정평가할 수 있다.
③ 감정평가법인 등은 실지조사를 하지 않고도 객관적이고 신뢰할 수 있는 자료를 충분히 확보할 수 있는 경우에는 실지조사를 하지 않을 수 있다.
④ 시산가액의 조정은 감정평가 3방식에 의해 산출한 시산가액을 가중평균하여 시산가액 상호간의 격차를 합리적으로 조정하는 작업이다.
⑤ 기준시점은 대상물건의 가격조사를 완료한 날짜로 한다. 다만, 기준시점을 미리 정하였을 때에는 그 날짜에 가격조사가 불가능하더라도 기준시점으로 할 수 있다.

36

자본환원율에 관한 설명으로 <u>틀린</u> 것은? (단, 다른 조건은 동일함)

① 자본환원율은 부채감당법, 요소구성법, 투자결합법 등을 통해 구할 수 있다.
② 자본환원율은 자본의 기회비용을 반영하며, 금리의 상승은 자본환원율을 높이는 요인이 된다.
③ 시장추출법은 대상부동산과 유사한 최근의 매매사례로부터 직접 자본환원율을 추정하는 방법이다.
④ 투자위험의 증가는 자본환원율을 높이는 요인이 된다.
⑤ 순영업소득(NOI)이 일정할 때 투자수요의 증가로 인한 자산가격 상승은 자본환원율을 높이는 요인이 된다.

37

다음은 감정평가방법에 관한 설명이다. (　　)에 들어갈 내용으로 옳은 것은?

> ○ 원가법은 대상물건의 (ㄱ)에 감가수정을 하여 대상물건의 가액을 산정하는 감정평가방법이다.
> ○ 공시지가기준법을 적용할 때 (ㄴ), 가치형성요인 비교, 기타요인 비교 등의 과정을 거친다.
> ○ 수익환원법에서는 장래 산출할 것으로 기대되는 순수익이나 미래의 현금흐름을 (ㄷ)하거나 할인하여 가액을 산정한다.

	ㄱ	ㄴ	ㄷ
①	재조달원가	사정보정	환원
②	재조달원가	시점수정	환원
③	재조달원가	사정보정	공제
④	신축원가	시점수정	환원
⑤	신축원가	시점수정	공제

38

원가법으로 산정한 대상물건의 적산가액은? (단, 주어진 조건에 한함)

> ○ 사용승인일의 신축공사비: 6천만원
> ○ 사용승인일: 2020.9.1.
> ○ 기준시점: 2022.9.1.
> ○ 건축비지수
> 　- 2020.9.1. = 100
> 　- 2022.9.1. = 120
> ○ 경제적 내용연수: 40년
> ○ 감가수정방법: 정액법
> ○ 내용연수 만료시 잔가율: 10%

① 57,300,000원　② 59,300,000원
③ 62,700,000원　④ 63,030,000원
⑤ 68,760,000원

39

다음과 같은 조건에서 수익환원법에 의해 평가한 대상부동산의 가치는?

> ○ 유효총소득(EGI): 29,000,000원
> ○ 영업경비(OE): 8,000,000원
> ○ 토지가액 : 건물가액 = 60% : 40%
> ○ 토지환원이율: 5%
> ○ 건물환원이율: 10%

① 300,000,000원　② 325,000,000원
③ 375,000,000원　④ 425,000,000원
⑤ 475,000,000원

40

표준지공시지가의 활용범위에 해당하는 것을 모두 고른 것은?

> ㄱ. 국유지의 사용료 산정기준
> ㄴ. 토지가격비준표 작성의 기준
> ㄷ. 수용할 토지의 보상액 산정기준
> ㄹ. 종합부동산세 과세표준액 결정
> ㅁ. 개발부담금 부과를 위한 지가산정
> ㅂ. 개별적으로 토지를 감정평가할 경우의 기준

① ㄱ　② ㄴ, ㅁ
③ ㄴ, ㄹ　④ ㄱ, ㄷ, ㅂ
⑤ ㄴ, ㄷ, ㅂ

민법 및 민사특별법

41

다음 중 법률행위에 관한 설명 중 <u>틀린</u> 것은?

① 대리권수여행위는 불요식행위이다.
② 계약금계약 및 보증금계약은 요물계약이다.
③ 교환계약은 쌍무 · 유상 · 낙성 · 불요식계약이다.
④ 처분권한 없는 자의 채권행위는 유효이다.
⑤ 증여는 상대방 있는 단독행위이다.

42

다음은 법률행위의 목적에 관한 설명이다. <u>틀린</u> 것은? (다툼이 있으면 판례에 따름)

① 목적을 확정할 수 없는 것이면 그 법률행위는 무효가 된다.
② 원시적 불능의 경우에는 법률행위 자체는 무효이며, 계약체결상의 과실책임이 발생할 수 있다.
③ 계약을 체결한 후에 그 계약의 이행이 객관적으로 불가능하게 되었다면 그 법률행위는 무효이다.
④ 일부불능인 법률행위는 원칙적으로 법률행위 전부가 무효로 된다.
⑤ 강행규정에 위반하는 법률행위는 무효이며, 당사자가 추인하더라도 그 행위가 유효로 되지 않는다.

43

반사회적 법률행위에 관한 설명으로 <u>틀린</u> 것은? (다툼이 있으면 판례에 따름)

① 반사회적 법률행위의 무효는 선의의 제3자에게도 대항할 수 있다.
② 첩계약의 대가로 부동산소유권을 이전하여 주었다면 부당이득을 이유로 그 반환을 청구할 수 없다.
③ 강제집행을 면할 목적으로 부동산에 허위의 근저당권설정등기를 경료하는 행위는 반사회적 법률행위로서 무효이다.
④ 양도소득세를 회피하기 위한 방법으로 부동산을 명의신탁한 경우, 그 명의신탁이 그러한 이유 때문에 반사회질서행위에 해당되지는 않는다.
⑤ 법률행위의 성립과정에서 강박이라는 불법적 방법이 사용된 데 불과한 때에는 반사회적 법률행위로서 무효라고 할 수 없다.

44

甲이 진의 없이 그 소유의 X토지를 乙에게 증여하고, 다시 乙이 丙에게 매도하여 이전등기를 하였다. 이에 관한 다음의 기술 중 옳은 것은? (다툼이 있으면 판례에 따름)

① 甲에게 진의가 없으므로 증여는 언제나 무효이고, 따라서 乙은 소유권을 취득할 수 없다.
② 甲에게 진의 없음을 乙이 몰랐다면 과실이 있어도 소유권을 취득한다.
③ 乙은 선의이며 무과실인 때에 한하여 소유권을 취득하며, 이 경우에는 丙은 악의이어도 소유권을 취득한다.
④ 증여계약이 무효인 경우, 丙이 선의이고 다시 악의의 丁이 X토지를 양수한 경우 丁은 소유권을 취득할 수 없다.
⑤ 위 ④의 경우, 丙이 악의라면 다시 선의의 丁이 X토지를 양수한 경우 丁은 소유권을 취득할 수 없다.

45

통정허위표시의 무효로 대항할 수 없는 선의의 제3자에 해당하는 자는? (다툼이 있으면 판례에 따름)

① 채권의 가장양도에 있어서 채무자
② 가장채권을 가압류한 채권자
③ 가장양수인의 상속인
④ 제3자를 위한 계약에 있어서 수익자
⑤ 근저당권을 가장포기한 경우의 기존의 후순위 근저당권자

46

사기 · 강박에 의한 의사표시에 관한 설명 중 <u>틀린</u> 것은? (다툼이 있으면 판례에 따름)

① 부작위나 침묵도 경우에 따라서는 기망행위가 될 수 있다.
② 기망행위로 인하여 동기에 착오를 일으킨 경우에도 표의자는 사기를 이유로 취소할 수 있다.
③ 부정행위에 대한 고소 · 고발은 그것이 부정한 이익을 목적으로 하는 것이 아니라면 정당한 권리행사가 되어 위법하다고 할 수 없다.
④ 제3자가 사기를 행한 경우, 상대방이 그 사실을 과실로 알지 못한 경우에는 취소할 수 없다.
⑤ 제3자의 사기행위로 계약을 체결한 경우 그 계약을 취소하지 않고 제3자에 대하여 불법행위로 인한 손해배상을 청구할 수 있다.

47

권한을 정하지 아니한 대리인이 할 수 없는 행위는 다음 중 어느 것인가?

① 기한 도래된 채무의 변제
② 예금을 주식으로 바꾸는 것
③ 가옥 수리를 위한 도급계약
④ 권리의 소멸시효의 중단
⑤ 미등기 부동산의 보존등기

48

표현대리에 대한 내용으로 옳지 않은 것은? (다툼이 있으면 판례에 따름)

① 유권대리에 관한 주장 속에는 표현대리의 주장이 포함되어 있다고 볼 수 없다.
② 표현대리가 성립하여 본인이 이행책임을 부담하는 경우에 상대방에게 과실이 있으면 과실상계의 법리를 적용하여 본인의 책임을 경감할 수 있다.
③ 권한을 넘은 표현대리는 기본대리권과 월권행위가 동종임을 필요로 하지 않는다.
④ 대리권이 소멸한 후에도 권한을 넘은 표현대리가 성립할 수 있다.
⑤ 표현대리행위의 직접 상대방이 된 자만이 표현대리를 주장할 수 있다.

49

甲과 乙은 토지거래허가구역 내의 甲소유 토지에 대한 매매계약을 체결하였다. 틀린 것은? (다툼이 있으면 판례에 따름)

① 토지거래허가신청 전에 甲이 乙에게 계약해제 통지를 하자 乙이 계약금 상당액을 청구금액으로 하여 토지를 가압류한 경우, 그 매매계약은 확정적 무효로 될 수 있다.
② 토지거래허가를 받기 전에 乙은 甲의 소유권이전등기의무 불이행을 이유로 계약을 해제할 수 없다.
③ 乙은 매매대금의 제공 없이도 甲에게 토지거래허가신청절차에 협력할 것을 청구할 수 있다.
④ 乙이 토지거래허가신청절차에 협력하지 않고 매매계약을 일방적으로 철회한 경우, 甲은 乙에 대하여 협력의무 불이행과 인과관계 있는 손해의 배상을 청구할 수 있다.
⑤ 계약이 유동적 무효인 상태이더라도 乙은 甲에게 이미 지급한 계약금을 부당이익으로 반환청구할 수 있다.

50

조건과 기한에 관한 다음 설명 중 틀린 것은? (다툼이 있으면 판례에 따름)

① 상대방이 동의하면 해제의 의사표시에 조건을 붙이는 것이 허용된다.
② 조건이 법률행위 당시 이미 성취한 것인 경우에는 그 조건이 해제조건이면 조건 없는 법률행위로 하고 정지조건이면 그 법률행위는 무효로 한다.
③ 조건의 성취가 미정한 권리의무는 일반규정에 의하여 처분 · 상속 · 보존 또는 담보로 할 수 있다.
④ 기한이익상실의 특약은 특별한 사정이 없는 한, 형성권적 기한이익상실의 특약으로 추정한다.
⑤ 조건이 선량한 풍속 기타 사회질서에 위반한 것인 때에는 그 법률행위는 무효로 한다.

51

다음 중 등기를 하여야 비로소 물권변동의 효력이 발생하는 경우를 모두 고른 것은? (다툼이 있으면 판례에 따름)

ㄱ. 부동산소유권이전등기절차 이행청구소송에서 원고의 승소판결이 확정된 경우
ㄴ. 저당권으로 담보한 채권을 질권의 목적으로 하여 그 질권의 효력이 저당권에도 미치게 하는 경우
ㄷ. 부동산의 경매절차에서 법원으로부터 매각허가결정을 받아 매각대금을 납부한 경우
ㄹ. 부동산을 20년간 점유함으로써 취득시효가 완성되는 경우
ㅁ. 부동산을 상속받는 경우

① ㄱ, ㄴ, ㄹ
② ㄱ, ㄴ, ㅁ
③ ㄱ, ㄷ, ㅁ
④ ㄴ, ㄷ, ㄹ
⑤ ㄷ, ㄹ, ㅁ

52

부동산물권변동에 관한 설명으로 <u>틀린</u> 것은? (다툼이 있으면 판례에 따름)

① 점유취득시효완성에 의한 등기청구권은 취득시효완성자가 점유를 상실하면 즉시 소멸한다.
② 매매계약에 기한 소유권이전등기를 명하는 판결이 확정되면 등기하여야 소유권을 취득한다.
③ 매매계약이 해제되면 그 계약의 이행으로 이전되었던 부동산소유권은 등기 없이도 매도인에게 당연히 복귀한다.
④ 소유권이전등기청구권 보존을 위한 가등기에 기하여 본등기를 경료한 자는 본등기를 한 때부터 소유권을 취득한다.
⑤ 저당권설정자는 목적물의 소유권을 상실한 후에도 변제가 완료되어 무효가 된 저당권의 말소를 청구할 수 있다.

53

점유에 대한 설명으로 <u>틀린</u> 것은? (다툼이 있으면 판례에 따름)

① 점유자가 물건에 대한 사실상 지배를 상실한 때에는 점유권이 소멸하나, 점유보호청구권에 의해 점유를 회수한 때에는 소멸하지 않는다.
② 점유자는 소유의 의사로 선의·평온 및 공연하게 점유한 것으로 추정한다.
③ 선의의 점유자라도 본권에 관한 소에 패소한 때에는 그 소가 제기된 때로부터 악의의 점유자로 본다.
④ 판례는 부동산에 대해 점유자가 행사하는 권리는 적법하게 보유한 것으로 추정한다고 보아 점유에 의한 권리의 적법추정력을 부동산에 대해 인정한다.
⑤ 전후 양시에 점유한 사실이 있는 때에는 그 점유는 계속하는 것으로 추정한다.

54

점유자와 회복자의 관계에 관한 설명 중 <u>틀린</u> 것은? (다툼이 있으면 판례에 따름)

① 선의점유자가 과실을 취득할 수 있는 범위에서 부당이득은 성립하지 않는다.
② 타주점유자가 선의인 경우에는 회복자에 대하여 점유물의 멸실·훼손으로 생긴 이익이 현존하는 한도에서 배상책임을 진다.
③ 점유자는 점유물을 개량하기 위하여 지출한 금액 기타 유익비에 관하여 그 가액의 증가가 현존한 경우에 한하여 회복자의 선택에 좇아 그 지출금액이나 증가액의 상환을 청구할 수 있다.
④ 폭력 또는 은비에 의한 점유자는 과실을 소비하였거나 과실로 인하여 훼손 또는 수취하지 못한 경우에 그 과실의 대가를 보상하여야 한다.
⑤ 통상의 필요비는 점유자가 과실을 취득한 경우에는 그 상환을 청구하지 못한다.

55

점유취득시효에 관한 다음 설명 중 <u>잘못된</u> 것은? (다툼이 있으면 판례에 따름)

① 국가의 행정재산에 대해서는 공용폐지되지 않는 한 점유취득시효 주장을 할 수 없다.
② 20년간 소유의 의사로 평온·공연하게 부동산을 점유하는 자는 등기 없이도 그 소유권을 취득하지만, 등기를 하지 아니하면 이를 처분하지 못한다.
③ 점유취득시효완성자는 원칙적으로 시효의 기산점을 임의로 선택할 수 없다. 다만, 점유기간중 소유자의 변동이 없는 경우에 한해서는 기산점을 임의로 선택할 수 있다.
④ 부동산의 소유자로 등기한 자가 10년간 소유의 의사로 평온·공연하게 선의로 그 부동산을 점유하더라도 과실이 있는 경우에는 소유권을 취득하지 못한다.
⑤ 점유취득시효완성으로 인한 소유권 취득의 효력은 점유를 개시한 때에 소급한다.

56

「민법」 제219조, 제220조의 주위토지통행권에 대한 다음 설명 중 옳지 못한 것은? (다툼이 있으면 판례에 따름)

① 토지의 분할 또는 일부 양도로 인한 타인의 토지에 대한 무상통행권은 공유토지의 직접 분할자 사이 또는 토지의 일부양도의 당사자 사이는 물론 피통행지의 특정승계인에 대해서도 적용된다.
② 공로에 나가기 위하여 주위토지를 통행할 경우 통행할 장소나 방법은 가장 손해가 적은 것을 택하여야 한다.
③ 그 소유 토지의 용도에 필요한 통로가 있는 경우에는 그 통로를 사용하는 것보다 더 편리하다는 이유만으로 다른 장소로 통행할 권리를 인정할 수 없다.
④ 주위토지통행권은 지상권자와 인지(隣地) 소유자 사이, 전세권자와 인지(隣地) 소유자 사이에도 준용된다.
⑤ 주위토지통행권이 발생한 후 당해 토지에 접하는 공로가 개설된 때에는 주위토지통행권은 소멸한다.

57

甲, 乙, 丙이 X건물을 각 3분의 1의 지분에 의하여 공유(共有)하고 있다. 다음 설명 중 옳지 않은 것은? (다툼이 있으면 판례에 따름)

① 丙의 동의가 없더라도 甲과 乙의 합의만으로 X건물을 타인에게 임대할 수 있다.
② X건물을 丁이 무단으로 사용하는 경우 丙은 단독으로 반환을 요구할 수 있다.
③ X건물을 처분하기 위해서는 甲, 乙, 丙 전원이 동의하여야 한다.
④ 甲이 자신의 지분을 처분하기 위해서는 乙과 丙의 동의가 있어야 한다.
⑤ 특약이 없는 한, 甲, 乙, 丙은 X건물의 관리비용을 균분하여 부담한다.

58

다음 중 지상권에 관한 설명으로 틀린 것은? (다툼이 있으면 판례에 따름)

① 지료의 지급은 지상권의 성립요소가 아니다.
② 지상물이 멸실되더라도 존속기간이 만료되지 않는 한 지상권이 소멸하는 것은 아니다.
③ 지상권은 양도 자유가 원칙이나 당사자 간의 설정행위로 양도를 금지할 수 있다.
④ 최단기간에 관한 규정은 지상권자가 기존의 건물을 사용할 목적으로 지상권을 설정한 경우에는 적용되지 않는다.
⑤ 지상권자의 지료지급 연체가 토지소유권의 양도 전후에 걸쳐 이루어진 경우, 토지양수인에 대한 연체기간이 2년이 되지 않는다면 양수인은 지상권소멸청구를 할 수 없다.

59

다음 중 법정지상권에 관한 다음 기술 중 틀린 것은? (다툼이 있으면 판례에 따름)

① 토지에 저당권이 설정될 당시 토지소유자가 그 지상에 건물을 건축 중이었던 경우에도 법정지상권은 발생할 수 있다.
② 나대지에 1번 저당권을 설정한 후 건물이 신축되었고 그 후에 설정된 2번 저당권이 실행된 경우라면, 법정지상권은 발생할 수 있다.
③ 저당권설정 당시에 토지와 건물이 동일인에게 속하고 있었으면 그 후에 건물이 제3자에게 양도된 후 경매가 되더라도 법정지상권은 발생할 수 있다.
④ 동일인의 소유에 속하는 토지 및 그 지상건물에 관하여 공동저당권이 설정된 후 건물이 철거되고 신축된 경우에는 특별한 사정이 없는 한 저당물의 경매로 인한 법정지상권은 발생할 수 없다.
⑤ 법정지상권의 지료가 정해졌다는 증명이 없다면, 토지소유자는 지상권자가 2년 이상의 지료를 지급하지 않았음을 이유로 소멸청구할 수 없다.

60

지역권에 관한 다음 설명 중 <u>틀린</u> 것은? (다툼이 있으면 판례에 따름)

① 요역지와 승역지는 서로 인접하고 있어야 하는 것은 아니다.
② 공유자의 1인이 지역권을 취득하면 다른 공유자도 이를 취득한다.
③ 지역권은 요역지와 분리하여 이를 양도하거나 다른 권리의 목적으로 하지 못한다.
④ 지역권자에게 방해제거청구권과 방해예방청구권은 인정되지만, 반환청구권은 인정되지 않는다.
⑤ 요역지가 수인의 공유인 경우에 그 1인에 대한 지역권취득시효의 중단은 다른 공유자에게도 효력이 있다.

61

甲은 乙에게 자신의 토지에 전세권을 설정해 주고, 丙은 乙의 전세권 위에 저당권을 취득하였다. 그 후 전세권은 존속기간의 만료로 종료되었다. 다음 설명 중 <u>틀린</u> 것은? (다툼이 있으면 판례에 따름)

① 甲이 乙에게 기간만료 전 6월부터 1월까지 사이에 아무런 통지를 하지 않은 경우에는 법정갱신이 된다.
② 丙은 乙이 채무를 이행하지 않더라도 전세권 자체에 대해 저당권을 실행할 수 없다.
③ 丙은 乙의 전세금반환채권을 압류하여 전세금반환채권으로부터 우선변제를 받을 수 있다.
④ 乙이 이미 목적물을 반환하였다 하더라도 등기말소에 필요한 서류를 제공하지 않았다면, 甲은 전세금의 반환을 거절할 수 있다.
⑤ ④의 경우 특별한 사정이 없는 한 甲은 전세금에 대한 이자 상당액을 부당이득반환할 의무는 없다.

62

유치권에 관한 설명 중 <u>틀린</u> 것은? (다툼이 있으면 판례에 따름)

① 유치권은 법정담보물권이지만 당사자의 특약에 의해 그 발생을 배제할 수 있다.
② 임차인은 보증금반환청구권으로 임대차목적물에 대하여 유치권을 행사할 수 없다.
③ 채권자가 채무자의 직접점유를 통하여 간접점유를 하고 있는 물건에 대해서는 유치권이 성립하지 않는다.
④ 수급인은 그가 완공하여 원시취득한 건물에 관하여 도급인으로부터 공사대금을 지급받을 때까지 유치권을 행사할 수 있다.
⑤ 부동산에 강제경매개시결정의 기입등기가 경료된 후 그 부동산에 대하여 유치권을 취득한 경우, 그 유치권자는 경락인에게 대항할 수 없다.

63

저당권에 관한 설명 중 옳은 것은? (다툼이 있으면 판례에 따름)

① 저당권이 설정된 후에 설치된 종물에는 저당권의 효력이 미치지 않는다.
② 건물에 저당권이 설정된 후 증축된 건물부분은 독립성이 없더라도 저당권의 효력이 미치지 않는다.
③ 저당목적물이 매매된 경우, 저당권자는 그 매매대금에 대하여 물상대위를 할 수 있다.
④ 1번 저당권이 설정된 후 지상권이 설정되고 그 후 2번 저당권이 설정된 경우, 2번 저당권 실행으로 목적물이 매각되더라도 지상권은 소멸한다.
⑤ 甲의 토지에 乙이 저당권을 취득한 후 丙이 토지 위에 축조한 건물의 소유권을 甲이 취득한 경우, 乙은 토지와 건물에 대해 일괄경매를 청구하여 그 매각대금 전부로부터 우선변제를 받을 수 있다.

64

다음 중 근저당권에 관한 다음 설명 중 틀린 것은? (다툼이 있으면 판례에 따름)

① 피담보채권이 확정되기 전에 채권이 일시적으로 소멸하더라도 근저당권은 소멸하지 않는다.
② 근저당권자가 스스로 경매신청을 하여 경매개시결정이 있은 후에 경매신청이 취하된 경우에도 채무확정의 효과는 번복되지 않는다.
③ 후순위 권리자에 의하여 경매가 신청된 경우, 선순위 근저당권은 경락대금 완납시에 확정된다.
④ 근저당권의 피담보채권이 확정된 후에 새로운 거래관계에서 발생한 원본채권은 채권최고액 범위 내라하더라도 근저당권에 의해 담보되지 않는다.
⑤ 확정된 채권액이 채권최고액을 초과하는 경우, 채무자는 채권최고액과 지연손해금 및 집행비용을 변제하고 근저당권의 말소를 청구할 수 있다.

65

계약에 관한 설명으로 옳은 것은? (다툼이 있으면 판례에 따름)

① 당사자 간에 동일한 내용의 청약이 교차된 경우, 두 청약 중 늦게 한 청약이 발송된 때 계약이 성립한다.
② 청약자의 의사표시나 관습에 의하여 승낙의 통지가 필요하지 아니한 경우에는 계약은 청약의 의사표시로 인정되는 사실이 있는 때에 성립한다.
③ 청약에 대하여 조건을 붙여서 승낙을 한 경우, 청약의 거절과 동시에 새로 청약한 것으로 본다.
④ 계약서를 작성하지 않은 부동산 매매계약은 효력이 없다.
⑤ 청약자가 청약을 할 때에는 청약과 동시에 승낙기간을 정하여야 한다.

66

甲소유 토지의 매수인 乙이 중도금을 그 이행기에 지급하지 않고 있다. 소유권이전은 잔금지급과 동시에 하기로 하였다. 다음 중 틀린 것은? (다툼이 있으면 판례에 따름)

① 甲은 乙에게 중도금 이행을 최고하고 乙이 상당한 기간 내에 이행하지 않으면 계약을 해제할 수 있다.
② 乙의 중도금지급의무와 甲의 소유권이전의무는 동시이행관계에 있지 않다.
③ 乙은 잔금지급일이 도래하면 중도금, 미지급 중도금에 대한 지연배상금 및 잔금을 모두 지급하여야 토지의 소유권을 넘겨받을 수 있다.
④ 乙이 중도금을 지급하지 않은 채로 잔금지급일이 경과하면 乙은 甲에게 매매대금과 토지소유권이전 사이의 동시이행 항변권을 행사할 수 없게 된다.
⑤ 乙이 대금지급을 진지하고 종국적으로 거절하면 甲은 즉시 계약을 해제할 수 있다.

67

매매목적물의 멸실로 인하여 매도인의 소유권이전의무가 불가능하게 된 경우에 관한 설명으로 틀린 것은? (다툼이 있으면 판례에 따름)

① 매매계약체결 이전에 목적물이 멸실된 것이라면, 그 매매계약의 효력은 발생되지 않는다.
② 매매계약체결 이후에 매도인의 귀책사유 없이 천재지변에 의하여 목적물이 멸실된 것이라면, 매도인은 매수인에게 대금의 지급을 청구할 수 있다.
③ 매수인의 귀책사유에 의하여 목적물이 멸실된 것이라면, 매도인은 매수인에게 대금의 지급을 청구할 수 있다.
④ 매도인의 귀책사유에 의하여 목적물이 멸실된 것이라면, 매수인은 별도의 최고 없이 매매계약을 해제할 수 있다.
⑤ 매수인의 귀책사유에 의하여 목적물이 멸실된 것이라면, 매수인이 스스로 매매계약을 해제하지는 못한다.

68

채무자 甲(낙약자)과 채권자 乙(요약자)은 丙을 수익자로 한 제3자를 위한 계약을 체결하였고, 丙은 수익의 의사표시를 하였다. 이에 관한 설명으로 옳지 않은 것은? (다툼이 있으면 판례에 따름)

① 丙은 甲에게 채무의 이행을 청구할 수 있다.
② 위 ①의 경우 甲은 乙에 대한 항변권으로 丙에게 대항할 수 있다.
③ 위 ①의 경우 甲은 乙과 丙 사이의 법률관계에 기한 항변으로 丙에게 대항하지 못한다.
④ 甲의 귀책사유로 채무가 불이행된 경우, 丙은 甲에 대하여 손해배상을 청구할 수 없다.
⑤ 甲이 丙에게 채무를 이행하지 않으면 乙은 甲의 채무불이행을 이유로 계약을 해제할 수 있다.

69

계약의 해제 또는 해지에 관한 설명 중 옳지 않은 것은? (다툼이 있으면 판례에 따름)

① 계약해제의 의사표시는 언제든지 철회할 수 있다.
② 당사자의 일방 또는 쌍방이 수인인 경우에는 계약의 해지나 해제는 그 전원으로부터 전원에 대하여 하여야 한다.
③ 계약해제로 인한 원상회복으로 금전을 반환하여야 할 경우에는 그 받은 날로부터 이자를 가산하여 반환하여야 한다.
④ 당사자 일방이 계약을 해지한 때에는 계약은 장래를 향하여 그 효력을 잃는다.
⑤ 계약의 해지 또는 해제는 손해배상의 청구에 영향을 미치지 아니한다.

70

매도인의 담보책임에 관한 설명 중 옳은 것은? (다툼이 있으면 판례에 따름)

① 타인의 권리매매에서 권리이전을 할 수 없게 된 매도인은 선의의 매수인에 대하여 불능 당시의 시가를 표준으로 하여 계약이 이행된 것과 동일한 경제적 이익을 배상할 의무까지는 없다.
② 매매목적인 권리 전부가 타인에게 속한 경우, 악의의 매수인은 계약을 해제할 수 없다.
③ 매매목적인 권리 일부가 타인에게 속한 경우, 선의의 매수인은 계약한 날로부터 1년 이내에 권리를 행사해야 한다.
④ 매매목적이 된 부동산에 설정된 저당권의 실행으로 인하여 매수인이 그 소유권을 잃은 경우, 악의의 매수인은 손해배상을 청구할 수 없다.
⑤ 매매목적물이 전세권의 목적이 된 경우, 선의의 매수인은 계약의 목적을 달성할 수 없는 경우에 한하여 계약을 해제할 수 있다.

71

「민법」상 부동산 환매에 관한 설명으로 옳지 않은 것은? (다툼이 있으면 판례에 따름)

① 환매특약은 매매계약과 동시에 하여야 한다.
② 환매대금은 특약이 없는 한 매도인이 수령한 매매대금과 매수인이 부담한 매매비용을 합한 것이다.
③ 환매기간은 5년을 넘지 못한다.
④ 환매기간은 특약으로 연장될 수 있다.
⑤ 환매기간 내에 매도인이 매수인에게 환매대금을 제공하지 않으면 환매권은 소멸한다.

72

임대차에 관한 설명으로 옳은 것은? (다툼이 있으면 판례에 따름)

① 임차인이 수선의무를 부담한다는 특약은 효력이 없다.
② 필요비 및 유익비는 임대차계약이 종료한 때 비로소 상환청구를 할 수 있다.
③ 임차인은 유익비에 대하여 지출금액 또는 증가액을 자신의 선택에 따라 청구할 수 있다.
④ 임대인의 동의를 얻어 부속한 물건이라도 채무불이행을 이유로 해지 당한 임차인은 부속물매수청구를 할 수 없다.
⑤ 독립성이 인정된다면 임차인의 특수목적에 사용하기 위해 부속된 물건도 부속물매수청구권의 대상이 된다.

73

토지임차인의 지상물매수청구권에 관한 설명으로 옳은 것은? (다툼이 있으면 판례에 따름)

① 지상물의 경제적 가치 유무나 임대인에 대한 효용 여부는 매수청구권의 행사요건이다.
② 매수청구권의 대상이 되는 지상물은 임대인의 동의를 얻어 신축한 것에 한한다.
③ 임차인 소유 건물이 제3자 소유의 토지 위에 걸쳐서 건립되어 있는 경우에는 건물 전부를 매수청구할 수는 없다.
④ 임대차종료 전 지상물 일체를 포기하기로 하는 임대인과 임차인의 약정은 특별한 사정이 없는 한 유효하다.
⑤ 건물소유를 목적으로 한 토지임차권이 등기되더라도 임차인은 토지양수인에게 매수청구권을 행사할 수 없다.

74

부동산에 대한 임대차계약에 관한 설명 중 틀린 것은? (다툼이 있으면 판례에 따름)

① 임차인이 임대인의 동의 없이 목적물을 제3자에게 전대한 경우 그 전대차계약은 효력이 없다.
② 임차인이 임대인의 동의 없이 목적물을 전대하면, 임대인은 임대차계약을 해지할 수 있다.
③ 임차인이 임대인의 동의를 받아 목적물을 전대하면 전차인은 임대인에게 직접 의무를 부담한다.
④ 기간을 정하지 않은 부동산 임대차계약은 임차인이 임대인에게 해지를 통고한 날로부터 1개월이 경과함으로서 종료된다.
⑤ 임차인의 차임연체가 2기분에 달하면 임대인은 계약기간이 종료하기 전이라도 임대차계약을 해지할 수 있다.

75

「주택임대차보호법」에 관한 설명으로 틀린 것은? (다툼이 있으면 판례에 따름)

① 임차인이 주택을 인도받아 점유하고 그 주민등록을 마친 때에는 그 다음 날부터 대항력이 생긴다.
② 미등기 무허가 건물에 대해서도 주거용으로 임대차한 경우에는 동법이 적용된다.
③ 일시사용을 위한 임대차인 것이 명백한 경우에도 동법이 적용된다.
④ 기간의 정함이 없거나 기간을 2년 미만으로 정한 임대차는 그 기간을 2년으로 본다.
⑤ 동거하는 임차인의 배우자나 자녀의 주민등록도 적법한 주민등록에 해당한다.

76

「상가건물 임대차보호법」에 관한 설명 중 옳지 않은 것은? (다툼이 있으면 판례에 따름)

① 환산보증금과 상관없이 임차인에게 계약갱신요구권이 인정된다.
② 증액비율을 초과하여 지급한 차임에 대해서 임차인은 부당이득으로 반환을 청구할 수 있다.
③ 임차인의 차임 연체액이 3기의 차임액에 달하는 때에는 임대인은 계약을 해지할 수 있다.
④ 전대차의 경우에는 권리금의 보호대상에서 제외된다.
⑤ 임차기간은 2년으로 정한 임대차는 그 기간을 1년으로 보므로, 임대인은 임차기간이 1년임을 주장할 수 있다.

77

「가등기담보 등에 관한 법률」에 관한 설명 중 옳지 않은 것은? (다툼이 있으면 판례에 따름)

① 부동산의 평가액이 피담보채권액에 미달하는 경우에는 가등기담보권의 실행통지를 할 필요가 없다.
② 귀속청산의 경우, 채권자는 담보권 실행의 통지절차에 따라 통지한 청산금의 금액에 대해서는 다툴 수 없다.
③ 실행통지의 상대방이 채무자 등 여러 명인 경우, 그 모두에 대하여 실행통지를 하여야 통지로서의 효력이 발생한다.
④ 청산금을 지급할 필요 없이 청산절차가 종료한 경우, 그때부터 담보목적물의 과실수취권은 채권자에게 귀속한다.
⑤ 담보가등기 후의 저당권자는 청산기간 내에는 저당권의 피담보채권의 도래 전이라 담보목적 부동산의 경매를 청구할 수 있다.

78

「집합건물 소유 및 관리에 관한 법률」에 대한 설명 중 옳지 않은 것은? (다툼이 있으면 판례에 따름)

① 각 공유자는 공용부분을 그 용도에 따라 사용할 수 있다.
② 구분소유가 성립하기 위하여 반드시 집합건축물대장의 등록이나 구분건물의 표시에 관한 등기를 요하는 것은 아니다.
③ 구분소유자는 규약으로 달리 정한 때에도 공용부분의 지분을 전유부분과 분리하여 처분할 수 없다.
④ 분양자 아닌 시공자는 특별한 사정이 없는 한, 집합건물의 하자에 대하여 담보책임을 지지 않는다.
⑤ 관리인 선임 여부와 관계없이 공유자는 단독으로 공용부분에 대한 보존행위를 할 수 있다.

79

「집합건물 소유 및 관리에 관한 법률」에 대한 설명 중 옳은 것은? (다툼이 있으면 판례에 따름)

① 각 구분소유자의 공용부분에 대한 지분은 규약으로 달리 정함이 없는 한, 그가 가지는 전유부분의 가액비율에 따른다.
② 관리인은 매년 1회 일정한 시기에 정기 관리단집회를 소집하여야 한다.
③ 규약의 설정·변경 및 폐지는 관리단집회에서 구분소유자 및 의결권의 각 3분의 2 이상의 찬성을 얻어 행한다.
④ 관리단의 재산으로 채무를 전부 변제할 수 없게 된 경우, 각 구분소유자는 연대하여 관리단의 채무 전부를 변제할 책임이 있음이 원칙이다.
⑤ 집합건물 구분소유권의 특별승계인이 구분소유권을 다시 제3자에게 이전한 경우에는 자신의 전(前) 구분소유자의 공용부분에 대한 체납관리비를 지급할 책임이 있다.

80

2023년 甲은 丙으로부터 그 소유 토지를 매수한 뒤 丙에게 직접 乙명의로 소유권이전등기를 해 줄 것을 부탁하였다. 그 전에 甲은 친구 乙과의 사이에 대내적으로는 그 토지를 자신이 소유하는 것으로 하고 등기는 乙명의로 해두기로 약정하였다. 丙은 乙 앞으로 이전등기 해 주었다. 다음 중 옳은 것은? (다툼이 있으면 판례에 따름)

① 丙의 甲에 대한 소유권이전등기의무는 채무이행으로 인해 소멸하였다.
② 甲은 乙을 상대로 명의신탁약정의 해지를 원인으로 하여 이전등기를 청구할 수 있다.
③ 甲이 乙명의로 등기하도록 한 것은 일종의 불법원인급여에 해당한다.
④ 만약 乙이 스스로 甲에게 이전등기를 해 주었다면, 그 등기는 유효하다.
⑤ 만약 乙이 丁에게 이전등기한 경우 甲은 丙의 乙에 대한 손해배상청구권을 대위행사할 수 있다.

제 7 회 실전 모의고사

100분 / 80문항

부동산학개론

01

다음은 부동산의 개념과 관련이 있는 내용을 설명한 것이다. 옳은 것은?

① 구거, 교량, 가식 중인 수목 등은 토지 정착물에 해당한다.
② 토지에 정착되어 있으나 매년 경작을 필요하지 않은 나무와 다년생식물 등은 부동산의 정착물로 간주되지 않기 때문에 부동산중개의 대상이 되지 않는다.
③ 복합개념의 경제적 측면의 부동산은 자본, 생산요소, 공간 등의 특성을 지닌다.
④ 공장재단, 자동차 등은 협의의 부동산에 속한다.
⑤ 토지소유권에는 미채굴광물에 대한 권리는 포함되지 않는다.

02

부동산학과 부동산활동에 관한 설명으로 옳은 것을 모두 고른 것은?

ㄱ. 표준산업분류에 따른 부동산 관련 서비스업은 중개 및 대리업, 투자자문업, 주거용 부동산관리업, 기타 부동산관리업 등으로 구성된다.
ㄴ. 부동산현상이란 부동산으로부터 나타나고 있는 여러 가지 현상들의 법칙성 등을 말한다.
ㄷ. 일반적으로 일반 소비상품을 대상으로 하는 활동과는 달리 부동산활동은 비가역성 등으로 장기적 배려하에 결정되고 실행된다.
ㄹ. 부동산활동을 위한 이론체계를 구축하기 위해서는 기술성이 중시되고, 실무측면에는 과학성이 강조된다.
ㅁ. 부동산학의 일반원칙으로서 경제성의 원칙은 소유활동에 있어서 최유효이용의 원칙을 지도원리로 삼고 있다.
ㅂ. 부동산학의 접근방식 중 인간은 합리적인 존재이며 자기이윤의 극대화를 목표로 행동한다는 가정에서 출발하여 의사결정을 중시하는 것은 종합식 접근방법이다.

① ㄱ, ㄴ
② ㄱ, ㄷ
③ ㄴ, ㄷ
④ ㄷ, ㅂ
⑤ ㄹ, ㅁ

03

다음 중 옳은 것은 모두 몇 개인가?

○ 택지는 건축물이 있거나 또는 건축할 수 있는 토지를 말한다.
○ 소지는 지력회복을 위해 정상적으로 쉬게 하는 토지를 말한다.
○ 맹지는 타인의 토지에 둘러싸여 도로와 접하고 있지 않은 토지를 말한다.
○ 획지는 하나의 지번을 가진 토지등기의 한 단위를 말한다.
○ 후보지는 임지지역, 농지지역, 택지지역 상호간에 다른 지역으로 전환되고 있는 지역의 토지를 말한다.
○ 빈지는 소유권은 인정되지만 이용실익이 없거나 적은 토지를 말한다.

① 1개
② 2개
③ 3개
④ 4개
⑤ 5개

04

토지의 특성에 관한 설명으로 <u>틀린</u> 것은?

① 부증성은 토지의 공급을 비탄력화시켜 부동산의 균형가격 형성을 어렵게 한다.
② 용도의 다양성은 최유효이용의 판단근거가 된다.
③ 인접성과 부동성은 외부효과의 원인이 된다.
④ 개별성으로 인해 부동산시장은 표준화가 용이하며, 부동산의 완전한 대체가 불가능하다.
⑤ 영속성은 부동산활동에서 감가상각을 배제시키는 근거가 된다.

05

A지역 아파트시장에서 공급은 변화하지 않고 수요는 다음 조건과 같이 변화하였다. 이 경우 균형가격(ㄱ)과 균형거래량(ㄴ)의 변화는? (단, P는 가격, Q_{D1}, Q_{D2}는 수요량, Q_s는 공급량, X축은 수량, Y축은 가격을 나타내고, 가격과 수량의 단위는 무시하며, 주어진 조건에 한함)

> ○ 수요함수: $Q_{D1} = 120 - 2P$ (변화 전)
> ⇨ $Q_{D2} = 120 - \frac{3}{2}P$ (변화 후)
> ○ 공급함수: $Q_s = 2P - 20$

	ㄱ	ㄴ
①	5 상승	10 증가
②	5 상승	15 증가
③	5 하락	10 증가
④	10 상승	10 증가
⑤	10 상승	15 증가

06

아파트 매매시장에서 수요량과 수요의 변화에 관한 설명으로 옳은 것은? (단, x축은 수량, y축은 가격이고, 아파트와 단독주택은 정상재이며, 다른 조건은 동일함)

① 실질소득이 증가하면 수요곡선은 좌측으로 이동하게 된다.
② 아파트 가격 상승이 예상되면 수요의 변화로 수요곡선이 우측으로 이동하게 된다.
③ 대체재인 단독주택의 가격이 상승하면 아파트의 수요곡선은 좌측으로 이동하게 된다.
④ 아파트 담보대출 금리가 하락하면 수요량의 변화로 동일한 수요곡선상에서 상향으로 이동하게 된다.
⑤ 아파트 거래세가 인상되면 수요곡선은 우측으로 이동하게 된다.

07

다음 아파트 가격에 대한 다세대주택 수요의 교차탄력성은? (단, 주어진 조건에 한함)

> ○ 가구소득이 10% 상승하고 아파트 가격은 5% 상승했을 때, 다세대주택의 전체 수요량은 8% 증가하였다.
> ○ 다세대주택 수요의 소득탄력성은 0.5이며, 다세대주택과 아파트는 대체관계이다.

① 0.1 ② 0.2
③ 0.3 ④ 0.4
⑤ 0.6

08

부동산에 대한 수요와 공급의 가격탄력성에 관한 설명으로 옳은 것은? (단, 다른 조건은 일정하다고 가정함)

① 수요함수가 P = 300인 경우 공급이 증가하면 균형가격은 하락하고, 균형량은 증가한다.
② 수요의 가격탄력성이 1보다 큰 경우, 임대료가 상승하면 임대업자의 총수입은 증가한다.
③ 공급이 증가하고 수요곡선이 비탄력이면 균형량은 더 크게 증가한다.
④ 공급이 탄력적인 상황에서 수요가 감소하면 균형가격의 하락폭은 작다.
⑤ 수요의 가격탄력성이 1보다 작은 경우 가격의 변화율은 수요량의 변화율보다 작다.

09

부동산시장에 관한 설명으로 틀린 것은? (단, 다른 조건은 동일함)

① 부동산시장에서는 정보의 비대칭성으로 인해 부동산가격의 왜곡현상이 나타나기도 한다.
② 부동산시장에서는 일반적으로 매수인의 최고제안가격과 매도인의 최저요구가격 사이에서 가격이 형성된다.
③ 부동산시장은 지역별로 구분되며, 지역시장마다 다른 특성들이 존재한다.
④ 부동산시장은 장기보다 단기에서 공급의 가격탄력성이 크므로 단기 수급조절이 용이하다.
⑤ 부동산시장에서 정보를 이용한 초과이윤과 정보비용이 동일하다면 할당 효율적일 수 있다.

10

어느 지역의 수요와 공급함수가 각각 A부동산 상품시장에서는 $Q_d = 100 - P$, $2Q_s = -10 + P$, B부동산 상품시장에서는 $Q_d = 500 - 2P$, $3Q_s = -20 + 6P$이며, A부동산 상품의 가격이 7% 상승하였을 때 B부동산 상품의 수요가 2% 상승하였다. 거미집이론(Cob-web theory)에 의한 A와 B 각각의 모형 형태와 A부동산 상품과 B부동산 상품의 관계는? (단, x축은 수량, y축은 가격, 각각의 시장에 대한 P는 가격, Q_d는 수요량, Q_s는 공급량이며, 다른 조건은 동일함)

	A	B	A와 B의 관계
①	수렴형	발산형	보완재
②	수렴형	순환형	보완재
③	수렴형	순환형	대체재
④	발산형	수렴형	대체재
⑤	순환형	발산형	대체재

11

A지역에 개발사업이 진행된다는 정보가 있다. 다음과 같이 주어진 조건하에서 합리적인 투자자가 최대한 지불할 수 있는 이 정보의 현재가치는? (단, 주어진 조건에 한함)

> ○ 개발예정지 A지역 인근에 일단의 토지가 있다.
> ○ 2년 후 A지역이 개발될 가능성은 50%로 알려져 있다.
> ○ 2년 후에 A지역이 개발되면 인근의 토지가격은 4억 8,400만원, 개발되지 않으면 2억 4,200만원으로 예상된다.
> ○ 투자자의 요구수익률은 연 10%이다.

① 1억원　② 1억 1,000만원
③ 1억 1,500만원　④ 1억 2,000만원
⑤ 1억 2,500만원

12

주택여과과정과 주거분리에 관한 설명으로 옳은 것은?

① 상위계층에서 사용되는 기존주택이 하위계층에서 사용되는 것을 상향여과라 한다.
② 공가(空家)의 발생은 주거지 이동과는 관계가 없다.
③ 주거분리는 도시 전체에서 나타나지만, 지리적으로 인접한 근린지역에서는 발생하지 않는다.
④ 주택여과과정은 주택의 질적 변화와 소득에 따른 가구의 이동을 말한다.
⑤ 고소득층 주거지와 저소득층 주거지가 인접한 경우, 경계지역 부근의 저소득층 주택은 할인되어 거래되고 고소득층 주택은 할증되어 거래된다.

13

현재 우리나라에서 시행되고 있는 토지 관련 제도에 관한 설명으로 옳은 것은?

① 개발이익환수제도는 토지의 토양, 입지, 활용가능성 등 토지의 적성에 대해 파악한 후 토지의 개발과 보전의 경합을 조정하기 위한 수단이다.
② 토지거래허가제는 미개발 토지를 토지이용계획에 따라 구획정리하고 기반시설을 갖춤으로써 이용가치가 높은 토지로 전환시키는 제도이다.
③ 도시계획구역 안의 택지에 한하여 가구별 소유상한을 초과하는 해당 택지에 대하여 초과소유부담금을 부과하는 제도는 현재 시행되고 있다.
④ 지구단위계획은 도시 · 군계획 수립 대상지역의 일부에 대하여 토지 이용을 합리화하고 그 기능을 증진시키며 미관을 개선하고 양호한 환경을 확보하며, 그 지역을 체계적 · 계획적으로 관리하기 위하여 수립하는 도시 · 군기본계획을 말한다.
⑤ 토지비축제도는 정부가 토지를 매입한 후 보유하고 있다가 적절한 때에 이를 매각하거나 공공용으로 사용하기 위한 것이다.

14

외부효과에 관한 설명으로 <u>틀린</u> 것은? (단, 다른 조건은 동일함)

① 한 사람의 행위가 제3자의 경제적 후생에 영향을 미치지만 보상이나 대가가 주어지지 않는 것으로, 이는 시장기구를 통하여 나타나는 일반적인 현상이다.
② 부(−)의 외부효과를 발생시키는 공장에 대해서 부담금을 부과하면 생산비용의 증가에 의해 제품공급이 감소하게 된다.
③ 새로 조성된 공원이 쾌적성이라는 정(+)의 외부효과를 발생시키면, 공원 주변 주택에 대한 수요곡선이 우측으로 이동하게 된다.
④ 정(+)의 외부효과를 발생시키는 재화의 경우 생산측면에서 사적 비용이 사회적 비용보다 커지게 된다.
⑤ 부(−)의 외부효과가 발생하게 되면 법적 비용, 진상조사의 어려움 등으로 인해 당사자 간 해결이 곤란한 경우가 많다.

15

분양가상한제에 관한 설명 중 옳은 것을 모두 고른 것은?

ㄱ. 시장가격 이상으로 상한가격을 설정하여 무주택자의 주택가격 부담을 완화시키고자 하는 제도이다.
ㄴ. 주택법령상 분양가상한제 적용주택의 분양가격은 택지비와 건축비로 구성된다.
ㄷ. 수요의 가격탄력성이 탄력적일수록 초과수요량이 더 커진다.
ㄹ. 장기적으로 민간의 신규주택 공급을 증가시키는 현상과 주택의 질이 개선되는 효과를 얻을 수 있다.
ㅁ. 300세대 미만의 도시형 생활주택은 분양가상한제가 적용되지 않는다.

① ㄱ, ㄷ　　② ㄴ, ㄷ
③ ㄱ, ㄷ, ㄹ　　④ ㄴ, ㄷ, ㅁ
⑤ ㄷ, ㄹ, ㅁ

16

부동산조세정책에 관한 설명으로 <u>틀린</u> 것은? (단, 다른 조건은 동일함)

① 소형주택공급의 확대, 호화주택의 건축억제 등과 같은 주택문제해결 수단의 기능을 갖는다.
② 수요곡선이 공급곡선에 비해 비탄력적인 상황에서는 임차인의 조세부담이 상대적으로 커진다.
③ 토지이용을 특정 방향으로 유도하기 위해 정부가 토지보유세를 부과할 때에는 토지용도에 관계없이 동일한 세금을 부과해야 한다.
④ 공공임대주택의 공급확대는 임대주택의 재산세가 임차인에게 전가되는 현상을 완화시킬 수 있다.
⑤ 부동산시장이 탄력적인 상황일수록 정부의 조세인상은 경제적 순손실을 크게 발생시킨다.

17

다음 학자별 이론에 관한 설명 중 옳은 것은?

① 알론소(W. Alonso)는 지대 발생의 원인을 비옥한 토지의 희소성과 수확체감현상으로 설명하고, 토지의 질적 차이로 인해 임대료의 차이가 발생한다고 보았다.
② 호이트(H. Hoyt)의 선형이론에서는 도시의 성장이 주요 교통노선에 따라 쐐기형(wedge) 지대모형으로 확대 배치되고, 고소득계층의 주거지가 도시주거공간의 유형을 결정하는 데 중요한 요인이 된다고 보았다.
③ 마르크스(K. Marx)의 독점지대는 토지소유자가 토지를 소유하고 있다는 독점적 지위 때문에 받는 수입이므로 토지의 비옥도와는 관계없이 최열등지에서도 지대가 발생한다고 보았다.
④ 튀넨(J. H. von Thünen)은 완전히 단절된 고립국을 가정하여 이곳의 작물재배활동은 생산비와 수송비를 반영해야 하며, 수송비와 지대는 비례관계라고 주장하였다.
⑤ 허프(D. Huff)는 공간마찰계수를 도입한 소비자의 유인력을 제시하였으며, 이때 공간마찰계수는 전문품점이 일상용품점에 비해 크다고 보았다.

18

A매장과 B매장은 9km 떨어져 있다. A매장의 규모는 $400m^2$, B매장은 $1,600m^2$이다. 컨버스(P. D. Converse)의 분기점모형에 따른 두 쇼핑센터의 상권 경계선은 어디인가? (단, 컨버스의 분기점모형에 따르면, 상권은 거리의 제곱에 반비례하고 질량에 비례함)

① A로부터 1km 지점 ② A로부터 2km 지점
③ A로부터 3km 지점 ④ A로부터 4km 지점
⑤ A로부터 5km 지점

19

입지이론에 대한 설명으로 옳은 것은?

① 제품의 중량이 원료의 중량보다 큰 중량감소산업은 시장지향형 입지가 유리하다.
② 노동집약적이고 미숙련공을 많이 사용하는 의류산업이나 신발산업은 집적지향형 입지가 적합하다.
③ 운송비의 비중이 적고 기술연관성이 높은 계열화된 산업의 경우는 노동지향형 입지가 적합하다.
④ 국지원료와 보편원료를 많이 사용하는 산업은 시장지향형 입지가 유리하다.
⑤ 한계주거비용이 한계교통비용보다 큰 경우의 주거입지는 외곽 쪽으로 나가는 것이 유리하다.

20

부동산개발방식에 대한 설명으로 옳은 것은?

① 등가교환방식에서는 개발업자를 통해 개발이 이루어지고, 개발에 따른 수익은 토지소유자에게 귀속된다.
② 사업위탁방식의 경우 토지소유자는 자금을 조달하고 개발업자는 건축시행에 대한 수수료를 취하는 방식이다.
③ 민간이 시설은 준공하고 동시에 소유권을 공공에 귀속시킨 후 사업시행자인 민간은 일정 기간 시설관리운영권을 가지며 수익하는 방식은 BTL방식이다.
④ 사회기반시설의 준공과 동시에 사업시행자에게 해당 시설의 운영권과 소유권이 인정되는 방식은 BTO방식이다.
⑤ 토지신탁형은 토지소유자로부터 형식적인 소유권을 이전받은 신탁회사가 토지를 개발 · 관리 · 처분하여 그 수익을 수탁자에게 돌려주는 방식이다.

21

부동산관리에 관한 설명으로 <u>틀린</u> 것은?

① 자산관리란 소유주나 기업의 부를 극대화하기 위하여 해당 부동산의 가치를 증진시킬 수 있는 다양한 방법을 모색하는 적극적인 관리에 해당한다.
② 법률적 측면의 부동산관리는 부동산의 유용성을 보호하기 위하여 법률상의 제반 조치를 취함으로써 법적인 보장을 확보하려는 것이다.
③ 자기(직접)관리방식은 전문(위탁)관리방식에 비해 기밀유지에 유리하고 의사결정이 신속한 경향이 있다.
④ 공업용 부동산은 일반적으로 순임대차 계약 방식이 사용된다.
⑤ 경제적 측면의 부동산관리는 대상부동산의 물리적 · 기능적 하자의 유무를 판단하여 필요한 조치를 취하는 것이다.

22

건물의 내용연수와 생애주기에 관한 설명으로 <u>틀린</u> 것은?

① 건물과 부지와의 부적응, 설계 · 설비 불량, 인근환경과 건물의 부적합은 기능적 내용연수에 영향을 미치는 요인이다.
② 인근지역의 변화, 해당 지역 건축물의 시장성 감퇴는 경제적 내용연수에 영향을 미치는 요인이다.
③ 건물의 생애주기 단계 중 안정단계에서 건물의 양호한 관리가 이루어진다면 안정단계의 국면이 연장될 수 있다.
④ 건물의 법정내용연수는 감가상각을 결정하기 위한 기준이 된다.
⑤ 건물의 생애주기 단계 중 신축단계는 일반적으로 건물의 물리적 · 기능적 유용성이 가장 높게 나타나는 단계이다.

23

부동산마케팅에 관한 설명으로 옳은 것은?

① 분양대행사를 이용하는 것은 마케팅 믹스(marketing mix)의 4P 전략 중 가격(Price) 전략과 밀접한 연관이 있다.
② 부동산 공급자가 부동산시장을 점유하기 위한 일련의 활동을 고객점유 마케팅 전략이라 한다.
③ 관계마케팅(interactive marketing) 전략이란 AIDA (Attention, Interest, Desire, Action) 원리에 기반을 두면서 소비자의 욕구를 파악하여 마케팅 효과를 극대화하는 전략이다.
④ 부동산은 위치의 고정성으로 상품을 직접 제시하기가 어렵기 때문에 홍보·광고와 같은 커뮤니케이션 수단이 중요하다.
⑤ 마케팅 믹스(marketing mix)는 부동산 공급자가 표적시장에서 원하는 목적을 달성하기 위해 상품(Product), 가격(Price), 유통경로(Place), 차별화(Positioning)를 조합하는 것을 말한다.

24

포트폴리오 이론에 관한 설명으로 옳은 것은? (단, 다른 조건은 동일함)

① 포트폴리오의 기대수익률은 개별자산의 기대수익률을 산술평균하여 구한다.
② 상관계수가 1보다 작은 두 자산으로 포트폴리오를 구성하면 위험감소효과가 나타난다.
③ 개별자산의 기대수익률 간 상관계수가 "0"인 두 개의 자산으로 포트폴리오를 구성할 때 포트폴리오의 위험감소 효과가 최대로 나타난다.
④ 무차별곡선은 투자자에게 동일한 효용을 주는 수익과 위험의 조합을 나타낸 곡선으로 보수적 투자자일수록 경사가 완만하다.
⑤ 인플레이션, 경기변동 등과 같은 위험은 포트폴리오 자산구성을 통해 제거될 수 있다.

25

부동산투자의 위험에 관한 설명으로 옳은 것을 모두 고른 것은? (단, 위험회피형 투자자라고 가정함)

ㄱ. 동일한 위험 증가에 대해 보수적 투자자는 공격적 투자자보다 더 높은 요구수익률을 원한다.
ㄴ. 효율적 프론티어(Efficient Frontier)에서는 추가적인 위험을 감수하지 않으면 수익률을 증가시킬 수 없다.
ㄷ. 차입자에게 고정금리대출을 실행하면 대출자의 인플레이션 위험은 낮아진다.
ㄹ. 투자자가 대상부동산을 원하는 시기에 현금화하지 못할 가능성은 유동성 위험에 해당한다.
ㅁ. 개별부동산의 특성으로 인한 체계적인 위험은 포트폴리오를 통해 제거할 수 있다.

① ㄱ, ㄴ　　② ㄴ, ㄷ
③ ㄴ, ㄹ　　④ ㄱ, ㄴ, ㄹ
⑤ ㄴ, ㄷ, ㄹ

26

화폐의 시간가치에 관한 설명으로 옳은 것을 모두 고른 것은? (단, 다른 조건은 동일함)

ㄱ. 은행으로부터 주택구입자금을 대출한 가구가 매월 상환할 금액을 산정하는 경우 감채기금계수를 사용한다.
ㄴ. 연금의 현재가치계수와 저당상수는 역수관계이다.
ㄷ. 현재 5억원인 주택가격이 매년 전년 대비 3%씩 상승한다고 가정할 때, 4년 후의 주택가격은 연금의 미래가치계수를 사용하여 계산할 수 있다.
ㄹ. 일시불의 현재가치계수는 할인율이 하락할수록 커진다.

① ㄱ　　② ㄴ, ㄹ
③ ㄱ, ㄴ, ㄹ　　④ ㄴ, ㄷ, ㄹ
⑤ ㄱ, ㄴ, ㄷ, ㄹ

27

다음은 각 도시별, 산업별 고용자 수를 나타낸 표이다. A도시 섬유산업의 입지계수와 C도시 전자산업의 입지계수는 각각 얼마인가? (단, 전국에 세 개의 도시와 두 개의 산업만이 존재한다고 가정하며, 소수점 셋째자리에서 반올림함)

구분	섬유산업	전자산업	전체 산업
A도시	250	150	400
B도시	250	250	500
C도시	500	600	1,100
전국	1,000	1,000	2,000

① 1.09, 1.12
② 1.12, 1.09
③ 1.12, 1.25
④ 1.25, 1.09
⑤ 1.25, 1.28

28

부동산투자분석기법에 관한 설명으로 옳은 것은?

① 내부수익률(IRR)은 순현재가치(NPV)를 1로 만드는 할인율이다.
② 내부수익률(IRR)이 기대수익률보다 클 경우 투자안을 채택한다.
③ 수익성지수(PI)법에서는 사전에 투자분석을 위한 투자자의 요구수익률을 정할 필요가 있다.
④ 순현재가치법에서는 할인율로 요구수익률을 사용하므로 투자자에 따라 순현재가치는 달라지지 않는다.
⑤ 수익성지수(PI)는 유출의 현재가치의 총합을 유입의 현재가치의 총합으로 나눈 값이다.

29

비율분석법을 이용하여 산출한 것으로 틀린 것은? (단, 주어진 조건에 한하며, 연간 기준임)

○ 주택담보대출액: 1억원
○ 주택담보대출의 연간 원리금상환액: 500만원
○ 부동산가치: 2억원
○ 가능총소득: 2,000만원
○ 공실손실상당액 및 대손충당금: 가능총소득의 25%
○ 영업경비: 가능총소득의 50%

① 저당비율(LTV) = 50%
② 부채감당률(DCR) = 1.0
③ 순영업소득 = 500만원
④ 영업경비비율(OER, 유효총소득 기준) = 0.7
⑤ 채무불이행률(DR) = 1.0

30

우리나라의 주택금융제도에 관한 설명으로 틀린 것은?

① 저당의 유동화제도는 금융기관의 유동성 위험을 감소시킨다.
② 한국주택금융공사(HF)는 주택금융을 활성화하기 위한 저당채권의 유동화 업무뿐만 아니라 주택자금보증업무, 주택저당대출 등도 행한다.
③ 2차 주택저당대출시장은 특별목적회사(SPC)를 통해 투자자로부터 자금을 조달하여 주택자금대출기관에 공급해 주는 시장을 말한다.
④ 저당대부에 필요한 자금이 저당시장에 원활하게 공급되기 위해서는 투자자의 요구수익률이 저당수익률보다 높아야 한다.
⑤ 금융기관은 수취한 예금 등으로 주택담보대출을 제공하는데, 이를 1차 주택저당대출시장이라 한다.

31

A씨는 주택을 구입하기 위해 은행으로부터 5억원을 대출받았다. 은행의 대출조건이 다음과 같을 때, 8회 차와 12회 차에 납부하는 원리금상환액을 순서대로 나열한 것은? (단, 주어진 조건에 한함)

> ○ 대출금리: 고정금리, 연 5%
> ○ 대출기간: 20년
> ○ 원리금 상환조건: 원금균등상환이고, 연단위 매기 말 상환

① 4,000만원, 3,000만원
② 4,000만원, 3,100만원
③ 4,125만원, 3,625만원
④ 4,125만원, 3,920만원
⑤ 4,300만원, 4,125만원

32

임대인 A와 임차인 B는 임대차계약을 체결하려고 한다. 향후 2년간 순영업소득의 현재가치 합계는? (단, 주어진 조건에 한하며, 모든 현금유출입은 매 기간 말에 발생함)

> ○ 연간 유효조소득: 1년 차 5,000만원, 2년 차 6,000만원
> ○ 연간 영업경비: 매년 2,000만원
> ○ 1년 후 일시불의 현가계수: 0.95
> ○ 2년 후 일시불의 현가계수: 0.90

① 6,100만원　② 6,450만원
③ 6,620만원　④ 7,000만원
⑤ 7,300만원

33

개발업자가 직면한 개발사업의 시장위험에 관한 설명으로 틀린 것은?

① 개발기간 중에도 상황이 변할 수 있다는 점에 유의해야 한다.
② 개발기간이 장기화될수록 개발업자의 시장위험은 높아진다.
③ 선분양은 개발업자가 부담하는 시장위험을 줄일 수 있다.
④ 금융조달비용의 상승과 같은 시장의 불확실성은 개발업자에게 시장위험을 부담시킨다.
⑤ 후분양은 개발업자의 시장위험을 감소시킨다.

34

프로젝트 금융의 특징에 관한 설명으로 틀린 것은?

① 금융기관의 입장에서는 부외금융에 의해 채무수용능력이 커지는 장점이 있다.
② 사업자체의 현금흐름을 근거로 자금을 조달하고, 원리금 상환도 해당 사업에서 발생하는 현금흐름에 근거한다.
③ 사업주의 입장에서는 비소구(non-recourse) 또는 제한적 소구(limited-recourse) 방식이므로 상환의무가 제한되는 장점이 있다.
④ 금융기관의 입장에서는 금리와 수수료 수준이 높아 일반적인 기업금융보다 높은 수익을 얻을 수 있는 장점이 있다.
⑤ 복잡한 계약에 따른 사업의 지연과 이해당사자 간의 조정의 어려움은 사업주와 금융기관 모두의 입장에서 단점으로 작용한다.

35

감정평가 유형에 관한 설명으로 틀린 것은?

① 조건부평가란 일체로 이용되고 있는 물건의 일부만을 평가하는 것을 말한다.
② 공인평가란 국가로부터 자격을 부여받은 개인이 평가주체가 되어 감정평가하는 것을 말한다.
③ 건부지를 나지상태로 평가하였다면 이는 독립평가에 해당한다.
④ 현황평가란 대상물건의 상태, 구조, 이용방법 등을 기준시점 현재 상태대로 평가하는 것을 말한다.
⑤ 참모평가란 대중평가가 아니라 고용주 혹은 고용기관을 위해 하는 평가를 말한다.

36

감정평가 과정상 지역분석과 개별분석에 관한 설명으로 틀린 것은?

① 지역분석을 통해 해당 지역 내 부동산의 가격수준을 판정할 수 있다.
② 개별분석은 기능적 감가와 관련되고 적합의 원칙이 적용된다.
③ 대상부동산의 최유효이용을 판정하기 위해 개별분석이 필요하다.
④ 지역분석보다 개별분석을 나중에 실시하는 것이 일반적이다.
⑤ 지역분석은 대상지역에 대한 거시적인 분석인 반면, 개별분석은 대상부동산에 대한 부분적인 분석이다.

37

다음 자료를 활용하여 거래사례비교법으로 평가한 대상토지의 감정평가액은? (단, 주어진 조건에 한함)

○ 대상토지: A시 B대로 30, 토지면적 200m², 제3종 일반주거지역, 주거용 토지
○ 기준시점: 2023.3.1.
○ 거래사례의 내역(거래시점: 2022.9.1.)

소재지	용도지역	토지면적	이용상황	거래사례 가격
A시 B대로 29	제3종 일반 주거지역	250m²	주거용	6억원

○ 지가변동률(2022.9.1. ~ 2023.3.1.): A시 주거지역은 3% 상승함
○ 지역요인: 대상토지는 거래사례의 인근지역에 위치함
○ 개별요인: 대상토지는 거래사례에 비해 8% 우세함
○ 그 밖의 다른 조건은 동일함
○ 상승식으로 계산할 것

① 531,952,000원 ② 532,952,000원
③ 533,952,000원 ④ 534,952,000원
⑤ 535,952,000원

38

감가수정에 관한 설명으로 옳은 것을 모두 고른 것은?

ㄱ. 감가수정과 관련된 내용연수는 경제적 내용연수가 아닌 물리적 내용연수를 의미한다.
ㄴ. 대상물건에 대한 재조달원가를 감액할 요인이 있는 경우에는 물리적 감가, 기능적 감가, 경제적 감가 등을 고려한다.
ㄷ. 감가수정방법에는 내용연수법, 관찰감가법, 부채감당법 등이 있다.
ㄹ. 내용연수법으로는 정액법, 정률법, 상환기금법이 있다.
ㅁ. 정률법은 매년 일정한 감가율을 곱하여 감가액을 구하는 방법으로 매년 감가액이 일정하다.

① ㄱ, ㄴ ② ㄴ, ㄷ
③ ㄴ, ㄹ ④ ㄴ, ㄷ, ㄹ
⑤ ㄷ, ㄹ, ㅁ

39

다음 자료를 활용하여 시산가액 조정을 통해 구한 감정평가액은? (단, 주어진 조건에 한함)

○ 거래사례를 통해 구한 시산가액(가치): 1.2억원
○ 조성비용을 통해 구한 시산가액(가치): 1.1억원
○ 임대료를 통해 구한 시산가액(가치): 1억원
○ 시산가액 조정방법: 가중치를 부여하는 방법
○ 가중치: 원가방식 30%, 비교방식 50%, 수익방식 20%를 적용함

① 1.09억원 ② 1.10억원
③ 1.11억원 ④ 1.12억원
⑤ 1.13억원

40

부동산 가격공시제도에 관한 설명으로 틀린 것은?

① 국토교통부장관은 공시기준일 이후에 분할·합병 등이 발생한 토지에 대하여는 대통령령으로 정하는 날을 기준으로 하여 개별공시지가를 결정·공시하여야 한다.
② 표준지공시지가의 공시사항으로는 표준지의 단위면적당 가격, 표준지 및 주변토지의 이용상황, 도로상황, 지목 등이 있다.
③ 개별주택의 가격은 국가·지방자치단체 등의 기관이 과세 등의 업무와 관련하여 주택의 가격을 산정하는 경우에 그 기준으로 활용될 수 있다.
④ 표준지공시지가는 국가·지방자치단체 등이 그 업무와 관련하여 지가를 산정하거나 감정평가법인 등이 개별적으로 토지를 감정평가하는 경우에 기준이 된다.
⑤ 표준주택가격은 국가·지방자치단체 등의 기관이 그 업무와 관련하여 주택가격을 산정하는 경우 그 기준이 된다.

민법 및 민사특별법

41

반사회질서의 법률행위로서 무효라고 볼 수 없는 것을 모두 고른 것은? (다툼이 있으면 판례에 따름)

ㄱ. 증권회사가 고객에게 투자손실금을 보전하여 주기로 하는 약정
ㄴ. 반사회적 법률행위의 동기가 표시된 경우
ㄷ. 범죄행위로 조성된 '비자금'을 소극적으로 은닉하기 위하여 임치하는 행위
ㄹ. 명의수탁자의 처분행위에 제3자가 적극 가담하여 부동산을 매수한 경우
ㅁ. 부동산의 명의신탁행위

① ㄱ, ㄴ ② ㄱ, ㄹ
③ ㄷ, ㄹ ④ ㄷ, ㅁ
⑤ ㄱ, ㄷ, ㅁ

42

법률행위의 분류와 그 예를 연결한 것 중 틀린 것은?

① 상대방 없는 단독행위 – 상속의 포기, 유언
② 상대방 있는 단독행위 – 취소, 재단법인 설립행위
③ 채권행위 – 임대차, 매매
④ 처분행위 – 소유권 양도, 채권양도
⑤ 요식행위 – 법인 설립행위, 유언

43

조건과 기한에 관한 다음 설명 중 틀린 것은?

① 해제조건 있는 법률행위는 조건이 성취되면 특약이 없는 한 소급하여 효력을 잃는다.
② 불법조건은 조건만 무효인 것이 아니라 법률행위 전체가 무효가 된다.
③ 채무자가 담보를 손상하거나 담보제공의 의무를 이행하지 아니한 때는 기한의 이익을 상실한다.
④ 채무자가 기한의 이익을 상실하면, 채권자는 즉시 이행을 청구할 수 있다.
⑤ 조건이 법률행위의 당시 이미 성취한 것인 경우에는 그 조건이 정지조건이면 조건 없는 법률행위로 하고, 해제조건이면 그 법률행위는 무효로 한다.

44

다음 중 취소권을 가지는 자는?

① 강박에 의하여 계약체결일로부터 10년이 경과한 경우 그 의사표시를 한 자
② 취소권자의 상대방이 그 법률행위로 인해 취득한 권리를 양도한 경우
③ 미성년자의 법정대리인이 취소할 수 있는 행위에 의하여 생긴 채무를 상대방에게 이행한 경우
④ 취소권자가 상대방에게 급부이행을 청구한 경우
⑤ 요약자가 낙약자의 기망으로 수익자를 위한 계약을 체결한 경우에 수익자의 지위에 있는 자

45

법률행위의 목적의 불능에 관한 설명 중 틀린 것은?

① 법률행위의 목적이 물리적으로 가능하더라도 사회통념상 불능이라고 볼 수 있으면 불능이 된다.
② 불능은 확정적인 것에 한하지 않고 일시적으로 불능인 경우라도 불능이 된다.
③ 법률행위의 목적이 그 법률행위 당시에 이미 실현불가능한 경우에도 손해배상책임이 발생할 수 있다.
④ 법률이 금지하고 있거나 법률상의 장애사유가 존재하는 경우도 불능이 된다.
⑤ 후발적 불능이 있으면 법률행위 자체는 무효로 되지 않으나 채무불이행이나 위험부담이 문제될 수 있다.

46

의사표시에 관한 설명으로 옳은 것은? (다툼이 있으면 판례에 따름)

① 표의자의 진의 아닌 의사표시를 상대방이 알 수 있었을 경우에도 비진의표시는 유효이다.
② 의사표시가 강박에 의한 것이어서 당연무효라는 주장 속에 강박에 의한 의사표시이므로 취소한다는 주장이 당연히 포함되어 있다고는 볼 수 있다.
③ 표의자가 착오를 이유로 의사표시를 취소하여 상대방이 손해를 입은 경우, 상대방은 착오자에게 불법행위를 이유로 손해배상을 청구할 수 없다.
④ 표의자가 사실상의 장애로 대출받을 수 없는 자를 위하여 자기명의를 대여해 준 경우 특별한 사정이 없는 한 비진의표시가 된다.
⑤ 동기의 착오를 이유로 취소하기 위해서는 당사자 사이에 동기를 의사표시의 내용으로 하는 합의가 있음을 요한다.

47

제3자의 사기에 관한 다음 설명 중 옳지 않은 것은? (다툼이 있으면 판례에 따름)

① 대리인이 상대방을 기망한 경우에 상대방은 본인이 이를 알지 못하면 표의자는 의사표시를 취소할 수 없다.
② 표의자는 제3자에 대하여 불법행위로 인한 손해배상청구를 하기 위하여 반드시 계약을 취소해야 하는 것은 아니다.
③ 상대방 없는 단독행위에 관하여 제3자가 기망을 한 경우표의자는 언제든지 의사표시를 취소할 수 있다.
④ 상대방과 동일시할 수 없는 단순한 피용자로서 상대방이 사용자 책임을 져야 하는 관계에 있는 자의 기망행위는 제3자의 사기에 해당한다.
⑤ 취소 주장자가 제3자의 기망행위에 대한 상대방의 악의 또는 과실을 입증하여야 한다.

48

甲의 부동산을 협의의 무권대리인 乙이 선의의 丙에게 매도한 경우에 대한 설명 중 옳은 것은? (다툼이 있으면 판례에 따름)

① 丙이 甲에게 상당한 기간을 정해 추인 여부의 확답을 최고하였으나 그 기간 내에 확답을 발하지 않은 경우 추인으로 본다.
② 甲이 乙에게 추인의 의사표시를 한 경우 甲은 그 사실을 모르는 丙에게도 계약의 이행을 청구할 수 있다.
③ 甲의 추인권은 형성권이므로 甲이 조건을 붙여서 추인하여도 상대방의 동의 없이 즉시 효력이 생긴다.
④ 만일 丙이 승계인 丁에게 매각하여 이전등기를 마친 상황에서 甲이 사망하여 乙이 단독상속한 경우 무권대리인 乙이 丁에게 무권대리의 무효를 주장하여 丁의 등기를 말소청구할 수 없다.
⑤ 무권대리의 추인은 명시적으로만 가능하다.

49

표현대리에 대한 판례의 태도와 일치하는 것은? (다툼이 있으면 판례에 따름)

① 유권대리에 관한 주장 속에는 표현대리의 주장이 포함되어 있다고 볼 수 있다.
② 대리인이 강행법규에 위반하는 대리행위를 하여 무효인 경우에는 상대방이 선의·무과실인 경우에도 표현대리를 적용할 수 없다.
③ 상대방에게 과실이 있다면 과실상계의 법리를 유추적용하여 본인의 책임을 경감할 수 있다.
④ 복대리인 선임권이 없는 대리인에 의하여 선임된 복대리인의 권한은 제126조의 기본대리권이 될 수 없다.
⑤ 대리인이 본인 사망 후 복대리인을 선임하여 이를 과실 없이 알지 못하는 상대방과 대리행위를 한 경우 표현대리가 성립하지 않는다.

50

조건과 기한에 관한 설명으로 틀린 것은? (다툼이 있으면 판례에 따름)

① 불법조건을 붙인 법률행위는 그 법률행위 전체가 무효로 된다.
② 조건이 법률행위의 당시 이미 성취한 것인 경우에는 그 조건이 해제조건이면 그 법률행위는 무효로 한다.
③ 조건이 법률행위의 당시에 이미 성취할 수 없는 것인 경우에는 그 조건이 정지조건이면 조건 없는 법률행위로 한다.
④ 조건부 권리나 기한부 권리는 조건의 성취 전이나 기한의 도래 전에 모두 처분할 수 있다.
⑤ 양자는 모두 조건성취나 기한도래의 효력에 대해 당사자의 특약으로 소급효를 인정할 수 있다.

51

甲과 乙은 X토지를 공유하고 있는데, 甲의 지분은 3분의 2, 乙의 지분은 3분의 1이다. 다음 설명으로 옳은 것은? (다툼이 있으면 판례에 따름)

① 甲이 乙의 동의 없이 X토지에 건물을 축조한 경우, 乙은 甲에게 건물 전부의 철거를 청구하지 못한다.
② 공유물분할금지특약을 당사자 간에 약정만 한 경우 분할금지특약을 지분승계인에게 대항할 수 있다.
③ 甲이 상속인 없이 사망하면 甲의 지분은 국가에 귀속한다.
④ 甲이 丙에게 X토지를 임대해 준 경우, 甲이 乙의 동의 없이 단독으로 임대차계약을 해지하면 임대차계약은 소멸한다.
⑤ 甲이 乙의 동의 없이 X토지 전부를 丙에게 임대하여 丙이 점유하는 경우, 乙은 丙에게 단독으로 점유의 배제를 청구할 수 있다.

53

토지거래허가구역 내의 X토지소유자 甲은 乙에게 계약금을 받고 매매계약을 하였으나, 아직 허가를 얻지 못하였다. 옳은 것을 모두 고르면? (다툼이 있으면 판례에 따름)

ㄱ. 乙의 강박으로 계약을 체결한 경우, 현재 무효상태이므로 甲은 강박을 이유로 의사표시를 취소할 수 없다.
ㄴ. 乙이 토지거래 허가를 얻은 후에는 甲은 계약금의 2배를 제공하여 해제할 수 없다.
ㄷ. 甲은 乙이 잔금제공 없이 토지거래협력의무를 요구를 하면 이를 거절할 수 있다.
ㄹ. 甲 · 乙 · 丙의 중간생략등기 합의에 따라 甲이 丙을 매수인으로 하여 토지거래허가를 받아 丙명의로 등기가 된 경우, 그 등기는 무효이다.
ㅁ. 乙은 甲이 토지거래허가절차 협력의무를 위반하였음을 이유로 매매계약을 해제할 수 있다.

① ㄱ
② ㄴ
③ ㄹ
④ ㄴ, ㄹ
⑤ ㄷ, ㄹ

52

다음 중 물권적 청구권에 관한 설명 중 틀린 것은? (다툼이 있으면 판례에 따름)

① 유치권자가 점유를 침탈당한 경우, 유치권자는 침탈자를 상대로 유치권에 기한 반환청구권을 행사할 수 있다.
② 미등기건물의 양수인은 그 건물의 불법점유자에 대하여 직접 자신의 소유권에 기하여 건물의 반환을 청구할 수 없다.
③ 甲소유의 토지를 매수하여 토지를 인도받은 乙로부터 丙이 임차하여 점유하고 있는 경우, 甲은 丙에 대하여 소유물반환을 청구할 수 없다.
④ 甲소유의 건물을 乙이 불법점유하다가 이를 丙에게 임대하여 丙이 그 건물에 거주하고 있는 경우, 甲은 乙에게 반환을 청구할 수 있다.
⑤ 甲의 점유물을 乙이 침탈하여 선의의 丙에게 양도하고, 다시 丙이 악의의 丁에게 양도한 경우, 甲은 丁에게 점유물반환을 청구할 수 없다.

54

등기부취득시효에 관한 설명으로 맞는 것을 고르면? (다툼이 있으면 판례에 따름)

① 점유자가 자기명의로 등기되어 있어야 하는데, 이때의 등기는 반드시 적법 · 유효한 등기이어야 한다.
② 등기기간은 현재의 등기기간과 종전명의자의 등기기간을 포함하여 10년이어도 무방하다.
③ 시효가 완성된 후에 점유자 명의의 등기가 원인 없이 다른 사람 앞으로 소유권이전등기가 경료되는 경우에는 시효완성자는 소유권을 상실한다.
④ 소유권보존등기가 이중으로 경료되어 뒤에 된 소유권보존등기가 무효로 되는 경우 뒤에 된 소유권보존등기를 기초로 등기부취득시효할 수 있다.
⑤ 등기부상 소유명의인과 매도인이 동일인인 경우에는 이를 소유자로 믿고 그 부동산을 매수한 자는 특별한 사정이 없는 한, 과실 있는 점유자로 보아야 한다.

55

甲은 자기소유 X토지를 대금을 지급받았으나 소유권이전등기 없이 乙에게 매도하고 인도해준 후 乙이 다시 丙에게 전매하여 X토지를 인도하여 현재 丙이 등기 없이 점유 · 사용하고 있다. 이 사례에 대한 기술 중 맞는 것을 고르면? (다툼이 있으면 판례에 따름)

① 丙은 진정명의회복을 원인으로 직접 甲에게 X토지의 이전등기를 청구할 수 있다.
② 乙의 甲에 대한 X토지에 대한 등기청구권은 乙이 점유를 하면 소멸시효에 안 걸리나, 乙이 점유를 상실하였으므로 점유를 상실한 때로부터 소멸시효가 진행한다.
③ 甲이 丙에게 X토지 소유자임을 이유로 소유물반환청구를 하면 丙은 거부할 수 없다.
④ 甲 · 乙 · 丙 간에 중간생략등기 합의를 한 경우, 乙의 甲에 대한 소유권이전등기청구권은 소멸한다.
⑤ 乙이 甲의 승낙 없이 등기청구권을 丙에게 양도 통지한 경우, 丙은 직접 甲에게 X토지의 소유권이전등기를 청구할 수 없다.

56

甲은 A(제3자를 위한 계약의 수익자가 아님)의 기망행위로 자기소유의 건물을 乙에게 매도하고 소유권을 이전하였다. 틀린 것은? (다툼이 있으면 판례에 따름)

① 甲이 사기당한 사실을 乙이 알 수 있었을 경우에 한하여 甲은 乙과의 매매계약을 취소할 수 있다.
② 만약 A가 乙의 대리인이었다면 乙이 선의 · 무과실이더라도 甲은 乙과의 매매계약을 취소할 수 있다.
③ 甲은 乙과의 매매계약을 취소하지 않더라도 A를 상대로 불법행위를 원인으로 하는 손해배상을 청구할 수 있다.
④ 乙이 건물의 하자에 관하여 계약체결 당시에 선의 · 무과실이면 사기를 이유로 하는 취소권의 행사와 하자담보책임은 경합하며, 이를 선택적으로 행사할 수 있다.
⑤ 乙이 丙에게 건물을 양도한 경우, 甲이 乙과의 매매계약을 취소하면 그 효과를 선의의 丙에게 주장할 수 없다.

57

X토지에 관하여 甲, 乙, 丙이 각각 지분비율 1/2, 1/4, 1/4로 공유하고 있다. 다음 기술 중 옳은 것은? (다툼이 있으면 판례에 따름)

① 만약 甲, 乙, 丙 사이의 등기부상 지분비율 1/2, 1/4, 1/4과는 달리 실제 지분비율이 甲 3/5, 乙 1/5, 丙 1/5이라면 甲이 X토지를 乙, 丙과 협의 없이 丁에게 임대하더라도 이는 공유물의 관리방법으로 적법한 것이다.
② 乙이 상속인 없이 사망한 경우에 X토지에 대한 乙의 지분은 상속법에 따라 특별연고자에게 귀속하고, 특별연고자가 없는 경우에는 국고에 귀속한다.
③ 점유자 A가 X토지 전체에 관하여 시효취득 하였으나 아직 그 소유권이전등기를 경료하기 전에, 시효기간완성 당시 공유자인 甲, 乙, 丙 중 丙으로부터 그 지분 1/4을 취득한 제3자 丁은 공유물의 보존행위로서 A에 대하여 그 점유의 배제를 청구할 수 있다.
④ 甲, 乙, 丙이 공유하는 지상건물을 丁에게 임대한 후 임대차가 종료되어 甲, 乙, 丙이 丁에게 지는 보증금반환채무는 급부(금전채무)가 가분성이 있으므로 특별한 사정이 없는 한 분할채무에 해당한다.
⑤ 丙이 X토지를 甲, 乙과의 협의 없이 배타적으로 점유 · 사용하였다면 甲, 乙에 대하여 부당이득을 구성하며, 丙에 대한 부당이득반환청구권의 행사는 공유물의 보존행위에 해당하므로, 甲은 丙에게 X 토지의 점유 · 사용으로 인한 부당이득 전부의 반환을 청구할 수 있다.

58

저당권에 관한 설명 중 맞는 것은? (다툼이 있으면 판례에 따름)

① 미등기건물을 대지와 함께 매수한 사람이 대지만 이전등기하고 대지에 저당설정하여 경매가 실행되면 건물에는 법정지상권이 성립할 수 없다.
② 공동저당목적물 중 공동저당권자가 일부만을 경매실행하는 경우 그 저당권자는 채권 전부를 우선변제받을 수 없다.
③ 지상권 · 지역권을 목적으로 저당권을 설정할 수 있다.
④ 제3자의 책임 있는 사유로 저당권의 목적물이 훼손되면 저당권자는 저당권설정자에게 담보물보충청구권이 있다.
⑤ 저당권설정자가 저당권자 몰래 저당목적물을 매각한 경우 그 매매대금에 대하여 저당권의 효력이 미친다.

59

하나의 부동산에 설정된 저당권과 용익물권의 관계에 관한 설명으로 옳지 않은 것은? (다툼이 있으면 판례에 따름)

① 전세권이 저당권보다 후에 설정된 경우, 전세권자가 목적물에 유익비를 지출하였다면 전세권자는 저당목적물의 매각대금에서 그 비용을 우선상환받을 수 있다.
② 전세권이 저당권보다 먼저 설정된 경우, 저당권 실행시 전세권자가 기한의 이익을 포기하고 배당요구를 하면 전세권은 목적물의 매각으로 소멸한다.
③ 지상권이 저당권보다 먼저 설정된 경우, 저당권 실행으로 토지가 매각되더라도 지상권은 소멸하지 않는다.
④ 1번 저당권이 설정된 후 지상권이 설정되고 그 후 2번 저당권이 설정된 경우, 2번 저당권 실행으로 목적물이 매각되더라도 지상권은 소멸하지 않는다.
⑤ 지상권이 저당권보다 후에 설정된 경우, 지상권자는 저당권자에게 그 토지로 담보된 채권을 변제하고 저당권의 소멸을 청구할 수 있다.

60

근저당권에 관한 설명 중 맞는 것은? (다툼이 있으면 판례에 따름)

ㄱ. 최고액이란 우선변제를 받을 수 있는 한도액이 아니라 책임의 한도액을 말한다.
ㄴ. 채무액이 채권최고액을 초과하는 경우 채무자는 최고액을 변제하면 근저당권의 말소를 청구할 수 있다.
ㄷ. 2번 근저당권자가 목적물을 경매신청한 경우 1번 근저당권의 채권액이 확정되는 시기는 경락대금 완납시이다.
ㄹ. 채무확정 전 채무의 소멸이나 이전은 근저당권에 영향을 미친다.
ㅁ. 근저당권자가 경매신청 후 발생한 대여금채권은 최고액 범위 내라도 근저당권으로 담보되지 않는다.

① ㄱ, ㄴ ② ㄱ, ㄷ
③ ㄱ, ㄹ ④ ㄷ, ㄹ
⑤ ㄷ, ㅁ

61

저당권에 관한 설명으로 옳은 것은? (다툼이 있으면 판례에 따름)

① 불법말소된 저당권등기가 회복되기 전에 경매가 행하여져 매수인이 매각대금을 완납하였다면 저당권의 말소회복등기를 청구할 수 있다.
② 채권이 소멸 후라도 채권에 압류 및 전부명령을 받아 저당권이전등기의 부기등기를 마친 자는 유효하게 저당권을 취득할 수 없다.
③ 토지저당권의 효력은 명인방법을 갖춘 수목에 효력이 미친다.
④ 토지에 관하여 저당권이 설정될 당시 그 지상에 존재하는 건물이 미등기상태였다면 그 건물을 위한 법정지상권이 성립할 수 없다.
⑤ 근저당권이전의 부기등기가 경료된 경우, 피담보채무의 소멸을 원인으로 한 근저당권설정등기 말소청구의 상대방은 양도인이다.

62

공유물분할에 관한 설명으로서 틀린 것은? (다툼이 있으면 판례에 따름)

① 공유자는 공유물의 분할을 청구할 수 있다. 그러나 5년 내의 기간으로 분할하지 아니할 것을 약정할 수 있다.
② 공유물의 분할은 먼저 협의에 의하여야 하지만, 분할방법에 관하여 협의가 성립하지 않을 경우에는 공유자 일부가 재판상 분할을 청구할 수 있다.
③ 공유물을 공유자 중의 1인 단독소유 또는 수인의 공유로 하고 다른 공유자에 대하여는 가격배상만 하는 방법의 공유물분할도 가능하다.
④ 공유토지를 분할하는 경우, 토지의 경제적 가치가 균등하지 아니한 때에는 경제적 가치에 따른 공유지분의 비율에 상응하도록 분할할 수 있다.
⑤ 공유자는 다른 공유자가 분할로 인하여 취득한 물건에 대하여 그 지분의 비율로 매도인과 동일한 담보책임이 있는데, 담보책임의 효과로 손해배상·대금감액 청구·해제가 인정될 수 있지만, 해제는 재판상 분할의 경우에는 인정되지 않는다.

63

甲은 자기소유 토지를 乙에게 매매계약을 체결하였으나 계약 체결 후 그 토지 전부가 수용되어 소유권이전이 불가능하게 되었다. 다음 중 옳은 것을 모두 고르면? (다툼이 있으면 판례에 따름)

ㄱ. 乙은 토지소유권이전의무의 이행불능을 이유로 甲과의 계약을 즉시 해제할 수 있다.
ㄴ. 乙은 甲에게 계약체결상의 과실책임을 물을 수 있다.
ㄷ. 乙은 특별한 사정이 없는 한 甲에게 매매대금을 지급할 의무가 없다.
ㄹ. 乙이 甲에게 토지보상금에 대한 대상청구권을 행사하기 위하여는 매매대금을 지급할 필요가 없다.

① ㄱ
② ㄷ
③ ㄱ, ㄷ
④ ㄴ, ㄷ
⑤ ㄷ, ㄹ

64

계약의 성립과 관련하여 다음 기술 중 가장 올바른 것은? (다툼이 있으면 판례에 따름)

① 청약과 승낙은 특정인에 대한 구체적·확정적 의사표시로 하여야 한다.
② 계약교섭 중 일방의 부당한 중도파기로 상대방이 손해를 입은 경우 계약체결상의 과실책임을 인정한다.
③ 매매계약체결 당시에 반드시 대금과 목적물이 구체적으로 확정되어 있지 않으면 효력이 없다.
④ 계약에 적용되는 법령과 동일한 약관내용은 중요한 사항이라도 사업자의 설명의무가 면제된다.
⑤ 계약체결 당시에 목적의 불능을 알 수 있었을 자는 이를 알 수 있었던 상대방에게 계약체결상의 과실책임을 부담한다.

65

동시이행항변권에 관하여 <u>틀린</u> 기술은? (다툼이 있으면 판례에 따름)

① 당사자가 별개의 약정으로 채무를 부담하여도 동시이행하기로 특약하는 경우 동시이행관계가 인정된다.
② 일방이 한 번 현실제공을 하여 상대방을 수령지체에 빠지게 한 경우 그 후 이행의 제공을 계속하지 않은 경우, 수령지체에 빠진 자는 동시이행항변권이 없다.
③ 일방의 토지거래허가절차협력의무와 매수인의 대금지급의무는 동시이행관계가 아니다.
④ 당사자가 동시이행항변권을 원용하지 않으면 법원에서 이를 직권으로 고려하지 않는다.
⑤ 임차권등기명령에 의한 임차권등기말소의무와 임대인의 보증금반환의무는 동시이행관계가 아니다.

66

지상권에 관한 다음 설명 중 <u>틀린</u> 것은? (다툼이 있으면 판례에 따름)

① 지상권자는 타인의 토지에 건물 기타 공작물이나 수목을 소유하기 위하여 그 토지를 사용하는 권리가 있다.
② 토지의 일부에는 지상권을 설정할 수 없다.
③ 지상권에 있어서 지료는 그 요소가 아니다.
④ 상당기간 내구력을 가지며 용이하게 해체할 수 없는 건물의 소유를 목적으로 하는 지상권의 존속기간은 약정이 없으면 30년이다.
⑤ 지상권의 존속기간을 영구로 약정하는 것도 허용된다.

67

甲은 건물소유를 목적으로 乙소유의 토지를 기간 약정 없이 임차하였고(임차권등기가 없었다) 그 지상에 X건물을 신축하였다. 다음 설명 중 <u>틀린</u> 것은? (다툼이 있으면 판례에 따름)

① 甲 · 乙 간의 지상물매수청구권 포기특약은 무효가 원칙이다.
② 임대인의 해지통고로 임대차가 종료한 경우에 甲은 계약갱신 청구 없이 즉시 X건물을 매수청구를 할 수 있다.
③ 甲이 건물신축한 후 미등기상태인 경우 계약종료시 乙로부터 토지를 매수한 토지양수인에게도 건물매수청구를 할 수 있다.
④ 甲이 임차권을 乙의 동의 없이 전대하여 전차인 丙이 건물을 신축한 경우 전차인은 乙에게 건물매수청구권을 행사할 수 없다.
⑤ 甲의 채무불이행으로 인하여 임대차계약이 해지된 경우, 甲은 건물매수청구권을 행사할 수 없다.

68

계약의 해제에 관한 다음 설명 중 <u>틀린</u> 것은? (다툼이 있으면 판례에 따름)

① 해제의 의사표시는 철회하지 못함이 원칙이다.
② 계약의 성질에 의하여 일정한 기간 내에 이행하지 아니하면 계약의 목적을 달성할 수 없을 경우에 채무자가 그 시기에 이행하지 아니한 때에는 최고를 하지 아니하고 해제할 수 있다.
③ 당사자 일방 또는 쌍방이 수인인 경우에 계약의 해제는 전원으로부터 또는 전원에 대하여 하여야 한다.
④ 해제에 의하여 소멸하는 채권 그 자체의 양수인은 해제의 소급효에 의해서 보호되는 제3자가 아니다.
⑤ 채무자가 미리 이행하지 아니할 의사를 표시한 경우라도 상대방은 상당한 기간을 정하여 이행을 최고하고 나서 해제하여야 함이 원칙이다.

69

매도인의 담보책임에 관한 설명으로 <u>틀린</u> 것은? (다툼이 있으면 판례에 따름)

① 경매에서는 물건의 하자에 대하여 원칙적으로 담보책임을 물을 수 없다.
② 전부 타인의 권리매매에서 악의의 매수인도 계약해제권을 가진다.
③ 매매목적인 권리 전부가 타인에게 속한 경우, 매도인은 선의 · 악의를 불문하고 계약을 해제할 수 있다.
④ 매매목적인 권리 일부가 타인에게 속한 경우, 악의의 매수인은 계약일로부터 1년 내에 권리를 행사하여야 한다.
⑤ 수량부족의 경우 매수인이 선의라면 부족부분만큼 대금감액을 청구할 수 있다.

70

해제와 취소에 관한 설명으로 <u>틀린</u> 것은? (다툼이 있으면 판례에 따름)

① 모두 형성권이고 10년의 제척기간에 걸린다.
② 모두 포기할 수 있다.
③ 일방이 계약해제 후에도 상대방은 취소사유가 있으면 취소가 가능하다.
④ 취소나 해제시 계약은 소급하여 소멸하며 각 당사자는 현존이익에 한하여 반환의무를 부담한다.
⑤ 임의대리인은 원칙적으로 취소권이나 해제권을 가질 수 없다.

71

甲 · 乙 사이에 X토지 $100m^2$에 대한 매매계약이 성립하였다. 매도인 甲의 담보책임에 관한 다음 기술 중 <u>틀린</u> 것은? (다툼이 있으면 판례에 따름)

① X토지의 전부가 甲의 소유가 아니고 丙의 소유이며, 甲이 그 권리를 취득하여 乙에게 이전할 수 없는 경우에는 乙은 자신의 선의 · 악의를 묻지 않고 계약을 해제할 수 있다.
② 甲 · 乙이 $100m^2$의 수량을 지정하여 매매하였으나, X토지가 실제로는 $90m^2$ 밖에 되지 않는 경우에는 乙은 자신의 선의 · 악의를 묻지 않고 대금의 감액을 청구할 수 있다.
③ 甲 · 乙이 $100m^2$의 토지에 대해서 수량을 지정하여 매매하였으나, X토지가 실제로는 $90m^2$ 밖에 되지 않는 경우에는 乙이 악의인 경우에는 해제권을 행사할 수 없다.
④ $100m^2$ 중 $10m^2$가 丙의 소유이며, 甲이 그 권리를 취득하여 乙에게 이전할 수 없는 경우에는 乙은 자신의 선의 · 악의를 묻지 않고 대금의 감액을 청구할 수 있다.
⑤ X토지 위에 저당권이 존재하여도 그 사실만으로는 담보책임의 문제가 생기지 않는다.

72

계약금에 관한 다음 기술 중 틀린 것은? (다툼이 있으면 판례에 따름)

① 계약금계약은 금전을 교부함으로써 성립하기 때문에 요물계약이고, 매매 등 주된 계약에 부수되는 종된 계약이다.
② 계약금계약은 반드시 주된 계약과 동시에 행해져야 하는 것은 아니다.
③ 해약금에 의한 해제로 인해 손해배상청구권이 발생하지는 않는다.
④ 계약금을 위약벌로서 교부한 경우 채무불이행에 따른 별도의 손해를 배상청구할 수도 있다.
⑤ 판례에 따르면 수수된 계약금을 위약금으로 한다는 약정이 없는 경우에도 손해배상액의 예정으로서의 성질을 갖는다.

73

점유권에 대한 다음의 기술 중 옳지 않은 것은? (다툼이 있으면 판례에 따름)

① 간접점유자는 점유보호청구권이 있으나, 점유보조자는 점유보호청구권이 없다.
② 명의신탁된 부동산의 수탁자의 점유는 타주점유이다.
③ 점유자가 점유물의 과실을 취득한 경우에도 유익비를 상환청구할 수 있다.
④ 점유자가 스스로 자주점유의 권원을 주장하였으나 그 권원이 인정되지 않은 경우 그때부터 타주점유로 전환된다.
⑤ 선의의 점유자는 과실(果實)을 수취하더라도 부당이득반환의무가 없다.

74

甲은 자기소유의 토지를 乙에게 매도하면서 계약금을 수령하였다. 다음 설명 중 틀린 것은? (다툼이 있으면 판례에 따름)

① 甲은 乙이 중도금을 지급하기 전에 수령한 계약금의 배액을 상환하고 계약을 해제할 수 있다.
② 甲의 해제권 행사는 계약금의 배액상환의 제공과 함께 하여야 한다.
③ 甲이 계약해제의 의사표시와 함께 계약금의 배액을 제공하였으나 乙이 이를 수령하지 않는 경우에는 공탁을 하여야 유효한 해제권 행사가 된다.
④ 배액상환을 받은 乙은 계약금 이상의 손해가 발행하였음을 입증하여도 추가로 손해배상을 청구할 수 없다.
⑤ 乙의 귀책사유로 계약이 해제되면 계약금을 위약금으로 한다는 특약이 없는 한, 계약금이 당연히 甲에게 귀속하는 것은 아니다.

75

甲이 자기소유의 X토지를 乙에게 매도하여 소유권이전등기를 함과 동시에 환매특약을 하였다. 다음 중 옳은 것은? (다툼이 있으면 판례에 따름)

① 甲은 특약이 없는 한 매매대금과 이자를 제공하여야 乙로부터 X토지를 환매할 수 있다.
② 환매기간을 정하지 않은 경우, 그 기간은 3년으로 한다.
③ 환매특약이 등기되어도, 甲은 환매특약등기 전에 X토지의 소유권을 취득한 제3자에게 대항할 수 있다.
④ 환매특약이 등기된 후에 X토지에 乙로부터 근저당권을 취득한 자는 甲이 환매기간 안에 환매권을 행사한 경우 그 근저당권은 소멸하지 않는다.
⑤ 乙이 토지 위에 건물을 건축하고, 甲이 적법하게 환매권을 행사하여 토지와 건물의 소유자가 달라진 경우, 그 건물에는 관습상의 법정지상권이 성립하지 않는다.

76

「주택임대차보호법」상의 대항력 및 우선변제권에 관한 설명으로 틀린 것은?

① 확정일자를 입주 및 주민등록일 이전에 갖춘 경우, 우선변제적 효력은 대항력과 마찬가지로 인도와 주민등록을 마친 다음 날을 기준으로 발생한다.
② 경매신청 등기 전에 동법 소정의 대항력을 갖춘 임차인은 소액보증금 중 일정액을 다른 담보물권자보다 우선하여 변제받을 권리가 있다.
③ 대항력을 갖춘 임차주택의 양수인이 임대차가 종료한 상태에서 임대인의 지위를 승계하는 것에 대하여, 임차인이 이의를 제기한 경우에도 양도인의 임차인에 대한 보증금반환채무는 소멸한다.
④ 임차주택의 경매 또는 공매시 임차인이 환가대금으로부터 보증금을 수령하기 위해서는 임차주택을 양수인에게 인도하여야 한다.
⑤ 「주택임대차보호법」상의 대항력과 우선변제권을 겸유하고 있는 임차인이 배당요구를 하였으나 보증금 전액을 배당받지 못하였다면 임차인은 임차보증금 중 배당받지 못한 금액을 반환받을 때까지 그 부분에 관하여는 임대차관계의 존속을 주장할 수 있다.

77

주택임차권의 대항력에 관한 설명으로 틀린 것은? (다툼이 있으면 판례에 따름)

① 주민등록이 주택임차인의 의사에 의하지 않고 제3자에 의하여 임의로 이전되었다면 대항력은 상실하지 않는다.
② 대항요건으로서의 주민등록은 임차인 본인뿐만 아니라 다른 가족의 주민등록도 가능하다.
③ 자기명의의 주택을 매도하면서 동시에 그 주택을 임차하는 경우, 매도인이 임차인으로서 가지는 대항력은 매수인 명의의 소유권이전등기가 마쳐진 다음 날부터 효력이 생긴다.
④ 임대인의 동의하에 전대한 경우, 전차인이 주택을 인도받고 간접점유자인 임차인의 이름으로 주민등록이 되어 있다면 임차인은 제3자에 대하여 대항력을 갖는다.
⑤ 저당권자의 저당권설정등기의 일자가 임차인의 주택인도·주민등록전입의 일자와 같은 경우에는 경매시 임차권의 대항력은 인정되지 않는다.

78

「집합건물의 소유 및 관리에 관한 법률」에 대한 설명으로 맞는 것은? (다툼이 있으면 판례에 따름)

① 분양된 집합건물의 하자담보책임을 부담하는 자는 특별한 사정이 없는 한 시공사가 아니라 시행사가 부담한다.
② 구조상 공용부분이나 규약상 공용부분은 모두 등기를 요한다.
③ 공용부분의 보존행위는 통상 집회결의 없이는 각 공유자가 행사할 수 없다.
④ 전유부분에 대한 저당권 또는 경매개시결정과 압류의 효력은 특별한 사정이 없는 한 대지사용권에는 미치지 않는다.
⑤ 관리인에게 집합건물의 일정부분에 대한 임대권한을 위임하는 내용의 관리규약은 유효하다.

79

2023년 丙의 X토지를 매매계약을 체결한 甲은 친구 乙과의 사이에 명의신탁약정을 맺었고, 매도인 丙은 甲의 부탁에 따라 직접 乙에게 소유권이전등기를 경료하였다. 다음 중 틀린 것은? (다툼이 있으면 판례에 따름)

① 甲과 丙 간의 매매는 유효이다.
② 현재 명의신탁자 甲은 매도인 丙에게 X토지 소유권이전등기청구권을 보유하고 있다.
③ 명의신탁자 甲은 명의수탁자 乙을 상대로 부당이득반환을 원인으로 한 X토지 소유권이전등기를 구할 수 없다.
④ 수탁자 乙이 X토지를 제3자에게 처분하여 소유권이전등기를 경료하였다면 제3자는 명의신탁 사실을 알고 있는 경우에도 유효하게 소유권을 취득한다.
⑤ ④에서 명의수탁자는 신탁부동산의 처분대금을 명의신탁자에게 부당이득으로 반환할 의무가 없다.

80

「상가건물 임대차보호법」에서 임차인의 계약갱신요구를 다음 중 임대인이 거절할 수 있는 사유에 해당하지 않는 것은 몇 개인가?

ㄱ. 임차인이 임대인의 동의 없이 목적건물의 전부 또는 일부를 전대한 경우
ㄴ. 임대인이 목적건물의 전부 또는 대부분을 철거하거나 재건축하기 위해 점유회복이 필요한 경우
ㄷ. 임차인이 건물의 일부를 고의 또는 과실로 파손한 경우
ㄹ. 임차인이 2기의 차임액에 달하도록 차임을 연체한 사실이 있는 경우
ㅁ. 임대인이 일방적으로 상당한 금액을 공탁한 경우

① 1개　② 2개
③ 3개　④ 4개
⑤ 없음

해설편

제 1 회 정답 및 해설

부동산학개론

01	02	03	04	05	06	07	08	09	10
④	③	①	④	②	⑤	⑤	②	⑤	③
11	**12**	**13**	**14**	**15**	**16**	**17**	**18**	**19**	**20**
③	⑤	①	②	⑤	①	②	④	④	③
21	**22**	**23**	**24**	**25**	**26**	**27**	**28**	**29**	**30**
②	⑤	①	②	④	③	③	⑤	②	④
31	**32**	**33**	**34**	**35**	**36**	**37**	**38**	**39**	**40**
②	③	③	⑤	④	④	①	③	②	①

01 정답 ④

난이도 중

④ 옳은 지문으로 매년 경작의 노력을 요하지 않는 다년생 식생과 나무는 종속정착물로 토지와 독립된 것으로 취급되지 않는다.

① 무형적 개념의 부동산은 부동산을 위치, 자연, 공간 등으로 이해하는 것이다. ⇨ 유형적 개념의 부동산

② 제거하여도 건물의 기능 및 효용의 손실이 없는 부착된 물건은 일반적으로 정착물로 취급된다. ⇨ 취급되지 않는다.

③ 토지와 건물이 각각 독립된 거래의 객체이면서도 마치 하나의 결합된 상태로 다루어져 부동산활동의 대상으로 인식될 때 이를 복합개념의 부동산이라 한다. ⇨ 복합부동산

⑤ 준부동산은 등기·등록의 공시방법을 갖추어 부동산에 준하여 취급되는 특정의 동산 등을 의미하며, 「민법」상의 부동산에 포함된다. ⇨ 광의의 부동산(넓은 의미의 부동산)

02 정답 ③

난이도 중

공지는 대지 중 건축 바닥면적을 제외한 빈 공간으로 건폐율이 상향될수록 커진다. ⇨ 작아진다.

03 정답 ①

난이도 하

② 토지는 생산요소, 자본, 소비재의 성격을 모두 가지고 있다.

③ 토지는 부동성으로 인해 주변환경에 의한 상대적 위치는 불변적이다. ⇨ 물리적(절대적) 위치

④ 토지의 부증성으로 인해 토지공급은 특정 용도의 토지에 대해 완전비탄력적이다. ⇨ 물리적 측면의 토지에 대해

⑤ 토지는 영속성으로 인해 물리적 측면에서 감가상각을 적용하게 한다. ⇨ 적용되지 않는다.

04 정답 ④

난이도 중

주택에 대한 수요곡선이 좌측으로 이동하면 수요가 감소하는 경우이다. 따라서 수요의 감소요인은 주택의 가격 하락 예상, 대체재인 오피스텔의 가격 하락, 보완재인 A의 가격 상승, 총부채상환비율(DTI) 하락으로 4개이다.

> 1. 건설임금의 상승: 공급의 감소(공급의 변화요인)
> 2. 주택의 가격 상승: '수요량의 변화'요인(곡선상의 점의 이동)
> 3. 건축원자재 가격 하락: 공급의 증가(공급의 변화요인)
> 4. 대출금리의 하락: 수요의 증가

05 정답 ②

난이도 중

1. A부동산 수요량변화율(8%)이 A부동산의 가격변화율(5%)보다 크므로 A부동산 수요의 가격탄력성은 탄력적이다.
   (A부동산 수요의 가격탄력성 $= \frac{8\%}{5\%} = 1.6$, 가격탄력성이 1보다 크므로 '탄력적'이다)
2. A부동산과 B부동산의 관계: A부동산 가격이 상승(A부동산 수요량은 감소)하자 B부동산의 수요가 증가했으므로 두 재화의 관계는 대체재이다.
3. B부동산 수요의 교차탄력성 $= \frac{\text{B부동산 수요량변화율(4\%)}}{\text{A부동산 가격변화율(5\%)}} = 0.8$

06 정답 ⑤

난이도 중

부동산 수요가 감소할 때 부동산 공급곡선이 비탄력적일수록 부동산 가격은 더 작게 하락한다. ⇨ 더 크게

부동산 수요가 감소할 때 부동산 공급곡선이 비탄력적일수록 균형량은 더 작게 감소하고, 가격은 더 크게 하락한다(균형량은 덜 감소하고, 균형가격은 더 하락한다).

07 정답 ⑤

난이도 중

1. 수요함수 $Q_d = 600 - 2P$, 공급함수 $P_1 = 100$
   수요함수에 $P = 100$을 대입하면 $Q = 600 - 2 \times 100$, $Q = 400$
2. 수요함수 $Q_d = 600 - 2P$, 공급함수 $P_2 = 200$
   수요함수에 $P = 200$을 대입하면 $Q = 600 - 2 \times 200$, $Q = 200$
   따라서 균형거래량은 400에서 200으로 '200 감소'한다.
3. 공급곡선은 $P_1 = 100$, $P_2 = 200$으로 가격이 일정한 함수이다. 그러므로 공급곡선은 완전탄력적이다.

08 정답 ②

난이도 중

매수자 ⇨ 매도자
상향국면에서 매도자는 가격 상승을 기대하여 거래의 성립을 미루려는 경향이 있다. 시장을 주도하고 우위에 있는 주체는 거래를 미루려는 경향을 띤다.

순환국면에 따른 특징

구분	회복시장	상향시장	후퇴시장	하향시장
부동산 가격	상승 시작	지속적 상승	하락 시작	지속적 하락
공실률	감소	최저	증가	최대
건축허가 신청건수	증가	최대	감소	최저
주도시장	매도자	매도자	매수자	매수자
과거 사례가격	기준가격, 하한가격	하한가격	기준가격, 상한가격	상한가격

09 정답 ⑤

난이도 중

1. A부동산시장: 수요의 기울기 크기$\left(\frac{1}{2}\right)$ < 공급의 기울기 크기$\left(\frac{4}{3}\right)$
   따라서 A부동산은 수렴형이다.
2. B부동산시장: 수요의 기울기 크기$\left(\frac{2}{1}\right)$ > 공급의 기울기 크기$\left(\frac{3}{2}\right)$
   따라서 B부동산은 발산형이다.

수렴형 조건
1. | 수요곡선의 기울기 | < | 공급곡선의 기울기 |
2. 수요의 가격탄력성 > 공급의 가격탄력성

✚ aP = 200 ± bQ에서 기울기의 크기는 $\frac{b(Q계수)}{a(P계수)}$이다.

10 정답 ③

난이도 중

① 준강성 효율적 시장 ⇨ 강성 효율적 시장
② 부동산시장(불완전경쟁시장)도 할당 효율적 시장이 될 수 있다.
④ 초과이윤을 얻을 수 있다. ⇨ 초과이윤을 얻을 수 없다.
⑤ 정상이윤을 얻을 수 없다. ⇨ 정상이윤을 얻을 수 있다.

11 정답 ③

난이도 중

외부경제 ⇨ 외부불경제(부의 외부효과)
외부경제(정의 외부효과)가 발생하면 과소생산(과소소비)의 문제가 발생하기 때문에 정부는 보조금 지원과 조세감면 등을 통해 시장에 개입한다. 부(−)의 외부효과가 발생하는 경우 정부는 세금 부과나 규제 등을 통해 자원분배의 비효율성을 감소시킬 수 있다.

12 정답 ⑤

난이도 중

토지은행제도(토지비축제도)는 정부가 부동산시장에 직접적으로 개입하는 방법이다. 직접개입수단에는 토지은행제도(토지비축제도), 도시개발사업(구획정리사업), 공영개발, 공공임대주택 공급, 임대료 규제, 분양가 규제 등이 있다.

13 정답 ①

난이도 중

정부가 임차인에게 임대료를 직접 보조해 주면 단기적으로 임대료는 상승하여 임대인이 혜택을 얻고, 장기적으로 시장임대료는 원래대로 회복되어 임차인이 혜택을 얻게 된다.

임대료 규제의 장기적(부정적) 효과
1. 초과수요의 발생으로 임대주택에 대한 부족현상을 초래
2. 임대주택의 공급 감소(투자기피, 용도전환)
3. 이중가격 및 암시장 형성
4. 임대부동산의 질적 수준 저하
5. 기존 임차인들의 이동 저하
6. 임대주택 공급의 감소로 기존 중고주택의 가격이 상승
7. 결국 임차인들의 주거선택 폭이 좁아져 임차인들을 비탄력적으로 만드는 정책이 됨

14 정답 ②

난이도 중

② 세금이 부과되면 수요와 공급이 탄력적일수록 경제적 순손실은 크게 발생한다.
① 수요가 감소한다. ⇨ 수요가 증가한다.
③ 소유자가 거주하는 주택에 재산세를 부과하면, 주택수요가 증가한다. ⇨ 주택수요가 감소한다.
④ 토지 공급의 가격탄력성이 0인 경우, 부동산조세 부과시 조세의 전가가 크게 발생되어 임차인의 부담이 커진다. ⇨ 임대인이 조세를 전부 부담하여, 임차인의 조세부담은 나타나지 않는다.
⑤ 증여세와 종합부동산세는 부동산의 보유단계에 부과한다. ⇨ 증여세는 취득단계에 부과하는 국세이다.

15 정답 ⑤

난이도 중

판매촉진(promotion) 전략은 다양한 공급경쟁자들 사이에서 자신의 상품을 어디에 위치시킬 것인가를 정하는 전략이다. ⇨ 차별화(positioning) 전략

16 정답 ①

난이도 중

1. A쇼핑센터 유인력 $= \frac{4,000}{10^2} = 40$
   B쇼핑센터 유인력 $= \frac{10,000}{5^2} = 400$
   C쇼핑센터 유인력 $= \frac{20,000}{10^2} = 200$

2. A쇼핑센터 시장점유율 $= \frac{40}{40 + 400 + 200} = 0.0625(6.25\%)$

B쇼핑센터 시장점유율 $= \frac{400}{40 + 400 + 200} = 0.625(62.5\%)$

C쇼핑센터 시장점유율 $= \frac{200}{40 + 400 + 200} = 0.3125(31.25\%)$

3. D도시(배후지) 인구수 = 60만명 × 40% = 24만명

A쇼핑센터 이용객 수 = 24만명 × 6.25% = 15,000명

B쇼핑센터 이용객 수 = 24만명 × 62.5% = 150,000명

C쇼핑센터 이용객 수 = 24만명 × 31.25% = 75,000명

17 정답 ②
난이도 중

ㄱ. 리카도(D. Ricardo)의 차액지대설에 대한 설명이다.

ㄷ. 마르크스(K. Marx)의 절대지대설에 대한 설명이다.

18 정답 ④
난이도 중

① 원거리 ⇨ 근거리

② 중심지이론에 의하면 중심지가 성립하기 위해서는 최소요구범위가 재화도달범위보다 커야 한다. ⇨ 작아야 한다.

③ 뢰시는 생산측면에서 기업의 최적입지를 설명하였다. ⇨ 수요측면에서

⑤ 다핵심이론에서는 다핵의 발생요인으로 유사활동 간 입지적 양립성(집적입지), 이질활동 간 입지적 비양립성(분산입지) 등을 들고 있다.

> **다핵의 발생요인**
> 1. 특정 위치나 특정 시설의 필요성
> 2. 동종(유사)활동 간의 양립성(집적이익)
> 3. 이질활동 간의 입지적 비양립성
> 4. 지대지불능력의 차이

19 정답 ④
난이도 중

부동산의 매입과 매각관리는 자산관리에 해당하며, 나머지는 모두 시설관리에 해당한다.

> **부동산관리의 세 가지 영역**
> 1. 시설관리(FM): 설비운전 · 보수, 외주관리, 에너지관리, 청소관리, 방범 · 방재 등 보안관리 등
> 2. 건물 및 임대차관리(PM): 수익목표 수립, 연간 예산 수립, 임대차 유치 및 유지, 비용 통제 등
> 3. 자산관리(AM): 포트폴리오 관리, 재투자 · 재개발 결정, 투자리스크 관리, 매입 · 매각관리, 프로젝트 파이낸싱 등

20 정답 ③
난이도 중

후분양제도는 주택을 일정 절차에 따라 완공한 후에 분양하는 소비자 중심의 분양제도이다. 개발에 따른 위험과 초기 사업비를 공급자가 부담하므로 분양가가 상승한다는 단점이 있다.

21 정답 ②
난이도 중

1. 입지계수(LQ) $= \frac{\text{특정산업의 지역비율}}{\text{특정산업의 전국비율}} = \frac{\frac{\text{지역 특정사업}}{\text{지역 전체사업}}}{\frac{\text{전국 특정산업}}{\text{전국 전체산업}}}$

2. A지역의 부동산업 입지계수 $= \frac{\frac{\text{A지역 부동산업}}{\text{A지역 전체산업}}}{\frac{\text{전국 부동산업}}{\text{전국 전체산업}}} = \frac{\frac{100}{300}}{\frac{500}{900}} = 0.6$

따라서 1보다 작으므로 A지역의 부동산업은 비기반산업이다.

22 정답 ⑤
난이도 중

• ㄱ: B(준공) ⇨ T(소유권 이전) ⇨ O(운영) 방식에 대한 설명이다.

• ㄴ: B(준공) ⇨ L(임대) ⇨ T(소유권 이전) 방식에 대한 설명이다.

> **민간투자사업**
> 1. BTO: 사회기반시설의 준공(B)과 동시에 해당 시설의 소유권이 국가 또는 지방자치단체에 귀속(T)되며, 사업시행자에게 일정 기간의 시설운영권(O)을 인정하는 방식이다.
> 2. BTL: 사회기반시설의 준공(B)과 동시에 해당 시설의 소유권이 국가 또는 지방자치단체에 귀속(T)되며, 사업시행자에게 일정 기간의 시설운영권을 인정하되, 그 시설을 국가 또는 지방자치단체 등이 임차(L)하여 사용 · 수익하는 방식이다.
> 3. BOT: 사회기반시설의 준공(B) 후 일정 기간 동안 사업시행자에게 해당 시설의 소유권(O)이 인정되며, 그 기간이 만료되면 시설소유권이 국가 또는 지방자치단체에 귀속(T)되는 방식이다.
> 4. BLT: 사회기반시설의 준공(B) 후 일정 기간 동안 시설운영권을 국가 혹은 지방자치단체에 임대(L)하여 투자비를 회수 후, 임대기간 종료 후에 시설물의 소유권을 국가 혹은 지방자치단체에 귀속(T)하는 방식이다.
> 5. BOO: 사회기반시설의 준공(B)과 함께 사업시행자가 소유권(O)과 운영권(O)을 갖는 방식이다.

23 정답 ①
난이도 중

두 자산의 상관계수가 0인 경우에는 포트폴리오 자산구성을 통한 위험감소효과가 나타나지 않는다. ⇨ 나타난다.

✚ 두 자산의 상관계수가 +1인 경우에만 분산투자효과가 나타나지 않는다.

24 정답 ②
난이도 중

연금의 미래가치 합

$= (1{,}000\text{만원} \times 1.1^2) + (1{,}000\text{만원} \times 1.1^1) + 1{,}000\text{만원}$

$= 3{,}310\text{만원}$

25 정답 ④
난이도 중

시장위험 ⇨ 운영위험

수익성이 악화되는 위험을 사업상 위험이라고 하는데, 사업상 위험에는 시장위험, 운영위험, 위치위험 등이 있다. 이때 근로자의 파업, 운영경비에 따른 위험을 운영위험이라고 한다.

26 정답 ③

난이도 중

③ 저당상수 $= \frac{\text{부채서비스액}}{\text{대부액}} = \frac{4{,}000\text{만원}}{5\text{억원}} = 0.08(8\%)$

✚ 대부액 × 저당상수 = 원리금

① 저당비율(LTV) $= \frac{\text{대부액}}{\text{부동산가격}} = \frac{5\text{억원}}{10\text{억원}} = 0.5(50\%)$

② 부채비율 $= \frac{\text{대부액(타인자본)}}{\text{지분}} = \frac{5\text{억원}}{5\text{억원}} = 1(100\%)$

④ 부채감당률 $= \frac{\text{순영업소득}}{\text{부채서비스액}} = \frac{5{,}700\text{만원}}{4{,}000\text{만원}} = 1.425$

⑤ 영업경비비율 $= \frac{\text{영업경비}}{\text{유효총소득}} = \frac{3{,}800\text{만원}}{9{,}500\text{만원}} = 0.4(40\%)$

27 정답 ③

난이도 중

① 연평균순현가법은 화폐의 시간가치를 고려한 할인법이다.
② 내부수익률(IRR)은 순현재가치를 0으로 만드는 할인율을 말한다.
④ 승수값이 작을수록 자본회수기간이 짧다.
⑤ 일반적으로 순현재가치법을 가장 우수한 투자분석기법으로 본다.

28 정답 ⑤

난이도 중

영업소득세 ⇨ 양도소득세
세후지분복귀액은 세전지분복귀액에서 자본이득세인 양도소득세를 차감한 금액을 말한다.

29 정답 ②

난이도 중

다른 조건이 동일할 때 변동금리 주택담보대출의 조정주기가 짧을수록 금융기관은 금리변동위험을 차입자에게 더 전가하게 된다.

30 정답 ④

난이도 중

① 원리금균등상환방식은 만기일시상환방식에 비해 대출채권의 가중평균상환기간(duration)이 길다. ⇨ 짧다.
② 원금균등상환방식의 경우, 매 기간에 상환하는 원리금상환액과 잔금이 점차적으로 증가한다. ⇨ 감소한다.
③ 대출 초기에 저당비율(LTV)은 원금균등상환방식이 원리금균등상환방식보다 크다. ⇨ 작다.
⑤ 원리금균등상환방식의 경우, 매 기간에 상환하는 원금상환액이 감소하는 만큼 이자상환액이 증가한다. ⇨ 이자상환액이 감소하는 만큼 원금상환액이 증가한다.

31 정답 ②

난이도 중

1. 담보인정비율(LTV)을 이용한 대출가능액 = 부동산 가격 × LTV
   = 4억원 × 0.6 = 2억 4,000만원
2. 부채감당률을 이용한 대출가능액 = 순소득 ÷ 저당상수 ÷ 부채감당률
   = 6,000만원 ÷ 0.15 ÷ 2 = 2억원
3. 따라서 두 가지 조건을 모두 충족시킬 때 대출받을 수 있는 금액은 적은 금액인 2억원이며, 기존 대출이 1억원이므로 추가로 대출가능한 금액은 1억원이다.

32 정답 ③

난이도 중

1. 지분금융: 공모(public offering)에 의한 증자, 부동산투자신탁(REITs), 조인트벤처(joint venture), 부동산간접투자펀드
2. 부채금융: 자산유동화증권(ABS), 주택저당대부
3. 메자닌금융: 전환사채(CB)

❶ 부동산금융의 자금조달방법

지분금융	자기자본조달 (지분권, 주식을 매각)	신디케이트, 조인트벤처, 공모에 의한 증자, 부동산투자회사(REITs), 부동산간접투자펀드 등
부채금융	타인자본조달 (채권, 담보를 통한 부채 활용)	저당금융, 신탁증서금융, 주택상환사채, 자산유동화증권(ABS), 자산담보부 기업어음(ABCP), 주택저당담보부채권(MBB) 등
메자닌금융	중간적 성격 금융	전환사채(CB), 신주인수권부사채(BW), 후순위대출, 우선주 등

33 정답 ③

난이도 중

① 프로젝트 금융의 상환재원은 프로젝트의 현금흐름이나 사업성 자체 자산을 기반으로 한다.
② 프로젝트 사업의 자금은 위탁계좌(에스크로우 계좌)에 의해 관리된다.
④ 일정한 요건을 갖춘 프로젝트 회사는 법인세 감면을 받을 수 있다.
⑤ 해당 프로젝트의 현금흐름이 기반이 되므로 해당 프로젝트가 부실화되면 대출기관도 채권회수가 어려워진다.

34 정답 ⑤

난이도 중

① 자기관리 부동산투자회사의 설립자본금은 5억원 이상으로 한다.
② 위탁관리 부동산투자회사의 설립자본금은 영업인가 후 6개월 이내에 50억원 이상을 모집하여야 한다.
③ 자기관리 부동산투자회사는 실체형 회사의 형태로 운영되지만, 기업구조조정 부동산투자회사는 명목상의 회사 형태로 운영된다.
④ 기업구조조정 부동산투자회사는 본점 외의 지점을 설치할 수 없으며, 직원을 고용하거나 임원을 둘 수 없다.

35 정답 ④

난이도 중

① 「집합건물의 소유 및 관리에 관한 법률」에 따른 구분소유권의 대상이 되는 건물부분과 그 대지사용권을 일괄하여 감정평가하는 경우 수익환원법을 주된 평가방법으로 적용한다. ⇨ 거래사례비교법
② 수익분석법에서는 대상물건이 장래 산출할 것으로 기대되는 순수익이나 미래의 현금흐름을 환원하거나 할인하여 가액을 산정한다. ⇨ 수익환원법
③ 기준시점이란 대상물건의 감정평가액을 결정하기 위해 현장조사를 완료한 날짜를 말한다. ⇨ 가격조사
⑤ 유사지역이란 대상부동산이 속한 지역으로서 부동산의 이용이 동질적이고 가치형성요인 중 지역요인을 공유하는 지역을 말한다. ⇨ 인근지역

36 정답 ④

난이도 하

감정평가법인 등은 감정평가 의뢰인이 요청하여 시장가치 외의 가치를 기준으로 감정평가할 때에는 해당 시장가치 외의 가치의 성격과 특징을 검토하지 않는다. ⇨ 검토해야 한다.

✚ 시장가치기준원칙에도 불구하고 법령에 다른 규정이 있는 경우, 감정평가 의뢰인이 요청하는 경우, 사회통념상 필요하다고 인정되는 경우에는 시장가치 외의 가치를 기준으로 감정평가할 수 있다. 이때 시장가치 외의 가치의 합리성, 적법성 및 실현가능성을 검토해야 한다.

37 정답 ①

난이도 중

개별요인의 비교치 ⇨ $\times \frac{대상부동산}{사례부동산}$

1. 가로의 폭 · 구조 등의 상태에서 대상부동산이 사례부동산에 비해 10% 우세함 ⇨ $\frac{110}{100}$
2. 고객의 유동성과의 적합성에서 대상부동산보다 사례부동산이 6% 열세함 ⇨ $\frac{100}{94}$
3. 형상 및 고저는 동일함
4. 행정상의 규제 정도에서 대상부동산은 사례부동산보다 7% 우세함 ⇨ $\frac{107}{100}$

따라서 상승식으로 계산하면 $1.1 \times \frac{100}{94} \times 1.07 = 1.252$

38 정답 ③

난이도 중

1. 자본환원율(종합환원율) $= \frac{순소득}{부동산가격}$
2. 순소득 = 가능총소득 − 공실 및 불량부채 + 기타소득 − 영업경비
   = 3,000만원 − 300만원 + 100만원 − 450만원
   = 2,350만원

따라서 자본환원율(종합환원율) $= \frac{2,350만원}{5억원} = 0.047(4.7\%)$

39 정답 ②

난이도 중

옳은 지문은 ㄱ, ㄹ이다.

ㄴ. 부동산자산이 창출하는 순영업소득에 해당 자산의 가격을 곱한 값이다. ⇨ 순영업소득을 가격으로 나눈 값

✚ 환원이율 $= \frac{순영업소득}{부동산가격}$

ㄷ. 부동산투자의 위험이 높아지면 자본환원율은 하락한다. ⇨ 상승한다.

✚ 자본환원율은 무위험률(순수이율)과 위험률로 구성되므로 위험이 클수록 위험률(위험할증률)이 커지기 때문에 상승한다(요소구성법).

40 정답 ①

난이도 상

② 국토교통부장관이 표준주택가격을 조사 · 평가할 때에는 둘 이상의 감정평가법인 등에게 의뢰하여야 한다. ⇨ 한국부동산원

③ 개별공시지가는 국유지의 사용료, 부담금을 결정하고, 토지가격비준표를 작성하기 위한 기준이 된다. ⇨ 토지가격비준표의 기준이 되는 것은 표준지공시지가이다.

④ 시장 · 군수 또는 구청장은 공시기준일 이후에 분할 · 합병 등이 발생한 토지에 대하여는 6월 1일을 기준으로 하여 개별공시지가를 결정 · 공시하여야 한다. ⇨ 대통령령으로 정하는 날(1월 1일 또는 7월 1일)

⑤ 공동주택은 표준과 개별을 구분하여 공시하지 않는다.

「부동산 가격공시에 관한 법률」

1. **표준지공시지가의 적용(제8조)**: 표준지공시지가를 산정할 때에는 그 토지와 이용가치가 비슷하다고 인정되는 하나 또는 둘 이상의 표준지의 공시지가를 기준으로 토지가격비준표를 사용하여 지가를 직접 산정하거나 감정평가법인 등에 감정평가를 의뢰하여 산정할 수 있다.
2. **표준지공시지가 산정의 목적(제8조 제2호)**
   - 공공용지의 매수 및 토지의 수용 · 사용에 대한 보상
   - 국유지 · 공유지의 취득 또는 처분
   - 토지가격비준표의 기준
   - 토지거래의 지표, 지가의 정보 제공
   - 개별적으로 토지를 감정평가할 경우의 기준
   - 그 밖에 대통령령으로 정하는 지가의 산정
3. **표준지공시지가의 공시사항(제5조)**
   - 표준지의 지번
   - 표준지의 단위면적당 가격
   - 표준지의 면적 및 형상
   - 표준지 및 주변토지의 이용상황
   - 지목, 용도지역, 주변 도로상황 등

민법 및 민사특별법

41	42	43	44	45	46	47	48	49	50
⑤	③	④	③	⑤	③	②	②	①	①
51	52	53	54	55	56	57	58	59	60
②	①	②	④	①	⑤	③	③	③	③
61	62	63	64	65	66	67	68	69	70
①	④	③	②	③	②	⑤	②	①	③
71	72	73	74	75	76	77	78	79	80
③	①	④	⑤	④	⑤	②	④	①	③

41 정답 ⑤

난이도 중

채권양도는 준물권행위로 이행의 문제가 남지 않는 처분행위이다.

42 정답 ③

난이도 중

반사회적 법률행위는 추인에 의해 유효될 수 없다.

> **반사회적 법률행위**
> 1. 이미 이행된 경우, 불법원인급여가 되어 그 반환을 청구할 수 없다. 또한 사회질서위반자는 소유권에 기한 목적물반환청구권도 행사할 수 없다.
> 2. 절대적 무효이다. 따라서 선의의 제3자에게도 대항할 수 있다.
> 3. 당사자가 사회질서에 위반하여 무효로 된 법률행위를 나중에 추인하여도 유효한 법률행위로 되지 않는다.

43 정답 ④

난이도 중

부동산의 이중매매가 반사회적 법률행위에 해당하는 경우에는 이중매매계약은 절대적으로 무효이므로, 당해 부동산을 제2매수인으로부터 다시 취득한 제3자는 설사 제2매수인이 당해 부동산의 소유권을 유효하게 취득한 것으로 믿었더라도 이중매매계약이 유효하다고 주장할 수 없다(대판 96다29151). 배임행위에 적극 가담한 이중매매는 절대적 무효이므로 선의로 전득한 丁에 대해서도 무효이다. 따라서 丁은 소유권을 취득하지 못한다.

44 정답 ③

난이도 중

증여는 은닉행위로서 유효하다. 따라서 증여받은 乙로부터 소유권을 이전한 丙은 악의라도 소유권을 취득한다.

> **사례연습**
> 甲은 乙에게 자신의 토지를 증여하기로 합의하였다. 그러나 세금문제를 염려하여 甲과 乙은 마치 매도하는 것처럼 계약서를 꾸며서 이전등기를 하였다. 그 뒤 乙은 丙에게 그 토지를 매도하고 이전등기를 하였다. 甲, 乙, 丙의 법률관계는?
> 1. 甲과 乙 사이의 증여계약은 유효이지만, 매매계약은 통정허위표시로서 무효이다.
> 2. 증여계약이 유효하므로 乙의 이전등기는 효력이 있다.
> 3. 따라서 乙로부터 매수하고 이전등기를 경료한 丙은 악의라도 소유권을 취득한다.

45 정답 ⑤

난이도 중

채무자가 물상보증인을 기망하여 저당권설정계약을 체결한 경우, 제3자의 사기에 해당하므로 채권자가 사기사실을 알았거나 알 수 있었을 경우에 한하여 물상보증인은 취소할 수 있다.

46 정답 ③

난이도 중

③ 대리인은 본인과 동일시할 수 있는 자이므로 대리인이 상대방을 사기·강박한 경우, 상대방은 본인의 선의·악의를 불문하고 취소할 수 있다.

① 대리인이 본인을 위한 것임을 표시하지 아니한 때에는 그 의사표시는 대리인 자신을 위한 것으로 본다. 그러나 상대방이 대리인으로서 한 것임을 알았거나 알 수 있었을 때에는 대리행위가 성립하고 직접적으로 본인에 대하여 그 효과가 발생한다.

② 판례는 대리권 남용행위를 원칙적으로 유효로 본다. 다만, 상대방이 대리행위시에 대리권 남용행위를 알았거나 알 수 있었을 경우에는 법 제107조 제1항 단서를 유추적용하여 대리행위의 효력을 부정하고 있다.

④ 제한능력자도 대리인이 될 수 있으므로 제한능력자를 대리인으로 선임한 이상 본인은 대리인의 제한능력을 이유로 대리행위를 취소하지 못한다.

⑤ 대리행위가 불공정한 법률행위에 해당되는가의 여부를 판단함에 있어서는 경솔·무경험은 대리인을 기준으로 하여 판단하고, 궁박상태에 있는지의 여부는 본인을 기준으로 하여 판단하여야 한다(대판 71다225).

47 정답 ②

난이도 중

② 甲이 丙에게 추인하였다면 무권대리행위는 확정적 유효가 되므로, 이제는 상대방이 자신의 행위를 철회하지 못한다.

① 추인을 거절한 것으로 본다(제131조).

③ 추인은 의사표시 전부에 대하여 추인하여야 한다. 일부추인이나 내용을 변경한 추인은 상대방 丙의 동의가 없는 한 무효이다(판례).

④ 타인의 대리인으로 계약을 한 자가 그 대리권을 증명하지 못하고, 또 본인의 추인을 얻지 못한 때에는 '상대방의 선택'에 좇아 계약의 이행 또는 손해배상의 책임이 있다(제135조).

⑤ 무권대리인 乙이 본인 甲을 상속하였을 때에는 무권대리행위는 유효로 된다. 즉, 본인의 지위에서 신의칙(信義則)상 상속받은 추인거절권을 행사하지 못한다(대판 94다2067).

48 정답 ②

난이도 중

상대방이 취소권자에게 이행을 청구한 경우에는 법정추인사유에 해당하지 않으므로, 甲은 매매계약을 취소할 수 있다.

> **중요사항정리**
> 1. 이행의 청구는 취소권자가 상대방에게 이행청구한 경우에 한한다. 따라서 취소권자가 상대방으로부터 이행청구를 받은 경우는 법정추인사유가 아니다.
> 2. 권리의 양도는 취소권자가 양도하는 경우에 한한다. 따라서 상대방이 양도한 경우는 법정추인사유가 아니다.

49 정답 ①

난이도 중

유동적 무효상태에 있는 한 양당사자는 서로 허가협력의무가 있으므로 계약금이든 매매대금이든 반환청구할 수 없다. 그러므로 계약 자체가 확정적으로 무효가 되었을 때 반환청구할 수 있다.

50 정답 ①

난이도 중

조건의 성취가 미정인 동안의 권리의무는 일반규정에 의하여 처분, 상속, 보존 또는 담보로 할 수 있다. 예컨대 甲이 乙에게 자신의 가게에서 1년간 근무하는 것을 조건으로 A부동산을 증여하겠다고 약속하였다면 乙은 1년간 근무하기 전이라도 그 권리를 처분 또는 담보로 제공할 수 있다.

51 정답 ②

난이도 중

② 점유보조자는 물권적 청구권의 상대방이 될 수 없다(대판 2001다13983).

①④ 소유권을 양도함에 있어 소유권에 의하여 발생되는 물상청구권을 소유권과 분리, 소유권 없는 전 소유자에게 유보하여 제3자에게 대하여 이를 행사케 한다는 것은 소유권의 절대적 권리인 점에 비추어 허용될 수 없는 것이라 할 것으로서, 이는 양도인인 전 소유자가 그 목적물을 양수인에게 인도할 의무 있고 그 의무이행이 매매대금 잔액의 지급과 동시이행관계에 있다거나 그 소유권의 양도가 소송계속 중에 있었다 하여 다를 리 없고 일단 소유권을 상실한 전 소유자는 제3자인 불법점유자에 대하여 물권적 청구권에 의한 방해배제를 청구할 수 없다(대판 전합 68다725).

③ 건물의 소유자가 그 건물의 소유를 통하여 타인소유의 토지를 점유하고 있다고 하더라도 그 토지소유자로서는 그 건물의 철거와 그 대지부분의 인도를 청구할 수 있을 뿐, 자기소유의 건물을 점유하고 있는 자에 대하여 그 건물에서 퇴거할 것을 청구할 수는 없다(대판 98다57457, 57464).

⑤ 건물철거는 그 소유권의 종국적 처분에 해당하는 사실행위이므로 원칙으로는 그 소유자(등기명의자)에게만 그 철거처분권이 있다고 할 것이나 그 건물을 매수하여 점유하고 있는 자는 등기부상 아직 소유자로서의 등기명의가 없다 하더라도 그 권리의 범위 내에서 그 점유 중인 건물에 대하여 법률상 또는 사실상 처분을 할 수 있는 지위에 있고 그 건물이 건립되어 있어 불법으로 점유를 당하고 있는 토지소유자는 위와 같은 지위에 있는 건물점유자에게 그 철거를 구할 수 있다(대판 86다카1751).

52 정답 ①

난이도 중

① 이행판결은 등기하여야 부동산의 소유권을 취득한다.

⑤ 채권이 소멸하면 저당권은 말소등기 없이도 소멸한다(저당권의 부종성).

53 정답 ②

난이도 중

②① 부동산의 매수인이 그 부동산을 인도받은 이상 이를 사용·수익하다가 그 부동산에 대한 보다 적극적인 권리행사의 일환으로 다른 사람에게 그 부동산을 처분하고 그 점유를 승계하여 준 경우에도 그 이전등기청구권의 행사 여부에 관하여 그가 그 부동산을 스스로 계속 사용·수익만 하고 있는 경우와 특별히 다를 바 없으므로 위 두 어느 경우에나 이전등기청구권의 소멸시효는 진행되지 않는다고 보아야 한다(대판 전합 98다32175).

③ 토지의 매수인이 아직 소유권이전등기를 경료받지 아니하였다 하여도 매매계약의 이행으로 그 토지를 인도받은 때에는 매매계약의 효력으로서 이를 점유·사용할 권리가 생기게 된 것으로 보아야 하고, 또 매수인으로부터 위 토지를 다시 매수한 자는 위와 같은 토지의 점유·사용권을 취득한 것으로 봄이 상당하므로 매도인은 매수인으로부터 다시 위 토지를 매수한 자에 대하여 토지소유권에 기한 물권적 청구권을 행사할 수 없다(대판 97다42823).

④ 부동산의 양도계약이 순차 이루어져 최종 양수인이 중간생략등기의 합의를 이유로 최초 양도인에게 직접 그 소유권이전등기청구권을 행사하기 위하여는 관계당사자 전원의 의사합치, 즉 중간생략등기에 대한 최초 양도인과 중간자의 동의가 있는 외에 최초 양도인과 최종 양수인 사이에도 그 중간등기생략의 합의가 있었음이 요구된다(대판 95다15575).

⑤ 쌍무계약상의 동시이행항변권이 인정된다.

54 정답 ④

난이도 중

④ 간접점유자도 그 점유의 성질이 자주점유이기만 하면 부동산에 대한 시효취득이 가능하다.

① 제207조 참고

② 대지의 소유자는 대지를 간접점유하고 있는 자에 대하여도 그 대지의 명도를 청구할 수 있다(대판 4293민상72).

③ 자력구제권은 침탈 후 즉시 그 권리행사가 필요하므로 간접점유자에게는 자력구제권이 인정되지 않는다.

⑤ 유치권자의 점유는 직접점유이든 간접점유이든 관계가 없으나, 다만 유치권은 목적물을 유치함으로써 채무자의 변제를 간접적으로 강제하는 것을 본체적 효력으로 하는 권리인 점 등에 비추어, 그 직접점유자가 채무자인 경우에는 유치권의 요건으로서의 점유에 해당하지 않는다고 할 것이다(대판 2007다27236).

55 정답 ①

난이도 중

① 물건을 사용함으로써 얻은 이익, 즉 사용이익도 과실에 준한다. 따라서 선의의 점유자는 물건의 사용이익을 회복자에게 반환할 의무가 없다(제201조 제1항).

② 제201조 제2항

③ 제202조 제2문

④ 제203조 제1항 단서

⑤ 비용상환청구에 있어서는 점유자의 선의·악의나 소유의 의사의 유무를 묻지 않는다(제203조).

56 정답 ⑤

난이도 중

⑤ 주위토지의 현황이나 구체적 이용상황의 변동이 생긴 경우, 기존의 통행장소와 다른 곳을 통행로로 할 수 있다(대판 88다카10739, 10746).

① 대판 2007다22767

② 대판 94다14193

③ 제219조, 제220조에 규정된 주위토지통행권은 상린관계에 기하여 피통행지소유자의 손해를 무릅쓰고 포위된 토지소유자의 공로로의 통행을 위하여 특별히 인정하려는 것이므로 그 통행로의 폭이나 위치 등을 정함에 있어서는 포위된 토지소유자가 「건축법」상 증·개축을 하지 못하게 될 염려가 있다는 등의 사정보다는 오히려 피통행지 소유자에게 가장 손해가 적게 되는 방법이 더 고려되어야 한다(대판 90다12007).

④ 대판 94다45869, 45876

57 정답 ③

난이도 중

③ 점유자가 취득시효기간의 만료로 일단 소유권이전등기청구권을 취득한 이상 그 후 점유를 상실하였다고 하더라도 이를 시효이익의 포기로 볼 수 있는 경우가 아닌 한 이미 취득한 소유권이전등기청구권은 소멸되지 아니한다(대판 93다47745).
① 제247조 제1항
② 자주 · 평온 · 공연점유는 추정되므로(제197조 제1항), 시효취득을 주장하는 점유자는 이를 입증할 책임이 없다.
④ 취득시효기간이 만료된 토지의 점유자는 그 기간만료 당시의 토지소유자에 대하여 시효취득을 원인으로 하는 소유권이전등기청구권을 가짐에 그치고, 취득시효기간 만료 후에 새로이 그 토지의 소유권을 취득한 사람에 대하여는 시효취득으로 대항할 수 없다(대판 89다카1305).

58 정답 ③

난이도 중

③ 공유지분의 일부에 대해서도 시효취득이 가능하다. 다만 공유부동산 전체를 점유하고 있어야 한다(판례).
① 공용부분에 대하여 취득시효의 완성을 인정하여 그 부분에 대한 소유권 취득을 인정한다면 전유부분과 분리하여 공용부분의 처분을 허용하고 일정 기간의 점유로 인하여 공용부분이 전유부분으로 변경되는 결과가 되어 집합건물법의 취지에 어긋나게 된다. 따라서 집합건물의 공용부분은 취득시효에 의한 소유권 취득의 대상이 될 수 없다고 봄이 타당하다(대판 2011다78200, 78217).

59 정답 ③

난이도 중

③④ 과반수의 지분을 가진 공유자가 그 공유물의 특정 부분을 배타적으로 사용 · 수익하기로 정하는 것은 공유물의 관리방법으로서 적법하며, 다만 그 사용 · 수익의 내용이 공유물의 기존의 모습에 본질적 변화를 일으켜 '관리' 아닌 '처분'이나 '변경'의 정도에 이르는 것이어서는 안 될 것이고, 예컨대 다수 지분권자라 하여 나대지에 새로이 건물을 건축한다든지 하는 것은 '관리'의 범위를 넘는 변경이 될 것이다(대판 2000다33638, 33645). 따라서 과반수 지분권자라도 전원의 동의를 받아야 한다.

60 정답 ③

난이도 중

최단 존속기간에 관한 규정은 지상권자가 그 소유의 건물을 건축하거나 수목을 식재하여 토지를 이용할 목적으로 지상권을 설정한 경우에만 그 적용이 있고 기존의 건물에 대해서는 적용되지 않는다(판례).

61 정답 ①

난이도 중

② 요역지 소유권이 이전하면 지역권은 이전등기를 하지 않더라도 수반한다.
③ 지역권은 요역지와 분리해서 양도할 수 없다(협의의 부종성).
④ 요역지의 공유자 1인은 자신의 지분에 관하여 지역권을 소멸시킬 수 없다(제293조 제1항).
⑤ 지역권은 요역지에 대한 소유권 이외의 권리의 목적이 되므로 요역지에 지상권, 전세권, 임차권이 설정되면 지상권자, 전세권자, 임차인도 지역권을 행사할 수 있다(제292조 제1항).

62 정답 ④

난이도 중

① 건물 일부 전세권자라도 건물 전부의 경매대가에 대해서 우선변제권이 인정된다.
② 전세권자는 목적부동산을 용도에 따라 사용 · 수익하여야 한다.
③ 전세권이 존속하는 동안 전세권을 존속시키기로 하면서 전세금반환채권만을 전세권과 분리해서 양도할 수는 없고 전세권이 소멸할 경우에 전세금반환채권만을 양도하는 것으로 특약은 맺을 수 있다.
⑤ 전세권자가 경매를 청구하려면 먼저 이행제공을 해서 전세권설정자를 이행지체에 빠뜨려야 한다.

63 정답 ③

난이도 중

다세대주택의 창호 등의 공사를 완성한 하수급인이 공사대금채권 잔액을 변제받기 위하여 위 다세대주택 중 한 세대를 점유하여 유치권을 행사하는 경우, 그 유치권은 위 한 세대에 대하여 시행한 공사대금만이 아니라 다세대주택 전체에 대하여 시행한 공사대금채권의 잔액 전부를 피담보채권으로 하여 성립한다(대판 2005다16942).

64 정답 ②

난이도 중

① '채권최고액 = 원본 + 이자 + 위약금(약정) + 지연배상'이므로 근저당권의 실행비용은 채권최고액에 포함되지 않는다.
③ 후순위 근저당권자가 경매를 청구한 경우 선순위 근저당권은 경락대금 완납시 확정된다.
④ 변경 이후의 채권만 담보된다.
⑤ 경매신청이 취하되더라도 채무확정의 효과가 번복되는 것은 아니다.

65 정답 ③

난이도 중

격지자 간의 계약은 승낙의 통지를 발송한 때에 성립한다(제531조).

66 정답 ②

난이도 중

ㄷ. 채무자의 변제와 저당권자의 저당권설정등기 말소의무는 채무자의 변제가 선이행 의무이며, 채무가 변제되면 저당권은 부종성에 의하여 무효가 된다.
ㄹ. 쌍무계약에서 쌍방의 채무가 동시이행관계에 있는 경우 일방의 채무의 이행기가 도래하더라도 상대방 채무의 이행제공이 있을 때까지는 그 채무를 이행하지 않아도 이행지체의 책임을 지지 않는 것이고, 이와 같은 효과는 이행지체의 책임이 없다고 주장하는 자가 반드시 동시이행의 항변권을 행사하여야만 발생하는 것은 아니다(대판 97다54604, 54611).

67 정답 ⑤

난이도 중

당사자 일방이 그 채무를 이행하지 아니하는 때에는 상대방은 상당한 기간을 정하여 그 이행을 최고하고 그 기간 내에 이행하지 아니한 때에는 계약을 해제할 수 있다(제544조 전단).

68 정답 ② 난이도 중

제3자는 낙약자에게 수익의 의사표시를 하여야 한다(제539조 참조).

> 1. 낙약자(채무자)에게 수익의 의사표시를 함으로써 요약자와 낙약자 간의 계약내용대로 제3자는 권리를 취득한다.
> 2. 수익의 의사표시는 명시적·묵시적으로 할 수 있다.
> 3. 낙약자는 상당한 기간을 정하여 계약의 이익의 향수 여부의 확답을 제3자에게 최고할 수 있고, 낙약자가 그 기간 내에 확답을 받지 못한 때에는 제3자가 거절한 것으로 본다.

69 정답 ① 난이도 중

합의해제 또는 해제계약이라 함은 해제권의 유무에 불구하고 계약당사자 쌍방이 합의에 의하여 기존의 계약의 효력을 소멸시켜 당초부터 계약이 체결되지 않았던 것과 같은 상태로 복귀시킬 것을 내용으로 하는 새로운 계약으로서, 그 효력은 그 합의의 내용에 의하여 결정되고 여기에는 해제에 관한 「민법」 제548조 제2항의 규정은 적용되지 아니하므로, 당사자 사이에 약정이 없는 이상 합의해제로 인하여 반환할 금전에 그 받은 날로부터의 이자를 가하여야 할 의무가 있는 것은 아니다(대판 95다16011).

70 정답 ③ 난이도 중

특별한 사정이 없는 한 매매계약이 있은 후에도 인도하지 아니한 목적물로부터 생긴 과실은 매도인에게 속하나, 매매목적물의 인도 전이라도 매수인이 매매대금을 완납한 때에는 그 이후의 과실수취권은 매수인에게 귀속된다(대판 93다28928).

71 정답 ③ 난이도 중

손해배상청구에 관한 「민법」 제551조는 계약금에 의한 해제에는 적용하지 않는다(제565조 제2항). 이는 계약금에 의한 해제는 채무불이행을 전제로 하지 않기 때문이다.

72 정답 ① 난이도 중

소유권을 취득하지 못하는 경우, 매수인은 선의·악의에 관계없이 해제권을 갖는다. 다만, 손해배상청구권은 선의 매수인만 행사할 수 있다(제570조 참조).

73 정답 ④ 난이도 중

건물의 임차인이 임대차관계 종료시에는 건물을 원상으로 복구하여 임대인에게 명도하기로 약정한 것은 건물에 지출한 각종 유익비 또는 필요비의 상환청구권을 미리 포기하기로 한 취지의 특약이라고 볼 수 있어 임차인은 유치권을 주장을 할 수 없다(대판 73다2010).

74 정답 ⑤ 난이도 중

임대인의 동의를 얻지 못한 전대차계약이라고 하더라도 당사자 사이에서는 효력이 있다. 다만, 임대인의 동의를 얻지 못하면 전대차계약으로 임대인에게 대항하지는 못한다.

75 정답 ④ 난이도 중

임차인이 직접점유를 하지 않더라도 임대인의 승낙을 받아 전대를 한 경우 전차인이 점유를 하고 또 그의 이름으로 주민등록을 함으로써 대항요건을 갖춘 경우에는 임차인이 대항력을 취득한다. 따라서 임차인 명의로 한 주민등록은 대항력이 발생할 수 없다.

76 정답 ⑤ 난이도 중

증액청구시 제한규정은 임대차계약의 존속 중 일방적으로 증액을 청구한 때에 한하여 적용되고, 임대차계약이 종료된 후 재계약을 하거나 또는 임대차계약 종료 전이라도 당사자의 합의로 차임 등이 증액된 경우에는 적용되지 않는다(대판 93다30532).

77 정답 ② 난이도 중

임차인의 계약갱신요구권은 대통령령이 정하는 보증금액을 초과하는 경우에도 인정된다.

78 정답 ④ 난이도 중

청산절차규정에 위반하여 본등기가 이루어진 경우에 그 본등기는 무효이다. 다만 가등기권리자가 법 제3조·제4조에 정한 절차에 따라 청산금의 평가액을 채무자 등에게 통지한 후 채무자에게 정당한 청산금을 지급하거나 지급할 청산금이 없는 경우에는 채무자가 그 통지를 받은 날로부터 2월의 청산기간이 경과하면 위 무효인 본등기는 실체적 법률관계에 부합하는 유효한 등기가 될 수 있다(대판 2002다42001).

79 정답 ① 난이도 중

매도인이 선의인 경우에도 甲과 乙 간의 명의신탁약정은 무효이다.

80 정답 ③ 난이도 중

지분이 동등하여 의결권 행사자를 정하지 못할 경우에는 그 전유부분의 공유자는 의결권을 행사할 수 없으며, 의결권 행사자가 아닌 공유자들이 지분비율로 개별적으로 의결권을 행사할 수도 없다(대결 2007마1734).

제 2 회 정답 및 해설

부동산학개론									
01	02	03	04	05	06	07	08	09	10
②	⑤	④	③	④	①	⑤	①	⑤	④
11	12	13	14	15	16	17	18	19	20
①	③	①	①	④	④	②	②	⑤	④
21	22	23	24	25	26	27	28	29	30
⑤	③	①	②	④	③	⑤	①	①	⑤
31	32	33	34	35	36	37	38	39	40
③	②	⑤	④	③	④	③	①	②	②

01 정답 ② 난이도 중

경제적 개념에 해당하는 것은 ㄱ. 자본, ㄹ. 생산요소, ㅂ. 상품이다.

복합개념의 부동산

구분	내용
물리적 (기술적)	자연, 환경, 위치, 공간
경제적	자산, 자본, 생산요소, 소비재, 상품
법률적	1. 협의의 부동산(「민법」) = 토지 + 정착물 2. 광의의 부동산 = 토지 + 정착물 + 준부동산

02 정답 ⑤ 난이도 중

① 표준지란 지가변동률 조사 · 산정대상 지역에서 행정구역별 · 용도지역별 · 이용상황별로 지가변동을 측정하기 위하여 선정한 대표적인 토지를 말한다. ⇨ 표본지
표준지는 지가공시를 위해 가치형성요인이 비슷하거나 같다고 인정되는 토지 중에서 선정한 토지를 말한다.

② 「건축법」상 부지는 지상에 건축물이 있거나 건축물을 바로 설치할 수 있도록 기반시설이 완비된 토지를 말한다. ⇨ 대지(택지)

③ 빈지란 대지 등으로 개발되기 이전의 자연 상태로서의 토지를 말한다. ⇨ 소지

④ 획지란 하나의 지번이 부여되는 토지의 법률적 등록단위로 소유자의 권리를 구분하기 위한 표시단위이다. ⇨ 필지

03 정답 ④ 난이도 중

토지의 부증성은 부동산학에서 있어서 원리나 이론의 도출을 어렵게 한다. ⇨ 개별성
원리나 이론을 도출하기 위해서는 표준화나 일반화가 용이해야 한다. 그러나 토지는 개별성으로 표준화나 일반화가 어렵기 때문에 이론이나 원리를 도출하기 어렵다.

04 정답 ③ 난이도 중

주어진 조건을 모두 만족하는 건축법령상 건축물은 다세대주택이다. 다세대주택은 층수가 4개층 이하이고, 주택으로 쓰는 1개 동의 바닥면적의 합계가 $660m^2$ 이하인 주택을 말한다.

05 정답 ④ 난이도 중

① 공급량은 실제로 매도한 수량이 아니라, 사전적으로 매도하려고 하는 수량이다.
② 소득효과 ⇨ 대체효과
③ 부동산의 초과공급은 임대료를 하락시키는 요인으로 작용한다.
⑤ 수요량의 변화 ⇨ 수요의 변화

대체효과와 소득효과

1. 대체효과: 어떤 재화의 가격이 상승하면 그 재화의 소비가 줄고 대체관계에 있는 다른 재화의 가격이 상대적으로 하락해서 다른 재화의 소비가 늘어나는 현상이다.
2. 소득효과: 임대료가 상승함에 따라 소비자의 실질소득이 줄어 소비가 감소하게 되는 것을 소득효과라고 한다. 소비자의 실질소득이 줄어들게 되면 주택이든 다른 재화든 소비자는 그전보다 적은 양의 재화를 소비할 수밖에 없다.

06 정답 ① 난이도 중

1. $\text{가격탄력성} = \frac{\text{수요량변화율(\%)}}{\text{가격변화율(\%)}}$ ⇨ $0.5 = \frac{\text{수요량변화율}}{3\%}$
⇨ (가격에 의한) 수요량변화율 = 3% × 0.5 = 1.5%(감소)
수요법칙에 의해 가격이 상승했으므로 수요량변화는 1.5% 감소이다.
2. $\text{소득탄력성} = \frac{\text{수요량변화율(\%)}}{\text{소득변화율(\%)}}$ ⇨ $0.3 = \frac{\text{수요량변화율}}{4\%}$
⇨ (소득에 의한) 수요량변화율 = 1.2%(증가)
정상재이므로 소득이 증가하면 수요량은 증가한다.
3. 오피스텔 가격에 대한 아파트 수요의 교차탄력성
$= \frac{\text{아파트 수요량변화율(\%)}}{\text{오피스텔 가격변화율(\%)}}$
⇨ $0.4 = \frac{\text{(아파트) 수요량변화율}}{3\%}$
⇨ (오피스텔 가격에 의한) 수요량변화율 = 1.2%(증가)
대체재이므로 오피스텔 가격이 상승(오피스텔 수요량 감소)하면 아파트 수요량은 증가한다.
4. 전체 수요량변화 = 1.5% 감소 + 1.2% 증가 + 1.2% 증가
= 0.9% 증가

07 정답 ⑤
난이도 중

임대주택 수요의 가격탄력성이 1보다 큰 경우(탄력적인 경우)는 임대료가 하락할수록 임대인의 총수입이 증가하여 유리하다. 반대로 비탄력적인 경우에는 임대료가 상승할수록 총수입이 증가하게 된다.

08 정답 ①
난이도 중

① 옳은 지문으로 거미집이론은 주거용 부동산의 경기양상을 설명하기에는 부적합하고, 상·공업용 부동산의 경기를 설명하기에 적합한 이론이다.
② 부동산시장의 수요함수는 3P = 400 − 2Q이고, 공급함수는 P = 100 + 2Q라면 거미집이론에서 발산형 모형이 나타난다. ⇨ 수렴형 모형
- 수요 기울기 크기 = $\left|\frac{Q계수}{P계수}\right| = \frac{2}{3}$
- 공급 기울기 크기 = $\left|\frac{Q계수}{P계수}\right| = \frac{2}{1}$
- 수요곡선 기울기 크기 < 공급곡선 기울기 크기 ⇨ 수렴형 모형

③ 경기변동의 회복국면에서는 과거 거래사례가격은 새로운 가격의 기준이 되거나 상한선이 된다. ⇨ 하한선
④ 부동산시장의 수요의 탄력성이 공급의 탄력성보다 크면 거미집이론에서 발산형 모형이 나타난다. ⇨ 수렴형 모형
⑤ 경기변동의 후퇴국면에서는 매도자가 거래를 미루려는 경향이 크고, 매수자가 시장을 주도한다. ⇨ 매수자

09 정답 ⑤
난이도 중

부동산시장은 수요와 공급을 조절하기가 쉽지 않고, 이를 조절하는 데에도 많은 시간이 걸리는 속성이 있다. 따라서 부동산은 수요가 급증하더라도 공급이 제때 이루어지지 못하는 경우가 많기 때문에 '단기적'으로 가격의 왜곡이 발생할 가능성이 높다.

10 정답 ④
난이도 하

부동산의 개별성 등과 같은 불완전한 요소로 인해 부동산시장이 불완전하기 때문이다. ⇨ 부동산시장이 할당 효율적이지 못하기 때문이다.

✚ 불완전경쟁시장(독과점시장)도 조건을 만족하면 할당 효율적 시장이 될 수 있다. 즉, 투기가 존재하거나 실질적인 초과이윤이 존재하는 이유는 시장이 불완전하기 때문이 아니라 할당 효율적이지 못하기 때문이다.

11 정답 ①
난이도 하

마르크스의 절대지대설에 대한 설명이다.

12 정답 ③
난이도 중

① 도시공간구조의 변화를 야기하는 요인은 교통의 발달이지 소득의 증가와는 관계가 없다. ⇨ 소득의 증가와 관련이 있다.
② 호이트(H. Hoyt)는 도시의 공간구조형성이 침입, 경쟁, 천이 등의 과정으로 나타난다고 보았다. ⇨ 버제스
④ 동심원이론에 의하면 점이지대는 고급주택지구보다 도심으로부터 원거리에 위치한다. ⇨ 근거리(가까운 거리)
⑤ 버제스(E. Burgess)는 도시의 성장과 분화가 주요 교통망에 따라 확대되면서 나타난다고 보았다. ⇨ 호이트

13 정답 ①
난이도 상

균형가격은 30에서 24로 6 감소하고, 기울기는 1에서 $\frac{1}{2}$로 $\frac{1}{2}$ 감소한다.

1. 이전 균형($Q_d = Q_{s1}$)
   150 − 3P = 30 + P, 120 = 4P, P(균형가격) = 30
   공급함수($Q_{s1} = 30 + P$) 기울기 크기$\left(\frac{Q계수}{P계수}\right) = \frac{Q(1)}{P(1)} = 1$
2. 이후 균형($Q_d = Q_{s2}$)
   150 − 3P = 30 + 2P, 120 = 5P, P(균형가격) = 24
   공급함수($Q_{s2} = 30 + 2P$) 기울기 크기$\left(\frac{Q계수}{P계수}\right) = \frac{Q(1)}{P(2)} = \frac{1}{2}$

14 정답 ①
난이도 중

부(−)의 외부효과에 대한 규제는 부동산의 가치를 상승시키는 효과를 가져올 수 있다.

✚ 부(−)의 외부효과 규제 ⇨ 부동산의 수요 증가 ⇨ 수요곡선 우측 이동 ⇨ 가격 상승

15 정답 ④
난이도 중

자연환경보전지역은 자연환경·수자원·해안·생태계·상수원 및 문화재의 보전과 수산자원의 보호·육성을 위하여 필요한 지역이다.

✚ 「국토의 계획 및 이용에 관한 법률」은 전국의 국토를 토지의 이용실태 및 특성, 장래의 토지이용방향 등을 고려하여 크게 도시지역, 관리지역, 농림지역, 자연환경보전지역의 4개 용도지역으로 구분한다. 이러한 용도지역 대분류의 한 종류인 자연환경보전지역은 도시지역과 구분하여야 한다.

16 정답 ④
난이도 중

공급량은 증가하게 되어 ⇨ 공급량은 감소하게 되어
공급은 장기적으로 가격탄력성이 탄력적으로 변한다. 그러나 규제가격이 시장가격보다 낮기 때문에 임대인은 공급을 감소시킨다. 따라서 장기적으로 공급이 감소되어 초과수요량이 더 커진다.

17 정답 ②

난이도 중

국민임대주택은 국가나 지방자치단체의 재정이나 주택도시기금의 자금을 지원받아 대학생, 사회초년생, 신혼부부 등 젊은 층의 주거안정을 목적으로 공급하는 공공임대주택을 말한다. ⇨ 행복주택

「공공주택 특별법 시행령」 공공임대주택 유형

1. **영구임대주택**: 국가나 지방자치단체의 재정을 지원받아 최저소득 계층의 주거안정을 위하여 50년 이상 또는 영구적인 임대를 목적으로 공급하는 공공임대주택
2. **국민임대주택**: 국가나 지방자치단체의 재정이나 주택도시기금의 자금을 지원받아 저소득 서민의 주거안정을 위하여 30년 이상 장기간 임대를 목적으로 공급하는 공공임대주택
3. **행복주택**: 국가나 지방자치단체의 재정이나 주택도시기금의 자금을 지원받아 대학생, 사회초년생, 신혼부부 등 젊은 층의 주거안정을 목적으로 공급하는 공공임대주택
4. **장기전세주택**: 국가나 지방자치단체의 재정이나 주택도시기금의 자금을 지원받아 전세계약의 방식으로 공급하는 공공임대주택
5. **분양전환공공임대주택**: 일정 기간 임대 후 분양전환할 목적으로 공급하는 공공임대주택
6. **기존주택매입임대주택**: 국가나 지방자치단체의 재정이나 주택도시기금의 자금을 지원받아 기존주택을 매입하여 수급자 등 저소득층과 청년 및 신혼부부 등에게 공급하는 공공임대주택
7. **기존주택전세임대주택**: 국가나 지방자치단체의 재정이나 주택도시기금의 자금을 지원받아 기존주택을 임차하여 수급자 등 저소득층과 청년 및 신혼부부 등에게 전대하는 공공임대주택

「민간임대주택에 관한 특별법」 민간임대주택 유형

1. **공공지원민간임대주택**: 주택도시기금의 출자를 받아 건설 또는 매입하는 민간임대주택 등 10년 이상 임대할 목적으로 취득하여 임대하는 민간임대주택
2. **장기일반민간임대주택**: 임대사업자가 공공지원민간임대주택이 아닌 주택을 10년 이상 임대할 목적으로 취득하여 임대하는 민간임대주택

18 정답 ②

난이도 중

옳은 지문은 ㄱ, ㄴ이다.

ㄷ. 상속세와 재산세는 부동산의 취득단계에 부과한다.
⇨ 재산세는 보유단계에 부과하는 지방세이다.

ㄹ. 재산세와 종합부동산세의 과세대상물은 동일하다. ⇨ 다르다.

✚ 1. 재산세 과세대상물: 토지, 주택, 건축물, 선박, 항공기
2. 종합부동산세 과세대상물: 토지, 주택

19 정답 ⑤

난이도 중

① 건물과 부지의 부적응을 개선시키는 활동은 기술적 관리에 해당한다.
② 가능매상고가 중요한 기준이 되는 것은 상업용 부동산이다.
③ 비율임대차에 대한 설명이다.
④ 예방적 유지활동에 대한 설명이다.

20 정답 ④

난이도 중

STP 전략 중 차별화(포지셔닝, positioning) 전략에 대한 설명이다.

STP 전략

구분	내용
세분화 (Segmentation)	마케팅 활동을 수행할만한 가치가 있는 수요자 집단으로 여러 변수를 기준으로 시장을 분할하는 활동
표적시장 선정 (Targeting)	세분화된 수요자 집단에서 경쟁상황과 자신의 능력을 고려하여 가장 자신 있는 수요자 집단을 찾아내는 전략
포지셔닝(차별화) (Positioning)	동일한 표적시장을 갖는 다양한 공급경쟁자들 사이에서 자신의 공급상품을 어디에 위치시킬 것인가를 정하는 차별화 전략

21 정답 ⑤

난이도 상

$$자기자본수익률 = \frac{(순소득 + 가치상승분) - 이자}{지분투자액}$$

1. (ㄱ): 타인자본을 60% 활용한 경우

$$자기자본수익률 = \frac{(700만원 + 20,000만원 \times 0.03) - 600만원}{8,000만원} = 0.0875(8.75\%)$$

2. (ㄴ): 타인자본을 활용하지 않는 경우

$$자기자본수익률 = \frac{(700만원 + 20,000만원 \times 0.03) - 0}{20,000만원} = 0.065(6.5\%)$$

22 정답 ③

난이도 중

③ A투자안과 B투자안의 기대수익률이 같을 때, 위험(표준편차)이 작은 쪽이 선호된다. 따라서 A투자안이 선호된다.
① 부동산투자안이 채택되기 위해서는 기대수익률이 요구수익률보다 커야 한다.
② '요구수익률 = 무위험률 + 위험할증률'이므로, 무위험률의 상승은 투자자의 요구수익률을 상승시키는 요인이다.
④ 투자자가 위험을 회피할수록 보수적 투자성향을 가지며, 투자자의 무차별곡선의 기울기는 가파르다.
⑤ 투자위험(표준편차)과 기대수익률은 정(+)의 상관관계(비례관계, 상쇄관계)를 가진다.

23 정답 ①

난이도 중

전체 구성자산의 기대수익률을 구하는 식은 다음과 같다.

$(4\% \times 0.2) + ((\quad) \times 0.4) + (8\% \times 0.4) = 6\%$

$(\quad) \times 0.4 = 2\%$

따라서 $(\quad) = 5\%$

24 정답 ②

난이도 중

② 옳은 지문으로 연금의 내가계수의 역수는 감채기금계수이다.
① 일시불의 현재가치계수는 이자율(r)이 상승할수록 커진다. ⇨ 작아진다.
③ 원금균등상환방식으로 주택저당대출을 받은 경우, 저당대출의 매기 원리금상환액을 계산하려면 대출액에 저당상수를 곱하여 계산한다. ⇨ 원리금균등상환방식
④ 매년 1원씩 받게 되는 연금을 이자율 r%로 적립했을 때 n년 후에 달성되는 금액을 나타내는 계수는 감채기금계수이다. ⇨ 연금의 내가계수
⑤ 임대기간 동안 월 임대료를 모두 적립할 경우, 이 금액의 현재시점 가치를 산정한다면 일시불의 현가계수를 사용한다. ⇨ 연금의 현가계수

25 정답 ④

난이도 중

(가) 순영업소득

가능조소득 − 공실 및 불량부채 + 기타소득 − 영업경비(재산세) = 순영업소득

그러므로 ㄱ. 공실 및 불량부채, ㄷ. 영업 외 수입(기타소득), ㅁ. 재산세 항목이 필요하다.

(나) 세전지분복귀액

매도가격 − 매도경비 − 미상환저당잔금 = 세전지분복귀액

그러므로 ㄴ. 매도경비, ㄹ. 미상환저당잔금 항목이 필요하다.

26 정답 ③

난이도 중

① B와 C의 순현재가치(NPV)는 같다.
② 순현재가치(NPV)가 가장 큰 사업은 A이다.
④ 수익성지수(PI)가 가장 큰 사업은 D이다.
⑤ D의 순현재가치(NPV)는 B의 2배이다.

사업	초기 현금지출	말기 현금유입	유입의 현재가치	순현가	수익성지수
A	3,000만원	7,490만원	7,000	4,000	2.3
B	1,500만원	3,210만원	3,000	1,500	2.0
C	1,000만원	2,675만원	2,500	1,500	2.5
D	1,500만원	4,815만원	4,500	3,000	3.0

27 정답 ⑤

난이도 중

⑤ 옳은 지문으로 영업현금수지에서 부채감당률이 1이면 순영업소득과 부채서비스액이 같다는 것을 의미한다. 따라서 세전현금흐름은 0이 된다(순영업소득 − 부채서비스액 = 세전현금흐름).
① 부채서비스액은 부채에 따른 상환액에서 이자지급액을 제외한 원금상환액을 말한다. ⇨ 이자지급액을 포함한 원리금상환액을 말한다.
② 부채감당률이란 순영업소득에 대한 원리금상환액의 비율을 의미한다. ⇨ 순영업소득을 원리금상환액으로 나눈 값

③ 부채비율은 총투자액에 대한 대부액의 비율이다. ⇨ 대부비율[융자비율, 저당비율, 담보인정비율(LTV)]
④ 대출기관이 채무불이행 위험을 낮추기 위해서는 해당 대출조건의 부채감당률을 낮추는 것이 유리하다. ⇨ 높이는

28 정답 ①

난이도 중

조합의 사업성에 긍정적인 영향을 주는 요인은 일반분양분의 분양가 상승, 이주비 대출금리의 하락으로 2개이다.

> **아파트 재건축사업 조합 사업성의 긍정적 영향**
> 1. 건설자재 가격의 하락
> 2. 일반분양분의 분양가 상승
> 3. 조합원 부담금 인하
> 4. 용적률의 할증
> 5. 이주비 대출금리의 하락
> 6. 공사기간의 단축
> 7. 기부채납의 감소

29 정답 ①

난이도 중

ㄱ. 예비적 타당성에 대한 설명이다.
ㄷ. 흡수율분석의 궁극적인 목적은 단순히 과거나 현재의 추세를 파악하는 데 있는 것이 아니라, 이를 기초로 대상개발사업에 대한 미래의 시장성을 파악하는 데 있다.
ㄹ. 개발사업에 있어서 법적 위험은 토지이용규제와 같은 '공법적인 측면'과 소유권 관계와 같은 '사법적인 측면'에서 발생할 수 있는 위험을 말한다.
ㅁ. 시장성분석에 대한 설명이다.

30 정답 ⑤

난이도 중

⑤ 대출금리가 고정금리일 때, 대출시점의 예상 인플레이션보다 실제 인플레이션이 높게 발생하면 금융기관은 손해이고, 차입자는 이익이다.
① 주택담보대출금리가 하락하면 정상재인 주택의 수요는 증가한다.
② 일반적으로 대출비율(loan to value)이 높아질수록 주택담보대출 금리는 높아진다.
③ 대출시점에 고정금리 주택담보대출의 금리가 변동금리 주택담보대출의 금리보다 높다.
④ COFIX금리가 상승하면 COFIX금리를 기준금리로 하는 변동금리 주택담보대출의 금리는 상승한다.

31 정답 ③

난이도 중

차입자 입장에서는 원금균등분할상환방식보다 원리금균등분할상환방식으로 대출하는 것이 대출 초기에 원리금상환에 따른 부담이 작다. 원리금균등분할상환방식이 원금균등분할상환방식에 비해 대출 초기에 상환하는 원리금이 작기 때문이다.

32 정답 ②

난이도 중

$$순소득승수 = \frac{총투자액(가치)}{순영업소득} = \frac{8,000만원}{500만원} = 16$$

1. 총투자액 = 8,000만원
2. 순영업소득 = 유효총소득(1,000만원) − 영업비용(500만원)
 = 500만원

33 정답 ⑤

난이도 중

1. 지분금융: ㄷ. 부동산투자회사(REITs), ㅁ. 부동산 신디케이트(syndicate)
2. 부채금융: ㄴ. 자산유동화증권(ABS), ㄹ. 주택저당담보부채권(MBB)
3. 메자닌금융: ㄱ. 신주인수권부사채(BW)

34 정답 ④

난이도 중

영업인가를 받거나 등록을 한 날부터 6개월이 지난 기업구조조정 부동산투자회사의 자본금은 50억원 이상이 되어야 한다.

35 정답 ③

난이도 중

지역요인과 개별요인을 공유하는 ⇨ 지역요인을 공유하는
인근지역이란 부동산의 이용이 동질적이고 가치형성요인 중 지역요인을 공유하는 지역으로 대상부동산이 속한 지역을 말한다.

36 정답 ④

난이도 중

기여의 원칙에 대한 설명이다. 기여의 원칙은 부동산의 가치는 생산비의 합으로 결정되지 않고 구성요소의 기여도에 의해 결정된다는 원칙이다.

✚ 경쟁의 원칙이란 부동산의 가치도 경쟁에 의해서 결정된다는 원칙이다. 즉, 경쟁이 있음으로 해서 초과이윤이 없어지고, 부동산은 그 가치에 적합한 가격을 갖게 된다는 원칙이다.

37 정답 ③

난이도 중

가격의 3면성, 3방식, 7방법의 체계에 관한 내용으로서 ㄱ은 비용성, ㄴ은 수익환원법, ㄷ은 수익분석법이다.

감정평가의 3방식 7방법

3면성	3방식	7방법		시산가액
비용성	원가방식	가격	원가법	적산가격
		임대료	적산법	적산임대료
시장성	비교방식	가격	거래사례비교법	비준가격
		토지가격	공시지가기준법	
		임대료	임대사례비교법	비준임대료
수익성	수익방식	가격	수익환원법	수익가격
		임대료	수익분석법	수익임대료

38 정답 ①

난이도 상

1. 재조달원가 = 준공 당시 신축공사비 × 시점수정
 $= 3억원 \times \frac{110}{100} \times \frac{110}{100}$
 $= 3억원 \times (1.1)^2 = 363,000,000원$
 ⇨ 준공시점에서 기준시점까지 2년이 경과했으므로 $(1.1)^2$을 곱해준다.
2. $매년감가액 = \frac{재조달원가 - 잔존가격}{경제적\ 내용연수(경과 + 잔존)}$
 $= \frac{363,000,000원 - 36,300,000원}{50년}$
 $= \frac{363,000,000원 \times 0.9}{50년} = 6,534,000원$
3. 감가누계액(감가수정액) = 매년감가액 × 경과연수
 = 6,534,000원 × 2년 = 13,068,000원
4. 적산가액 = 재조달원가 − 감가누계액
 = 363,000,000원 − 13,068,000원 = 349,932,000원

39 정답 ②

난이도 중

$비준가액 = 2억\ 4천만원 \times \frac{110}{120} \times 1.05 \times 1.04 = 240,240,000원$

1. $면적비교치 = \frac{110}{120}$
2. $시점수정치 = \frac{105}{100} = 1.05$
3. $개별요인비교치 = \frac{104}{100} = 1.04$

40 정답 ②

난이도 중

국토교통부장관 ⇨ 시장 · 군수 또는 구청장
개별공시지가에 이의가 있는 자는 시장 · 군수 또는 구청장에게 이의를 신청할 수 있고, 표준지공시지가에 대하여 이의가 있는 자는 국토교통부장관에게 이의를 신청할 수 있다.

> 「부동산 가격공시에 관한 법률」 제11조 【개별공시지가에 대한 이의신청】 ① 개별공시지가에 이의가 있는 자는 그 결정 · 공시일부터 30일 이내에 서면으로 시장 · 군수 또는 구청장에게 이의를 신청할 수 있다.
> ② 시장 · 군수 또는 구청장은 제1항에 따라 이의신청 기간이 만료된 날부터 30일 이내에 이의신청을 심사하여 그 결과를 신청인에게 서면으로 통지하여야 한다. 이 경우 시장 · 군수 또는 구청장은 이의신청의 내용이 타당하다고 인정될 때에는 제10조에 따라 해당 개별공시지가를 조정하여 다시 결정 · 공시하여야 한다.

민법 및 민사특별법

41	42	43	44	45	46	47	48	49	50
④	⑤	②	④	④	②	③	④	①	⑤
51	52	53	54	55	56	57	58	59	60
⑤	①	③	②	③	③	④	③	④	②
61	62	63	64	65	66	67	68	69	70
③	④	①	⑤	③	②	①	⑤	⑤	②
71	72	73	74	75	76	77	78	79	80
①	②	③	④	①	④	①	③	①	①

41 정답 ④ 난이도 중

④ 임대차계약은 채권계약(의무부담행위)이므로 임대인이 목적물에 대한 소유권 기타 임대권한이 없는 경우에도 유효하게 성립할 수 있다.
①②③⑤는 처분행위로서 처분권한이 있는 자만 할 수 있고, 처분권한이 없는 자가 한 경우에는 무효이다.

42 정답 ⑤ 난이도 중

강행법규에 위반한 자가 스스로 그 약정의 무효를 주장하는 것이 신의칙에 위반되는 권리의 행사라는 이유로 그 주장을 배척한다면, 이는 오히려 강행법규에 의하여 배제하려는 결과를 실현시키는 셈이 되어 입법취지를 완전히 몰각하게 되므로 달리 특별한 사정이 없는 한 위와 같은 주장은 신의칙에 반하는 것이라고 할 수 없다(대판 2003다1601). 즉, 강행법규에 위반한 자도 스스로 그 약정의 무효를 주장할 수 있다.

43 정답 ② 난이도 중

① 「부동산등기 특별조치법」은 단속규정으로서 이에 위반한 중간생략등기라도 실체관계와 부합하면 유효라는 것이 판례이다.
③ 부동산 이중매매가 반사회적 법률행위로서 무효가 되는 경우, 제1매수인은 매도인을 대위하여 제2매수인 명의로 된 소유권이전등기의 말소를 청구할 수 있다.
④ 도박채무의 변제를 위하여 채무자로부터 부동산의 처분을 위임받은 채권자가 그 부동산을 제3자에게 매도한 경우, 부동산 처분에 관한 대리권을 수여한 행위까지 무효라고 볼 수는 없다(대판 94다40147).
⑤ 양도소득세를 회피하기 위한 방법으로 부동산을 명의신탁한 것이라고 하더라도 그 이유 때문에 반사회적 법률행위라고 할 수는 없다.

44 정답 ④ 난이도 중

④ 가족법상의 법률행위에 대하여는 당사자의 진의를 절대적으로 중시하므로 제107조가 적용되지 않는다.
② 판례는 진의 아닌 의사표시에 있어서의 '진의'란 특정한 내용의 의사표시를 하고자 하는 표의자의 생각을 말하는 것이지, 표의자가 진정으로 마음속에서 바라는 사항을 뜻하는 것은 아니라고 한다.
③ 표의자가 의사와 표시의 불일치를 알아야 한다. 표의자가 의사와 표시의 불일치를 모르는 경우에는 착오의 문제로 해결한다.
⑤ 대리행위에서 의사흠결·사기·강박 또는 어느 사정을 알았거나 과실로 알지 못한 것으로 영향을 받을 경우에 그 사실의 유무는 대리인을 표준으로 결정한다(제116조 제1항).

45 정답 ④ 난이도 중

제3자는 선의로 추정되므로, 무효를 주장하는 자가 제3자의 악의를 입증하여야 한다.

46 정답 ② 난이도 중

A는 채권자취소권을 행사하여 乙의 등기를 무효화시킬 수 있다.

47 정답 ③ 난이도 중

착오로 인하여 표의자가 무슨 경제적인 불이익을 입은 것이 아니라고 한다면 이를 법률행위 내용의 중요부분의 착오라고 할 수 없다(대판 98다47924).

48 정답 ④ 난이도 중

④ 상대방 있는 의사표시를 제3자의 사기나 강박으로 인하여 행한 때에는 '상대방이 그 사실을 알았거나 알 수 있었을 경우'에 한하여 표의자가 그 의사표시를 취소할 수 있다(제110조 제2항).
③ 사기에 의한 의사표시는 법률행위의 중요부분에 착오가 없다고 하더라도 이를 취소할 수 있다(대판 68다1749).

49 정답 ① 난이도 중

대리인이 수인인 경우에는 각자대리가 원칙이다. 다만, 법률의 규정 또는 수권행위에 의하여 대리인 전원이 공동으로만 대리행위를 하도록 정한 경우에는 공동으로만 대리하여야 한다.

50 정답 ⑤ 난이도 중

① 임의대리인은 본인의 승낙이 있거나 부득이한 사유가 있는 때가 아니면 복대리인을 선임하지 못한다.
② 복대리인은 대리인이 대리인 자신의 이름으로 선임한 자이다.
③ 복대리인은 본인의 대리인이므로 본인 乙의 이름으로 법률행위를 하여야 한다.
④ 대리인의 대리권이 소멸하면 복대리인의 복대리권도 소멸한다.

51 정답 ⑤ 난이도 중

⑤ 제135조 제2항
①② 본인의 추인이 있으면 무권대리행위는 계약시에 소급하여 그 효력이 생긴다.
③ 본인이 그 기간 내에 확답을 발하지 아니하면 추인을 거절한 것으로 본다.
④ 상대방의 선택에 좇아 계약의 이행 또는 손해배상책임을 진다.

52 정답 ①

난이도 중

법정추인사유로서 이행의 청구는 취소권자의 이행청구만을 말하며, 상대방이 이행청구한 경우는 제외된다.

53 정답 ③

난이도 중

① 조건이 법률행위 당시 이미 성취한 것인 경우에는 그 조건이 정지조건이면 조건 없는 법률행위로 한다(제151조 제2항).
② 조건이 선량한 풍속 기타 사회질서에 위반한 것인 때에는 그 법률행위는 무효로 한다(제151조 제1항).
④ 해제조건부 계약이다.
⑤ 조건이 법률행위 당시에 이미 성취할 수 없는 것인 경우에는 그 조건이 해제조건이면 조건 없는 법률행위로 한다(제151조 제3항).

54 정답 ②

난이도 중

② 상속, 공용징수, 판결, 경매 기타 법률의 규정에 의한 부동산에 관한 물권의 취득은 등기를 요하지 아니한다(제187조 본문).
① 물권은 법률 또는 관습법에 의하는 외에는 임의로 창설하지 못한다(제185조).
③ 동일한 물건에 대한 소유권과 다른 물권이 동일한 사람에게 귀속한 때에는 다른 물권은 소멸한다. 그러나 그 물권이 제3자의 권리의 목적이 된 때에는 소멸하지 아니한다(제191조 제1항).
④ 가등기 대상은 채권적 청구권을 대상으로 가등기를 할 수 있지만 물권적 청구권, 해제조건 등은 가등기 할 수 없다.
⑤ 관습법상 사도 통행권 인정은 물권법정주의에 위배된다(대판 2001다64165).

55 정답 ③

난이도 중

법정지상권은 법률규정에 의해 발생하는 것으로 「민법」 제187조에 의해 취득에 있어서 등기를 필요로 하지 않는다.

56 정답 ③

난이도 중

동일인 명의로 이중보존등기가 경료된 경우, 선등기만이 유효하고 후등기는 무효가 되므로 나중에 경료된 보존등기에 기해 乙에게 소유권이전등기를 경료한 경우, 乙은 소유권을 취득하지 못한다.

57 정답 ④

난이도 중

④ 회복자 甲의 선택에 따라 지출금액이나 증가액의 상환을 청구할 수 있다(제203조).
① 비용상환청구권은 선·악을 불문한다(제203조).
② 대판 95다41161, 41178
③ 제202조
⑤ 점유를 불법행위로 인하여 취득한 경우, 불법점유자에게는 유치권이 인정되지 않는다(제320조 제2항).

58 정답 ③

난이도 중

③ 취득시효기간 완성자는 소유권이전등기청구권이라는 채권적 청구권을 가질 뿐이므로 그 등기 전에 먼저 소유권이전등기를 경료하여 부동산소유권을 취득한 제3자에 대해 시효취득을 주장할 수 없다(대판 85다카2306).
⑤ 부동산점유자에게 시효취득으로 인한 소유권이전등기청구권이 있다고 하더라도 이로 인하여 부동산소유자와 시효취득자 사이에 계약상의 채권·채무관계가 성립하는 것은 아니므로, 그 부동산을 처분한 소유자에게 채무불이행 책임을 물을 수 없다(대판 94다4509).

59 정답 ④

난이도 중

④ 공유자는 다른 공유자가 분할로 인하여 취득한 물건에 대하여 그 지분의 비율로 매도인과 동일한 담보책임이 있다(제270조).
① 제263조
② 제265조
③ 제266조 제2항

60 정답 ②

난이도 중

지상권은 설정계약과 등기에 의해 성립하며, 지료지급은 지상권의 성립요소가 아니다.

61 정답 ③

난이도 중

③ 유치권의 행사는 채권의 소멸시효의 진행에 영향을 미치지 아니한다(제326조).
① 주택건물의 신축공사를 한 수급인이 그 건물을 점유하고 있고 또 그 건물에 관하여 생긴 공사금채권이 있다면, 수급인은 그 채권을 변제받을 때까지 건물을 유치할 권리가 있다(대판 95다16202).
② 제323조 제1항
④ 제322조 제1항
⑤ 제327조

62 정답 ④

난이도 중

저당권을 피담보채권과 분리하여 양도할 수 없다.

63 정답 ①

난이도 중

② 계약의 청약은 도달이 되는 경우 상대방은 자유롭게 철회할 수 없다.
③ 청약은 특정인 또는 불특정인 불문한다.
④ 청약을 할 때에는 승낙기간을 정할 수도 있고 정하지 않을 수도 있다.
⑤ 청약의 상대방이 제한능력자인 경우, 그의 법정대리인이 청약이 도달한 사실을 알았더라면 청약자는 그 청약으로써 상대방에게 대항할 수 있다.

64 정답 ⑤ 난이도 중

유치권에서는 채무자가 상당한 담보를 제공하고 그 소멸을 청구할 수 있으나, 동시이행의 항변권에서는 인정되지 않는다.

65 정답 ③ 난이도 중

제3자를 위한 계약에 있어서, 제3자가 「민법」 제539조 제2항에 따라 수익의 의사표시를 함으로써 제3자에게 권리가 확정적으로 귀속된 경우에는, 요약자와 낙약자의 합의에 의하여 제3자의 권리를 변경 · 소멸시킬 수 있음을 미리 유보하였거나, 제3자의 동의가 있는 경우가 아니면 계약의 당사자인 요약자와 낙약자는 제3자의 권리를 변경 · 소멸시키지 못하고, 만일 계약의 당사자가 제3자의 권리를 임의로 변경 · 소멸시키는 행위를 한 경우 이는 제3자에 대하여 효력이 없다(대판 2001다30285).

66 정답 ② 난이도 중

금전을 받은 날로부터 이자를 가하여야 한다(제548조 제2항).

67 정답 ① 난이도 중

① 「민법」 제565조 제1항에서 말하는 당사자의 일방이라는 것은 매매쌍방 중 어느 일방을 지칭하는 것이고, 상대방이라 국한하여 해석할 것이 아니므로, 비록 상대방인 매도인이 매매계약의 이행에는 전혀 착수한 바가 없다 하더라도 매수인이 중도금을 지급하여 이미 이행에 착수한 이상 매수인은 「민법」 제565조에 의하여 계약금을 포기하고 매매계약을 해제할 수 없다(대판 99다62074).
② 계약의 해지 또는 해제는 손해배상의 청구에 영향을 미치지 아니한다는 제551조의 규정은 해약금계약에 의한 해제의 경우에는 적용되지 않는다(제565조 제2항).
③ 계약금계약은 요물계약이다.
④ 매매계약 성립 후에 교부된 계약금도 계약금으로서의 효력이 있다.
⑤ 계약금은 해약금으로 추정되므로 위약금으로 한다는 특약이 없는 이상 계약금이 손해배상금으로 당연히 귀속되는 것은 아니다(대판 95다33726).

68 정답 ⑤ 난이도 중

매수인이 선의인 경우에는 사실을 안 날로부터, 악의인 경우에는 계약한 날로부터 1년 내에 행사하여야 한다(제573조).

69 정답 ⑤ 난이도 중

甲의 청구는 이러한 사실을 안 날로부터 1년 내에 행사하여야 한다.

70 정답 ② 난이도 중

임대인이 임대물의 보존에 필요한 행위를 하는 때에는 임차인은 이를 거절하지 못한다(제624조).

71 정답 ① 난이도 중

일시사용하기 위한 임대차에는 부속물매수청구권이 인정되지 않는다(제653조, 제646조, 제647조).

72 정답 ② 난이도 중

당사자 일방이 상대방에게 먼저 이행하여야 할 경우, 상대방의 이행이 곤란할 현저한 사유가 있는 때에는 동시이행항변권이 있다.

73 정답 ③ 난이도 중

반환할 금전에는 그 받은 날로부터 이자를 가산하여야 한다.

74 정답 ④ 난이도 중

권리의 일부가 타인에게 속하는 경우 매수인이 악의이면 해제할 수 없다.

75 정답 ① 난이도 중

전세권자에게 전세목적물의 유지 · 수선의무가 있으므로 전세권자가 필요비를 지출한 경우에는 상환청구권은 없고, 유익비상환청구권은 있다.

구분	지상권자	전세권자	임차인
필요비상환청구권	없음	없음	있음
유익비상환청구권	있음	있음	있음

76 정답 ④ 난이도 중

건물 기타 공작물의 임대차와 식목, 채염, 목축을 목적으로 한 토지임대차 모두 차임연체액이 2기에 달하면 임대인이 계약을 해지할 수 있다(제640조, 제641조).

77 정답 ① 난이도 중

임차인이 임차한 건물의 전부 또는 일부를 고의 또는 중대한 과실로 파손한 경우에 임대인은 임차인의 갱신요구를 거절할 수 있다(상가건물법 제10조).

78 정답 ③ 난이도 중

차용금이 아닌 매매대금을 담보하기 위한 가등기에는 가담법이 적용되지 않는다. 「가등기담보 등에 관한 법률」은 차용물의 반환에 관하여 다른 재산권을 이전할 것을 예약한 경우에 적용되므로 매매대금채권을 담보하기 위하여 가등기를 한 경우에는 위 법률은 적용되지 아니한다. 가등기의 주된 목적이 매매대금채권의 확보에 있고, 대여금채권의 확보는 부수적 목적인 경우 「가등기담보 등에 관한 법률」이 적용되지 않는다(대판 94다26080).

79 정답 ①

난이도 중

집합건물의 특별승계인은 승계 전에 발생한 체납관리비채권 전체 중에서 전 입주자의 공용부분에 관한 관리비만 승계한다(대판 2001다8677).

80 정답 ①

난이도 중

① 「집합건물의 소유 및 관리에 관한 법률」 제47조 제1항은 재건축결의의 내용에 관하여 구 건물의 대지를 신 건물의 대지로 이용할 것을 결의하면 족한 것으로 규정하고 있을 뿐, 신 건물의 대지가 구 건물의 대지로 국한되어야 할 것을 요하고 있지 않으므로, 「집합건물의 소유 및 관리에 관한 법률」상 구 건물을 철거한 다음 그 대지와 인접한 주위 토지를 합하여 이를 신 건물의 대지로 이용할 것을 내용으로 하는 재건축결의도 허용된다(대판 2006다32217).

④ 대판 2003다55455

⑤ 대판 99다63084

제 3 회 정답 및 해설

부동산학개론

01	02	03	04	05	06	07	08	09	10
⑤	①	③	⑤	①	③	①	②	③	①
11	**12**	**13**	**14**	**15**	**16**	**17**	**18**	**19**	**20**
⑤	⑤	②	④	③	⑤	③	④	③	⑤
21	**22**	**23**	**24**	**25**	**26**	**27**	**28**	**29**	**30**
②	⑤	④	②	②	②	④	④	③	⑤
31	**32**	**33**	**34**	**35**	**36**	**37**	**38**	**39**	**40**
②	④	③	②	①	⑤	⑤	③	①	④

01 정답 ⑤ 난이도 중

⑤ 옳은 지문으로 경제적 측면에서의 부동산은 자산, 자본, 생산요소, 소비재, 상품 등을 말하며, 경제적 개념의 부동산은 무형적 개념이다.
① 광의의 부동산은 「민법」상 개념으로 토지 및 그 정착물을 말한다. ⇨ 협의의 부동산
② 토지와 건물 등이 각각의 독립된 객체이지만 일체로 거래되거나 결합된 상태로 부동산활동의 대상이 될 때, 이를 복합개념의 부동산이라 한다. ⇨ 복합부동산
③ 건물에 부착된 어떤 물건을 제거하는 경우 기능적인 면에서 건물의 효용에 손상이 미치지 않는다면 이 물건은 정착물에 해당한다. ⇨ 미친다면
④ 임대주택의 경우 임차인이 설치한 부착물은 일반적으로 정착물로 간주된다. ⇨ 임대인

02 정답 ① 난이도 중

ㄱ. 지중권은 토지소유자가 지하공간으로부터 어떤 이익을 획득하거나 사용할 수 있는 권리를 말하며, 물을 이용할 수 있는 권리가 이에 포함된다. ⇨ 물을 이용할 수 있는 권리는 지중권이 아닌, 지표권에 포함된다.
ㄴ. 토지소유권은 공중이나 지하공간에 대해 무한히 연장되지 않고 일정범위까지만 인정된다. 즉, 정당한 이익이 있는 범위 내에서 토지의 상하에 미친다.
ㄷ. 「민법」에서는 광업권의 객체인 광물에 대해서는 토지소유자의 소유권이 미치지 못하고, 지하수에 대한 권리는 소유권이 인정된다.
ㄹ. 지하공간 ⇨ 공중공간

03 정답 ③ 난이도 중

① 나지는 지상권 등 토지의 사용·수익을 제한하는 사법상의 제한이 설정되어 있지 않은 토지이나, 공법상의 제한은 설정되어 있다.
② 부동산 가격공시제도에서 표준지 평가는 나지상태를 전제로 평가된다.
④ 지상에 있는 건물에 의하여 사용·수익이 제한되는 토지는 건부지이다.
⑤ 건부지가격은 건부감가에 의해 나지가격보다 낮게 평가되지만, 예외적으로 규제가 강화되거나 보상지역에서는 건부증가가 발생할 수 있다.

04 정답 ⑤ 난이도 중

해당 주택가격 상승하여 주택의 수요량이 변하면 동일한 수요곡선상에서 점이 좌하향으로 이동한다. ⇨ 좌상향
수요곡선은 우하향곡선이므로 수요량의 변화에 의한 곡선상에서의 점의 이동은 우하향이거나 좌상향으로 나타난다. 이때 수요량이 증가하면 우하향으로 이동하고, 수요량이 감소하면 좌상향으로 곡선을 따라 이동하게 된다.

05 정답 ① 난이도 중

수요곡선을 우측으로 이동시키는 요인은 해당 재화의 가격변화가 아닌 다른 요인에 의한 수요량 증가요인을 말한다. 즉, 수요의 증가요인에 해당한다. 따라서 수요곡선을 우측으로 이동시킬 수 있는 요인은 ㄱ, ㅁ이다.
ㄱ. 주택담보대출의 금리 하락 – 수요의 증가요인
ㅁ. 아파트 가격 상승 기대감 고조 – 수요의 증가요인
ㄴ. 건축원자재 가격 하락 – 공급의 증가요인
ㄷ. LTV, DTI 하향 조정 – 수요의 감소요인
ㄹ. 아파트 가격 하락 – 수요량의 증가요인

06 정답 ③ 난이도 하

① 부증성 ⇨ 부동성
② 개별성 ⇨ 영속성
④ 부동성 ⇨ 개별성
⑤ 물리적 공급 ⇨ 용도적(경제적) 공급

07 정답 ①

난이도 중

1. $Q_{D1} = 800 - 3P$, $Q_S = 2P$
   균형상태는 $Q_{D1} = Q_S$이므로, $800 - 3P = 2P$
   ⇨ P(균형가격) = 160
2. 새로운 수요시장함수(수요자 수 2배 증가)
   $\frac{1}{2}Q_{D2} = 800 - 3P$ ⇨ $Q_{D2} = 1,600 - 6P$
   공급함수는 $Q_S = 2P$로 일정
   균형상태는 $Q_{D2} = Q_S$이므로, $1,600 - 6P = 2P$
   ⇨ P(균형가격) = 200
   따라서 균형가격은 160만원에서 200만원으로 40만원 상승한다.

✚ 개별수요함수에서 수요자 수가 n배 많아지면 $\frac{1}{n}$을 Q의 계수에 곱해준다. 예를 들면 $Q = 900 - 3P$의 개별수요자 수가 3배 많아지면 새로운 시장함수는 $\frac{1}{3}Q = 900 - 3P$ ⇨ $Q = 2,700 - 9P$가 된다.

08 정답 ②

난이도 중

공급이 탄력적일 때 수요가 증가하면 균형가격은 더 크게 상승한다. ⇨ 균형가격은 더 작게 상승한다.
수요 증가 + 공급 일정(공급 탄력적) ⇨ 균형량 더 크게 증가, 균형가격 더 작게 상승

09 정답 ③

난이도 중

수렴형은 ㄴ, ㄷ, ㅁ 3개이다.

거미집이론의 유형

수렴형	수요의 탄력성 > 공급의 탄력성 ∣수요의 기울기∣ < ∣공급의 기울기∣
발산형	수요의 탄력성 < 공급의 탄력성 ∣수요의 기울기∣ > ∣공급의 기울기∣
순환형	수요의 탄력성 = 공급의 탄력성 ∣수요의 기울기∣ = ∣공급의 기울기∣

ㄴ. 수렴형에 해당한다.
ㄷ. 수요함수 $2Q = 100 - P$, 기울기 크기 = $\left| \frac{2(\text{Q의 계수})}{-1(\text{P의 계수})} \right|$
   공급함수 $5Q = 300 + 2P$, 기울기 크기 = $\left| \frac{5}{2} \right|$
   공급함수 기울기 크기(2.5) > 수요함수 기울기 크기(2) ⇨ 수렴형
ㅁ. 수렴형에 해당한다.
ㄱ. 순환형에 해당한다.
ㄹ. 발산형에 해당한다.

10 정답 ①

난이도 중

부동산은 개별성의 특성에 의해 표준화가 어려워 일반재화에 비해 대체가능성이 낮다.

11 정답 ⑤

난이도 중

리카도의 차액지대설에 따르면 생산물의 가격과 생산비가 일치하는 한계지(최열등지)에서는 지대가 발생하지 않는다.

12 정답 ⑤

난이도 중

옳은 지문은 ㄱ, ㄷ, ㄹ, ㅁ이다.
ㄴ. 고객의 행동력은 매장의 크기에 비례하고, 매장까지 거리의 마찰계수 승에 반비례한다.

✚ (허프)유인력 = $\frac{\text{(점포)크기}}{\text{거리}^{\text{마찰계수}}}$

13 정답 ②

난이도 중

A도시로의 유입인구수 40,000명, B도시로의 유입인구수 40,000명
A, B도시의 상대적 크기는 800,000 : 200,000 = 4 : 1이다.
C도시와 A, B도시와의 상대적 거리는 6 : 3 = 2 : 1이다.

1. A도시 유인력 = $\frac{4}{2^2} = 1$
2. B도시 유인력 = $\frac{1}{1^2} = 1$
3. A도시의 점유율 = $\frac{1}{1+1} = 0.5(50\%)$
4. A도시의 이용객 수 = 소비자 수 × A점유율
   = 80,000명 × 0.5 = 40,000명
5. 소비자 수는 C도시 인구수의 80%만이 구매자이므로 80,000명이다. 따라서 B도시로 유입되는 이용객 수도 40,000명이다.

14 정답 ④

난이도 하

① 상한 ⇨ 하한
② 후퇴시장 ⇨ 상향시장
③ 하향시장 ⇨ 상향시장
⑤ 활용하기 어렵다. ⇨ 활용할 수 있다.

15 정답 ③

난이도 중

정부가 임대료를 규제하면 장기적으로 공급이 탄력적으로 변하여 공급량이 변할 수 있게 되고, 임대료를 낮게 규제하므로 공급은 감소하게 된다(공급법칙).

16 정답 ⑤

난이도 중

토지적성평가제도에 대한 설명이다.

토지적성평가제도
토지적성평가제도는 토지의 개발과 보전이 경합할 때 이를 합리적으로 조정하기 위한 수단으로 도시 계획의 기초조사 단계에서 수행되는 평가제도이다.

17 정답 ③

난이도 중

생산과정에서 외부불경제(부의 외부효과)를 발생시키는 재화의 공급을 시장에 맡길 경우, 그 재화는 사회적인 최적 생산량보다 과다하게 생산되는 경향이 있다. 따라서 정부는 규제를 강화하거나 중과세를 부과하여 생산감소를 유도한다.

18 정답 ④

난이도 중

옳은 지문은 ㄴ, ㄷ, ㄹ이다.

ㄱ. 베버(A. Weber)의 최소비용이론은 산업입지의 영향요소를 운송비, 노동비, 집적이익으로 구분하고, 이 요소들을 고려하여 각 요인이 최소화되는 지점이 공장의 최적입지가 된다는 것이다. ⇨ 비용이 최소화되는

19 정답 ③

난이도 중

① 어느 지역에서 현재 30만 세대의 주택이 존재하고, 이 중 3만 세대가 공가라면 주택유량의 수요량은 27만 세대이다. ⇨ 주택저량의 수요량
② 고급주택에 대한 보수비용이 보수 후의 가치상승분보다 크다면 상향여과가 발생할 수 있다. ⇨ 하향여과
④ 주거분리란 고소득층의 주거지역과 저소득층의 주거지역이 분리되는 용도별 분화현상을 말한다. ⇨ 소득별 분화현상
⑤ 불량주택은 시장의 불완전한 요인으로 인한 시장실패의 산물이다. ⇨ 시장실패의 산물이 아니라 여과작용에 의해 나타나는 현상이고, 소득의 문제로 발생한다.

20 정답 ⑤

난이도 중

임차부동산에서 발생하는 총수입(매상고)의 일정 비율을 임대료로 지불한다면, 이는 임대차의 유형 중 비율임대차에 해당한다.

21 정답 ②

난이도 중

옳은 지문은 ㄱ, ㅁ이다.

ㄴ. 시장분석은 지역의 경제활동, 지역인구와 소득 등 대상지역 전체에 대한 총량적 지표를 분석한다. ⇨ 지역경제분석
ㄷ. 흡수율분석의 궁극적인 목적은 과거의 추세를 정확하게 파악하는 데 있다. ⇨ 미래의 시장성을 예측하는 데 있다.
ㄹ. 시장세분화는 공급 상품의 특성에 따라 개발부동산과 유사한 부동산을 소집단으로 나누는 것을 말한다. ⇨ 수요자를 경제학적 특성에 따라 소집단으로 구분하는 것이다.

22 정답 ⑤

난이도 중

⑤ BOT(Build-Operate-Transfer)방식에 대한 설명이다.
① 수복재개발에 대한 설명이다.
② 법률적 위험분석을 소홀히 한 결과로 볼 수 있다.
③ 토지신탁(개발)방식은 신탁회사에 소유권이 이전되고 자금조달 및 전반적인 개발이 신탁회사에 의해서 이루어지는 반면, 사업수탁(위탁)방식은 소유권 이전 없이 토지소유자 명의로 사업이 행해지고 건축시행만을 개발업자에게 위탁하는 방식이다. 다만, 사업수탁방식과 토지신탁방식의 공통된 점은 수수료의 지급이다.
④ 이용계획이 확정된 토지를 구입하는 것은 법률적 위험부담을 줄이기 위한 방안 중 하나이다.

23 정답 ④

난이도 중

타인자본을 50% 활용하는 경우 지분은 5억원이고, 타인자본(부채)은 5억원이 된다.

$$\text{자기자본수익률} = \frac{(\text{순소득} + \text{가치상승분}) - \text{이자}}{\text{지분투자액}}$$

$$\frac{(3\text{천만원} + 10\text{억원} \times 0.03) - 5\text{억원} \times 0.04}{5\text{억원}} = 0.08(8\%)$$

24 정답 ②

난이도 중

① 개별적인 부동산의 특성으로부터 야기되는 위험은 비체계적 위험을 의미하며, 비체계적 위험은 분산투자로 감소시킬 수 있다.
③ 두 자산의 수익률의 방향이 반대일 때 상관계수는 음(−)의 값을 가지고, 상관계수가 음(−)의 값을 나타낼수록 위험감소효과는 작아진다. ⇨ 커진다.
④ 인플레이션에 따른 위험은 체계적 위험으로 분산투자를 통해 제거가 가능하다. ⇨ 불가능하다.
⑤ 부동산은 지역별 시장(국지적 시장)이 다양하게 나타나고, 유형별(주거용 · 상업용 · 공업용)로 다양한 시장이 형성되므로 포트폴리오 구성이 용이하다.

25 정답 ②

난이도 중

화폐의 시간가치를 고려한 투자분석기법은 할인법이며, 할인법은 ㄱ. 순현재가치법, ㄷ. 내부수익률법, ㅇ. 연평균순현가법으로 3개이다. 나머지는 모두 비할인법에 속한다.

26 정답 ②

난이도 중

유효총소득은 가능총소득에서 공실 및 불량부채액(충당금)을 차감하고, 기타 수입을 더하여 구한 소득이다.

27 정답 ④

난이도 중

내부수익률법은 유입되는 현금의 현재가치와 유출되는 현금의 현재가치를 같게 만드는 할인율로서, 순현재가치(NPV)를 0으로 만드는 수익률이다. 할인법에서는 언제나 현재가치로 투자분석이 이루어진다.

28 정답 ④

난이도 중

부채비율은 자기자본(지분)에 대한 타인자본(부채, 대부액)의 비율이며, 부채비율을 융자비율이라고는 하지 않는다. 융자비율은 대부비율을 의미한다[대부비율 = 담보인정비율(LTV), 저당비율, 융자비율, 차입비율, 대출비율 등].

29 정답 ③

난이도 중

① 연금의 현재가치계수 ⇨ 연금의 미래가치계수
② 원금균등분할상환방식 ⇨ 원리금균등분할상환방식
④ 연금의 미래가치계수 ⇨ 일시불의 미래가치계수
⑤ 일시불의 내가계수, 연금의 내가계수, 감채기금계수가 미래가치를 구하기 위한 자본환원계수이다.

30 정답 ⑤

난이도 중

부동산금융에서 기준금리를 적용하는 대출방식은 변동금리대출방식을 의미한다. 변동금리는 기준금리(CD금리, COFIX금리)에 가산금리를 더하여 결정된다. 따라서 변동금리대출방식은 대출자가 차입자에게 인플레위험을 전가하는 금융방식이므로 대출자를 인플레위험으로부터 보호해 줄 수 있는 금융방식이다.

31 정답 ②

난이도 중

① 원리금균등상환방식은 매기에 상환하는 이자가 감소하는 만큼 원금상환액이 증가하는 상환방식이다.
③ 대출실행시점에서 총부채상환비율(DTI)은 원금균등상환방식이 원리금균등상환방식보다 더 크다.
④ 대출금을 조기상환하는 경우 잔금은 원리금균등상환방식에 비해 원금균등상환방식의 상환액이 더 작다.
⑤ 체증(점증)식 상환방식은 초기에 상환불입액이 너무 적어 대출 초기에 대출잔금이 오히려 증가하는 부(−)의 상환이 발생하고 감소하는 경향이 있다. 따라서 잔금이 지속적으로 감소하지 않는다. 또한 체증(점증)식 상환방식은 다른 상환방식에 비해 이자부담이 가장 크다.

32 정답 ④

난이도 중

자기관리 부동산투자회사와 위탁관리 부동산투자회사의 경우 주주 1인과 그 특별관계자는 발행주식 총수의 50%를 초과하여 소유하지 못한다. 그러나 기업구조조정 부동산투자회사는 주주 1인과 그 특별관계자의 주식 소유한도의 제한을 두지 않는다.

33 정답 ③

난이도 중

① 1차 저당시장에서는 차입자와 대출기관 사이에 모기지(mortgage)가 유통되는 시장이다. ⇨ 형성되는
② 저당의 유동화가 활성화되기 위해서는 2차 저당시장에서 발행되는 저당담보부증권(MBS)의 수익률이 주택대출금리보다 더 높아야 한다. ⇨ 낮아야

> **저당의 유동화가 활성화되기 위한 조건**
> 주택대출금리 > 저당담보부증권(MBS)의 수익률 > 투자자의 요구수익률

④ MBB(주택저당채권담보부채권)의 저당채권의 소유권은 투자자가 갖는다. ⇨ 발행자(한국주택금융공사)
⑤ 저당담보부증권(MBS)의 도입으로 자가소유가구 비중이 감소하고, 투자자에게 다양한 포트폴리오 자산구성이 용이해진다. ⇨ 증가하고

34 정답 ②

난이도 하

거래사례비교법은 감정평가방식 중 비교방식에 해당하나, 공시지가기준법은 비교방식에 해당하지 않는다. ⇨ 해당한다.
거래사례비교법과 공시지가기준법은 모두 비교방식에 해당한다.
✚ 시산가액을 조정하는 경우에는 공시지가기준법과 거래사례비교법을 다른 방식에 속한 것으로 본다.

35 정답 ①

난이도 중

① '시장가치'란 감정평가의 대상물건이 통상적인 시장에서 충분한 기간 동안 거래를 위하여 공개된 후 그 대상물건의 내용에 정통한 당사자 사이에 신중하고 자발적인 거래가 있을 경우 성립될 가능성이 가장 높다고 인정되는 대상물건의 가액을 말한다(「감정평가에 관한 규칙」 제2조 제1호).
② 시장가치기준 원칙: 「감정평가에 관한 규칙」 제5조 제2항
③ 현황기준 원칙: 「감정평가에 관한 규칙」 제6조 제1항
④ 일괄평가: 「감정평가에 관한 규칙」 제7조 제2항
⑤ 구분평가: 「감정평가에 관한 규칙」 제7조 제3항

36 정답 ⑤

난이도 상

5년 후의 대출잔액(잔금) = 대출금 × 잔금비율

$$= 2억원 \times \frac{연금의\ 현가계수(25년)\ 150}{연금의\ 현가계수(30년)\ \frac{1}{0.005}}$$

$$= 2억원 \times 0.75 = 150{,}000{,}000원$$

✚ 잔금비율 $= \frac{잔금(잔여기간\ 연금의\ 현가계수)}{대출금(전체기간\ 연금의\ 현가계수)}$

37 정답 ⑤

난이도 중

1. 매년 감가액 $= \frac{(재조달원가 - 잔존가치)}{경제적\ 내용연수}$
$$= \frac{(3억원 - 6{,}000만원)}{40년} = 600만원$$
 • 잔존가격 = 3억 × 0.2(20%) = 6,000만원
 • 경제적 내용연수 = 경과 내용연수(5년) + 잔존 내용연수(35년)
2. 준공시점부터 기준시점까지 5년이 경과하였으므로,
감가수정액 = 매년 감가액 × 경과연수 = 600 × 5년 = 3,000만원

38 정답 ③

난이도 중

토지가격 = 표준지공시지가 × (시점수정 × 지역요인비교 × 개별요인비교 × 기타요인비교)

1. 시점수정치 = $\frac{기준시점}{거래시점} = \frac{105}{100} = 1.05$

⇨ 대상부동산이 일반상업지역이므로 사례의 경우도 일반상업지역의 자료값을 사용한다.

2. 개별요인비교(가로조건) = $\frac{대상}{사례} = \frac{110}{100} = 1.1$

3. 개별요인비교(환경조건) = $\frac{대상}{사례} = \frac{95}{100} = 0.95$

따라서 토지가격(원/m^2) = 2,000,000(표준지공시지가 기호 2) × (1.05 × 1.1 × 0.95) = 2,194,500원/m^{2}이다.

39 정답 ①

난이도 중

임대료의 주된 평가방법은 임대사례비교법이다.

물건별 감정평가

구분	내용
원가법	건물, 건설기계, 선박, 항공기, 소경목림
거래사례비교법	동산, 과수원, 자동차, 일괄평가, 입목, 주식 등
수익환원법	무형자산, 공장재단, 광업재단, 어업권, 영업권
임대사례비교법	임대료의 평가
토지	1. 공시지가기준법(원칙) 2. 거래사례비교법(적정한 실거래가 존재할 경우)
토지 + 건물의 일괄	거래사례비교법
산림	1. 원칙: 산지와 입목을 구분하여 개별로 감정평가 2. 입목의 평가: 거래사례비교법 3. 소경목림(지름이 작은 나무)의 평가: 원가법 4. 산지와 입목을 일괄하여 평가: 거래사례비교법
무형자산	광업권: 광업재단 평가액 − 광산의 현존시설 가액(차감)
소음 · 진동 · 일조침해	소음 · 진동 · 일조침해 등으로 인한 대상물건의 가치하락분을 평가할 때에는 소음 등이 발생하기 전의 대상물건의 가액 및 원상회복비용 등을 고려하여야 한다.

40 정답 ④

난이도 중

국토교통부장관 ⇨ 시장 · 군수 또는 구청장

> 「부동산 가격공시에 관한 법률」 제10조【개별공시지가의 결정 · 공시 등】③ 시장 · 군수 또는 구청장은 공시기준일 이후에 분할 · 합병 등이 발생한 토지에 대하여는 대통령령으로 정하는 날을 기준으로 하여 개별공시지가를 결정 · 공시하여야 한다.

민법 및 민사특별법

41	42	43	44	45	46	47	48	49	50
⑤	④	③	①	③	①	⑤	④	①	①
51	**52**	**53**	**54**	**55**	**56**	**57**	**58**	**59**	**60**
③	②	③	④	④	⑤	⑤	①	⑤	②
61	**62**	**63**	**64**	**65**	**66**	**67**	**68**	**69**	**70**
③	⑤	②	③	⑤	①	⑤	④	③	①
71	**72**	**73**	**74**	**75**	**76**	**77**	**78**	**79**	**80**
⑤	④	②	①	⑤	①	⑤	②	⑤	③

41 정답 ⑤

난이도 중

⑤ 특별한 사정이 없는 한, 법령에 위반되어 무효임을 알고서도 그 법률행위를 한 자가 강행법규 위반을 이유로 무효를 주장한다 하여 신의칙 또는 금반언의 원칙에 반하거나 권리남용에 해당한다고 볼 수는 없다(대판 2003다19961).

① 매매목적물과 대금은 반드시 그 계약체결 당시에 구체적으로 확정하여야 하는 것은 아니고 이를 사후에라도 구체적으로 확정할 수 있는 방법과 기준이 정하여져 있으면 족하다(대판 94다34432).

② 부동산중개업법 제20조에 의하면 … 부동산중개의 수수료약정 중 소정의 한도액을 초과하는 부분에 대한 사법상의 효력을 제한함으로써 국민생활의 편의를 증진하고자 함에 그 목적이 있는 것이므로 이른바, 강행법규에 속하는 것으로서 그 한도액을 초과하는 부분은 무효라고 보아야 한다(대판 2000다54406, 54413).

③ 공인중개사 자격이 없는 자가 우연한 기회에 단 1회 타인 간의 거래행위를 중개한 경우 등과 같이 '중개를 업으로 한' 것이 아니라면 그에 따른 중개수수료 지급약정이 강행법규에 위배되어 무효라고 할 것은 아니고, 다만 중개수수료 약정이 부당하게 과다하여 「민법」상 신의성실 원칙이나 형평 원칙에 반한다고 볼만한 사정이 있는 경우에는 상당하다고 인정되는 범위 내로 감액된 보수액만을 청구할 수 있다(대판 2010다86525).

④ 피고가 원고와의 부첩관계를 해소하기로 하는 마당에 그동안 원고가 피고를 위하여 바친 노력과 비용 등의 희생을 배상 내지 위자하고 또 원고의 장래 생활대책을 마련해 준다는 뜻에서 금원을 지급하기로 약정한 것이라면 부첩관계를 해소하는 마당에 위와 같은 의미의 금전 지급약정은 공서양속에 반하지 않는다(대판 80다458).

42 정답 ④

난이도 중

④ 합의해제: 계약
① 무권대리행위에 대한 본인의 추인: 상대방 있는 단독행위
② 계약의 취소: 상대방 있는 단독행위
③ 유언: 상대방 없는 단독행위
⑤ 채무면제: 상대방 있는 단독행위

43 정답 ③

난이도 중

불공정한 법률행위로서 무효를 주장하려면 주장자 측에서 모든 요건을 주장 입증해야 한다. 따라서 현저한 불균형이 있더라도 피해자의 궁박 등이 추정되지 않는다.

44 정답 ①

난이도 중

ㄱ. 사회적으로 타당성이 없는 법률행위지만 이를 통제하는 강행규정이 아직 제정되지 않은 경우도 있을 수 있다. 이러한 경우 「민법」 제103조에 의하여 반사회적 법률행위에 해당하여 무효가 될 수 있다.

ㄴ. 「민법」 제103조에 의하여 무효로 되는 법률행위는 법률행위의 내용이 선량한 풍속 기타 사회질서에 위반되는 경우뿐만 아니라, 그 내용 자체는 반사회질서적인 것이 아니라고 하여도 법률적으로 이를 강제하거나 법률행위에 반사회질서적인 조건 또는 금전적인 대가가 결부됨으로써 반사회질서적 성질을 띠게 되는 경우 및 표시되거나 상대방에게 알려진 법률행위의 동기가 반사회질서적인 경우를 포함한다(대판 99다38613).

ㄷ. 「부동산등기 특별조치법」상 조세포탈과 부동산투기 등을 방지하기 위하여 위 법률 제2조 제2항 및 제8조 제1호에서 등기하지 아니하고 제3자에게 전매하는 행위를 일정 목적범위 내에서 형사처벌하도록 되어 있으나 이로써 순차매도한 당사자 사이의 중간생략등기합의에 관한 사법상 효력까지 무효로 한다는 취지는 아니다(대판 92다39112).

ㄹ. 당사자의 의사가 일치되지 않은 경우 표시행위의 객관적 의미를 밝히는 해석을 규범적 해석이라고 한다.

ㅁ. 법령 중의 선량한 풍속 기타 사회질서에 관계없는 규정과 다른 관습이 있는 경우에 당사자의 의사가 명확하지 아니한 때에는 그 관습에 의한다(제106조). 즉, 당사자의 의사에 따라 해석한다.

45 정답 ③

난이도 중

③ 진의 아닌 의사표시의 상대방이 선의 · 무과실인 때에는 유효가 된다. 따라서 완벽한 소유권을 취득한 乙로부터 전득한 제3자 丙은 악의인 경우에도 소유권을 취득할 수 있다(엄폐물 법칙).

①② 의사표시는 표의자가 진의 아님을 알고한 것이라도 그 효력이 있다. 그러나 상대방이 표의자의 진의 아님을 알았거나 이를 알 수 있었을 경우에는 무효로 한다(제107조 제1항).

④⑤ 통정허위표시의 무효는 선의의 제3자에게는 대항하지 못한다(제108조 제2항).

46 정답 ①

난이도 중

비진의표시는 표시된 내용대로 효력이 발생함이 원칙이며, 상대방이 진의 아님을 알았거나 알 수 있었을 경우에 한하여 무효이다.

> 1. 원칙(무과실 ⇨ 유효)
>   ① 의사표시는 표시된 대로의 효력이 발생한다.
>   ② 상대방이 선의무과실인 때에는 언제나 유효이다. 따라서 상대방으로부터 권리를 취득한 제3자는 선의 · 악의를 불문하고 보호된다.
> 2. 예외(과실 ⇨ 무효)
>   ① 상대방이 표의자의 진의 아님을 알았거나 알 수 있었을 경우, 즉 악의 또는 과실이 있는 경우에는 그 의사표시는 무효로 한다.
>   ② 상대방의 악의 또는 과실유무에 대한 입증책임은 무효를 주장하는 자에게 있다.
>   ③ 비진의표시는 표의자의 상대방이 표의자의 진의 아님을 과실로 알지 못하는 경우에도 무효이다.
>   ④ 비진의표시의 무효는 선의의 제3자에게 대항하지 못한다.

47 정답 ⑤

난이도 중

소유권을 취득한 丙으로부터 전득한 자는 악의라도 유효하게 소유권을 취득할 수 있다. 따라서 甲은 丁에게 무효를 주장할 수 없다.

48 정답 ④

난이도 중

본인의 성년후견 개시는 대리권 소멸사유에 해당하지 않는다.

> 대리권은 다음 각 호의 사유로 소멸한다(제127조).
> 1. 본인의 사망
> 2. 대리인의 사망, 성년후견의 개시 또는 파산

49 정답 ①

난이도 중

① 법정대리인은 그 책임으로 복대리인을 선임할 수 있다(제122조 본문).

②③ 복대리인은 대리인이 자신의 이름으로 선임한 본인의 대리인이다. 따라서 복대리인은 항상 대리인의 수권행위에 의하여 발생되는 임의대리인이다.

④ 대리권 없는 자가 타인의 대리인으로 한 계약은 본인이 이를 추인하지 아니하면 본인에 대하여 효력이 없다(제130조).

⑤ 대리권 없는 자가 한 계약은 본인의 추인이 있을 때까지 상대방은 본인이나 그 대리인에 대하여 이를 철회할 수 있다. 그러나 계약 당시에 상대방이 대리권 없음을 안 때에는 그러하지 아니하다(제134조).

50 정답 ①

난이도 중

① 강행규정에 위반하여 무효인 법률행위는 추인이 허용되지 않는다.

② 법률행위의 일부분이 무효인 때에는 그 전부를 무효로 한다(제137조 본문).

③ 취소할 수 있는 법률행위는 제한능력자, 착오로 인하거나 사기 · 강박에 의하여 의사표시를 한 자, 그의 대리인 또는 승계인만이 취소할 수 있다(제140조).

④ 취소된 법률행위는 처음부터 무효인 것으로 본다(제141조 본문).

⑤ 취소할 수 있는 법률행위는 제140조에 규정한 자가 추인할 수 있고 추인 후에는 취소하지 못한다(제143조 제1항).

51 정답 ③

난이도 중

③ 조건의 성취가 미정한 권리의무는 일반규정에 의하여 처분, 상속, 보존 또는 담보로 할 수 있다(제149조).

① 조건이 선량한 풍속 기타 사회질서에 위반한 것인 때에는 그 법률행위는 무효로 한다(제151조 제1항).

② 조건이 법률행위의 당시 이미 성취한 것인 경우에는 그 조건이 정지조건이면 조건 없는 법률행위로 하고 해제조건이면 그 법률행위는 무효로 한다(제151조 제2항).

④ 기한은 성질상 발생이 확실한 사실을 부관으로 정한 것으로서, 기한도래의 효력은 소급효가 인정되지 않는다.

⑤ 기한은 채무자의 이익을 위한 것으로 추정한다(제153조 제1항).

52 정답 ② 난이도 중

② 토지 일부 위에 용익물권을 설정할 수는 있지만, 저당권을 설정할 수는 없다.
① 제371조
③ 물권법정주의를 위반하는 물권행위는 무효이다(제185조).
④ 등기된 부동산 임차권은 채권이다.
⑤ 소유자의 법률의 범위 내에서 그 소유물을 사용·수익·처분할 권리가 있다(제211조). 따라서 소유권의 객체는 물건에 한하고 아파트분양권과 같은 권리는 소유권의 객체가 될 수 없다.

53 정답 ③ 난이도 중

ㄱ. 농지에 대해 전세권은 설정할 수 없으나 지상권은 설정할 수 있다.
ㄹ. 지상권자는 토지소유자의 동의 없이 지상권을 양도하거나 지상권에 저당권을 설정할 수 있고, 존속기간 내에서 그 토지를 임대할 수 있다(제282조). 이에 반하는 약정으로서 지상권자에게 불리한 것은 효력이 없다(편면적 강행규정). 그러므로 지상권자는 지상권을 유보한 채 지상물 소유권만을 양도할 수도 있고 지상물 소유권을 유보한 채 지상권만을 양도할 수도 있는 것이어서 지상권자와 그 지상물의 소유권자가 반드시 일치하여야 하는 것은 아니다(대판 2006다6126).

54 정답 ④ 난이도 중

④ 이행판결로서 소유권이전등기를 마쳐야 소유권을 취득한다.
③ 전세권의 법정갱신은 법률규정에 의한 물권변동이므로 등기가 필요 없다.
⑤ 회사의 합병, 포괄유증은 상속과 마찬가지로 등기 없이 물권변동이 일어난다.

55 정답 ④ 난이도 중

소유권이전등기의 원인으로 주장된 계약서가 진정하지 않은 것으로 증명된 이상 그 등기의 적법추정은 복멸되는 것이고, 계속 다른 적법한 등기원인이 있을 것으로 추정할 수는 없다.

56 정답 ⑤ 난이도 중

무단건축된 미등기건물의 매수인은 건물에 소유권은 취득하지 못하였으나, 법률상 사실상 처분권을 취득하였으므로 매수인을 상대로 철거청구할 수 있다.

57 정답 ⑤ 난이도 중

① 자주점유인지 타주점유인지의 여부는 점유의 원인에 의해 객관적으로 결정된다.
③ 선의의 자주점유자가 현존이익의 배상책임을 부담하며, 선의의 타주점유자는 전손해배상책임을 부담한다.

58 정답 ① 난이도 중

취득시효완성에 따른 등기청구권은 채권적 청구권으로서 소멸시효의 적용을 받으나, 점유를 계속하는 한 소멸시효로 소멸하지 않는다. 또한 점유를 상실하였다 하더라도 이를 시효이익의 포기로 볼 수 없는 한 이미 취득한 소유권이전등기청구권은 소멸하지 아니한다(대판 93다47745).

59 정답 ⑤ 난이도 중

과반수지분의 공유자가 다른 공유자 동의 없이 단독으로 제3자에게 임대차한 경우, 소수지분권자는 그 제3자에 대하여 점유배제나 지분상당의 부당이득반환을 청구할 수 없다(대판 2002다9738). 그러나 소수지분권자는 과반수지분의 공유자에 대하여 지분상당의 부당이득반환을 청구해야 한다.
위 지문에서 지분과반수권자는 단독으로 관리에 관한 사항을 결정할 수 있으므로, 甲의 임대차계약은 적법한 것으로 乙은 방해배제청구할 수 없다.

60 정답 ② 난이도 중

최단기간에 관한 규정은 지상권자가 그 소유의 건물 등을 건축하거나 수목을 식재하여 토지를 이용할 목적으로 지상권을 설정한 경우에만 적용이 있고, 기존의 건물을 사용할 목적으로 지상권을 설정한 경우에는 그 적용이 없다(대판 95다49318).

1. 존속기간을 약정하지 않은 경우에는 지상물의 종류와 구조에 따라 제280조의 최단존속기간을 그 지상권의 존속기간으로 한다(제281조 제1항).
2. 지상권설정 당시에 지상물의 종류와 구조를 정하지 않은 경우에는 15년이다(제281조 제2항).
3. 최장기간에 관한 제한규정은 없다. 따라서 영구무한의 지상권설정도 가능하다(대판 99다66410).

61 정답 ③ 난이도 중

③ 요역지는 반드시 1필의 토지이어야 하지만, 승역지는 1필의 토지의 일부라도 무방하다.
① 부종성을 설명하고 있다.
② 지역권자는 승역지를 이용할 권리를 가질 뿐 점유하는 것이 아니므로 반환청구권을 행사할 수 없다.
④ 지역권은 요역지의 소유자만이 가지는 것이 아니라 요역지의 이용권을 가진 지상권자, 전세권자 등도 행사할 수 있다.
⑤ 지역권의 불가분성에 관한 내용으로서 공유자의 1인이 지역권을 취득한 때에는 다른 공유자도 이를 취득한다(제295조 제1항).

62 정답 ⑤ 난이도 중

건물전세권이 법정갱신된 경우에는 종전 전세권과 동일한 조건으로 다시 전세권을 설정한 것으로 본다. 다만, 이 경우 전세권의 존속기간은 그 정함이 없는 것으로 본다. 이는 토지전세권에는 적용되지 않는다. 전세권이 법정갱신된 경우 전세권자는 갱신의 등기 없이도 전세목적물을 취득한 제3자에 대하여 전세권을 주장할 수 있다.

63 정답 ② 난이도 중

전세권자가 직접 목적물의 수선 · 유지의무를 부담하므로, 필요비상환청구권이 인정되지 않는다.

64 정답 ③ 난이도 중

③ 유치권의 행사는 채권의 소멸시효의 진행에 영향을 미치지 아니한다(제326조).
① 유치권은 점유가 성립요건임과 동시에 존속요건이므로 물상대위, 우선변제권, 물권적청구권을 인정하지 않는다.
② 제323조 제1항
④ 제322조 제1항
⑤ 제327조

65 정답 ⑤ 난이도 중

⑤ 유치권은 담보물권이기는 하지만, 다른 담보물권와 달리 우선변제권이 없다. 다만 유치권은 채무변제를 받을 때까지 목적물을 유치함으로써 심리적 압박에 의하여 채무자의 변제를 간접적으로 강제한다.
① 제324조 제2항
② 제323조 제1항
③ 제322조 제2항
④ 제325조 제2항

66 정답 ① 난이도 중

① 유치권자는 유치물의 과실을 수취하여 다른 채권보다 먼저 그 채권의 변제에 충당할 수 있다(제323조 제1항).
② 제324조 제1항
③ 제324조 제3항
④ 제322조
⑤ 제327조

67 정답 ⑤ 난이도 중

⑤ 즉시변제청구권을 행사하면서 동시에 손해배상을 청구할 수 있다.
① 저당권자에게 실제로 손해가 발생했다고 볼 수 없기 때문이다.
② 제362조
③ 제388조

68 정답 ④ 난이도 중

저당권설정 후에 전세권을 취득한 자는 목적물에 투입한 비용을 저당권자에 우선하여 변제받을 수 있다.

제3취득자의 지위

1. 저당권이 설정된 후 저당목적물의 소유권을 취득한 자 또는 용익권(지상권, 전세권, 대항력 있는 임차권)을 취득한 자를 말한다.
2. 제3취득자는 채무자가 아니므로 경매인이 될 수 있다.
3. 제3취득자는 채무자가 아니므로 지연이자는 1년분만 변제하면 되고, 근저당권에 있어서도 채권최고액까지만 대위변제하고, 저당권의 말소를 청구할 수 있다.
4. 제3취득자가 필요비 또는 유익비를 지출한 경우, 저당물의 경매대가에서 우선변제를 받을 수 있다.
5. 근저당부동산에 대하여 후순위근저당권을 취득한 자는 제3취득자에 해당하지 않으므로, 선순위 근저당권의 확정된 피담보채권액이 채권최고액을 초과하는 경우, 후순위근저당권자가 그 채권최고액을 변제하더라도, 선순위 근저당권의 소멸을 청구할 수 없다(대판 2005다17341).

69 정답 ③ 난이도 중

③ 저당권은 그 담보한 채권과 분리하여 타인에게 양도하거나 다른 채권의 담보로 하지 못한다(제361조).
① 제363조
② 제360조
④ 제362조

70 정답 ① 난이도 중

승낙은 반드시 청약자에 대하여 하여야 한다. 불특정다수인에 대한 승낙은 불가능하다. 그리고 승낙은 청약의 내용과 일치하여야 한다. 따라서 청약에 조건을 붙이거나 그 내용에 변경을 가한 승낙은 청약의 거절과 동시에 새로운 청약을 한 것으로 간주된다.

71 정답 ⑤ 난이도 중

유치권에서는 채무자가 상당한 담보를 제공하고 그 소멸을 청구할 수 있으나, 동시이행의 항변권에서는 인정되지 않는다.

72 정답 ④ 난이도 중

보상관계의 흠결이나 하자는 계약의 효력에 영향을 미치고, 낙약자는 보상관계에서 생기는 항변권으로 제3자에게 대항할 수 있다(제542조).

73 정답 ② 난이도 중

금전을 받은 날로부터 이자를 가하여야 한다(제548조 제2항).

해제시 원상회복의무

1. 채무자가 받은 것이 금전인 때에는 받은 날로부터 이자를 붙여서 반환하여야 한다.
2. 이때 이자는 법정이자를 의미하는 것이지 이행지체로 인한 지연이자를 의미하는 것이 아니다(대판 2000다9123).

3. 따라서 부동산 매매계약이 해제된 경우, 매도인은 대금반환과 서로 동시이행관계에 있는 소유권이전등기말소에 필요한 제반서류를 매수인이 제공하지 않더라도 대금에 대한 이자를 지급할 의무가 있다.
4. 채무자가 받은 것이 물건인 때에는 그 물건으로부터 취득한 과실도 반환하여야 한다.

74 정답 ①

난이도 중

① 제553조
② 이행불능의 경우 최고를 요하지 않는다.
③ 정기행위의 경우 최고 없이 계약을 해제할 수 있다.
④ 당사자의 일방 또는 쌍방이 수인인 경우에는 계약의 해지나 해제는 그 전원으로부터 또는 전원에 대하여 하여야 한다.
⑤ 계약의 해제는 손해배상의 청구에 영향을 미치지 아니한다.

75 정답 ⑤

난이도 중

계약금을 위약금으로 한다는 약정이 있는 경우에 한해, 손해배상액의 예정으로서의 성질을 갖는다.

76 정답 ①

난이도 중

주택임차인이 법인인 경우에는 동법이 적용되지 않는 것이 원칙이므로, 영리법인이 임차한 주택을 양수한 자에게 임대인의 지위가 승계되는 것은 아니다.

77 정답 ⑤

난이도 중

상가건물의 환가대금에서 후순위 권리자보다 보증금을 우선변제받기 위해서는 사업자등록이 배당요구종기까지 존속해야 한다.

78 정답 ②

난이도 중

② 「가등기담보 등에 관한 법률」 제12조 제2항
① 「가등기담보 등에 관한 법률」은 소비대차계약에 기한 채권을 담보하기 위한 경우에만 적용되는 것이지, 매매대금채권이나 공사대금채권을 담보할 목적으로 가등기가 경료된 경우에는 적용되지 않는다(대판 90다13765; 대판 2002다50484).
③ 청산금이 없는 경우에도 청산금이 없다는 취지의 실행통지를 하여야 한다.
④ 선의의 양수인은 소유권을 취득하지만, 악의의 양수인은 소유권을 취득하지 못하므로 채무자는 악의의 양수인에 대해서는 그 등기말소를 청구할 수 있다.
⑤ 청산기간은 2개월이다.

79 정답 ⑤

난이도 중

B는 아직 소유권을 취득하지는 못했으므로 C에게 진정명의회복을 원인으로 이전등기를 청구할 수 없다.

80 정답 ③

난이도 중

지분이 동등하여 의결권 행사자를 정하지 못할 경우에는 그 전유부분의 공유자는 의결권을 행사할 수 없으며, 의결권 행사자가 아닌 공유자들이 지분비율로 개별적으로 의결권을 행사할 수도 없다(대결 2007마1734).

제 4 회 정답 및 해설

부동산학개론									
01	02	03	04	05	06	07	08	09	10
④	①	③	④	③	③	②	②	①	⑤
11	12	13	14	15	16	17	18	19	20
①	②	③	④	①	⑤	⑤	④	⑤	③
21	22	23	24	25	26	27	28	29	30
②	③	②	⑤	②	①	⑤	①	④	③
31	32	33	34	35	36	37	38	39	40
④	②	④	②	④	①	⑤	④	②	⑤

01 정답 ④ 난이도 중

영속성으로 소모를 전제로 하는 재생산이론 적용을 가능하게 한다.
⇨ 불가능하게 한다.

02 정답 ① 난이도 중

주거용 건물건설업은 한국표준산업분류상 세분류 항목에 해당하지 않는다.

한국표준산업분류에 따른 부동산업

대(중)분류	소분류	세분류	세세분류
부동산업	부동산임대 및 공급업	부동산임대업	• 주거용 건물임대업 • 비주거용 건물임대업 • 기타 부동산임대업
		부동산개발 및 공급업	• 주거용 건물 개발 및 공급업 • 비주거용 건물 개발 및 공급업 • 기타 부동산 개발 및 공급업
	부동산 관련 서비스업	부동산관리업	• 주거용 부동산관리업 • 비주거용 부동산관리업
		부동산중개, 자문 및 감정평가업	• 부동산중개 및 대리업 • 부동산 투자자문업 • 부동산 감정평가업

03 정답 ③ 난이도 중

빈지는 일반적으로 바다와 육지 사이의 해변 토지와 같이 소유권이 인정되며 이용실익이 있는 토지이다. ⇨ 소유권이 인정되지 않으며

04 정답 ④ 난이도 중

저량은 ㄱ, ㄷ, ㄹ, ㅅ 4개이다.
저량은 일정 시점에서 측정되는 변수로 재고, 자산(자본), 가치(가격), 통화량, 부채, 인구(수) 등을 말한다.

05 정답 ③ 난이도 하

공급의 감소와 수요의 감소가 동일한 경우, 새로운 균형가격은 일정하고 균형거래량은 감소한다.

06 정답 ③ 난이도 중

더 작게 ⇨ 더 크게
부동산 공급이 증가하면 균형가격은 하락하고, 균형량은 증가하게 된다. 이때 수요곡선이 비탄력적이므로 균형가격은 '더' 하락하고, 균형량은 '덜' 증가하게 된다. 따라서 균형가격은 더 크게 하락하고, 균형량은 더 작게 증가한다.

07 정답 ② 난이도 중

가격탄력성은 가격변화율(%)에 대한 수요량변화율(%)의 비율이므로, 가격변화율(%)과 수요량변화율(%)을 구한다.

1. 가격은 1,600만원에서 2,000만원으로 변하였으므로(최초값 기준)
$$\text{가격변화율(\%)} = \frac{\text{변화값}}{\text{최초값}} = \frac{2,000 - 1,600}{1,600} = 0.25(25\%)$$
2. 수요량은 1,600세대에서 1,200세대로 변하였으므로(최초값 기준)
$$\text{수요량변화율(\%)} = \frac{\text{변화값}}{\text{최초값}} = \frac{1,600 - 1,200}{1,600} = 0.25(25\%)$$
3. 따라서 가격탄력성 $= \frac{\text{수요량의 변화율(\%)}}{\text{가격의 변화율(\%)}} = \frac{25\%}{25\%} = 1$이다.

08 정답 ② 난이도 중

일반적으로 부동산경기의 순환국면은 불명확하고 불규칙적으로 변동한다. 또한 일반경기에 비해 주기와 진폭이 큰 특징이 있다.

09 정답 ①
난이도 중

1. 공급량이 300이므로, 공급함수는 $Q = 300$이다.
   이 함수식은 가격과 무관하게 공급량이 항상 300인 완전비탄력곡선을 의미한다.
2. 균형가격은 1,100에서 500으로 600만원이 하락한다.
   - $Q = 300$, $Q_{D1} = 1,400 - P$에서 균형가격을 구하면,
     $300 = 1,400 - P$, P(균형가격) $= 1,100$
   - $Q = 300$, $Q_{D2} = 1,800 - 3P$에서 균형가격을 구하면,
     $300 = 1,800 - 3P$, $3P = 1,500$, P(균형가격) $= 500$

10 정답 ⑤
난이도 중

강성 효율적 시장은 모든 정보가 시장가치에 반영되어 있는 시장이므로 정보를 얻기 위한 정보비용이 존재하지 않는다. 강성 효율적 시장은 완전경쟁시장과 동일한 시장이므로 정보가 완전하여 모두 공개되어 있다고 본다.

11 정답 ①
난이도 중

ㄱ. 선형이론(호이트), ㄴ. 동심원이론(버제스), ㄷ. 위치지대설(튀넨)에 대한 설명이다.

12 정답 ②
난이도 중

원료지수가 1보다 크다는 것은 원료의 중량이 제품의 중량보다 크다는 것을 의미한다.

$\left(\text{원료지수} = \frac{\text{원료중량}}{\text{제품중량}}\right)$

따라서 원료지수가 1보다 크거나, 국지원료(편재원료)의 경우에는 원료지향형 입지가 유리하다.

13 정답 ③
난이도 중

1. 각 할인점의 유인력
   - A할인점 유인력 $= \frac{500}{5^2} = 20$
   - B할인점 유인력 $= \frac{300}{10^2} = 3$
   - C할인점 유인력 $= \frac{450}{15^2} = 2$
2. C할인점의 유입비율 $= \frac{2}{20 + 3 + 2} = 0.08(8\%)$
3. C할인점의 유입인구수 = 4,000명 × 0.08 = 320명
4. C할인점의 월 추정매출액 = 320명 × 40만원 = 1억 2,800만원

14 정답 ④
난이도 중

① 배제성과 경합성 ⇨ 비배제성과 비경합성
② 과다하게 ⇨ 과소하게
③ 사적주체 ⇨ 정부
⑤ 공공재는 소비에 있어 규모의 경제가 나타난다.

> **비경합성과 비배제성**
> 1. 비경합성: 어떤 개인의 공공재 소비가 다른 개인의 소비가능성을 감소시키지 않는 특성을 말한다.
> 2. 비배제성: 일단 공공재의 공급이 이루어지고 나면 생산비를 부담하지 않은 개인이라 할지라도 소비에서 배제할 수 없는 특성을 말한다.

15 정답 ①
난이도 중

ㄱ. 종합토지세(폐지), ㄴ. 공한지세(폐지), ㄹ. 택지소유상한제(폐지)는 현재 우리나라에서 시행하고 있는 않는 제도이다.

> **현재 우리나라에서 시행하고 있지 않는 제도**
> 개발권양도제(미실시), 택지소유상한제(폐지), 토지초과이득세제(폐지), 종합토지세(폐지), 공한지세(폐지) 등

16 정답 ⑤
난이도 중

주택담보노후연금 공급기관 역할 ⇨ 주택담보노후연금 보증기관 역할
주택담보노후연금은 한국주택금융공사가 보증하고, 금융기관이 대출을 공급한다.

> **한국주택금융공사의 업무**
> 1. 주택저당유동화증권(MBS)의 발행, 유동화 중개기관 역할
> 2. 보금자리론, 디딤돌론, 적격대출 등의 대출업무
> 3. 각종 채권의 평가 및 보증
> 4. 주택담보노후연금(주택연금대출)의 보증업무

17 정답 ⑤
난이도 중

도시 · 군관리계획 ⇨ 도시 · 군기본계획

> 「국토의 계획 및 이용에 관한 법률」 제2조 【정의】
> 3. "도시 · 군기본계획"이란 특별시 · 광역시 · 특별자치시 · 특별자치도 · 시 또는 군의 관할 구역에 대하여 기본적인 공간구조와 장기발전방향을 제시하는 종합계획으로서 도시 · 군관리계획 수립의 지침이 되는 계획을 말한다.
> 4. "도시 · 군관리계획"이란 특별시 · 광역시 · 특별자치시 · 특별자치도 · 시 또는 군의 개발 · 정비 및 보전을 위하여 수립하는 토지 이용, 교통, 환경, 경관, 안전, 산업, 정보통신, 보건, 복지, 안보, 문화 등에 관한 다음 각 목의 계획을 말한다.
>   가. 용도지역 · 용도지구의 지정 또는 변경에 관한 계획
>   나. 개발제한구역, 도시자연공원구역, 시가화조정구역(市街化調整區域), 수산자원보호구역의 지정 또는 변경에 관한 계획
>   다. 기반시설의 설치 · 정비 또는 개량에 관한 계획
>   라. 도시개발사업이나 정비사업에 관한 계획
>   마. 지구단위계획구역의 지정 또는 변경에 관한 계획과 지구단위계획
>   바. 입지규제최소구역의 지정 또는 변경에 관한 계획과 입지규제최소구역계획

18 정답 ④

난이도 중

토지의 공급곡선이 완전비탄력적인 상황에서 토지보유세가 부과되면 공급자인 토지소유자가 세금을 전부 부담하게 된다. 즉, 세금의 전가가 발생하지 않으며 자원배분의 왜곡이 초래되지 않는다.

19 정답 ⑤

난이도 중

① 자가관리방식 ⇨ 위탁관리방식
② 위탁관리방식 ⇨ 자가관리방식
③ 책임소재가 분명해지는 장점이 있다. ⇨ 책임소재가 불분명해지는 단점이 있다.
④ 경제적 측면의 관리 ⇨ 기술적 측면의 관리

20 정답 ③

난이도 중

① 직주접근현상 ⇨ 직주분리현상
② 교통체증의 심화는 직주접근의 원인이다.
④ 지가가 높아지는 현상 ⇨ 지가가 낮아지는 현상
⑤ 고소득층에서 저소득층으로 ⇨ 저소득층에서 고소득층으로

21 정답 ②

난이도 중

부동산개발의 7단계 과정은 다음과 같다.

아이디어(구상) ⇨ 예비적 타당성분석 ⇨ 부지의 모색과 확보 ⇨ 타당성분석 ⇨ 금융 ⇨ 건설 ⇨ 마케팅

22 정답 ③

난이도 중

1. A도시 X산업 입지계수 $= \dfrac{\dfrac{\text{A도시 X산업}}{\text{A도시 전체 산업}}}{\dfrac{\text{전국 X산업}}{\text{전국 전체 산업}}}$

$= \dfrac{\dfrac{100}{220}}{\dfrac{240}{560}} = 100 \times 560 \div 220 \div 240 = 1.06$

2. B도시 Y산업 입지계수 $= \dfrac{\dfrac{\text{B도시 Y산업}}{\text{B도시 전체 산업}}}{\dfrac{\text{전국 Y산업}}{\text{전국 전체 산업}}}$

$= \dfrac{\dfrac{200}{340}}{\dfrac{320}{560}} = 200 \times 560 \div 340 \div 320 = 1.029 \fallingdotseq 1.03$

23 정답 ②

난이도 중

① BOT방식에 대한 설명이다.
③ BTL방식에 대한 설명이다.
④ BTO방식에 대한 설명이다.
⑤ BOO방식에 대한 설명이다.

24 정답 ⑤

난이도 중

정보의 현재가치

$= \dfrac{(\text{개발될 때 가격} - \text{개발 안 될 때 가격}) \times \text{개발 안 될 확률}}{(1+r)^n}$

$= \dfrac{(\text{12억 1,000만원} - \text{4억 8,400만원}) \times 0.66}{(1.1)^2}$

= 3억 9,600만원

25 정답 ②

난이도 중

총 위험 ⇨ 비체계적 위험
투자자산 간의 상관계수가 −1인 경우 최대의 포트폴리오 효과가 발생하므로 비체계적 위험을 완전히 제거할 수 있다. 그러나 체계적 위험은 제거하지 못하므로 총위험을 모두 제거할 수 있는 것은 아니다.

26 정답 ①

난이도 상

1. 현금유입의 현가합 = (1,000만원 × 0.96) + (1,200만원 × 0.91)
 = 2,052만원
2. 현금유출(현가) = 1,500만원
3. 순현가 = 유입현가(2,052만원) − 유출현가(1,500만원)
 = 552만원

27 정답 ⑤

난이도 중

보수적 예측방법은 투자수익의 추계치를 하향 조정함으로써, 미래에 발생할 수 있는 위험을 상당수 제거할 수 있다는 가정에 근거를 두고 있다. 즉, 투자수익(기대수익률)을 하향 조정하고 위험과 비용을 높게 예측하는 방법을 말한다.

28 정답 ①

난이도 중

수익성지수(PI)가 가장 큰 사업은 B이다. ⇨ D이다.

사업	초기 현금지출	말기 현금유입	현금유입의 현가	순현가	수익성 지수
A	3,000만원	7,490만원	$\dfrac{7,490}{(1+0.07)^1} = 7,000$	4,000만원	2.33
B	1,000만원	2,675만원	$\dfrac{2,675}{(1+0.07)^1} = 2,500$	1,500만원	2.5
C	1,500만원	3,210만원	$\dfrac{3,210}{(1+0.07)^1} = 3,000$	1,500만원	2
D	1,500만원	4,815만원	$\dfrac{4,815}{(1+0.07)^1} = 4,500$	3,000만원	3

29 정답 ④

난이도 중

동일한 투자안의 경우, 일반적으로 순소득승수가 총소득승수보다 크다.

수익률과 승수의 크기

1. 총소득수익률 > 종합(자본)환원율, 지분환원율 > 세후현금흐름수익률
2. 총소득승수 < 순소득승수, 세전현금흐름승수 < 세후현금흐름승수

30 정답 ③

난이도 중

① 자금조달방법 중 부동산 신디케이트는 지분금융에 해당한다.
② 시장이자율이 대출약정이자율보다 높아지면 대출자는 수익성이 악화된다. 시장이자율이 대출약정이자율보다 낮아지면 대출자는 차입자의 조기상환에 따른 위험을 부담하게 된다.
④ 제2차 저당대출시장 ⇨ 제1차 저당대출시장
⑤ 소구금융 ⇨ 비소구금융 또는 제한적 소구금융

31 정답 ④

난이도 중

ㄱ. 상환 첫 회의 원금은 원리금균등상환방식이 원금균등상환방식보다 크다. ⇨ 작다.
ㄷ. 대출상환기간 중 잔금은 원리금균등상환방식이 점증식 상환방식보다 크다. ⇨ 작다.

32 정답 ②

난이도 중

최대 대출가능금액 계산을 계산하면 다음과 같다.

1. 담보인정비율(LTV)을 이용한 대출가능액 = 5억원 × 0.6 = 3억원
2. 총부채원리금상환비율(DSR)을 이용한 대출액
   = (연소득 × DSR − 기존 대출 상환원리금) ÷ 저당상수
   = (5,000만원 × 0.5 − 1,200만원) ÷ 0.1 = 1억 3,000만원
3. 두 가지 대출승인기준을 모두 충족시켰을 때 A가 받을 수 있는 최대 대출가능금액은 적은 금액인 1억 3,000만원이다.

33 정답 ④

난이도 중

30% ⇨ 50%

자기관리 부동산투자회사와 위탁관리 부동산투자회사의 경우 주주 1인과 그 특별관계자는 발행주식 총수의 50%를 초과하여 주식을 소유하지 못한다. 기업구조조정 부동산투자회사는 주주 1인 소유한도를 두지 않는다.

34 정답 ②

난이도 중

흡수율분석 ⇨ 지역경제분석

해당하는 내용은 지역경제분석에 대한 설명이다. 흡수율분석은 시장성 분석 단계에서 유사한 부동산의 과거 흡수율(분양율)의 추세를 분석하여 미래를 예측하는 것이다.

35 정답 ④

난이도 중

① 현장조사 ⇨ 가격조사
   '기준시점'이란 대상물건의 감정평가액을 결정하는 기준이 되는 날짜를 말하고, 가격조사를 완료한 날짜로 한다.
② 유사지역 ⇨ 인근지역
③ 가치발생요인 ⇨ 가치형성요인
⑤ 적산법 ⇨ 원가법

36 정답 ①

난이도 중

ㄹ. 거래사례비교법 ⇨ 원가법
   소경목림은 원가법을 적용하고, 입목은 거래사례비교법을 적용하여 평가한다.
ㅁ. 수익분석법 ⇨ 임대사례비교법
   임대료의 평가는 임대사례비교법을 주된 방법으로 한다.

37 정답 ⑤

난이도 상

비준가액 = 사례가격 × (사정보정 × 시점수정 × 지역 · 개별 · 면적요인 비교)

$= 800,000,000\text{원} \times 1.2 \times 1.05 \times 0.95 \times \frac{150}{200}$

$= 718,200,000\text{원}$

1. 사정보정치 = 1.2
2. 시점수정치 = $\frac{105}{100} = 1.05$
3. 지역요인은 동일
4. 개별요인 비교치 = $\frac{95}{100} = 0.95$
5. 면적요인 비교치 = $\frac{150}{200}$

38 정답 ④

난이도 중

ㄹ. 공시지가기준법 적용에 따른 시점수정시 지가변동률을 적용하는 것이 불가능하거나 적절하지 아니한 경우에는 한국은행이 조사 · 발표하는 생산자물가지수에 따라 산정된 생산자물가상승률을 적용한다.

39 정답 ②

난이도 중

1. 순영업소득 = 가능총소득 − 공실손실상당액 − 영업경비(유지관리비, 화재보험료)
   = 5,000만원 − 250만원 − 250만원 = 4,500만원
   ✚ 영업경비 = 유지관리비(150만원) + 화재보험료(100만원)
2. 수익가격 = $\frac{\text{순영업소득}}{\text{환원이율}} = \frac{4,500\text{만원}}{0.06}$ = 7억 5,000만원

40 정답 ⑤

난이도 중

① 공시기준일로부터 ⇨ 공시일로부터
② 표준지공시지가 ⇨ 개별공시지가
③ 개별주택가격 및 공동주택가격은 주택시장의 가격정보를 제공하고, 국가 · 지방자치단체 등이 그 업무와 관련하여 주택의 가격을 산정하는 경우에 그 기준으로 활용될 수 있다. ⇨ 과세 등의 업무
④ 시장 · 군수 또는 구청장은 표준지로 선정된 토지에 대해서도 개별공시지가를 결정 · 공시하여야 한다. ⇨ 결정 · 공시하지 아니할 수 있다. 이 경우 표준지공시지가를 개별공시지가로 본다.

민법 및 민사특별법

41	42	43	44	45	46	47	48	49	50
④	③	③	③	⑤	⑤	③	⑤	③	②
51	52	53	54	55	56	57	58	59	60
①	③	②	④	③	②	⑤	①	①	④
61	62	63	64	65	66	67	68	69	70
⑤	④	③	④	④	①	②	③	④	③
71	72	73	74	75	76	77	78	79	80
②	⑤	①	③	④	④	③	④	②	⑤

41 정답 ④

난이도 중

계약해제는 상대방 있는 단독행위이다.

42 정답 ③

난이도 중

부동산의 이중매매는 원칙적으로 유효이지만 제2매수인이 매도인의 이중매매에 적극 가담하여 매매행위가 이루어진 경우에는 반사회적 법률행위로서 무효이다(판례).

43 정답 ③

난이도 중

보충적 해석이란 법률행위의 내용에 간극이 발생한 경우에 제3자의 입장에서 제3자의 가상적 또는 가정적 의사를 탐구하는 해석방법을 말한다.

1. 자연적 해석
   ① 표의자가 의사를 잘못 표시한 경우에 표시된 문자적 · 언어적 의미에 구속되지 않고 표의자의 실제의사(내심적 효과의사, 진의)를 밝히는 것을 말한다.
   ② 상대방 없는 단독행위, 오표시무해의 원칙이 자연적 해석의 전형적인 예이다.
2. 규범적 해석
   ① 상대방의 시각에서 표시행위의 객관적 의미(표시상의 효과의사)를 밝히는 것을 말한다.
   ② 상대방 있는 의사표시에 전형적으로 적용된다.

44 정답 ③

난이도 중

통정허위표시에 있어서의 제3자는 그 선의 여부가 문제이지 이에 관한 과실 유무를 따질 것은 아니다(대판 2003다70041).

의사표시에서 보호되는 제3자 정리

1. 제3자라 함은 당사자와 그의 포괄승계인 이외의 자 중에서 통정허위표시를 기초로 하여 새로운 이해관계를 맺은 자를 말한다.
2. 허위표시의 무효는 선의의 제3자에게 대항하지 못한다.
3. 제3자는 선의이면 족하고 무과실일 필요는 없다.
4. 선의의 제3자로부터 권리를 전득한 자는 악의라도 선의의 제3자의 권리를 승계하므로 권리를 취득한다.
5. 제3자는 선의로 추정되므로 제3자가 악의라는 사실의 입증책임은 무효를 주장하는 자에게 있다.

45 정답 ⑤

난이도 중

甲과 乙 사이의 매매계약은 가장행위로 무효이지만, 은닉행위인 증여는 증여에 대한 진정한 합의가 있는 이상 유효하다. 따라서 乙은 증여행위에 기하여 부동산의 소유권을 취득한다. 乙은 진정한 권리자이므로, 이후 乙로부터 매수한 丙 및 丁은 선의 · 악의에 관계없이 소유권을 취득한다.

46 정답 ⑤

난이도 중

⑤ 대리행위의 하자는 대리인을 기준으로 판단한다. 따라서 대리인이 강박을 당한 경우에 본인은 계약을 취소할 수 있다.
① 표시가격에 대한 착오는 단순한 동기의 착오로 중요부분에 대한 착오가 되지 못한다.
② 甲의 대리인 丙이 미성년자인 경우 甲은 丙이 제한능력자 임을 이유로 乙과의 대리행위인 계약을 취소할 수 없으며(제117조), 乙에게 따로 취소사유가 없는 한 甲의 대리인 丙이 제한능력자라는 이유로 자신의 의사표시를 취소할 수 없다.
③ 공장을 경영하는 자가 공장이 협소하여 새로운 공장을 설립할 목적으로 토지를 매수함에 있어 토지상에 공장을 건축할 수 있는지 여부를 관할관청에 알아보지 아니한 과실은 중대한 과실에 해당한다(대판 92다38881). 따라서 계약을 취소할 수 없다.
④ 중요부분의 착오가 되고 중과실이 없다면 취소할 수 있는 것이지 당연무효가 되는 것은 아니다.

47 정답 ③

난이도 중

③① 복대리인은 대리인이 선임한 것이나 본인의 대리인이기 때문에 본인의 이름으로 대리한다. 따라서 복대리인의 월권대리도 본인이 그 행위를 추인할 수 있음은 당연하다.
② 임의대리인이 본인의 승낙을 얻어 복대리인을 선임하였어도 선임 · 감독책임을 진다.
④ 복대리인의 권한은 대리인의 대리권의 존재와 범위에 의존한다. 따라서 대리인의 권한이 소멸하면 복대리인의 권한도 소멸한다.
⑤ 임의대리인은 원칙적으로 복임권이 없고 본인의 승낙이나 부득이한 사유가 있을 때에 한해 복임권이 있다.

48 정답 ⑤ 난이도 중

① 무권대리의 추인은 다른 의사표시가 없을 때에는 계약시에 소급하여 그 효력이 생긴다.
② 추인의 의사표시는 상대방의 특별승계인(전득자)에 대해서도 할 수 있다.
③ 추인을 거절한 것으로 본다(제131조).
④ 상대방이 악의인 경우에는 철회할 수 없다.

49 정답 ③ 난이도 중

무효행위를 당사자가 무효임을 알고 추인하면 새로운 법률행위를 한 것으로 보기 때문에, 소급효는 없는 것이 원칙이다.

50 정답 ② 난이도 중

기성조건이 해제조건이면 그 법률행위는 무효이다(제151조 제2항).

> **제151조 제2항과 제3항**
> 1. 조건이 법률행위의 당시 이미 성취한 것인 경우(기성조건)에는 그 조건이 정지조건(효력발생)이면 조건 없는 법률행위로 하고 해제조건(효력소멸)이면 그 법률행위는 무효로 한다.
> 2. 조건이 법률행위의 당시에 이미 성취할 수 없는 것인 경우(불능조건)에는 그 조건이 해제조건(효력소멸)이면 조건 없는 법률행위로 하고 정지조건(효력발생)이면 그 법률행위는 무효로 한다.

51 정답 ① 난이도 중

ㄴ. 판례에 의하면 온천권은 독립한 물권이 아니므로 온천수는 독립한 물권의 객체가 되지 않고 토지소유권이 미치는 범위에 속한다.
ㄹ. 종물은 저당권설정 전후를 불문하고 저당권의 효력이 미친다.

52 정답 ③ 난이도 중

③ 매매를 원인으로 하는 소유권이전등기청구의 소는 이행의 소로써 이 소송에서의 승소판결은 「민법」 제187조가 규정하고 있는 판결에 해당하지 않는다. 따라서 그 소송에서 매수인의 승소판결이 확정되더라도 매수인이 등기를 경료하기 전에는 부동산의 소유권을 취득하지 못한다.
① 계약이 해제되면 그 계약의 이행으로 변동이 생겼던 물권은 당연히 그 계약이 없었던 원상태로 복귀한다고 봄이 타당하다(대판 75다1394).
② 건물의 신축이나 상속은 모두 등기 없이 물권변동을 일으키는 원인이다.
④ 경매를 통한 부동산소유권의 취득은 등기를 요하지 않고, 경락인이 매각대금을 완납한 때에 일어난다.
⑤ 혼동에 의한 물권의 소멸은 등기를 요하지 않는다.

53 정답 ② 난이도 중

B가 甲토지의 소유권을 취득한 경우이나, B의 저당권은 타인의 권리의 목적이 되지 않으므로 소멸한다.

54 정답 ④ 난이도 중

④ 점유자 측에서 등기명의자를 상대로 매매나 시효취득을 원인으로 소유권이전등기를 청구하였다가 패소한 경우, 그 사실만으로 점유자가 소유자에게 대하여 어떤 의무가 있음이 확정되는 것이 아니므로 악의의 점유자가 되는 데 불과하고 타주점유로 전환되는 것은 아니다(대판 80다2226).
① 직접점유자는 목적물반환의무가 있으므로 항상 타주점유이다.
② 타주점유가 자주점유로 전환되기 위해서는 새로운 권원에 의하여 다시 소유의 의사로 점유하거나, 자기에게 점유시킨 자에게 소유의 의사가 있음을 표시해야만 한다(대판 96다37871).

55 정답 ③ 난이도 중

전 점유자의 점유를 승계한 자는 그 점유 자체와 하자만을 승계하는 것이지 그 점유로 인한 법률효과까지 승계하는 것은 아니므로, 부동산을 취득시효기간 만료 당시의 점유자로부터 양수하여 점유를 승계한 현 점유자는 자신의 전 점유자에 대한 소유권이전등기청구권을 대위행사할 수 있을 뿐, 전 점유자의 취득시효완성의 효과를 주장하여 직접 자기에게 소유권이전등기를 청구할 권원은 없다(대판 전합 93다47745).

56 정답 ② 난이도 중

「민법」상 주위통행권은 이미 기존의 통로가 있더라도 그것이 당해 토지 이용에 부적합하여 실제 통로로서 충분한 기능을 하지 못하고 있는 경우에도 인정된다.

57 정답 ⑤ 난이도 중

원고와 甲이 부동산의 특정부분을 각 증여받아 공동명의로 등기를 마쳤다면 원고와 甲은 소유하는 특정부분에 대하여 서로 고유지분등기명의를 신탁한 관계(상호명의신탁)에 있을 뿐이므로 자기소유 부분에 대하여 지분의 명의신탁 해지를 원인으로 한 지분이전등기를 청구함은 모르되 공유물의 분할청구를 할 수는 없다(대판 85다카451, 452).

58 정답 ① 난이도 중

전세권자가 아닌 '전세권설정자'에게 지상권을 설정한 것으로 본다(제305조 제1항).

59 정답 ①

난이도 중

지역권은 존속기간과 지료에 대하여 명문의 「민법」규정이 없다.

1. 지역권은 유상으로 하거나 무상으로 하거나 무방하다.
2. 지역권의 존속기간은 제한이 없으며 영구무한의 지역권의 설정도 가능하다.

60 정답 ④

난이도 중

전세권자는 전세권을 타인에게 양도 또는 담보로 제공할 수 있고 그 존속기간 내에서 그 목적물을 타인에게 전전세 또는 임대할 수 있다. 그러나 설정행위로 이를 금지한 때에는 그러하지 아니하다(제306조). 따라서 지상권에서는 양도금지의 특약은 무효인 것과 달리 전세권에서는 당사자의 설정행위로서 양도금지 등의 특약을 할 수 있다.

61 정답 ⑤

난이도 중

⑤ 채권적 전세권은 거주의 목적으로 타인의 주거용 건물을 대차하는 주택전세와 기타의 부동산 전세로 나뉜다. 전자에 관하여는 「주택임대차보호법」이 특별법으로서 준용되고, 후자에 관하여는 이를 규율하는 특별법이 따로 없으나, 학설은 「민법」의 임대차에 관한 규정이 준용되는 것으로 해석하고 있다.

② 전세권자에게 우선변제권을 부여됨으로써, 전세권은 용익물권적 성격과 담보물권적 성격을 모두 갖게 되었다.

④ 전세금의 지급은 전세권 성립의 요소가 되는 것이지만 그렇다고 하여 전세금의 지급이 반드시 현실적으로 수수되어야만 하는 것은 아니고, 기존의 채권으로 전세금의 지급에 갈음할 수도 있다(대판 94다18508).

62 정답 ④

난이도 중

유치권은 법정담보물권이나 당사자 간의 유치권의 발생을 배제하는 특약이 없어야 한다. 그러나 당사자가 미리 유치권의 발생을 막는 특약을 하면 그 특약은 유효하다.

63 정답 ③

난이도 중

③ [1] 「민법」 제320조 제1항에서 '그 물건에 관하여 생긴 채권'은 유치권제도 본래의 취지인 공평의 원칙에 특별히 반하지 않는 한 채권이 목적물 자체로부터 발생한 경우는 물론이고 채권이 목적물의 반환청구권과 동일한 법률관계나 사실관계로부터 발생한 경우도 포함한다.

[2] 다세대주택의 창호 등의 공사를 완성한 하수급인이 공사대금채권 잔액을 변제받기 위하여 위 다세대주택 중 한 세대를 점유하여 유치권을 행사하는 경우, 그 유치권은 위 한 세대에 대하여 시행한 공사대금만이 아니라 다세대주택 전체에 대하여 시행한 공사대금채권의 잔액 전부를 피담보채권으로 하여 성립한다(대판 2005다16942).

① 임대인과 임차인 사이에 건물명도시 권리금을 반환하기로 하였다고 하더라도, 임차인은 권리금반환청구권을 가지고 건물에 대한 유치권을 행사할 수 없다(대판 93다62119).

② 부동산 매도인이 매매대금을 다 지급받지 아니한 상태에서 매수인에게 소유권이전등기를 마쳐주어 목적물의 소유권을 매수인에게 이전한 경우에는, 매도인의 목적물인도의무에 관하여 동시이행의 항변권 외에 물권적 권리인 유치권까지 인정할 것은 아니다(대결 2011마2380).

④ 건물의 임차인이 임대차관계 종료시에는 건물을 원상으로 복구하여 임대인에게 명도하기로 약정한 것은 건물에 지출한 각종 유익비 또는 필요비의 상환청구권을 미리 포기하기로 한 취지의 특약이라고 볼 수 있어 임차인은 유치권을 주장을 할 수 없다(대판 73다2010).

⑤ 점유의 상실은 유치권의 절대적 소멸사유에 해당한다.

64 정답 ④

난이도 중

확정 전에 발생한 원본채권에 관하여 확정 후에 발생하는 이자나 지연손해금채권은 채권최고액의 범위 내에서 근저당권에 의하여 여전히 담보된다.

65 정답 ④

난이도 중

1억 5천만원 × (3천만원 / 1억 8천만원) = 2천 5백만원

66 정답 ①

난이도 중

과실(천연 · 법정과실 포함)에는 저당권의 효력이 원칙적으로 미치지 않는다. 그러나 예외적으로 저당권 실행에 착수하여 저당부동산을 압류한 후에는 미친다.

67 정답 ②

난이도 중

격지자 간의 계약은 승낙의 통지를 발송한 때에 성립한다(제531조).

68 정답 ③

난이도 중

교차청약에 의한 계약의 성립은 양 청약이 모두 도달한 때이다. 동시에 도달하지 않은 경우에는 나중 청약이 도달한 때에 계약이 성립한다.

69 정답 ④

난이도 중

④ 매매의 목적물이 거래통념상 기대되는 객관적 성질 · 성능을 결여하거나, 당사자가 예정 또는 보증한 성질을 결여한 경우에 매도인은 매수인에 대하여 그 하자로 인한 담보책임을 부담한다 할 것이고, 한편 건축을 목적으로 매매된 토지에 대하여 건축허가를 받을 수 없어 건축이 불가능한 경우, 위와 같은 법률적 제한 내지 장애 역시 매매목적물의 하자에 해당한다 할 것이나, 다만 위와 같은 하자의 존부는 매매계약 성립시를 기준으로 판단하여야 할 것이다(대판 98다18506).

② 매매의 목적이 된 권리의 일부가 타인에게 속한 경우의 매도인의 담보책임에 관한 「민법」 제572조의 규정은 단일한 권리의 일부가 타인에 속하는 경우에만 한정하여 적용되는 것이 아니라 수개의 권리를 일괄하여 매매의 목적으로 정한 경우에도 그 가운데 이전할 수 없게 된 권리부분이 차지하는 비율에 따른 대금산출이 불가능한 경우 등 특별한 사정이 없는 한 역시 적용된다(대판 88다카13547).

⑤ 「민법」 제581조 · 제580조에 기한 매도인의 하자담보책임은 법이 특별히 인정한 무과실책임으로서 여기에 「민법」 제396조의 과실상계 규정이 준용될 수는 없다하더라도, 담보책임이 「민법」의 지도이념인 공평의 원칙에 입각한 것인 이상 하자 발생 및 그 확대에 가공한 매수인의 잘못을 참작하여 손해배상의 범위를 정함이 상당하다(대판 94다23920).

70 정답 ③ 난이도 중

토지거래허가구역 안의 토지에 관하여 그 허가를 받았다 하더라도, 그러한 사정만으로는 아직 이행의 착수가 있다고 볼 수 없어 해약금에 의한 해제를 할 수 있다(대판 2008다62427).

71 정답 ② 난이도 중

특별한 사정이 없는 한 매매계약이 있은 후에도 인도하지 아니한 목적물로부터 생긴 과실은 매도인에게 속하나, 매매목적물의 인도 전이라도 매수인이 매매대금을 완납한 때에는 그 이후의 과실수취권은 매수인에게 귀속된다(대판 93다28928).

72 정답 ⑤ 난이도 중

저당권의 실행으로 인하여 소유권 등을 취득할 수 없거나 상실하는 경우에 매수인은 선의 · 악의를 불문하고 해제권과 손해배상청구권이 인정된다.

73 정답 ① 난이도 중

임차인의 비용상환청구규정은 임의규정으로서 이는 당사자의 특약으로서 배제할 수 있다. 즉 필요비, 유익비를 임차인이 부담하게 하는 특약은 유효이다.

74 정답 ③ 난이도 중

임차인의 차임연체 등 채무불이행을 이유로 임대차가 해지된 경우에는 임차인은 부속물 및 지상물매수청구를 할 수 없다.

75 정답 ④ 난이도 중

판결이 확정되었더라도 그 판결에 기한 건물의 철거가 집행되지 아니한 이상 임차인은 임대인에 대하여 건물의 매수청구권을 행사할 수 있다(대판 95다42195).

76 정답 ④ 난이도 중

④ 甲이 주택에 관하여 소유권이전등기를 경료하고 주민등록전입신고까지 마친 다음 처와 함께 거주하다가 乙에게 매도함과 동시에 그로부터 이를 다시 임차하여 계속 거주하기로 약정하고 임차인을 甲의 처로 하는 임대차계약을 체결한 후에야 乙명의의 소유권이전등기가 경료된 경우, 제3자로서는 주택에 관하여 甲으로부터 乙 앞으로 소유권이전등기가 경료되기 전에는 甲의 처의 주민등록이 소유권 아닌 임차권을 매개로 하는 점유라는 것을 인식하기 어려웠다 할 것이므로, 甲의 처의 주민등록은 주택에 관하여 乙명의의 소유권이전등기가 경료되기 전에는 주택임대차의 대항력 인정의 요건이 되는 적법한 공시방법으로서의 효력이 없고 乙명의의 소유권이전등기가 경료된 날에야 비로소 甲의 처와 乙 사이의 임대차를 공시하는 유효한 공시방법이 된다고 할 것이며, 「주택임대차보호법」 제3조 제1항에 의하여 유효한 공시방법을 갖춘 다음 날인 乙명의의 소유권이전등기일 익일부터 임차인으로서 대항력을 갖는다(대판 99다59306).

① 「주택임대차보호법」이 제3조 제1항에서 주택임차인에게 주택의 인도와 주민등록을 요건으로 명시하여 등기된 물권에 버금가는 강력한 대항력을 부여하고 있는 취지에 비추어 볼 때 달리 공시방법이 없는 주택임대차에 있어서 주택의 인도 및 주민등록이라는 대항요건은 그 대항력 취득시에만 구비하면 족한 것이 아니고 그 대항력을 유지하기 위하여서도 계속 존속하고 있어야 한다(대판 97다43468).

② 주택의 임차인이 그 주택의 소재지로 전입신고를 마치고 그 주택에 입주함으로써 일단 임차권의 대항력을 취득한 후 어떤 이유에서든지 그 가족과 함께 일시적이나마 다른 곳으로 주민등록을 이전하였다면 이는 전체적으로나 종국적으로 주민등록의 이탈이라고 볼 수 있으므로 그 대항력은 그 전출 당시 이미 대항요건의 상실로 소멸되는 것이고, 그 후 그 임차인이 얼마 있지 않아 다시 원래의 주소지로 주민등록을 재전입하였다 하더라도 이로써 소멸되었던 대항력이 당초에 소급하여 회복되는 것이 아니라 그 재전입한 때부터 그와는 동일성이 없는 새로운 대항력이 재차 발생하는 것이다(대판 97다43468).

③ 임차주택의 양수인에게 대항할 수 있는 임차권자라도 스스로 임대차관계의 승계를 원하지 아니할 때에는 승계되는 임대차관계의 구속을 면할 수 있다고 보아야 하므로, 임차주택이 임대차기간의 만료 전에 경매되는 경우 임대차계약을 해지함으로써 종료시키고 우선변제를 청구할 수 있다. 그 경우 임차인에게 인정되는 해지권은 임차인의 사전 동의 없이 임대차목적물인 주택이 경락으로 양도됨에 따라 임차인이 임대차의 승계를 원하지 아니할 경우에는 스스로 임대차를 종료시킬 수 있어야 한다는 공평의 원칙 및 신의성실의 원칙에 근거한 것이므로, 해지통고 즉시 그 효력이 생긴다(대판 94다37646).

⑤ 주택임차인의 의사에 의하지 아니하고 「주민등록법」 및 동법 시행령에 따라 시장 · 군수 또는 구청장에 의하여 직권조치로 주민등록이 말소된 경우에도 원칙적으로 그 대항력은 상실된다고 할 것이지만, 「주민등록법」상의 직권말소제도는 거주관계 등 인구의 동태를 상시로 명확히 파악하여 주민생활의 편익을 증진시키고 행정사무의 적정한 처리를 도모하기 위한 것이고, 「주택임대차보호법」에서 주민등록을 대항력의 요건으로 규정하고 있는 것은 거래의 안전을 위하여 임대차의 존재를 제3자가 명백히 인식할 수 있게 하기 위한 것으로서 그 취지가 다르므로, 직권말소 후 동법 소정의 이의절차에 따라 그 말소된 주민등록이 회복되거나 동법 시행령 제29조에 의하여 재등록이 이루어짐으로써 주택임차인에게 주민등록을 유지할 의사가 있었다는 것이 명백히 드러난 경우에는 소급하여 그 대항력이 유지된다고 할 것이고, 다만, 그 직권말소가 「주민등록법」 소정의 이의절차에 의하여 회복된 것이 아닌 경우에는 직권말소 후 재등록이 이루어지기 이전에 주민등록이 없는 것으로 믿고 임차주택에 관하여 새로운 이해관계를 맺은 선의의 제3자에 대하여는 임차인은 대항력의 유지를 주장할 수 없다고 봄이 상당하다(대판 2002다20957).

77 정답 ③

난이도 중

기간의 정함이 없거나 기간을 1년 미만으로 정한 상가임대차는 그 기간을 1년으로 본다. 다만, 임차인은 1년 미만으로 정한 기간이 유효함을 주장할 수 있다.

78 정답 ④

난이도 중

① 담보부동산의 평가액이 피담보채권액에 미달하여 청산금이 없는 경우에도 그 뜻을 통지하고 2개월이 경과하여야만 담보부동산의 소유권을 취득할 수 있다(가등기담보법 제3조 제1항).

③ 가등기담보권리자가 채무자 등에게 담보권 실행의 통지를 하였다면 비록 후순위 권리자에게 통지하지 않았다 하더라도 담보목적 부동산의 소유권을 취득하는 데는 지장이 없고, 다만 후순위 권리자에 대하여 청산금에 대한 이중지급의 책임을 질 뿐이다(동법 제7조 제2항).

79 정답 ②

난이도 중

② 집합건물인 1동의 건물 구분소유자들이 그 건물의 대지를 공유하고 있는 경우 각 구분소유자는 별도의 규약이 존재하는 등의 특별한 사정이 없는 한 그 대지에 대하여 가지는 공유지분의 비율에 관계없이 그 건물의 대지 전부를 용도에 따라 사용할 수 있는 적법한 권원을 가지는바, 이때 '건물의 대지'는 달리 특별한 사정이 없는 한 집합건물이 소재하고 있는 1필의 토지 전부를 포함한다(대판 2013다33577).

① 공유자의 보존행위의 권한은 관리인 선임 여부에 관계없이 행사할 수 있다(대판 2011다12163).

80 정답 ⑤

난이도 중

① 丙이 甲, 乙 간의 명의신탁약정에 대해 선의인 경우에도 丙, 乙 간의 매매와 물권변동이 유효할 뿐, 甲, 乙 간의 명의신탁약정 자체는 여전히 무효이다.

② 乙은 丙이 甲, 乙 간의 명의신탁약정에 대해 선의인 경우에 한해서 그 부동산의 소유권을 취득한다(부동산실명법 제4조 제2항 단서).

③ 丙이 선의인 경우 乙이 부동산의 소유권을 취득하므로(동법 제4조 제2항 단서), 선의의 丙은 乙을 상대로 소유권이전등기의 말소를 청구할 수 없다.

④ 甲, 乙 간의 명의신탁약정은 무효이므로 甲은 乙에게 그 약정에 따른 소유권이전등기를 청구할 수 없다.

제5회 정답 및 해설

부동산학개론

01	02	03	04	05	06	07	08	09	10
③	④	⑤	③	⑤	②	⑤	③	①	④
11	**12**	**13**	**14**	**15**	**16**	**17**	**18**	**19**	**20**
①	②	③	⑤	①	④	②	⑤	②	④
21	**22**	**23**	**24**	**25**	**26**	**27**	**28**	**29**	**30**
②	③	③	④	②	③	⑤	③	⑤	②
31	**32**	**33**	**34**	**35**	**36**	**37**	**38**	**39**	**40**
②	④	④	②	⑤	④	④	③	④	①

01 정답 ③

난이도 중

한국표준산업분류상 주거용 부동산임대업, 비주거용 부동산관리업, 부동산중개 및 투자업은 부동산업에 해당한다. ⇨ 부동산중개 및 투자자문업

한국표준산업분류에 따른 부동산업

대(중)분류	소분류	세분류	세세분류
부동산업	부동산임대 및 공급업	부동산임대업	• 주거용 건물임대업 • 비주거용 건물임대업 • 기타 부동산임대업
		부동산 개발 및 공급업	• 주거용 건물 개발 및 공급업 • 비주거용 건물 개발 및 공급업 • 기타 부동산 개발 및 공급업
	부동산 관련 서비스업	부동산관리업	• 주거용 부동산관리업 • 비주거용 부동산관리업
		부동산중개, 자문 및 감정평가업	• 부동산중개 및 대리업 • 부동산 투자자문업 • 부동산 감정평가업

02 정답 ④

난이도 중

① 물리적 공급 ⇨ 경제적 공급
② 영속성 ⇨ 개별성
③ 부증성 ⇨ 부동성
⑤ 개별성 ⇨ 부증성

03 정답 ⑤

난이도 중

임차인이 설치한 영업용 선반 등 생활의 편의를 위해 설치한 물건은 정착물로 간주되지 않으므로 동산에 해당한다. 대표적으로 영구성이 없이 부착된 가식 중인 수목, 임차인 부착물, 판잣집 등은 정착물로 간주되지 않는다.

04 정답 ③

난이도 중

① 공한지 ⇨ 공지
② 획지 ⇨ 필지
④ 나지는 건물 및 기타 정착물이 존재하지 않고, 사법상 제한과 공법상의 제한이 존재하지 않는 토지를 말한다. ⇨ 사법상의 제한이 존재하지 않는(공법상의 제한은 받는 상태이다)
⑤ 소지 ⇨ 포락지

05 정답 ⑤

난이도 중

A지역에는 현재 18만 호의 주택이 있는데, 그중 1만 호가 공가로 남아있다면 A지역의 주택저량의 공급량은 18만 호이다. 현재는 일정 시점에 해당하므로 저량개념이고, 저량의 공급량은 존재하는 주택수량을 의미한다.

06 정답 ②

난이도 중

② 옳은 지문으로 아파트 가격이 상승하면 '수요량의 변화(수요법칙)'에 의해 아파트 수요량은 감소해야 하지만, 아파트 수요량이 증가했으므로 아파트 가격변화가 아닌 다른 요인에 의한 '수요의 변화(수요의 증가)'가 동시에 발생한 것으로 볼 수 있다.
① 수요량은 구매력을 갖춘 수요자가 실제로 구매한 최대수량이다. ⇨ 구매하려고 하는
③ 수요곡선은 우상향하는 모양을 나타내고, 공급곡선은 우하향하는 모양을 나타낸다. ⇨ 수요곡선은 우하향, 공급곡선은 우상향
④ 부동산 가격이 상승할 것으로 예상되면 부동산 수요량이 감소하여 수요곡선이 좌측으로 이동한다. ⇨ 수요량이 증가하여 수요곡선이 우측으로 이동한다.
⑤ 소득이 변하여 부동산 수요량이 변하면 수요곡선상의 점의 이동이 나타난다. ⇨ 수요곡선의 이동

07 정답 ⑤

난이도 중

'생산에 소요되는 기간이 장기'라는 것은 생산하는 데 시간이 오래 걸린다는 의미이므로 공급은 더 비탄력적이 된다. 공급의 탄력성은 쉽고 빠르게 생산할수록 커진다.
일반적으로 단기에 비해 장기가 탄력적이라는 것은 관찰시간이 장기일수록 탄력적이라는 것을 말한다.

08 정답 ③

난이도 중

1. $\frac{\text{수요량의 변화율}}{\text{가격변화율(6\%)}}$ = 수요의 가격탄력성(0.5)

   (가격변화에 의한) 수요량의 변화율 = 0.5 × 6% = 3%

   ⇨ 가격이 6% 상승했으므로 수요법칙에 의해 수요량은 3% 감소

2. $\frac{\text{수요량의 변화율}}{\text{소득변화율(2\%)}}$ = 수요의 소득탄력성(0.5)

   (소득변화에 의한) 수요량의 변화율 = 0.5 × 2 = 1%

   ⇨ 정상재이고 소득이 2% 증가했으므로 수요량은 1% 증가

3. A부동산 전체 수요량변화율 = 3% 감소 + 1% 증가 = 2% 감소

   A부동산 수요량의 전체변화율은 2% 감소한다.

09 정답 ①

난이도 중

부동산경기는 정점에서 저점에 이르는 기간은 짧고, 저점에서 정점에 이르는 기간은 길게 나타나는 경향이 있다. 즉, 우경사비대칭 구조를 나타내며 회복은 오래 걸리고 후퇴는 빠르게 진행되는 특성이 있다.

10 정답 ④

난이도 중

기회비용보다 싼 값으로 정보를 획득할 수 있는 것은 부동산시장이 불완전해서가 아니라, 할당 효율적이지 못하기 때문이다. 할당 효율적 시장이란 자원의 배분이 효율적으로 이루어지는 시장으로서 어느 누구도 기회비용보다 싼 값으로 정보를 획득할 수 없고, 투기가 없으며, 실질적인 초과이윤이 없는 시장이다.

11 정답 ①

난이도 중

1. 토지의 현재가치(정보가 불확실한 현재조건에서)

   $= \frac{(5\text{억원} \times 0.6 + 3\text{억 }3{,}000\text{만원} \times 0.4)}{(1+0.2)^2} = 3\text{억원}$

2. 정보의 현재가치 $= \frac{\text{금액차이} \times \text{안 될 확률}}{\text{땡긴다}(1+r)^n}$

   $= \frac{(5\text{억원} - 3\text{억 }3{,}000\text{만원}) \times 0.4}{(1+0.2)^2}$ = 47,~~222,222~~원

   = 4,700만원

12 정답 ②

난이도 중

ㄱ. 호이트의 선형이론(가)에 대한 내용이다.

ㄴ. 크리스탈러의 중심지이론(나)에 대한 내용이다.

ㄷ. 넬슨의 소매입지이론(라)에 대한 내용이다.

> **허프(D. Huff)의 확률모형**
>
> 소비자의 소비 형태를 미시적으로 분석하여 대도시 내에서 소비자의 쇼핑패턴을 결정하는 확률을 제시하는 모델이다. 소비자의 특정 매장 선택 여부는 경쟁점포의 수, 점포와의 시간거리, 점포의 면적에 의해 결정된다고 보았다.

13 정답 ③

난이도 하

마르크스(K. Marx)에 따르면 최열등지에서는 지대가 발생하지 않는다. ⇨ 발생한다.

마르크스의 절대지대설에 따르면 소유(사유화)에 의해 지대는 한계지(최열등지)에서도 발생한다.

14 정답 ⑤

난이도 중

1. A시의 유인력 $= \frac{10{,}000}{1^2} = 10{,}000$,

   B시의 유인력 $= \frac{20{,}000}{2^2} = 5{,}000$

2. A시의 유입비율(점유율) $= \frac{10{,}000}{10{,}000 + 5{,}000}$

3. A시의 유입인구수 = 소비자 수 × A시의 유입비율

   $= (30{,}000 \times 0.8) \times \frac{10{,}000}{10{,}000 + 5{,}000}$

   = 16,000명

4. 소비자 수는 3만명의 80%이므로 30,000 × 0.8 = 24,000명이다. 따라서 B시의 유입 규모는 8,000명이다.

15 정답 ①

난이도 중

개발부담금제 ⇨ 개발권양도제(TDR)

개발권양도제는 규제지역 토지소유자의 손실을 보전하기 위해 도입된 제도로, 소유권과 분리된 개발권을 개발지역 토지소유자나 개발업자에게 양도하여 규제지역(보전지역) 토지소유자의 손실을 보상하기 위한 제도이다. 그러나 현재 우리나라에서 시행하고 있지 않는 제도이다.

> **현재 우리나라에 시행하고 있지 않는 제도**
>
> 1. 택지소유상한제 – 폐지
> 2. 토지초과이득세제 – 폐지
> 3. 개발권양도제도(TDR) – 미실시
> 4. 공한지세 – 폐지
> 5. 종합토지세 – 폐지

16 정답 ④

난이도 중

① 공공이 장래에 필요한 토지를 미리 확보하여 보유하는 제도이며, 정부가 간접적으로 부동산시장에 개입하는 정책수단이다. ⇨ 직접적으로

② 토지비축사업은 개발되기 이전의 토지를 강제적으로 매입하여 장래 공익사업의 원활한 시행과 토지시장의 안정에 기여할 수 있다. ⇨ 강제성이 적은 방식으로

③ 토지선매를 통해 공공시설용지를 저렴하게 공급할 수 있으나, 토지양도의사표시가 전제된다는 점에서 토지수용제도보다 토지소유자의 사적 권리를 침해하는 정도가 크다. ⇨ 작다.

⑤ 우리나라는 한국주택금융공사가 토지비축을 법적 업무로 부여받아 수행하고 있으며, 공공토지비축계획을 국토교통부장관이 수립한다. ⇨ 한국토지주택공사(LH)

17 정답 ②

난이도 중

사회적 편익이 사적 편익을 초과하는 외부성은 '정(+)의 외부효과'를 말하는 것으로 시장의 균형생산량은 바람직한 수준보다 작다. 즉, 과소생산의 문제가 발생한다.

정(+)의 외부효과와 부(−)의 외부효과

구분	정(+)의 외부효과 (외부경제)	부(−)의 외부효과 (외부불경제)
개념	이익 제공	손실 발생
편익	사회적 편익 > 사적 편익	사회적 편익 < 사적 편익
비용	사회적 비용 < 사적 비용	사회적 비용 > 사적 비용
시장실패	과소생산(과소소비)	과다생산(과다소비)
해결수단	보조금, 세금감면 등	부담금, 중과세, 규제 등
지역 이기주의	핌피(PIMFY)현상 발생	님비(NIMBY)현상 발생

18 정답 ⑤

난이도 중

균형임대료보다 임대료상한(규제임대료)이 낮을 경우, 단기에 비해 장기에 탄력적으로 변하게 되어 공급이 감소하게 된다. 단기에는 공급이 비탄력적이므로 공급량이 거의 일정하고, 장기에 탄력적으로 변하므로 공급량이 변할 수 있게 된 것이다. 따라서 장기에 초과수요(공급 부족)가 더 크게 발생한다. 공급이 감소하는 이유는 규제임대료가 균형임대료보다 낮기 때문이다.

19 정답 ②

난이도 중

직주분리현상을 심화시켜 통근거리가 길어진다.

직주분리와 직주접근

구분	직주분리	직주접근
의의	직장을 도심에 두고 주거지를 도심에서 멀리 두는 현상	직장과 주거지를 가까운 곳(도심)에 두려는 현상(회귀현상)
원인	1. 도심의 환경 악화 2. 도심의 지가고 3. 도심의 재개발(주택철거) 4. 교통체계의 발달	1. 도심의 환경개선 2. 도심의 지가안정 3. 정부의 정책적 유도 4. 출·퇴근시 교통체증
결과	1. 도심 공동화 현상(도넛현상) 2. 외곽은 베드타운화(침상도시) 3. 출·퇴근시 교통혼잡 4. 외곽지역의 지가 상승	1. 도심 건물의 고층화 2. 도심의 토지이용의 집약화 3. 도심의 불량주택 재개발 4. 도시회춘화

20 정답 ④

난이도 중

주거환경개선사업에 대한 설명이다.

정비사업(「도시 및 주거환경정비법」 제2조)

1. **주거환경개선사업:** 도시저소득 주민이 집단거주하는 지역으로서 정비기반시설이 극히 열악하고 노후·불량건축물이 과도하게 밀집한 지역의 주거환경을 개선하거나 단독주택 및 다세대주택이 밀집한 지역에서 정비기반시설과 공동이용시설 확충을 통하여 주거환경을 보전·정비·개량하기 위한 사업
2. **재개발사업:** 정비기반시설이 열악하고 노후·불량건축물이 밀집한 지역에서 주거환경을 개선하거나 상업지역·공업지역 등에서 도시기능의 회복 및 상권활성화 등을 위하여 도시환경을 개선하기 위한 사업
3. **재건축사업:** 정비기반시설은 양호하나 노후·불량건축물에 해당하는 공동주택이 밀집한 지역에서 주거환경을 개선하기 위한 사업

21 정답 ②

난이도 중

개발권이전제도는 정부의 재정을 들이지 않고 개발권의 거래를 통해(시장을 통해) 규제에 따른 손실이 보상된다는 장점이 있는 제도이다.

22 정답 ③

난이도 중

① 법률적 측면의 부동산관리이다.
② 혼합관리방식에 대한 설명이다.
④ 시설관리(facility management)에 대한 설명이다.
⑤ 오피스 빌딩에 대한 대대적인 리모델링 투자의사결정은 부동산 관리 업무 중 자산관리(asset management)에 속한다.

23 정답 ③

난이도 상

순현가 = 유입현가합(1,305만원) − 유출현가(1,100만원) = 205만원
주어진 조건에서 7년 연금의 현가계수를 제시했으므로 연금 7년을 만들어야 한다. 따라서 7년차 수입인 1,450만원을 150만원과 1,300만원으로 나누어 계산한다.

1. 7년 동안의 현금유입, 150만원씩의 현재가치 합
   = 연금(150만원) × 연금의 현가계수(3.50)
   = 연금의 현가(525만원)
2. 7년 차 말의 현금유입, 1,300만원의 현재가치
   = 일시불(1,300만원) × 일시불의 현가계수(0.60)
   = 일시불의 현가(780만원)
3. 현금유입의 현가합 = 525만원 + 780만원 = 1,305만원
4. 순현가 = 1,305만원 − 1,100만원 = 205만원

24 정답 ④

난이도 중

어떤 부동산에 대한 투자자의 요구수익률이 기대수익률보다 큰 경우 대상부동산에 대한 가치는 상승하고, 점차 기대수익률은 하락한다. ⇨ 가치는 하락하고, 점차 기대수익률은 상승한다.

25 정답 ② 난이도 중

경기변동, 인플레이션, 이자율의 변화 등에 의해 야기되는 시장위험은 피할 수 없는 위험이며, 이를 체계적 위험이라 한다.

❶ 체계적 위험과 비체계적 위험

총위험 = 체계적 위험 + 비체계적 위험	
체계적 위험(시장위험)	비체계적 위험
1. 분산투자로 피할 수 없는 위험 2. 시장의 힘에 의해 야기되는 위험 3. 경기변동, 인플레이션, 이자율 변동 등	1. 분산투자로 피할 수 있는 위험 2. 개별적인 부동산의 특성으로부터 야기(개별자산에 국한하여 영향을 미치는 위험) 3. 파업, 법적 문제, 영업경비 변동

26 정답 ③ 난이도 상

1. 1회 차 원금 = 대부액 × (저당상수 − 이자율)
   = 4억원 × 0.027 = 10,800,000원
   2회 차 원금 = 1회차 원금 × (1 + r)
   = 10,800,000원 × 1.06 = 11,448,000원
2. 원리금균등상환방식이므로 매 회차 원리금은 동일하다.
   매기 원리금 = 대부액(4억원) × 저당상수(0.087) = 34,800,000원

27 정답 ⑤ 난이도 중

⑤ 순현재가치법은 가치가산의 원리가 적용되므로 옳은 지문이다.

① 수익성지수는 투자지출 합계의 현재가치를 사업기간 중의 현금수입 합계의 현재가치로 나눈 상대지수이다. ⇨ 현금수입 합계의 현재가치를 투자지출 합계의 현재가치로 나눈

② 독립적인 단일 투자안에서 순현재가치법과 수익성지수법의 투자판단의 결과는 다를 수 있다. ⇨ 동일하다.

③ 순현재가치법과 내부수익률법에서는 현재가치를 구하기 위해 적용되는 할인율이 동일하다. ⇨ 다르다.
순현재가치법에서의 할인율은 요구수익률이고, 내부수익률법에서의 할인율은 내부수익률 자체이다.

④ 내부수익률이 기대수익률보다 큰 경우 투자안은 타당성이 있다고 판단한다. ⇨ 요구수익률

28 정답 ③ 난이도 중

자본회수기간은 지분투자액을 순영업소득으로 나눈 값이다. ⇨ 총투자액

29 정답 ⑤ 난이도 상

① 연금의 현가계수 ⇨ 일시불의 현가계수
② 연금의 내가계수 ⇨ 연금의 현가계수
③ 저당상수 ⇨ 연금의 현가계수
④ 연금의 내가계수 ⇨ 감채기금계수

30 정답 ② 난이도 중

지불이체채권(MPTB)은 조기상환에 따른 위험을 투자자가 부담하고, 주택저당채권의 소유권을 발행자가 갖는다.

❶ MBS의 종류 비교

구분	MPTS	MBB	MPTB	CMO (다계층 채권)
유형(종류)	증권	채권	혼합형 채권	혼합형 채권
저당채권의 소유권	투자자	발행자	발행자	발행자
원리금 수취권자	투자자	발행자	투자자	투자자
조기상환 위험부담자	투자자	발행자	투자자	투자자

31 정답 ② 난이도 중

신개발은 농경지나 산지 등 건물이 없는 곳의 토지를 건축이 가능하게 전환하여 개발하는 것을 말한다. 또한 개발한 토지 중 보류지(체비지 · 공공시설 용지)를 제외한 토지를 토지소유자에게 배분(재분배)하는 방식은 환지방식에 해당한다. 도시개발사업(구획정리사업)은 주로 환지사업방식으로 진행되는 것이 일반적이다.

32 정답 ④ 난이도 중

1차 저당대출자(금융기관)는 반드시 저당채권을 한국주택금융공사(HF)에 매각하는 것은 아니다. 금융기관은 설정된 저당을 자신들의 자산포트폴리오 일부로 보유하기도 하고, 자금의 여유가 없어 현금이 부족한 경우에는 한국주택금융공사에 저당채권을 매각하기도 한다.

33 정답 ④ 난이도 하

부동산투자회사는 영업인가를 받거나 등록을 한 날부터 3년 이내에 발행하는 주식 총수의 20% 이상을 일반의 청약에 제공하여야 한다. ⇨ 2년 이내에 발행하는 주식 총수의 30% 이상

34 정답 ② 난이도 하

시장점유 전략은 수요자 측면의 접근으로 목표시장을 선점하거나 점유율을 높이는 것을 말한다. ⇨ 공급자 측면

35 정답 ⑤ 난이도 중

① 가치는 주관적 · 추상적인 개념이고, 가격은 가치가 시장을 통하여 화폐단위로 구현된 객관적 · 구체적인 개념이다.

② 부동산가치가 상승하면 부동산 가격도 상승한다. 그러나 화폐가치가 상승하면 부동산의 가격은 하락하게 된다. 화폐가치와 물가는 반비례관계이다.

③ 부동산의 가치는 장래 기대되는 유 · 무형의 편익을 현재가치로 환원한 값이다.

④ 부동산가치는 평가목적에 따라 일정 시점에서 여러 가지가 존재하지만, 부동산 가격은 지불된 금액이므로 일정 시점에서 하나만 존재한다.

36 정답 ④

난이도 중

적산가액 = 재조달원가 − 감가누계액

= 220,000,000 − 19,800,000 = 200,200,000

1. 재조달원가 = 준공 당시 신축공사비 × 시점수정

$= 2억원 \times \frac{110}{100} = 220,000,000원$

2. 매년감가액 $= \frac{재조달원가 - 잔존가격}{경제적\ 내용연수}$

$= \frac{220,000,000원 - 22,000,000원}{50년} = 3,960,000원$

3. 감가누계액(감가수정액) = 매년감가액 × 경과연수

= 3,960,000원 × 5년 = 19,800,000원

37 정답 ④

난이도 중

1. 토지가격 = 비교표준지공시지가 × (시점수정 × 지역요인 비교치 × 개별요인 비교치 × 기타요인 비교치)
   - 비교표준지공시지가 = 2,000,000원/m^2
   - 시점수정 $= \frac{기준시점}{비교표준지시점} = \frac{105}{100} = 1.05$

     (지가변동률 상업지역 5% 상승)
   - 개별요인(가로조건) $= \frac{대상}{비교표준지} = \frac{120}{100} = 1.2$

     (대상토지가 20% 우세)
   - 개별요인(환경조건) $= \frac{대상}{비교표준지} = \frac{90}{100} = 0.9$

     (대상토지가 10% 열세)
   - 그 밖의 요인 보정치 = 1.2
2. 토지가격 = 2,000,000원/m^2 × 1.05 × 1.2 × 0.9 × 1.2

   = 2,721,600원/m^2

38 정답 ③

난이도 중

① 감가수정과 감가상각을 반대로 설명하고 있다. 감가상각은 취득원가에 대한 비용배분의 개념이고, 감가수정은 재조달원가를 기초로 적정한 가치를 산정하는 개념이다.

② 경제적 감가요인 ⇨ 기능적 감가요인

④ 관찰감가법 ⇨ 분해법

⑤ 상환기금법 ⇨ 관찰감가법

> **원가방식에서의 감가수정방법**
> 1. 내용연수법(정액법, 정률법, 상환기금법)
> 2. 관찰감가법
> 3. 분해법

39 정답 ④

난이도 중

저당상수가 제시되는 경우는 부채감당법으로 환원이율을 계산하는 문제이다.

1. 대부비율 + 지분비율(40%) = 100%

   따라서 대부비율 = 60%(0.6)이다.
2. 부채감당률 $= \frac{순영업소득}{부채서비스액} = \frac{2,000만원}{1,000만원} = 2$
3. 환원이율 = 부채감당률 × 대부비율 × 저당상수

   = 2 × 0.6 × 0.177

   = 0.2124 = 21.24%

40 정답 ①

난이도 중

표준주택을 선정할 때에는 일반적으로 유사하다고 인정되는 일단의 단독주택에서 해당 일단의 주택을 대표할 수 있는 주택을 선정하여야 한다. 공동주택가격은 표준주택가격과 개별주택가격으로 구분하지 않는다.

민법 및 민사특별법

41	42	43	44	45	46	47	48	49	50
⑤	④	①	③	⑤	⑤	①	④	⑤	②
51	52	53	54	55	56	57	58	59	60
②	①	③	③	③	③	⑤	③	②	④
61	62	63	64	65	66	67	68	69	70
①	②	②	①	④	②	②	⑤	⑤	④
71	72	73	74	75	76	77	78	79	80
③	①	①	③	④	③	③	②	④	③

41 정답 ⑤

난이도 중

①②④ 甲과 乙의 도박계약 및 甲과 丙의 금전대여계약은 반사회질서의 법률행위로서 모두 무효이다. 법률행위가 제103조에 반하여 무효이면, 그 급부가 이미 이행된 경우에는 제746조의 불법원인급여가 되어 부당이득반환청구권이 배제된다.

42 정답 ④

난이도 중

경솔과 무경험은 대리인을 기준으로 하여 판단하고, 궁박은 본인의 입장에서 판단한다.

43 정답 ①

난이도 중

① 자연적 해석에 의해 甲 · 乙 간에 A토지를 매매의 목적물로 한다는 의사합치가 있는 이상 착오는 문제될 여지가 없다.

②⑤ 쌍방 당사자의 매매계약목적물에 대한 의사합치가 A토지인 이상, 잘못된 표시(B토지)는 해가 되지 않으므로(오표시무해원칙) A토지에 대하여 매매계약이 성립한다.

③ B토지에 대해서는 甲과 乙 사이에 매매계약(채권행위)과 물권적 합의(물권행위)가 없고 경료된 등기는 원인무효의 등기일 뿐이므로 무효인 등기를 기초로 한 丙의 등기 역시 원인무효로서 말소되어야 한다.

④ A토지에 대해 유효한 매매계약이 체결되었으므로 甲은 乙에게 A토지에 대한 소유권이전등기를, B토지에 대한 乙의 등기는 원인무효의 등기이므로 乙 및 丙은 甲에게 B토지에 대한 소유권이전등기말소절차를, 각각 이행하여야 한다.

44 정답 ③

난이도 중

통정허위표시에 있어서의 제3자는 그 선의 여부가 문제이지 이에 관한 과실 유무를 따질 것이 아니다(대판 2003다70041).

45 정답 ⑤

난이도 중

甲과 乙 사이의 매매계약은 가장행위로 무효이지만, 은닉행위인 증여는 증여에 대한 진정한 합의가 있는 이상 유효하다. 따라서 乙은 증여행위에 기하여 부동산의 소유권을 취득한다. 乙은 진정한 권리자이므로 이후 乙로부터 매수한 丙 및 丁은 선의·악의에 관계없이 소유권을 취득한다.

46 정답 ⑤

난이도 중

착오에 의한 의사표시의 경우에 표의자 측에서 착오를 이유로 취소할 수가 있으나, 이를 수령한 상대방은 착오를 이유로 취소할 수 없다.

47 정답 ①

난이도 중

제125조는 임의대리에 한하여 적용되며, 법정대리에는 적용되지 않는다(통설).

48 정답 ④

난이도 중

기본대리권이 존재하지 않으므로 권한을 넘은 표현대리가 성립할 수 없다.

49 정답 ⑤

난이도 중

⑤ 乙이 무권대리행위를 한 경우의 법률관계를 묻는 문제이다. 甲은 乙의 행위를 추인할 수도 있고, 추인을 거절할 수도 있다(제130조). 甲이 추인하면 소급하여 유효한 계약이 되므로(제133조), 타당한 설명이다.
① 甲이 乙에게 추인하였다면 丙이 추인한 사실을 알기 전에는 丙에게 대항할 수 없다(제132조). 따라서 丙은 철회권을 여전히 가진다.
② 일단 추인을 거절한 후에는 무권대리행위는 무효인 것으로 확정되므로, 甲은 다시 추인할 수 없고 또 상대방 丙도 최고권이나 철회권을 행사할 필요가 없게 된다.
③ 본인이 사망하여 무권대리인이 본인의 지위를 상속한 경우 무권대리행위가 당연히 유효한 것으로 되는지에 대하여는 견해대립이 있는데, 판례는 乙이 본인의 지위에서 무권대리를 주장하여 등기말소를 주장하는 것은 금반언원칙이나 신의칙상 허용될 수 없다고 한다(대판 94다20617).
④ 추인을 거절한 것으로 간주된다(제131조).

50 정답 ②

난이도 중

① 기성조건이 해제조건이면 그 법률행위는 무효이다(제151조 제2항).
③ 불법조건이 붙은 법률행위는 불법조건만이 무효인 것이 아니고 법률행위 전부가 무효로 된다(제151조 제1항).
④ 기한부 법률행위이다.
⑤ 불능조건이 정지조건이면 그 법률행위는 무효이다(제151조 제3항).

51 정답 ②

난이도 중

① 유치권자가 점유를 침탈당한 경우, 유치권에 기한 반환청구권은 행사할 수 없고, 점유권에 기한 반환을 청구해야 한다.
③ 미등기 건물의 양수인은 현재 소유자가 아니므로 물권적 청구권을 행사할 수 없다.
④ 점유물반환청구권을 행사할 수 있는 경우는 점유를 침탈당한 때이므로, 기망으로 인한 경우에는 점유물반환을 청구할 수 없다.
⑤ 수인이 공동으로 불법점유를 하고 있는 경우, 소유자는 공동불법점유자 1인만을 상대로도 물권적 청구권을 행사할 수 있다.

52 정답 ①

난이도 중

ㄷ, ㅁ은 등기를 해야 부동산물권이 변동하는 경우이고, ㄱ, ㄴ, ㄹ은 등기 없이도 부동산물권이 변동하는 경우이다.

53 정답 ③

난이도 중

최종 양수인이 중간자로부터 소유권이전등기청구권을 양도받았다고 하더라도 최초 양도인이 그 양도에 대하여 동의하지 않고 있다면 최종 양수인은 최초 양도인에 대하여 채권양도를 원인으로 하여 소유권이전등기를 직접 청구할 수는 없다(대판 95다15575).

54 정답 ③

난이도 중

③은 물권적 청구권, 나머지는 채권적 청구권이다.

55 정답 ③

난이도 중

① 선의의 점유자는 본권에 관한 소에서 패소한 때에는 소제기시부터 악의의 점유자로 간주되므로 소가 제기된 이후의 과실은 반환해야 한다.
② 선의의 점유자는 과실취득권이 있으므로 취득한 과실을 부당이득으로 반환할 의무가 없다.
④ 악의의 점유자라도 점유자의 과실(過失) 없이 과실(果實)을 수취하지 못한 경우에는, 그 과실(果實)의 대가를 회복자에게 보상할 의무는 없다.
⑤ 점유자가 유익비를 지출할 당시 임대차계약 등 적법한 점유의 권원을 가진 경우에는 계약당사자(임대인)가 아닌 점유회복 당시의 소유자에 대하여 점유자의 비용상환청구권을 행사할 수는 없다(대판 2001다64752).

56 정답 ③

난이도 중

2차의 취득시효가 개시되어 그 취득시효기간이 경과하기 전에 등기부상의 소유명의자가 다시 변경된 경우에도 완성 당시의 소유자를 상대로 취득시효의 완성을 주장할 수 있다.

57 정답 ⑤

난이도 중

과반수에 미달하는 공유자가 공유물을 배타적으로 점유하고 있는 경우, 다른 공유권자는 자신이 소유하고 있는 지분이 과반수에 미달되더라도 공유물 전부를 배타적으로 점유하고 있는 자에 대하여 공유물의 보존행위로서 공유물의 인도나 명도를 청구할 수 있다(대판 93다9392).

58 정답 ③

난이도 중

주택에 관한 임대차계약은 2년을 최단기간으로 하지만 전세권은 건물전세권에 한하여 1년 미만으로 하지 못하는 제약이 있을 뿐이다(제312조 참고).

59 정답 ②

난이도 중

지상권자의 지료지급연체가 토지소유권의 양도 전후에 걸쳐 이루어진 경우 토지양수인에 대한 연체기간이 2년이 되지 않는다면 양수인은 지상권소멸청구를 할 수 없다(대판 99다17142).

60 정답 ④

난이도 중

분묘기지권은 분묘의 기지 자체뿐만 아니라 그 분묘의 수호 및 제사에 필요한 범위 내에서 분묘의 기지 주위의 공지를 포함한 지역에까지 미치는 것이고 그 확실한 범위는 각 구체적인 경우에 개별적으로 정하여야 한다(대판 95다29086, 29093).

분묘기지권정리

1. 타인 소유의 토지에 소유자의 승낙 없이 분묘를 설치한 경우에는 20년간 평온, 공연하게 그 분묘의 기지를 점유함으로써 지상권에 유사한 관습법상의 물권인 분묘기지권을 시효로 취득한다(대판 96다14036).
2. 분묘기지권을 시효취득하는 경우에 소유자가 청구한 때에는 지료를 지급하여야 한다.
3. 분묘를 수호, 봉사하는 동안 존속하게 되며 등기는 불필요하나, 분묘자체가 공시적 기능을 하므로 평장, 암장된 경우에는 분묘기지권을 취득할 수 없다.
4. 분묘기지권은 분묘의 기지 자체뿐만 아니라 그 분묘의 설치목적인 분묘의 수호 및 제사에 필요한 범위 내에서 분묘의 기지 주위의 공지를 포함한 지역까지 미친다.
5. 분묘기지권의 존속기간에 관하여 당사자 사이에 약정이 없는 경우에는 권리자가 분묘의 수호와 봉사를 계속하며 그 분묘가 존속하고 있는 동안은 분묘기지권은 존속한다고 해석함이 타당하므로 「민법」 제281조에 따라 5년간이라고 보아야 할 것은 아니다.

61 정답 ①

난이도 중

전세권이 용익물권적 성격과 담보물권적 성격을 겸비하고 있다는 점 및 목적물의 인도는 전세권의 성립요건이 아닌 점 등에 비추어 볼 때, 당사자가 주로 채권담보의 목적으로 전세권을 설정하였고, 그 설정과 동시에 목적물을 인도하지 아니한 경우라 하더라도, 장차 전세권자가 목적물을 사용·수익하는 것을 완전히 배제하는 것이 아니라면, 그 전세권의 효력을 부인할 수는 없다(대판 94다18508).

62 정답 ②

난이도 중

공사대금채권에 기하여 유치권을 행사하는 자가 스스로 유치물인 주택에 거주하며 사용하는 것은 특별한 사정이 없는 한 유치물인 주택의 보존에 도움이 되는 행위로서 유치물의 보존에 필요한 사용에 해당한다고 할 것이다. 그리고 유치권자가 유치물의 보존에 필요한 사용을 한 경우에도 특별한 사정이 없는 한 차임에 상당한 이득을 소유자에게 반환할 의무가 있다(대판 2009다40684).

63 정답 ②

난이도 중

② 저당지상의 건물에 대한 일괄경매청구권은 저당권설정자가 건물을 축조한 경우뿐만 아니라 저당권설정자로부터 저당토지에 대한 용익권을 설정받은 자가 그 토지에 건물을 축조한 경우라도, 그 후 저당권설정자가 그 건물의 소유권을 취득한 경우에는 저당권자는 토지와 함께 그 건물에 대하여 경매를 청구할 수 있다(대판 2003다3850).

① 일괄경매청구권이 인정되기 위해서는 토지에 저당권이 설정될 당시에 건물이 없어야 한다.

④ 저당권자는 일괄경매청구를 선택할 수 있을 뿐 의무는 아니며, 토지와 건물을 일괄하여 경매하는 경우에도 건물의 매각대금에 대해서는 우선변제권은 없다(제365조).

⑤ 토지에 대한 저당권설정자가 신축한 건물이라도 경매실행 당시에 토지와 건물의 소유자가 다른 경우에는 일괄경매청구가 인정되지 않는다(대판 99마146).

64 정답 ①

난이도 중

근저당권이란 취지와 채권최고액을 반드시 등기하여야 한다. 다만, 이자는 최고액에 당연히 산입된 것으로 보므로 별도로 등기할 사항이 아니다. 또한 존속기간이나 결산기는 임의적 사항이므로 등기하지 않아도 무방하다. 그러나 일단 등기된 후에는 그 이후에 생긴 채권을 피담보채권에 포함시키지 못한다.

근저당권의 특징

1. 피담보채권이 확정될 때까지 부종성이 적용되지 않는다. 따라서 피담보채권이 확정되기 전에는 채권이 일시 소멸하더라도 근저당권은 소멸하지 않는다.
2. 피담보채권이 확정되기 전에는 채권의 일부가 양도되더라도 근저당권이 양수인에게 이전되지 않는다.

65 정답 ④

난이도 중

쌍무계약에 있어서 상대방이 그 채무의 이행을 제공할 때까지 자기의 채무이행을 거절할 수 있는 연기적 항변권을 동시이행의 항변권이라고 한다. 그러므로 증여 · 사용대차는 편무계약으로 동시이행항변권은 문제되지 않는다.

66 정답 ②

난이도 중

① 청약자가 회답할 것을 요구하더라도 상대방에게는 회답할 의무는 인정되지 않는다.
③ 청약의 유인은 청약과 마찬가지로 특정인에게 할 수도 있고, 불특정 다수에게 할 수도 있다.
④ 상대방이 제한능력자가 된 경우에는 청약자는 제한능력자에게 청약의 효력을 주장할 수 없다.
⑤ 연착된 승낙은 새로운 청약으로 볼 수 있으므로 청약자가 다시 승낙을 하면 계약은 성립한다.

67 정답 ②

난이도 중

쌍방의 채무가 이행되지 않고 이행기를 도과한 경우, 선이행 불이행 중 상대방 채무의 이행기가 도래한 경우로 쌍방의 채무는 여전히 동시이행관계이다.

68 정답 ⑤

난이도 중

근저당권 실행을 위한 경매가 무효가 된 경우, 낙찰자의 채무자에 대한 소유권이전등기말소의무와 근저당권자의 낙찰자에 대한 배당금반환의무는 동시이행관계에 있지 않다(대판 2006다24049).

동시이행관계여부

1. 동시이행관계에 있는 경우
   ① 전세권 소멸시(제317조)
   ② 임대차 종료시 임대인의 보증금반환의무와 임차인의 목적물반환의무 및 임대인의 협력하에 경료된 임차권등기말소의무
   ③ 계약의 해제(제549조)
   ④ 계약이 무효 · 취소된 경우
   ⑤ 지상물, 부속물매수청구권 행사시
   ⑥ 양도소득세
   ⑦ 저당권이 설정된 부동산의 매매계약
   ⑧ 가압류등기가 있는 부동산의 매매계약
   ⑨ 가등기담보권자의 청산금지급의무
   ⑩ 채무변제와 영수증의 교부
2. 동시이행관계가 부정되는 경우
   ① 피담보채권의 변제와 담보물권(저당권, 가등기담보권, 양도담보권)의 말소등기의무
   ② 매도인의 토지거래허가
   ③ 경매가 무효
   ④ 임차권등기명령에 의해 경료된 임차인의 임차권등기말소의무

69 정답 ⑤

난이도 중

이행불능을 이유로 계약을 해제하기 위해서는 그 이행불능이 채무자의 귀책사유에 의한 경우여야만 한다. 따라서 토지매매계약체결 후 그 토지가 수용되어 소유권이전이 불가능하게 된 경우, 매수인은 계약을 해제할 수 없고 위험부담문제로 해결해야 한다.

70 정답 ④

난이도 중

채무불이행에 대한 손해배상은 이행이익의 배상이 원칙이다. 다만, 신뢰이익의 배상을 구할 수도 있다(판례).

71 정답 ③

난이도 중

① 유상 · 쌍무계약이다.
② 매매의 목적물은 재산권이므로 현존하는 것 뿐만 아니라 장래 성립하는 권리도 매매의 목적이 될 수 있다.
④ 재산권을 이전할 것을 약정하고 대금을 지급할 것을 약정함으로써 성립한다.
⑤ 현실매매도 매매이므로 매매에 관한 규정이 적용된다.

72 정답 ①

난이도 중

매매목적인 권리 전부가 타인에게 속한 경우, 악의의 매수인도 해제할 수 있다.

73 정답 ①

난이도 중

② 무효가 아니라 5년으로 단축된다.
③ 환매특약은 연장할 수 없다.
④ 환매기간을 정하지 않은 경우에 부동산은 5년, 동산은 3년이 된다.
⑤ 이자는 과실과 상계한 것으로 보므로, 환매대금에 이자는 포함되지 않는다.

74 정답 ③

난이도 중

① 구성부분이 아니라 독립부분이 매수청구의 대상이 된다.
② 특수목적에 사용되기 위하여 부속된 것은 매수청구의 대상이 아니다.
④ 일시사용을 위한 임대차에는 적용되지 않는다.
⑤ 임대인은 부속물매수청구권이 인정되지 않는다.

75 정답 ④

난이도 중

④ 주민등록의 신고는 행정청에 도달하기만 하면 신고로서의 효력이 발생하는 것이 아니라 행정청이 수리한 경우에 비로소 신고의 효력이 발생한다. 따라서 주민등록 신고서를 행정청에 제출하였다가 행정청이 이를 수리하기 전에 신고서의 내용을 수정하여 위와 같이 수정된 전입신고서가 수리되었다면 수정된 사항에 따라서 주민등록 신고가 이루어진 것으로 보는 것이 타당하다(대판 2006다17850).

② 주택임차인의 의사에 의하지 아니하고 「주민등록법」 및 같은 법 시행령에 따라 주민등록이 직권말소된 경우에도 원칙적으로 그 대항력은 상실된다고 할 것이지만, 직권말소 후 같은 법 소정의 이의절차에 따라 그 말소된 주민등록이 회복되거나 같은 법 시행령 제29조에 의하여 재등록이 이루어짐으로써 주택임차인에게 주민등록을 유지할 의사가 있었다는 것이 명백히 드러난 경우에는 소급하여 그 대항력이 유지된다(대판 2002다20957).

76 정답 ③
난이도 중

③ 임차인이 임대인의 지위승계를 원하지 않는 경우에는 임차인이 양도사실을 안 때로부터 상당한 기간 내에 이의를 제기함으로써 승계되는 임대차관계의 구속으로부터 벗어날 수 있다고 봄이 상당하고 그와 같은 경우에는 임대인의 임차인에 대한 보증금반환채무는 소멸하지 않는다.
① 「주택임대차보호법」 제9조 제2항
② 동법 제4조 제2항
④ 동법 제3조의3 제1항 · 제8항
⑤ 임차인은 2년 미만으로 정한 계약기간의 유효를 주장할 수 있으나, 임대인은 주장할 수 없다(제4조 제1항 단서).

77 정답 ③
난이도 중

③ 甲이 임대차 목적물인 상가건물을 1년 6개월 이상 영리목적으로 사용하지 아니한 경우, 甲이 주선한 신규임차인이 되려는 丙으로부터 권리금 수수를 보호하지 않아도 된다.
① 서울의 경우 보증금 9억원(환산보증금 포함)을 초과하는 경우 「상가건물 임대차보호법」이 적용되지 않는 것이 원칙이나, 9억원을 초과하더라도 대항력, 계약갱신요구권, 권리금보호규정은 적용된다.

78 정답 ②
난이도 중

② 「부동산 실권리자명의 등기에 관한 법률」 시행 이후에 명의신탁된 것이므로, 甲은 乙에게 매수자금에 대해 부당이득반환청구를 할 수 있을 뿐, 부동산 자체에 대해서는 부당이득반환청구를 할 수 없다(대판 2000다21123).
⑤ 매도인 丙이 악의라면 수탁자 乙은 소유권을 취득하지 못하나, 명의신탁의 무효는 선 · 악을 불문하고 제3자에게 대항하지 못하므로(동법 제4조 제3항), 丁이 乙의 배임행위에 적극 가담한 경우가 아니라면 丁은 선 · 악을 불문하고 소유권을 취득한다.

79 정답 ④
난이도 중

④ 구분소유의 성립을 위하여 반드시 구분건물표시에 관한 등기가 필요한 것은 아니고 구분건물이 객관적 · 물리적으로 완성되면 아직 그 건물이 집합건물의 대장에 등록되거나 구분건물로서 등기부에 등기되지 않더라도 그 시점에서 구분소유가 성립한다.
① 분양자와 시공자 모두 하자담보책임을 부담한다.
② 전유부분이 속하는 1동의 건물의 설치 · 보존의 흠은 '전유부분'이 아닌 '공용부분'에 존재하는 것으로 '추정'한다.
③ 아파트 전입주자가 체납한 관리비는 공용부분에 한하여 승계되며, '공용부분의 연체료'는 특별승계인에 승계되지 않는다.
⑤ 규약으로 달리 정하더라도 공용부분의 지분은 전유부분과 분리하여 처분할 수 없다.

80 정답 ③
난이도 중

③ 채권자가 채무자에게 지급할 청산금을 계산함에 있어서 목적부동산에 선순위 담보권자가 있을 때는 그 피담보채권액을 공제하여야 하나, 후순위 담보권자의 채권액은 고려대상이 아니다.
① 공사대금, 외상대금, 물품대금 등의 경우에는 「가등기담보 등에 관한 법률」이 적용되지 않는다.
② 대판 2011다28090
④ 동법 제9조
⑤ 동법 제11조

제 6 회 정답 및 해설

부동산학개론									
01	02	03	04	05	06	07	08	09	10
②	③	①	②	④	③	①	②	⑤	④
11	12	13	14	15	16	17	18	19	20
③	④	③	②	③	⑤	①	⑤	①	④
21	22	23	24	25	26	27	28	29	30
②	③	④	③	①	④	④	⑤	②	⑤
31	32	33	34	35	36	37	38	39	40
①	③	④	③	⑤	⑤	②	⑤	①	⑤

01 정답 ② 난이도 하

법지에 대한 설명이다.
빈지는 소유권이 인정되지 않지만, 활용실익이 많은 바다와 육지 사이의 해변 토지를 말한다.

02 정답 ③ 난이도 하

③ 한국표준산업분류상에 따른 부동산 관련 서비스업에 해당하는 것은 부동산 투자자문업이다.
① 주거용 부동산임대업은 부동산임대 및 공급업에 해당한다.
② 비주거용 부동산개발 및 공급업은 부동산임대 및 공급업에 해당한다.
④ 기타 부동산관리업은 부동산업에 해당하지 않는다.
⑤ 주거용 부동산건설업은 부동산업에 해당하지 않는다.

우리나라 표준산업분류(Korea Standard Industrial Classification; KSIC)상 부동산업

대(중)분류	소분류	세분류	세세분류
부동산업	부동산 임대 및 공급업	부동산 임대업	• 주거용 부동산임대업 • 비주거용 부동산임대업 • 기타 부동산임대업
		부동산 개발 및 공급업	• 주거용 부동산 개발 및 공급업 • 비주거용 부동산 개발 및 공급업 • 기타 부동산 개발 및 공급업
	부동산 관련 서비스업	부동산 관리업	• 주거용 부동산관리업 • 비주거용 부동산관리업
		부동산 중개, 자문 및 감정 평가업	• 부동산중개 및 대리업 • 부동산 투자자문업 • 부동산 감정평가업

03 정답 ① 난이도 하

② 다가구주택은 주택으로 쓰는 1개 동의 바닥면적 합계가 $660m^2$ 이하이고, 층수가 3개 층 이하인 공동주택이다. ⇨ 단독주택
③ 연립주택은 학교 또는 공장 등의 학생 또는 종업원 등을 위하여 쓰는 것으로서 1개 동의 공동취사시설 이용세대가 전체의 50% 이상인 주택이다. ⇨ 일반기숙사
④ 아파트는 주택으로 쓰는 1개 동의 바닥면적 합계가 $660m^2$를 초과하고, 층수가 4개 층 이하인 주택이다. ⇨ 연립주택
⑤ 도시형 생활주택은 국민주택규모의 300세대 미만으로 구성된 주택으로 단지형 연립주택, 단지형 다세대주택, 소형주택 등이 있으며 분양가 규제가 적용된다. ⇨ 분양가규제(분양가상한제)가 적용되지 않는다.

04 정답 ② 난이도 하

개별성에 대한 설명은 ㄱ, ㄷ이다.
ㄴ. 부증성에 대한 설명이다.
ㄹ. 부동성에 대한 설명이다.
ㅁ. 영속성에 대한 설명이다.

05 정답 ④ 난이도 하

④ 아파트와 대체관계에 있는 오피스텔의 선호도가 높아진다면 오피스텔의 수요가 증가하게 되고, 아파트의 수요는 감소하게 된다. 따라서 아파트의 가격은 하락하게 될 것이다.
① 부동산의 재고주택공급은 일정한 기간 동안에 측정되는 유량(flow) 개념이다. ⇨ 일정 시점에 측정되는 저량(stock)개념이다.
② 인구의 감소라는 요인으로 수요곡선 자체가 이동하는 것은 수요의 변화이다.
③ 주택의 공급규모가 커지면, 규모의 경제로 인해 생산단가가 낮아져 건설비용이 감소된다.
⑤ 소요(needs) ⇨ 수요(demand)

06 정답 ③ 난이도 중

신규주택의 공급을 감소시키는 요인은 ㄴ, ㄹ이다.
ㄱ. 주택가격의 상승 기대는 신규주택공급 증가요인이다.
ㄷ. 주택건설용 토지의 가격 하락은 신규주택공급 증가요인이다.
ㅁ. 주택건설기술 개발에 따른 원가절감은 신규주택공급 증가요인이다.

07 정답 ①

난이도 상

1. 임대료에 의한 아파트 수요량 변화 = 임대료탄력성 × 임대료 변화(%)
   임대료탄력성이 1.2일 경우 임대료가 5% 인상되면 수요량은 6%(= 1.2 × 5%) 감소한다.
2. 아파트 수요량 총변화
   = 임대료에 의한 수요량(%) + 소득에 의한 수요량(%)
   3% 감소 = 6% 감소 + 소득에 의한 수요량
   따라서 소득에 의한 수요량은 3% 증가했다는 것을 알 수 있다.
3. 소득탄력성 $= \frac{\text{수요량변화(\%)}}{\text{소득변화(\%)}}$

   소득탄력성이 $1.5 = \frac{\text{3\% 증가}}{\text{소득변화(\%)}}$

   소득변화 = 3% ÷ 1.5 = 2%(증가)
   따라서 소득은 2% 증가한 것이다.

08 정답 ②

난이도 중

공급이 증가하고 수요곡선이 탄력적인 경우, 균형가격은 더 크게 하락한다. ⇨ 균형가격은 더 작게 하락한다(균형가격은 덜 하락한다).

09 정답 ⑤

난이도 중

하향시장에서는 매수자가 우위에 있고 시장을 주도한다. 따라서 매도자는 거래를 당기려 하고, 매수자는 거래를 미루려는 경향이 있다.

10 정답 ④

난이도 하

소수의 투자자가 다른 사람보다 값싸게 정보를 획득할 수 있는 것은 부동산시장이 불완전해서가 아니라 할당 효율적이지 못하기 때문이다. 즉, 투기가 발생하거나 남보다 싸게 정보를 획득할 수 있거나 실질적 초과이윤이 발생하는 것은 부동산시장이 할당 효율적 시장이 아니기 때문이다.

11 정답 ③

난이도 상

총임대료 = 기본임대료 + 추가임대료
　　　　= 2,000만원 + 600만원 = 2,600만원

1. 기본임대료(5,000만원 매출액 이하) = 2,000만원
   (매장면적 $400m^2 \times 1m^2$당 기본임대료 5만원 = 2,000만원)
2. 추가임대료(5,000만원 매출액 초과) = 3,000만원 × 0.2 = 600만원
   (추가임대료는 초과매출액의 20%이다)

12 정답 ④

난이도 하

① 넬슨(R. Nelson)은 완전히 단절된 고립국을 가정하여 이곳의 작물재배활동은 생산비와 수송비를 반영하여 공간적으로 분화된다고 보았다. ⇨ 튀넨
② 뢰시(A. Lösch)는 생산측면의 입장에서 기업의 최적의 입지는 비용이 최소가 되는 지점에 위치해야 한다고 보았다. ⇨ 베버
③ 허프(D. Huff)의 확률모형에 따르면 공간마찰계수는 교통이 편리할수록 커진다고 보았다. ⇨ 불편할수록
⑤ 튀넨(J. H. von Thünen)은 점포가 최대이윤을 얻기 위해 어떤 장소에 입지해야 하는지를 설명한 소매입지이론을 제시하였다. ⇨ 넬슨

13 정답 ③

난이도 중

1. A도시의 유인력 $= \frac{100,000}{10^2} = 1,000$

   B도시의 유인력 $= \frac{64,000}{4^2} = 4,000$
2. A도시의 유인력 비율 $= \frac{1,000}{1,000 + 4,000} = 0.2$

   B도시의 유인력 비율 $= \frac{4,000}{1,000 + 4,000} = 0.8$
3. A도시의 월 추정액 = 0.2 × 10억원 = 2억원
   B도시의 월 추정액 = 0.8 × 10억원 = 8억원

14 정답 ②

난이도 하

ㄴ. '재화도달범위'란 중심지 활동이 제공되는 공간적 한계로, 중심지로부터 어느 기능에 대한 수요가 0이 되는 지점까지의 거리이다.
ㄹ. 중심지가 성립하기 위해서는 최소요구치의 범위가 재화도달범위보다 작아야 한다(최소요구범위 < 재화도달범위).

15 정답 ③

난이도 하

주어진 조건에서 도시지역에 해당하는 용도지역은 ㄹ. 녹지지역, ㅁ. 상업지역이다.
용도지역으로서 도시지역은 주거지역, 상업지역, 공업지역, 녹지지역으로 구분된다.

16 정답 ⑤

난이도 중

임대료상한을 균형가격 이하로 규제하면 장기적으로 공급이 탄력적으로 변하여 임대주택의 공급이 감소된다. 즉, 장기적으로 초과수요현상(공급부족현상)이 크게 발생된다.

17 정답 ①

난이도 중

② 개발권양도제는 현재 시행되고 있는 제도가 아니다.
③ 직접적으로 ⇨ 간접적으로
④ 그 값이 클수록 ⇨ 그 값이 작을수록
⑤ 「부동산등기법」 ⇨ 「부동산 실권리자명의 등기에 관한 법률」

18 정답 ⑤

난이도 하

수요와 공급을 비교하여 상대적으로 비탄력적인 대상이 조세부담이 커진다. 따라서 공급곡선이 수요곡선에 비해 더 비탄력적이면 공급자의 부담이 더 커진다.

조세로 인한 경제적 순손실

1. 시장균형이 이루어질 때 총후생이 극대화되는데, 수요자의 경제적 후생이 소비자잉여가 되고 공급자의 경제적 후생이 공급자잉여가 된다.
2. **경제적 순손실:** 세금부과 등과 같은 시장 왜곡현상에 따라 초래되는 총잉여 감소분을 말한다. 세금은 구입자에게는 가격을 높이고 판매자에게는 가격을 낮추어 자유거래를 억제한다. 따라서 자유거래의 이득이 사라지는데 이것이 경제적 순손실이다.
3. 세금의 크기가 증가함에 따라 경제적 순손실이 증가한다.

19 정답 ①

난이도 하

ㄱ. 판매촉진 전략, ㄴ. 제품 전략에 대한 설명이다.

4P 믹스 전략

4P 믹스 전략은 제품, 판매촉진, 가격, 유통경로의 제 측면에서 공급상품을 차별화시키는 구체적 전략을 말하며, 주로 상업용 부동산에서 사용되고 있다.

1. **유통경로(Place):** 개발부동산을 어떤 경로로 판매할 것인지를 결정하는 전략이다.
2. **판매촉진(Promotion):** 시장의 수요자들을 빠르고 강하게 자극·유인하는 전략이다.
3. **가격(Price):** 해당 부동산의 가격을 통한 마케팅 전략으로 고가정책, 저가정책, 시가정책, 신축가격정책 등으로 나뉜다.
4. **제품(Product):** 부동산의 설계, 설비, 시설 등의 차별화를 통한 전략이다.

20 정답 ④

난이도 하

부동산자산의 포트폴리오 관점에서 자산과 부채의 재무적 효율성을 최적화하는 것은 경제적 관리에 대한 설명이다.

21 정답 ②

난이도 하

도심에서 외곽으로 나갈수록 지가하락률이 점차 높아지는 현상을 지가구배현상이라고 한다. ⇨ 낮아지는

22 정답 ③

난이도 하

ㄱ. 사업위탁(수탁)방식, ㄴ. 등가교환방식(대물변제방식)에 대한 설명이다.

부동산개발사업의 방식

1. **자체개발방식:** 토지소유자가 사업 주체가 되어 자금 조달과 시공의 전과정을 담당하는 방식
2. **신탁개발방식:** 토지소유자로부터 형식적인 토지소유권을 이전받은 신탁회사가 사업 주체가 되어 개발·공급하는 방식
3. **합동개발방식:** 토지소유자, 시행사, 건설업자, 자금 제공자 등이 합동으로 토지를 개발하는 방식

23 정답 ④

난이도 중

자기자본수익률 =

$$\frac{[\text{순영업소득}(2,000\text{만원}) + \text{가치상승분}(1,200\text{만원})] - \text{이자}(1,200\text{만원})}{\text{지분투자액}(1\text{억원})}$$

= 0.2(20%)

1. 가치상승분 = 가치(3억원) × 가치상승률(4%) = 1,200만원
2. 이자 = 대출금(2억원) × 이자율(6%) = 1,200만원

24 정답 ③

난이도 하

저당비율이 커진다는 것은 타인자본을 많이 활용하는 것을 의미한다. 따라서 저당비율이 커질수록 레버리지 효과는 크게 나타나지만 그에 따른 위험도 커지게 된다.

25 정답 ①

난이도 중

② 합은 0이다. ⇨ 합은 1이다.
③ 일시불의 현가계수 ⇨ 연금의 현가계수
④ 원금균등분할상환방식 ⇨ 원리금균등분할상환방식
⑤ 연금의 내가계수 ⇨ 연금의 현가계수

26 정답 ④

난이도 하

내부수익률은 예상된 현금수입과 지출의 합계를 서로 같게 만드는 할인율이다. 즉, 내부수익률은 순현가를 0으로 만드는 할인율이며 동시에 수익성지수를 1로 만드는 할인율이다.

27 정답 ④

난이도 상

옳은 것은 영업소득세 51,000,000원이다.

1. 가능총소득 = 6,000,000 × 40 = 240,000,000원
2. 유효총소득 = 240,000,000 − 24,000,000(공실 10% 적용)
   = 216,000,000원
3. 순영업소득 = 216,000,000 − 16,000,000(운영비용)
   = 200,000,000원
4. 세전현금수지 = 200,000,000 − 90,000,000(원리금)
   = 110,000,000원
5. 세후현금수지 = 110,000,000 − 51,000,000(영업소득세)
   = 59,000,000원

✚ 영업소득세 = (순소득 − 이자 − 감가상각액) × 세율
= (2억원 − 2,000만원 − 1,000만원) × 0.3
= 51,000,000원

28 정답 ⑤

난이도 중

① 총(조)소득승수는 총투자액을 조소득으로 나눈 값이다.
② 세전현금흐름승수는 지분투자액을 세전현금흐름으로 나눈 값이다.
③ 순소득승수는 총투자액을 순영업소득으로 나눈 값이다.
④ 지분투자수익률은 세전현금수지를 지분투자액으로 나눈 비율이다.

29 정답 ②
난이도 중

ㄴ. 주택개발금융은 주택을 구입하려는 사람이 주택을 담보로 제공하고 자금을 제공받는 형태의 금융을 의미한다. ⇨ 주택소비금융
ㅁ. 금융위원회는 주택저당대출의 대출기준인 대부비율(loan to value ratio)을 올려서 주택수요를 줄일 수 있다. ⇨ 증가시킬 수 있다.

30 정답 ⑤
난이도 중

1. 매기 상환하는 원금 = $\frac{3억원}{20년}$ = 1,500만원
2. 2회 차 상환이자 = 잔금 × 이자율
 = 2억 8,500만원 × 5% = 1,425만원
 ✚ 2회 차 잔금 = 3억원 − 1,500만원 = 2억 8,500만원

따라서 2회 차 원리금은 1,500만원 + 1,425만원 = 2,925만원이다.

31 정답 ①
난이도 하

주택소유자 및 그 배우자는 모두 55세 이상이어야 가입할 수 있다.
⇨ 주택소유자 또는 배우자

32 정답 ③
난이도 하

MBB(Mortgage Backed Bond)는 채권형 증권이기 때문에 모든 권리와 위험을 발행자인 한국주택금융공사가 갖는다. 따라서 차입자의 조기상환에 따른 위험을 발행자가 부담한다.

33 정답 ④
난이도 하

옳은 지문은 ㄷ, ㅁ, ㅂ이다.
ㄱ. 상환 초기의 원리금상환액은 원리금균등상환방식이 원금균등상환방식보다 크다. ⇨ 작다.
ㄴ. 중도상환시 상환액(잔금)은 원금균등상환방식이 원리금균등상환방식보다 크다. ⇨ 작다.
ㄹ. 원리금균등상환방식의 경우, 매기에 상환하는 이자액이 점차적으로 늘어난다. ⇨ 감소한다.

34 정답 ③
난이도 중

① 기업구조조정 부동산투자회사는 자산의 투자 · 운용업무를 부동산투자자문회사에 위탁하여야 한다. ⇨ 자산관리회사
② 감정평가사 또는 공인회계사로서 해당 분야에 5년 이상 종사한 사람은 자기관리 부동산투자회사의 상근 자산운용 전문인력이 될 수 있다. ⇨ 공인중개사
④ 부동산투자회사는 현물출자에 의한 설립이 가능하다. ⇨ 불가능하다.
⑤ 자기관리 및 위탁관리 부동산투자회사는 지점을 설치할 수 있으며, 상근 임직원과 전문인력을 고용할 수 있다. ⇨ 자기관리 부동산투자회사
위탁관리 부동산투자회사와 기업구조조정 부동산투자회사는 명목상 회사로 지점을 설치할 수 없으며, 상근 임직원을 고용할 수 없다.

35 정답 ⑤
난이도 하

그 날짜에 가격조사가 불가능하더라도 ⇨ 그 날짜에 가격조사가 가능한 경우에만
기준시점은 대상물건의 가격조사를 완료한 날짜로 한다. 다만, 기준시점을 미리 정하였을 때에는 그 날짜에 가격조사가 가능한 경우에만 기준시점으로 할 수 있다.

36 정답 ⑤
난이도 중

높이는 요인 ⇨ 낮추는 요인
부동산가격과 자본환원율은 반비례 관계이기 때문에 가격의 상승은 환원이율을 낮추는 요인으로 작용한다.
✚ 자본환원율 = $\frac{순수익}{가격}$

37 정답 ②
난이도 하

1. 원가법은 대상물건의 재조달원가에 감가수정을 하여 대상물건의 가액을 산정하는 감정평가방법이다.
2. 공시지가기준법을 적용할 때 시점수정, 가치형성요인 비교, 기타요인 비교 등의 과정을 거친다.
3. 수익환원법에서는 장래 산출할 것으로 기대되는 순수익이나 미래의 현금흐름을 환원하거나 할인하여 가액을 산정한다.

38 정답 ⑤
난이도 상

1. 재조달원가 = 신축공사비 × 시점수정
 = 6천만원 × $\frac{120}{100}$ = 72,000,000원
2. 매년감가액(1년치 감가) = $\frac{재조달원가 - 잔존가치}{경제적\ 내용연수}$
 = $\frac{72,000,000 - 7,200,000}{40년}$
 = 1,620,000원
 ✚ 잔존가치 = 72,000,000원 × 0.1 = 7,200,000원
3. 감가누계액 = 매년감가액 × 경과연수
 = 1,620,000원 × 2년 = 3,240,000원
4. 적산가액 = 재조달원가 − 감가누계액
 = 72,000,000원 − 3,240,000원 = 68,760,000원

39 정답 ①
난이도 상

물리적 투자결합법으로 환원이율을 계산하여 수익가격을 구하는 문제이다.
1. (종합)자본환원율
 = (토지비율 × 토지환원율) + (건물비율 × 건물환원율)
 = (0.6 × 0.05) + (0.4 × 0.1) = 0.07 = 7%
2. 순영업소득 = 유효총소득 − 영업경비
 = 2,900만원 − 800만원 = 2,100만원
3. 수익가격 = $\frac{순영업소득}{환원이율}$ = $\frac{2,100}{0.07}$ = 300,000,000원

40 정답 ⑤

난이도 중

표준지공시지가의 활용범위에 해당하는 것은 ㄴ, ㄷ, ㅂ이다.
표준지공시지가는 토지가격비준표 작성의 기준이 되며, 수용할 토지의 보상액 산정기준, 감정평가법인 등이 개별적으로 토지를 감정평가할 경우의 기준이 된다.

✚ 개별공시지가는 국유지 사용료, 과세, 부담금 등의 산정을 위해 결정 · 공시한다.

민법 및 민사특별법

41	42	43	44	45	46	47	48	49	50
⑤	③	③	③	②	④	②	②	⑤	②
51	52	53	54	55	56	57	58	59	60
①	①	④	②	②	①	④	③	②	⑤
61	62	63	64	65	66	67	68	69	70
①	④	④	⑤	③	④	②	④	①	⑤
71	72	73	74	75	76	77	78	79	80
④	④	③	①	③	⑤	①	④	⑤	④

41 정답 ⑤

난이도 중

증여는 계약이다.

42 정답 ③

난이도 중

후발적 불능은 유효이다.

43 정답 ③

난이도 중

강제집행을 면하기 위하여 허위의 근저당권설정등기를 경료한 경우는 반사회적 법률행위가 아니다.

44 정답 ③

난이도 중

①② 비진의표시는 원칙적으로 유효이나, 乙이 알았거나 알 수 있었을 경우에는 무효이다. 따라서 乙이 선의이지만 과실이 있는 경우에는 소유권을 취득하지 못한다.
④ 선의의 丙으로부터 전득한 丁이 악의이더라도 소유권을 취득한다.
⑤ 악의의 丙으로부터 전득한 丁은 선의인 경우에는 소유권을 취득한다.

45 정답 ②

난이도 중

①③④⑤ 보호되는 제3자에 해당하지 않는다.

46 정답 ④

난이도 중

제3자에 의한 사기 · 강박의 경우, 상대방이 알았거나(악의) 알 수 있었을 경우(과실로 알지 못한 경우)에는 취소할 수 있다.

47 정답 ②

난이도 중

예금을 주식으로 바꾸는 것은 처분행위로서 특별수권이 필요하다.

48 정답 ②

난이도 중

표현대리의 경우 과실상계의 법리가 적용되지 않아 본인의 책임을 경감되지 않는다.

49 정답 ⑤

난이도 중

비록 유동적 무효의 상태에 있다 하더라도 이미 지급한 계약금 등은(확정적 무효되기 전까지) 무효를 이유로 부당이득반환청구를 할 수 없다(대판 91다41316).

50 정답 ②

난이도 중

조건이 법률행위 당시 이미 성취한 것인 경우에는 그 조건이 해제조건이면 무효이고, 정지조건이면 조건 없는 법률행위이다.

51 정답 ①

난이도 중

ㄱ. 판결에 의한 부동산물권 취득은 등기할 필요가 없으나 이때의 판결이란 판결 자체에 의하여 부동산물권 취득의 형성적 효력이 발생하는 경우를 말하는 것이고, 당사자 사이에 이루어진 어떠한 법률행위를 원인으로 하여 부동산소유권이전등기절차의 이행을 명하는 것과 같은 내용의 판결은 이에 포함되지 아니한다(대판 70다568).
ㄴ. 저당권으로 담보한 채권을 질권의 목적으로 한 때에는 그 저당권등기에 질권의 부기등기를 하여야 그 효력이 저당권에 미친다(제348조).
ㄹ. 20년간 소유의 의사로 평온 · 공연하게 부동산을 점유하는 자는 등기함으로써 그 소유권을 취득한다(제245조 제1항).
ㄷ, ㅁ. 상속, 공용징수, 판결, 경매 기타 법률의 규정에 의한 부동산에 관한 물권의 취득은 등기를 요하지 아니한다(제187조).

52 정답 ①

난이도 중

토지에 대한 취득시효완성으로 인한 소유권이전등기청구권은 그 토지에 대한 점유가 계속되는 한 시효로 소멸하지 아니하고, 그 후 점유를 상실하였다고 하더라도 이를 시효이익의 포기로 볼 수 있는 경우가 아닌 한 이미 취득한 소유권이전등기청구권은 바로 소멸되는 것은 아니나, 취득시효가 완성된 점유자가 점유를 상실한 경우 취득시효완성으로 인한 소유권이전등기청구권의 소멸시효는 이와 별개의 문제로서, 그 점유자가 점유를 상실한 때로부터 10년간 등기청구권을 행사하지 아니하면 소멸시효가 완성한다(대판 95다34866).

53 정답 ④

난이도 중

판례는 「민법」 제200조의 점유의 추정력 규정을 동산에 대해서만 적용되고 부동산에 대해서는 적용되지 않는다는 입장이다.

54 정답 ② 난이도 중

점유물이 점유자의 책임 있는 사유로 인하여 멸실 · 훼손한 때에는 선의의 점유자는 현존이익의 한도에서 배상책임을 지지만, 소유의 의사가 없는 타주점유자는 선의인 경우에도 손해의 전부를 배상하여야 한다.

55 정답 ② 난이도 중

20년간 소유의 의사로 평온 · 공연하게 부동산을 점유하는 자는 등기함으로써 그 소유권을 취득한다(제245조). 제187조의 법률규정에 의한 물권변동의 예외이다.

56 정답 ① 난이도 중

분할 또는 토지의 일부 양도로 인하여 공로에 통하지 못하는 토지가 생긴 경우에 그 포위된 토지를 위한 통행권은 분할 또는 일부 양도 전의 종전 토지에만 있고 그 경우 통행에 대한 보상의 의무가 없다고 하는 제220조의 규정은 공유토지의 직접분할자 상호간, 일부양도의 당사자 사이에만 적용되고 포위된 토지 또는 피통행지의 특정승계인의 경우에는 제219조의 일반원칙으로 돌아가 통행권의 유무를 살펴야 한다(대판 65다950).

57 정답 ④ 난이도 중

공유자는 다른 공유자의 동의 없이도 자유롭게 자신의 지분을 처분할 수 있다(제263조).

58 정답 ③ 난이도 중

지상권자는 토지소유자의 동의 없이 지상권을 처분할 수 있으며, 이에 반하는 약정으로서 지상권자에게 불리한 것은 효력이 없다.

59 정답 ② 난이도 중

저당권설정 당시에 지상에 건물이 없었던 경우에는 법정지상권은 발생할 수 없다.

60 정답 ⑤ 난이도 중

점유로 인한 지역권의 취득시효 중단은 지역권을 행사하는 모든 공유자에 대한 사유가 아니면 그 효력이 없다.

61 정답 ① 난이도 중

법정갱신규정은 토지전세권에는 적용되지 않는다.

62 정답 ④ 난이도 중

수급인이 자기의 노력과 출재로 완성한 건물의 소유권은 특별한 사정이 없는 한 수급인에게 귀속된다(대판 2009다67443, 67450). 따라서 수급인은 자신의 소유에 속하는 건물에 대하여 유치권을 행사할 수 없다.

63 정답 ④ 난이도 중

① 저당권의 효력은 저당권설정 전후에 상관 없이 종물에도 효력이 미치는 것이 원칙이다.
② 저당건물이 증축된 경우, 증축부분이 독립성이 있으면 저당권의 효력은 미치지 않으나, 증축부분이 독립성이 없으면 저당권의 효력이 미친다.
③ 저당물의 매각에 따른 매매대금채권에 대해서는 물상대위권을 행사할 수 없다.
⑤ 토지에 대해서만 저당권이 설정된 것이므로, 건물의 경매대가에 대해서는 우선변제를 받지 못한다.

64 정답 ⑤ 난이도 중

채무자는 확정된 채권액을 변제해야 근저당권의 말소를 청구할 수 있다.

65 정답 ③ 난이도 중

③ 제534조
① 교차청약의 경우, 동일한 내용의 청약이 모두 도달한 때 계약이 성립한다(제533조).
② 청약자의 의사표시나 관습에 의하여 승낙의 통지가 필요하지 아니한 경우에는 계약은 승낙의 의사표시로 인정되는 사실이 있는 때에 성립한다(제532조).
④ 매매계약은 낙성 · 불요식계약으로서 계약서 작성 유무를 불문하고 유효하게 성립 가능하다.
⑤ 승낙기간을 반드시 정하여 청약을 할 필요는 없고, 승낙기간을 정하지 않고 청약을 하게 되면 상당한 기간 안에 승낙함으로써 계약을 성립 시킬 수 있다.

66 정답 ④ 난이도 중

④②③ 중도금지급의무는 소유권을 넘겨받기 전이라도 먼저 이행하여야 한다. 다만 잔금지급일이 경과하면 중도금과 미지급중도금에 대한 지연배상 및 잔금을 합한 잔여 대금 전액이 소유권이전의무와 동시이행관계가 될 수는 있다(대판 90다19930 참고).
① 이행지체시에는 상당한 기간을 정하여 최고 후 그 기간 내에 이행하지 않으면 해제할 수 있다(제544조).
⑤ 제544조 단서

67 정답 ②

난이도 중

② 후발적 불능의 경우 쌍방 귀책사유가 없으면 채무자 위험부담주의 원칙에 의하여 반대급부의 이행을 청구할 수 없다(제537조).
① 원시적 불능인 법률행위는 무효가 된다.
③ 채권자 귀책사유에 의한 불능의 경우라면 반대급부의 이행을 청구할 수 있다(제538조).
④ 채무자의 귀책사유에 의한 불능의 경우 채무불이행이 되고, 불능의 경우에는 최고 없이 법정해제권이 인정된다(제546조).
⑤ 이행불능을 이유로 계약을 해제하기 위해서는 그 이행불능이 채무자의 귀책사유에 의한 경우여야만 한다 할 것이므로, 매도인의 매매목적물에 관한 소유권이전의무가 이행불능이 되었다고 할지라도, 그 이행불능이 매수인의 귀책사유에 의한 경우에는 매수인은 그 이행불능을 이유로 계약을 해제할 수 없다(대판 2000다50497).

68 정답 ④

난이도 중

④① 제3자를 위한 계약에 있어서 수익의 의사표시를 한 수익자는 낙약자에게 직접 그 이행을 청구할 수 있을 뿐만 아니라 요약자가 계약을 해제한 경우에는 낙약자에게 자기가 입은 손해의 배상을 청구할 수 있는 것이므로, 수익자가 완성된 목적물의 하자로 인하여 손해를 입었다면 수급인은 그 손해를 배상할 의무가 있다(대판 92다41559).
② 제542조
③ 대가관계는 없을 수도 있고, 제3자를 위한 계약에 영향을 주지 못한다.
⑤ 요약자는 계약당사자로서 제3자의 수익의 의사표시에도 불구하고 해제권을 잃지 않는다.

69 정답 ①

난이도 중

① 해지 · 해제의 의사표시는 철회하지 못한다(제543조 제2항).
② 제547조 제1항
③ 제548조 제2항
④ 해제는 소급효가 있으나 해지는 소급효가 없는 것이 가장 큰 차이점이다(제550조 참조).
⑤ 제551조

70 정답 ⑤

난이도 중

⑤ 제575조
① 타인의 권리를 매매한 자가 권리이전을 할 수 없게 된 때에는 매도인은 선의의 매수인에 대하여 불능 당시의 시가를 표준으로 그 계약이 완전히 이행된 것과 동일한 경제적 이익을 배상할 의무가 있다(대판 66다2618).
② 타인권리매매의 경우 매수인은 선의 · 악의를 불문하고 해제권을 갖는다. 다만 손해배상은 매수인이 선의인 경우에 한하여 청구할 수 있다(제570조 참조).
③ 선의의 매수인은 그 사실을 안 날로부터 1년 이내에 권리를 행사하여야 한다(제573조).
④ 저당권 실행으로 소유권을 잃은 매수인은 선의 · 악의를 불문하고 계약해제 및 손해배상을 청구할 수 있다(제576조 참조).

71 정답 ④

난이도 중

④ 제591조 제2항
①② 제590조 제1항
③ 제591조 제1항
⑤ 제594조 제1항

72 정답 ④

난이도 중

① 임차인의 비용상환청구에 관한 규정은 임의규정이므로 임차인이 수선의무를 부담한다는 특약은 효력이 있다.
② 필요비상환청구는 임대차계약의 존속 중에도 가능하다.
③ 유익비상환은 임대인의 선택에 따라 청구할 수 있다.
⑤ 건물의 사용에 객관적 편익을 가져오는 것이 아니라 임차인의 특수목적에 사용하기 위해 부속된 것은 부속물매수청구권의 대상이 될 수 없다.

73 정답 ③

난이도 중

① 지상건물이 객관적으로 경제적 가치가 있는지 여부나 임대인에게 소용이 있는지 여부가 그 행사요건이라고 볼 수 없다(대판 2001다42080).
② 임대인의 동의를 얻어 신축한 것이 아니라도 매수청구의 대상이 될 수 있다.
④ 임대차종료 전 지상물 일체를 포기하기로 하는 임대인과 임차인의 약정은 특별한 사정이 없는 한 무효이다. 그러나 제반사정을 종합적으로 고려하여 실질적으로 임차인에게 불리하지 않은 특별한 사정이 있는 경우에는 효력이 있다.
⑤ 임차권이 소멸된 후 임대인이 그 토지를 제3자에게 양도하는 등 소유권이 이전된 경우에는 제3자에 대하여 대항할 수 있는 토지임차인은 그 신소유자에게 매수청구권을 행사할 수 있다(대판 75다348).

74 정답 ①

난이도 중

① 임대인의 동의 없는 전대차계약이라 하더라도 전대인과 전차인 사이에서는 유효한 계약이며, 다만 전대차계약으로 임대인에게 대항하지 못하게 될 뿐이다.
② 제629조 제2항
③ 제630조 제1항
④ 제635조
⑤ 제640조

75 정답 ③

난이도 중

일시사용을 위한 임대차인 것이 명백한 경우에는 동법이 적용되지 않는다.

76 정답 ⑤

난이도 중

기간을 정하지 않거나 1년 미만으로 정한 경우에 임대차기간을 1년으로 본다.

77 정답 ①

난이도 중

만약 목적부동산의 가액이 피담보채권액에 미달하여 청산금이 없다고 인정되는 경우에는 청산금이 없다는 뜻을 통지하여야 한다.

78 정답 ④

난이도 중

구분소유자는 집합건물을 건축하여 분양한 "분양자"와 분양자와의 계약에 따라 건물을 건축한 "시공자"에게 담보책임을 물을 수 있다(집합건물법 제9조 제1항).

79 정답 ⑤

난이도 중

① 가액비율이 아니라 면적비율에 따른다.
② 일정한 시기가 아니라 회계년도 종료 후 3개월 이내이다.
③ 각 3분의 2가 아니라 4분의 3 이상의 찬성을 요한다.
④ 연대채무가 아니라 각 지분비율에 따라 책임을 진다.

80 정답 ④

난이도 중

① 甲과 丙 사이의 매매계약은 유효이므로 丙의 甲에 대한 이전등기의무는 여전히 존속한다.
② 유예기간이 경과한 날 이후부터 명의신탁약정과 그에 따라 행하여진 등기에 의한 부동산에 관한 물권변동이 무효가 되므로 명의신탁자는 더 이상 명의신탁 해지를 원인으로 하는 소유권이전등기를 청구할 수 없다(대판 98다1027).
③ 명의신탁약정은 무효이지만 반사회질서행위가 아니므로 불법원인급여가 아니다.
⑤ 매도인으로서는 명의수탁자가 신탁부동산을 타에 처분하였다고 하더라도, 명의수탁자로부터 그 소유명의를 회복하기 전까지는 명의신탁자에 대하여 신의칙 내지 「민법」 제536조 제1항 본문의 규정에 의하여 이와 동시이행의 관계에 있는 매매대금 반환채무의 이행을 거절할 수 있고, 결국 매도인으로서는 명의수탁자의 처분행위로 인하여 손해를 입은 바가 없다(대판 2001다61654). 丁은 선의 · 악의 관계없이 소유권을 취득하고 甲은 乙에게 직접 손해배상을 청구하여야 한다.

제 7 회 정답 및 해설

부동산학개론									
01	02	03	04	05	06	07	08	09	10
⑤	③	③	④	①	②	⑤	④	④	③
11	12	13	14	15	16	17	18	19	20
①	④	⑤	①	④	③	②	③	⑤	②
21	22	23	24	25	26	27	28	29	30
⑤	①	④	②	④	②	④	③	④	④
31	32	33	34	35	36	37	38	39	40
③	②	⑤	①	①	②	③	③	⑤	①

01 정답 ⑤
난이도 하

⑤ 옳은 지문으로 「민법」상 토지에 관한 규정에서 토지소유권에는 지하수에 대한 권리가 인정되나, 미채굴광물에 대한 권리는 인정되지 않는다.
① 가식 중인 수목은 토지정착물에 해당하지 않는다.
② 매년 경작을 필요로하지 않은 나무와 다년생식물 등은 토지정착물에 간주되어, 부동산중개의 대상이 될 수 있다.
③ 공간은 기술적(물리적) 개념의 부동산이다.
④ 공장재단, 자동차 등은 준부동산에 해당하므로 광의의 부동산에 포함된다.

02 정답 ③
난이도 중

옳은 지문은 ㄴ, ㄷ이다.
ㄱ. 표준산업분류에 따른 부동산 관련 서비스업은 중개 및 대리업, 투자자문업, 주거용 부동산관리업, 기타 부동산관리업 등으로 구성된다.
⇨ 기타 부동산관리업은 부동산업에 해당하지 않는다.
ㄹ. 부동산활동을 위한 이론체계를 구축하기 위해서는 기술성이 중시되고, 실무측면에는 과학성이 강조된다. ⇨ 기술성 ⇔ 과학성
ㅁ. 부동산학의 일반원칙으로서 경제성의 원칙은 소유활동에 있어서 최유효이용의 원칙을 지도원리로 삼고 있다. ⇨ 능률성의 원칙
ㅂ. 부동산학의 접근방식 중 인간은 합리적인 존재이며 자기이윤의 극대화를 목표로 행동한다는 가정에서 출발하여 의사결정을 중시하는 것은 종합식 접근방법이다. ⇨ 의사결정식 접근방법

03 정답 ③
난이도 중

• 지력회복을 위해 정상적으로 쉬게 하는 토지는 '휴한지'이다.
• 하나의 지번을 가진 토지등기의 한 단위는 '필지'이다.
• 소유권은 인정되지만 이용실익이 없거나 적은 토지는 '법지'이다.

04 정답 ④
난이도 중

개별성으로 인해 부동산시장은 표준화가 용이하며, 부동산의 완전한 대체가 불가능하다. ⇨ 표준화가 어려우며

05 정답 ①
난이도 상

1. 변화 전 $120 - 2P = 2P - 20$ ⇨ $140 = 4P$
   P(균형가격) = 35, Q(균형거래량) = 50
2. 변화 후 $120 - \frac{3}{2}P = 2P - 20$ ⇨ $140 = 3.5P$
   P(균형가격) = 40, Q(균형거래량) = 60

따라서 균형가격은 5 상승, 균형거래량은 10 증가한다.

06 정답 ②
난이도 중

① 실질소득의 증가는 수요의 증가요인이며 수요곡선은 우측으로 이동하게 된다.
③ 대체재인 단독주택의 가격이 상승하면 아파트 수요의 증가요인으로 아파트 수요곡선은 우측으로 이동하게 된다.
④ 아파트 담보대출 금리가 하락하면 수요의 변화로 수요곡선 자체가 우측으로 이동하는 수요 증가요인이다.
⑤ 아파트 거래세의 인상은 수요의 감소요인이며 수요곡선은 좌측으로 이동하게 된다.

07 정답 ⑤
난이도 중

1. 소득탄력성에 의한 다세대 수요의 변화
   $\text{소득탄력성} = \frac{\text{수요량변화(\%)}}{\text{소득변화(\%)}}$, $0.5 = \frac{\text{수요량}}{10\%}$
   그러므로 소득변화로 인한 다세대 수요량 = 10% × 0.5 = 5% 증가
2. 다세대 전체 수요량변화 = (소득에 의한) 다세대 수요량변화 + (아파트 가격에 의한) 다세대 수요량변화
   8% 증가 = 5% 증가 + (아파트 가격에 의한) 다세대 수요량변화
   따라서 (아파트 가격에 의한) 다세대 수요량변화 = 3% 증가이다.
3. 아파트에 대한 다세대주택 수요의 교차탄력성
   $= \frac{\text{다세대 수요량변화(\%)}}{\text{아파트 가격변화(\%)}} = \frac{3\%}{5\%} = 0.6$

08 정답 ④

난이도 중

① 수요함수가 [P = 300]인 경우 공급이 증가하면 균형가격은 하락하고, 균형량은 증가한다. ⇨ 균형가격은 300으로 일정하고
② 수요의 가격탄력성이 1보다 큰 경우, 임대료가 상승하면 임대업자의 총수입은 증가한다. ⇨ 감소한다.
③ 공급이 증가하고 수요곡선이 비탄력이면 균형량은 더 크게 증가한다. ⇨ 더 작게
⑤ 수요의 가격탄력성이 1보다 작은 경우 가격의 변화율은 수요량의 변화율보다 작다. ⇨ 크다.

09 정답 ④

난이도 하

부동산시장은 장기보다 단기에서 공급의 가격탄력성이 크므로 단기 수급조절이 용이하다. ⇨ 부동산시장은 단기보다 장기에서 공급의 가격탄력성이 크므로 장기 수급조절이 용이하다.

10 정답 ③

난이도 중

1. A부동산 상품: 수렴형
   - 수요함수 $Q_d = 100 - P$ ⇨ 기울기 크기 $= \frac{1}{1}$
   - 공급함수 $2Q_s = -10 + P$ ⇨ 기울기 크기 $= \frac{2}{1} = 2$

   ✚ 기울기 크기 $= \frac{\text{Q의 계수}}{\text{P의 계수}}$

   따라서 수요곡선의 기울기(1)보다 공급곡선의 기울기(2)가 더 크므로 수렴형이다.
2. B부동산 상품: 순환형
   - 수요함수 $Q_d = 500 - 2P$ ⇨ 기울기 크기 $= \frac{1}{2}$
   - 공급함수 $3Q_s = -20 + 6P$ ⇨ 기울기 크기 $= \frac{3}{6} = \frac{1}{2}$

   따라서 수요곡선의 기울기$\left(\frac{1}{2}\right)$와 공급곡선의 기울기$\left(\frac{1}{2}\right)$가 같으므로 순환형이다.
3. A부동산 상품 가격이 상승하면 A부동산 상품 수요가 감소하고, B부동산 상품 수요가 증가하였다면 A부동산 상품과 B부동산 상품의 관계는 '대체재'이다.

11 정답 ①

난이도 중

정보의 현재가치 = 확실성하의 현재가치 − 불확실성하의 현재가치

1. 확실성하의 토지 현재가치 $= \frac{4억\ 8,400만원 \times 1.0}{(1 + 0.1)^2} = 4억원$
2. 불확실성하의 토지 현재가치

$$= \frac{4억\ 8,400만원 \times 0.5 + 2억\ 4,200만원 \times 0.5}{(1 + 0.1)^2} = 3억원$$

따라서 정보의 현재가치 = 4억원 − 3억원 = 1억원

✚ 별해: 정보의 현재가치 $= \frac{금액차이 \times 개발\ 안\ 될\ 확률}{(1 + 0.1)^2}$

$$\frac{(4억\ 8,400만원 - 2억\ 4,200만원) \times 0.5}{(1 + 0.1)^2} = 1억원$$

12 정답 ④

난이도 중

① 상향여과 ⇨ 하향여과
② 공가(空家)의 발생은 주거지 이동에서 나타난다.
③ 주거분리는 도시 전체에서뿐만 아니라 인접한 근린지역에서도 발생한다.
⑤ 고소득층 주거지와 저소득층 주거지가 인접한 경우, 경계지역 부근의 저소득층 주택은 할증되어 거래되고 고소득층 주택은 할인되어 거래된다.

13 정답 ⑤

난이도 중

⑤ 공공토지비축제도에 따른 토지은행에 대한 설명이다.
① 개발이익환수제도 ⇨ 토지적성평가제도
② 토지거래허가제 ⇨ 「도시개발법」상 도시개발사업(환지사업)
③ 택지소유상한제에 대한 설명이다. 그러나 이 제도는 폐지되어 현재 시행되고 있지 않다.
④ 도시 · 군기본계획 ⇨ 도시 · 군관리계획

14 정답 ①

난이도 중

외부효과는 보상이나 대가가 지불되지 않고 후생에 영향을 주는 현상이므로 시장기구를 통하지 않는다. 따라서 시장의 외부에서 나타나는 현상이므로 외부효과라고 한다.

15 정답 ④

난이도 중

ㄱ. 분양가상한제는 시장가격보다 낮게 상한가격을 설정하여 무주택자의 주택가격 부담을 완화시키고자 하는 제도이다.
ㄹ. 장기적으로 민간의 신규주택 공급을 위축시키고, 주택의 질이 하락하는 문제점을 발생시킨다.

16 정답 ③

난이도 중

토지이용을 특정 방향으로 유도하기 위해 정부가 토지보유세를 부과할 때에 토지용도에 관계없이 동일한 세금을 부과하는 것이 아니라, 유도하고자 하는 방향을 고려하여 용도에 따라 차등과세를 부과해야 한다.

17 정답 ②

난이도 중

① 알론소 ⇨ 리카도(차액지대)
③ 마르크스의 독점지대 ⇨ 마르크스의 절대지대
④ 수송비와 지대는 비례관계 ⇨ 수송비와 지대는 반비례관계
⑤ 전문품점이 일상용품점에 비해 크다고 보았다. ⇨ 전문품점이 일상용품점에 비해 작다고 보았다.

18 정답 ③

난이도 중

상권의 경계는 A매장으로부터 3km 지점이다. 상권의 경계는 다음과 같이 구할 수 있다.

1. 컨버스의 분기점 공식

$$D_A = \frac{D_{AB}}{1+\sqrt{\frac{P_B}{P_A}}} = \frac{9}{1+\sqrt{\frac{1,600}{400}}} = 3\text{km}$$

2. 별해: $\frac{400}{A^2} = \frac{1,600}{B^2}$, $\frac{1}{A^2} = \frac{4}{B^2}$

A : B = 1 : 2

따라서 전체거리가 9km이므로 A도시까지의 거리는 3km이다.

19 정답 ⑤

난이도 중

① 시장지향형 입지 ⇨ 원료지향형 입지
② 집적지향형 입지 ⇨ 노동지향형 입지
③ 노동지향형 입지 ⇨ 집적지향형 입지
④ 국지원료와 보편원료 ⇨ 보편원료
국지원료는 원료지향형 입지에 주로 사용되는 원료이다.

20 정답 ②

난이도 중

① 등가교환방식에서는 개발업자를 통해 개발이 이루어지고, 개발에 따른 수익은 토지소유자에게 귀속된다. ⇨ 토지소유자와 개발업자가 기여도에 따라 나누어 갖는다.
③ 민간이 시설은 준공하고 동시에 소유권을 공공에 귀속시킨 후 사업시행자인 민간은 일정 기간 시설관리운영권을 가지며 수익하는 방식은 BTL방식이다. ⇨ BTO방식
④ 사회기반시설의 준공과 동시에 사업시행자에게 해당 시설의 운영권과 소유권이 인정되는 방식은 BTO방식이다. ⇨ BOO방식
⑤ 토지신탁형은 토지소유자로부터 형식적인 소유권을 이전받은 신탁회사가 토지를 개발 · 관리 · 처분하여 그 수익을 수탁자에게 돌려주는 방식이다. ⇨ 수익권자(수익자)

21 정답 ⑤

난이도 중

경제적 측면의 부동산관리 ⇨ 기술적 · 물리적 측면의 부동산관리(시설관리)

22 정답 ①

난이도 중

인근환경과 건물의 부적합은 경제적 내용연수에 영향을 미치는 요인이다.

건물의 내용연수

1. 물리적 내용연수: 건물의 이용으로 생기는 마멸 및 파손, 시간의 경과 또는 풍우 등의 자연작용으로 생기는 노후화 또는 지진 · 화재 등의 우발적 사건으로 생기는 손상 때문에 사용이 불가능하게 될 때까지의 버팀연수를 말한다.
2. 기능적 내용연수: 건물이 기능적으로 유효한 기간을 말하며, 건물과 부지의 부적응, 설계의 불량, 형식의 구식화, 설비의 부족과 불량, 건물의 외관 · 디자인 낙후 등이 기능적 내용연수와 관계된다.
3. 경제적 내용연수: 경제수명이 다하기까지의 버팀연수를 말한다. 인근지역의 변화, 인근환경과 건물의 부적합, 부근의 다른 건물에 비교한 시장성의 감퇴 등에 따라 나타난다.

23 정답 ④

난이도 중

① 분양대행사 이용은 마케팅 믹스의 4P 전략 중 '판매촉진(Promotion)' 전략과 밀접한 연관이 있다.
② 고객점유 마케팅 전략 ⇨ 시장점유 마케팅 전략
③ 관계마케팅 전략 ⇨ 고객점유 마케팅 전략
⑤ 마케팅 믹스는 상품(Product), 가격(Price), 유통경로(Place), 판매촉진(Promotion)을 조합하는 것을 말한다.

24 정답 ②

난이도 하

① 산술평균 ⇨ 가중평균
③ 상관계수가 "0" ⇨ 상관계수가 "−1"
④ 경사가 완만하다. ⇨ 경사가 급하다.
⑤ 제거될 수 있다. ⇨ 제거될 수 없다.

25 정답 ④

난이도 중

ㄷ. 차입자에게 고정금리대출을 실행하면 대출자의 인플레이션 위험은 높아진다.
ㅁ. 개별부동산의 특성으로 인한 위험은 비체계적인 위험이며, 포트폴리오를 통해 제거할 수 있다.

26 정답 ②

난이도 중

ㄱ. 감채기금계수 ⇨ 저당상수
ㄷ. 연금의 미래가치계수 ⇨ 일시불의 미래가치계수

27 정답 ④

난이도 상

1. 섬유산업 A도시 입지계수

$$= \frac{\frac{\text{A도시 섬유산업}}{\text{A도시 전체 산업}}}{\frac{\text{전국 섬유산업}}{\text{전국 전체 산업}}} = \frac{\frac{250}{400}}{\frac{1,000}{2,000}}$$

$= 250 \times 2,000 \div 400 \div 1,000 = 1.25$

2. 전자산업 C도시 입지계수

$$= \frac{\frac{\text{C도시 전자산업}}{\text{C도시 전체 산업}}}{\frac{\text{전국 전자산업}}{\text{전국 전체 산업}}} = \frac{\frac{600}{1,100}}{\frac{1,000}{2,000}}$$

$= 600 \times 2,000 \div 1,100 \div 1,000 = 1.09$

28 정답 ③

난이도 중

③ 옳은 지문으로 수익성지수법과 순현가법은 할인율로 요구수익률을 사용하므로 사전에 요구수익률을 정할 필요가 있다.

① 내부수익률(IRR)은 순현재가치(NPV)를 1로 만드는 할인율이다. ⇨ 0으로 만드는

② 내부수익률(IRR)이 기대수익률보다 클 경우 투자안을 채택한다. ⇨ 요구수익률

④ 순현재가치법에서는 할인율로 요구수익률을 사용하므로 투자자에 따라 순현재가치는 달라지지 않는다. ⇨ 달라진다.

⑤ 수익성지수(PI)는 유출의 현재가치의 총합을 유입의 현재가치의 총합으로 나눈 값이다. ⇨ 유입의 현재가치의 총합을 유출의 현재가치의 총합으로 나눈 값이다.

29 정답 ④

난이도 중

④ 영업경비비율(OER, 유효총소득 기준)

$= \frac{영업경비}{유효조소득} = \frac{1,000만원}{1,500만원} = 0.66$

- 유효조소득 = 가능총소득(2,000만원) − 공실 및 대손충당금(2,000만원 × 0.25) = 1,500만원
- 영업경비 = 2,000만원 × 0.5 = 1,000만원

① 저당비율(LTV) $= \frac{대부액}{총투자액(부동산가치)} = \frac{1억원}{2억원} = 0.5(50\%)$

② 부채감당률(DCR) $= \frac{순영업소득}{부채서비스액} = \frac{500만원}{500만원} = 1$

순영업소득 = 가능총소득 − 공실 및 대손충당금 − 영업경비
= 2,000만원 − (2,000만원 × 0.25) − (2,000만원 × 0.5)
= 500만원

③ 순영업소득 = 가능총소득 − 공실 및 대손충당금 − 영업경비
= 2,000만원 − (2,000만원 × 0.25) − (2,000만원 × 0.5)
= 500만원

⑤ 채무불이행률(DR) $= \frac{영업경비 + 부채서비스액}{유효조소득}$

$= \frac{1,000만원 + 500만원}{1,500만원} = 1$

30 정답 ④

난이도 중

높아야 한다. ⇨ 낮아야 한다.
저당대부에 필요한 자금이 저당시장에 원활하게 공급되기 위해서는 투자자가 주택저당증권(MBS)에 투자해야 한다. 따라서 수익률의 크기 순서는 다음과 같아야 한다.

저당수익률 > MBS 수익률 > 투자자 요구수익률

31 정답 ③

난이도 중

1. 8회 차 원리금상환액
   - 매년 상환원금 = 2,500만원(원금 = 5억원 ÷ 20년 = 2,500만원)
   - 8회 차 이자 = (7회 차 원금상환) 잔금 × 이자율
     = (5억원 − 1억 7,500만원) × 0.05 = 1,625만원
   - 원리금 = 2,500만원 + 1,625만원 = 4,125만원
2. 12회 차 원리금상환액
   - 매년 상환원금 = 2,500만원(원금 = 5억원 ÷ 20년 = 2,500만원)
   - 12회 차 이자지급액 = (11회 차 원금상환) 잔금 × 이자율
     = (5억원 − 2억 7,500만원) × 0.05
     = 1,125만원
   - 원리금 = 2,500만원 + 1,125만원 = 3,625만원

32 정답 ②

난이도 중

1. 1년 차 순영업소득 = 1년 차 유효조소득 − 영업경비
   = 5,000만원 − 2,000만원 = 3,000만원
   따라서 1년 말의 순영업소득 3,000만원을 현재가치로 할인하기 위해서는 1년 후 일시불의 현재가치계수를 곱하여 계산한다.
   1년 차 순영업소득의 현재가치
   = 3,000만원 × 0.95(1년 후 일시불 현가계수) = 2,850만원
2. 2년 차 순영업소득 = 2년 차 유효조소득 − 영업경비
   = 6,000만원 − 2,000만원 = 4,000만원
   2년 차 순영업소득의 현재가치
   = 4,000만원 × 0.9(2년 후 일시불의 현가계수) = 3,600만원
3. 2년간 순영업소득의 현재가치 합 = 2,850만원 + 3,600만원
   = 6,450만원

33 정답 ⑤

난이도 중

후분양은 개발업자의 시장위험을 감소시킨다. ⇨ 증가시킨다.
후분양제도는 건설자금을 개발업자가 직접 조달하는 제도이므로 건설기간 중 발생할 수 있는 시장이자율변동 등에 따른 시장위험을 개발업자가 부담하게 된다.

34 정답 ①

난이도 중

금융기관의 입장에서는 부외금융에 의해 채무수용능력이 커지는 장점이 있다. ⇨ 사업주의 입장
부외금융은 사업주의 재무제표상 부채의 기록이 남지 않는 금융을 의미한다. 따라서 부외금융은 사업주의 채무수용능력이 커지는 장점이 있다.

35 정답 ①

난이도 중

부분평가에 대한 설명이다. 일체로 이용되고 있는 대상물건의 일부분에 대하여 감정평가하여야 할 특수한 목적이나 합리적인 이유가 있는 경우에는 그 일부분에 대하여 감정평가할 수 있다.

36 정답 ②

난이도 중

개별분석은 기능적 감가와 관련되고 적합의 원칙이 적용된다. ⇨ 균형의 원칙

37 정답 ③

난이도 중

1. 토지가격 = 사례가격 × (사정보정 × 시점수정 × 지역요인 비교치 × 개별요인 비교치 × 면적요인 비교치)
   - 사례가격 = 600,000,000원
   - 시점수정 = $\frac{\text{기준시점}}{\text{거래시점}} = \frac{103}{100} = 1.03$
   - 개별요인(환경조건) = $\frac{\text{대상}}{\text{사례}} = \frac{108}{100} = 1.08$
   - 면적요인 = $\frac{\text{대상}}{\text{사례}} = \frac{200}{250} = 0.8$
2. 토지가격 = 600,000,000원 × 1.03 × 1.08 × 0.8
   = 533,952,000원

38 정답 ③

난이도 중

옳은 지문은 ㄴ, ㄹ이다.

ㄱ. 경제적 내용연수가 아닌 물리적 내용연수 ⇨ 경제적 내용연수

ㄷ. 부채감당법은 감가수정방법이 아닌 환원이율을 산정하는 방법이다.

ㅁ. 매년 감가액이 일정하다. ⇨ 매년 감가율이 일정하고, 매년 감가액은 감소한다.

39 정답 ⑤

난이도 중

1. 거래사례를 통해 구한 시산가액 ⇨ 비교방식
2. 조성비용을 통해 구한 시산가액 ⇨ 원가방식
3. 임대료를 통해 구한 시산가액 ⇨ 수익방식
   따라서 시산가액 조정은 부여된 가중치를 고려한 가중평균을 통해 이루어진다.
4. 최종 감정평가액
   = (1억 1,000만원 × 0.3) + (1억 2,000만원 × 0.5) + (1억원 × 0.2)
   = 3,300만원 + 6,000만원 + 2,000만원 = 1억 1,300만원

40 정답 ①

난이도 중

시장 · 군수 또는 구청장은 공시기준일 이후에 분할 · 합병 등이 발생한 토지에 대하여는 대통령령으로 정하는 날을 기준으로 하여 개별공시지가를 결정 · 공시하여야 한다.

민법 및 민사특별법

41	42	43	44	45	46	47	48	49	50
④	②	①	②	②	③	①	④	②	⑤
51	52	53	54	55	56	57	58	59	60
④	①	③	②	⑤	①	①	①	④	⑤
61	62	63	64	65	66	67	68	69	70
②	②	②	④	②	②	③	⑤	③	④
71	72	73	74	75	76	77	78	79	80
②	⑤	④	③	⑤	③	④	①	⑤	③

41 정답 ④

난이도 중

ㄷ. 반사회적 행위에 의하여 조성된 재산을 소극적으로 은닉하기 위하여 임치한 경우 이것만으로는 그것이 곧바로 사회질서에 반하는 법률행위라고 볼 수는 없다(판례).

ㅁ. 명의신탁약정의 무효는 강행법규 위반이고 사회질서 위반이 아니므로 신탁자는 수탁자에게 무효를 주장하여 부당이득반환을 청구할 수 있다(판례).

ㄱ. 증권회사 등의 고객에 대하여 증권거래와 관련하여 발생한 손실을 보전하여 주기로 하는 약속이나 그 손실보전행위는 자기결정, 자기책임의 원리에 반하므로 사회질서에 반하여 무효이다(판례).

ㄴ. 반사회적 법률행위의 동기가 표시된 경우 반사회적 법률행위에 해당한다.

ㄹ. 명의수탁자의 처분행위에 제3자가 적극 가담하여 부동산을 매수한 경우 반사회적 법률행위로서 무효이다.

42 정답 ②

난이도 중

취소는 상대방 있는 단독행위이지만, 재단법인 설립행위는 상대방 없는 단독행위이다.

43 정답 ①

난이도 중

해제조건 있는 법률행위는 조건이 성취되면 특약이 없는 한 소급하여 효력을 잃는 것이 아니라 조건성취시부터 잃는다.

44 정답 ②

난이도 중

② 취소권자가 양도하면 법정추인이나 상대방이 권리를 양도하면 취소권자는 아무런 행동을 한 것이 없으므로 법정추인이 아니다. 그러므로 취소권자는 여전히 취소권을 가진다.

① 취소권은 10년의 제척기간에 걸리므로 10년 후에는 더 이상 취소권이 없다.

③ 법정대리인은 취소원인 종료 전에도 추인할 수 있으므로 위 추인은 유효하고 더 이상 취소권이 없다.

④ 취소권자가 상대방에게 급부이행을 청구한 경우 이는 법정추인으로 취소권은 소멸하였다.

⑤ 계약의 당사자는 요약자와 낙약자이지 수익자가 아니므로 수익자는 계약취소권을 못 가진다.

45 정답 ②
난이도 중

불능은 확정적인 것이어야 한다. 일시적으로 불능한 것이라도 가능으로 될 개연성이 높은 것은 불능으로 볼 수 없다(대판 89다카11777).

46 정답 ③
난이도 중

③ 표의자가 착오를 이유로 의사표시를 취소하여 상대방이 손해를 입은 경우, 상대방은 착오자에게 불법행위를 이유로 손해배상을 청구할 수 없다.
① 표의자의 진의 아닌 의사표시를 상대방이 알 수 있었을 경우에도 무효이다.
④ 표의자가 사실상의 장애로 대출받을 수 없는 자를 위하여 자기명의를 대여해 준 경우 특별한 사정이 없는 한 비진의표시가 성립하지 않는다.
⑤ 합의가 있음을 요하지 않고 동기를 계약내용으로 표시하면 족하다.

47 정답 ①
난이도 중

대리인이 기망행위를 한 경우에 상대방은 본인의 선의 · 악의 관계없이 무과실이어도 표의자는 의사표시를 취소할 수 있다(제110조 제1항).

48 정답 ④
난이도 중

④ 신의칙에 반하여 허용될 수 없다.
① 확답을 발하지 않으면 추인거절로 본다.
② 추인이 있었음을 상대방이 모른 경우 본인은 추인의 효력을 상대방에게 주장할 수 없다.
③ 조건부 추인, 일부 추인은 상대방의 동의가 없는 한 무효이다.
⑤ 추인은 의사표시이므로 명시적 · 묵시적인 의사표시가 모두 가능하다.

49 정답 ②
난이도 중

① 표현대리가 성립한다고 하여 무권대리의 성질이 유권대리로 전환되는 것이 아니므로, 유권대리에 관한 주장 속에 무권대리에 속하는 표현대리의 주장이 포함되어 있다고 볼 수 없다(판례).
③ 표현대리에 따라 본인이 전적인 책임을 져야 한다.
④ 복대리인 선임권이 없는 대리인에 의하여 선임된 복대리인의 권한은 제126조의 기본대리권이 될 수 있다.
⑤ 대리인이 본인 사망 후 복대리인을 선임하여 이를 과실 없이 알지 못하는 상대방과 대리행위를 한 경우 대리권 소멸 후의 표현대리가 성립한다.

50 정답 ⑤
난이도 중

기한도래의 효력은 당사자의 특약에 의해서도 소급효를 인정할 수 없다.

51 정답 ④
난이도 중

④ 甲이 丙에게 X토지를 임대해 준 경우, 甲이 단독으로 임대하는 행위, 임대차계약의 해지, 갱신요구거절행위는 관리행위이므로 지분의 과반수권자가 단독으로 행할 수 있다.
① 甲이 乙의 동의 없이 X토지에 건물을 축조한 경우, 乙은 공유물 보존행위로서 甲에게 건물 전부의 철거를 청구할 수 있다.
② 공유물분할금지특약을 등기하면 승계인에게 효력이 있으나 당사자 간에 약정만 한 경우 지분승계인에게 대항할 수 없다.
③ 甲이 상속인 없이 사망하면 甲의 지분은 국가가 아니라 다른 공유자에 귀속한다.
⑤ 甲이 乙의 동의 없이 X토지 전부를 丙에게 임대하여 丙이 점유하는 경우, 丙의 점유는 적법한 점유이므로 乙은 丙에게 단독으로 점유의 배제를 청구할 수 없다.

52 정답 ①
난이도 중

유치권자가 점유를 침탈당한 경우 유치권자는 침탈자를 상대로 유치권에 기한 반환청구권을 행사할 수 없다.

53 정답 ③
난이도 중

ㄹ. 토지거래허가구역에서 甲 · 乙 · 丙의 중간생략등기는 무효이다.
ㄱ. 乙의 강박으로 계약을 체결한 경우, 현재 유동적 무효상태라도 일방이 협력의무를 면하기 위하여 취소할 수 있는 실익이 있다.
ㄴ. 乙이 토지거래 허가를 얻은 후라도 판례는 이행착수 전으로 간주하므로 甲은 계약금의 2배를 제공하여 해제할 수 있다.
ㄷ. 甲은 乙이 잔금제공 없이 토지거래협력의무를 요구를 하면 이를 거절할 수 없다. 매도인의 토지거래허가절차 협력의무와 매수인의 대금지급의무는 동시이행관계가 아니다.
ㅁ. 乙은 甲이 토지거래허가절차 협력의무를 위반하였음을 이유로 매매계약을 해제할 수 없다.

54 정답 ②
난이도 중

① 점유자가 소유자로 등기되어 있어야 하는데, 이때의 등기는 반드시 적법 · 유효한 등기이어야 하는 것은 아니고 무효등기라도 원칙적으로 적격성을 가진다.
③ 시효가 완성된 후에 점유자 명의의 등기가 원인 없이 다른 사람 앞으로 소유권이전등기가 경료되는 경우 등기는 물권의 효력발생요건이지 존속요건이 아니므로 점유자 명의의 등기가 원인 없이 다른 사람 앞으로 소유권이전등기가 경료되는 경우에 시효완성자는 소유권을 상실하지 않는다.
④ 소유권보존등기가 이중으로 경료되어 뒤에 된 소유권보존등기가 무효로 되는 경우 뒤에 된 소유권보존등기를 기초로 등기부취득시효할 수 없다.
⑤ 등기부상 소유명의인과 매도인이 동일인인 경우에는 이를 소유자로 믿고 그 부동산을 매수한 자는 특별한 사정이 없는 한, 과실 없는 점유자로 보아야 한다.

55 정답 ⑤

난이도 중

⑤ 중간자가 갖는 등기청구권을 채권 양도 통지만으로 등기청구권을 양도할 수 없다. 등기청구권을 양도하려면 최초 매도인(채무자)의 승낙을 얻어야 한다.
① 丙은 아직 소유권을 취득하기 전이므로 진정명의회복을 원인으로 직접 甲에게 X토지의 이전등기를 청구할 수 없다.
② 乙의 甲에 대한 X토지에 대한 등기청구권은 乙이 점유를 하면 소멸시효에 안 걸리나, 乙이 점유를 상실하여도 부동산을 처분(매매)하여 제3자에게 점유를 이전하여 준 것은 보다 적극적인 권리행사의 일환이므로 점유를 상실하여도 등기청구권의 소멸시효는 진행하지 아니한다(판례).
③ 소유권이전등기를 경료받기 전에 토지를 인도받은 매수인으로부터 다시 토지를 매수하여 점유·사용하고 있는 자에 대하여 매도인이 토지소유권에 기한 물권적 청구권을 행사할 수 없다.
④ 중간생략등기의 합의가 있었다고 하더라도 중간매수인의 소유권이전등기청구권이 소멸된다거나 첫 매도인의 그 매수인에 대한 소유권이전등기의무가 소멸되는 것은 아니다.

56 정답 ①

난이도 중

① 제3자에 의한 사기강박으로 인한 의사표시는 상대방이 이를 안 경우에도 취소할 수 있지만, 알 수 있었을 경우에도 취소할 수 있다(제110조 제2항).
② A가 乙의 대리인이라면 A는 乙과 동일시되므로 A의 기망에 대하여 乙의 인식 여부에 관계없이 甲은 계약을 취소할 수 있다.
③ 매매계약을 취소함이 없이도 기망을 한 제3자(A)에 대하여 甲은 불법행위로 인한 손해배상을 청구할 수 있다(대판 97다55829).
④ 매수인 乙이 건물의 하자에 대하여 선의·무과실이라면 제3자의 사기로 인한 취소권을 행사할 수도 있고, 甲에 대하여 하자담보책임을 물을 수도 있다. 제3자의 사기(제110조 제2항)로 인한 취소권의 행사와 하자담보책임(제580조)은 전혀 별개의 것이기 때문이다.
⑤ 사기·강박으로 인한 의사표시의 취소는 선의의 제3자에게 대항하지 못한다(제110조 제3항).

57 정답 ①

난이도 중

① 공유물분할청구소송에 있어 원래의 공유자들이 각 그 지분의 일부 또는 전부를 제3자에게 양도하고 그 지분이전등기까지 마쳤다면, 새로운 이해관계가 형성된 그 제3자에 대한 관계에서는 달리 특별한 사정이 없는 한 일단 등기부상의 지분을 기준으로 할 수밖에 없을 것이나, 원래의 공유자들 사이에서는 등기부상 지분과 실제의 지분이 다르다는 사실이 인정된다면 여전히 실제의 지분을 기준으로 삼아야 할 것이고 등기부상 지분을 기준으로 하여 그 실제의 지분을 초과하거나 적게 인정할 수는 없다(대판 98다51169). 즉, 지분은 원공유자들 사이에서는 등기된 지분이 아닌 실제 지분을 기준으로 하므로 실제 지분이 3/5인 甲이 공유물에 대한 관리방법으로서 단독으로 임대한 것은 적법하다(대판 2002다9738).
② 공유자가 상속인 없이 사망하면 다른 공유자에게 각 지분의 비율대로 귀속 승계된다(제267조).
③ 공유토지에 관하여 점유취득시효가 완성된 후 취득시효완성 당시의 공유자들 일부로부터 과반수에 미치지 못하는 소수지분을 양수취득한 제3자는 나머지 과반수 지분에 관하여 취득시효에 의한 소유권이전등기를 경료받아 과반수 지분권자가 될 지위에 있는 시효취득자(점유자)에 대하여 지상건물의 철거와 토지의 인도 등 점유배제를 청구할 수 없다(대판 2000다33638; 대판 88다카33855). A는 토지 전체에 대해 취득시효를 원인으로 한 등기이전청구권을 가지나 이는 채권적 청구권으로 시효완성 후 지분을 취득한 제3자 丁에게는 대항할 수 없어서 丁은 1/4지분권자가 된다. 그러나 丁은 소수 지분권자이므로 과반수의 지분을 취득할 A에게 보존행위로서 점유의 배제를 청구할 수 없다(대판 95다24586).
④ 건물의 공유자가 공동으로 건물을 임대하고 보증금을 수령한 경우, 특별한 사정이 없는 한 그 임대는 각자 공유지분을 임대한 것이 아니고 임대목적물을 다수의 당사자로서 공동으로 임대한 것이고 그 보증금반환채무는 성질상 불가분채무에 해당된다고 보아야 할 것이다(대판 98다43137).
⑤ 이 경우에는 각 공유자는 자기 지분에 해당하는 부당이득의 반환만을 청구할 수 있다(대판 2000다13948).

58 정답 ①

난이도 중

② 공동저당목적물 중 공동저당권자가 일부만을 경매실행하는 경우 그 저당권자는 일부 목적물에서 채권 전부를 우선변제 받을 수 있다.
③ 지역권을 목적으로 저당권을 설정할 수 없다.
④ 제3자의 책임 있는 사유가 아니라 저당권설정자의 책임 있는 사유로 저당권의 목적물이 훼손되면 저당권자는 저당권설정자에게 담보물보충청구권이 있다.
⑤ 저당권설정자가 저당권자 몰래 저당목적물을 매각한 경우 그 매매대금은 저당물소유자의 것이므로 이에 대하여는 저당권의 효력이 미치지 아니한다.

59 정답 ④

난이도 중

1번 저당권이 설정된 후 지상권이 설정되고 그 후 2번 저당권이 설정된 경우, 2번 저당권 실행으로 목적물이 매각되더라도 1번 저당권이 말소기준권리이므로 지상권은 소멸한다.

60 정답 ⑤

난이도 중

ㄱ. 최고액이란 우선변제를 받을 수 있는 한도액이다.
ㄴ. 채무액이 채권최고액을 초과하는 경우 채무자는 최고액이 아니라 채무 전액을 변제하여야 근저당권의 말소를 청구할 수 있다.
ㄹ. 채무확정 전 채무의 소멸이나 이전은 근저당권에 영향을 미치지 아니한다(부종성의 완화).

61 정답 ②

난이도 중

① 근저당권설정등기가 불법하게 말소된 후 목적부동산이 경매절차에서 경락되어 경락인이 경락대금을 완납하였다면, 원인 없이 말소된 근저당권은 이에 의하여 소멸한다(판례).
③ 저당권의 효력은 명인방법을 갖춘 수목은 별개의 물건이므로 토지저당권의 효력이 미치지 않는다.

④ 토지에 관하여 저당권이 설정될 당시 그 지상에 존재하는 건물이 미등기상태였다면 그 건물을 위한 법정지상권이 성립할 수 있다.
⑤ 근저당권 이전의 부기등기가 경료된 경우, 피담보채무의 소멸을 원인으로 한 근저당권설정등기 말소청구의 상대방은 양도인이 아니라 양수인이다.

62 정답 ② 난이도 중

② 협의가 성립되지 않을 때의 재판상 분할은 필수적 공동소송이므로 공유자 전원이 소송당사자가 되어야 한다(대판 2003다44615, 44622).
③ 공유관계의 발생원인과 공유지분의 비율 및 분할된 경우의 경제적 가치, 분할방법에 관한 공유자의 희망 등의 사정을 종합적으로 고려하여 당해 공유물을 특정한 자에게 취득시키는 것이 상당하다고 인정되고, 다른 공유자에게는 그 지분의 가격을 취득시키는 것이 공유자 간의 실질적인 공평을 해치지 않는다고 인정되는 특별한 사정이 있는 때에는 공유물을 공유자 중의 1인의 단독소유 또는 수인의 공유로 하되 현물을 소유하게 되는 공유자로 하여금 다른 공유자에 대하여 그 지분의 적정하고도 합리적인 가격을 배상시키는 방법에 의한 분할도 현물분할의 하나로 허용된다(대판 2004다30583).
④ 토지를 분할하는 경우에는 원칙적으로는 각 공유자가 취득하는 토지의 면적이 그 공유지분의 비율과 같아야 할 것이나, 반드시 그렇게 하지 아니하면 안 되는 것은 아니고, 토지의 형상이나 위치, 그 이용상황이나 경제적 가치가 균등하지 아니할 때에는 이와 같은 제반 사정을 고려하여 경제적 가치가 지분비율에 상응되도록 분할하는 것도 허용된다(대판 93다27819).
⑤ 분할로 인한 공유자 상호간의 담보책임의 내용 중에서 해제는 재판상 분할에는 인정되지 아니한다. 해제를 인정할 경우 재판의 결과를 뒤집는 것이 되기 때문이다.

63 정답 ② 난이도 중

ㄱ. 甲의 귀책사유가 없으므로 이행불능을 이유로 계약을 해제할 수 없다.
ㄴ. 계약체결 후 수용된 것은 후발적 불능이므로 계약체결상의 과실책임을 물을 수 없다.
ㄹ. 乙이 甲에게 토지보상금에 대한 대상청구권을 행사하기 위하여는 반대급부인 매매대금을 지급하여야 한다.

64 정답 ④ 난이도 중

① 청약은 특정인 · 불특정인 불문하나 승낙은 특정인에게 하여야 한다.
② 계약교섭 중 부당한 중도파기로 손해를 입은 경우 판례는 계약체결상의 과실책임을 인정하지 아니하고 불법행위 책임을 인정한다.
③ 매매계약체결 당시에 반드시 대금과 목적물이 구체적으로 확정되어 있지 않아도 사후에 확정할 수 있는 기준이 정하여져 있으면 족하다.
⑤ 계약체결 당시에 목적의 불능을 알 수 있었을 자는 이를 과실 없이 모르는 상대방에게 계약체결상의 과실책임을 부담한다.

65 정답 ② 난이도 중

일시적으로 당사자 일방의 의무의 이행제공이 있었으나 곧 그 이행의 제공이 중지되어 더 이상 그 제공이 계속되지 아니하는 기간 동안에는 상대방의 의무가 이행지체상태에 빠졌다고 할 수는 없다. 따라서 그 이행의 제공이 중지된 이후에 상대방의 의무가 이행지체 되었음을 전제로 하는 손해배상청구도 할 수 없다(판례). 이 경우 수령지체에 빠진 자도 여전히 동시이행항변권을 행사할 수 있다.

66 정답 ② 난이도 중

② 지상권의 객체는 1필의 토지 전부임이 원칙이나, 1필의 토지의 일부에도 성립될 수 있다(「부동산등기법」 제136조).
③ 지상권에 있어서 지료의 지급은 그의 요소가 아니어서 지료에 관한 유상 약정이 없는 이상 지료의 지급을 구할 수 없다(대판 99다24874).
⑤ 지상권의 존속기간에 대하여는 최단기간의 제한만이 있을 뿐이고 최장기간의 제한은 없기 때문이다(대판 99다66410).

67 정답 ③ 난이도 중

甲이 건물신축한 후 미등기상태인 경우 임차권등기도 없고 대항력을 갖추지 못하였으므로 계약종료시 乙로부터 토지를 매수한 제3자인 토지양수인에게 건물매수청구를 할 수 없다.

68 정답 ⑤ 난이도 중

채무자가 미리 이행하지 아니할 의사를 표시한 경우에는 최고가 필요 없다.

69 정답 ③ 난이도 중

매매목적인 권리 전부가 타인에게 속한 경우, 매수인은 선의 · 악의를 불문하고 해제권을 가지나 매도인은 선의인 경우에 한하여 계약을 해제할 수 있다.

70 정답 ④ 난이도 중

취소나 해제시 계약은 소급하여 소멸하며, 취소의 경우 선의이면 현존이익에 한하여 반환의무를 부담하나 악의인 경우 전 손해를 반환하여야 한다. 반면에 해제의 경우 당사자는 선의 · 악의 불문하고 전부 반환하여야 한다는 점에서 서로 상이하다.

71 정답 ② 난이도 중

수량부족에 관한 담보책임에서는 매수인이 악의인 경우에는 어떠한 내용의 담보책임도 물을 수 없다. 따라서 甲 · 乙이 $100m^2$의 수량을 지정하여 매매하였으나, X토지가 실제로는 $90m^2$ 밖에 되지 않는 경우에도 乙이 악의인 경우에는 대금의 감액을 청구할 수 없다.

72 정답 ⑤

난이도 중

판례에 따르면 수수된 계약금을 위약금으로 한다는 약정이 있는 경우에 한해 손해배상액의 예정으로서의 성질을 갖는다.

73 정답 ④

난이도 중

④ 타주점유로 전환되지 않고 여전히 자주점유이다(판례).
① 간접점유자는 점유자이지만, 점유보조자는 점유자가 아니다.
③ 점유자가 점유물의 과실을 수취하지 않은 경우에는 필요비와 유익비를 모두 상환청구할 수 있다.
⑤ 선의의 점유자는 과실(果實)을 수취하더라도 부당이득반환의무가 없다.

74 정답 ③

난이도 중

매매당사자 간에 계약금을 수수하고 계약해제권을 유보한 경우에 매도인이 계약금의 배액을 상환하고 계약을 해제하려면 계약해제의 의사표시 외에 계약금 배액의 이행의 제공이 있으면 족하고, 상대방이 이를 수령하지 아니한다 하여 이를 공탁할 필요는 없다(대판 80다2784).

75 정답 ⑤

난이도 중

① 특약이 없는 한 과실과 이자는 상계되므로 매매대금을 제공하면 되고 이자는 지급할 필요가 없다.
② 환매기간을 정하지 않은 경우, 그 기간은 3년이 아니라 5년이다.
③ 환매특약이 등기되어도, 甲은 환매특약등기 전에 X토지의 소유권을 취득한 제3자에게 대항할 수 없으며 환매특약이 먼저 등기되어야 제3자에게 대항할 수 있게 된다.

76 정답 ③

난이도 중

③ 대항력을 갖춘 임차주택의 경우 양수인이 양도인의 지위를 승계하는 것이 원칙이지만 임차인이 상당한 기간 내에 이의를 제기하는 경우에는 승계되지 아니하므로 양도인의 임차인에 대한 보증금반환채무는 소멸되지 아니한다(대판 2001다64615).
① 대판 98다46938
② 「주택임대차보호법」 제8조 제1항
④ 동법 제3조의2 제3항
⑤ 대판 98다15545

77 정답 ④

난이도 중

임차인이 직접점유를 하지 않더라도 임대인의 승낙을 받아 전대를 한 경우 전차인이 점유를 하고 또 그의 이름으로 주민등록을 함으로써 대항요건을 갖춘 경우에는 임차인이 대항력을 취득한다. 따라서 임차인 명의로 한 주민등록은 대항력이 발생할 수 없다.

78 정답 ①

난이도 중

① 집합건물의 시공자는 그가 분양계약에도 참여하여 분양대상인 구분건물에 대하여 분양에 따른 소유권이전의무를 부담하는 분양계약의 일방 당사자로 해석된다는 등 특별한 사정이 없는 한, 집합건물법 제9조에 의한 하자담보책임을 부담하는 것으로 볼 수 없다(판례).
② 규약상 공용부분만 등기를 요한다.
③ 공용부분의 보존행위는 각 공유자가 행사할 수 있다.
④ 전유부분에 대한 저당권 또는 경매개시결정과 압류의 효력은 특별한 사정이 없는 한 대지사용권에 미친다.
⑤ 집합건물의 관리인에게 건물의 일정부분을 임대하는 권한을 위임하는 내용의 관리규약은 구분소유자가 독점적으로 사용 · 관리권한을 가진 전유부분에 대하여 다른 구분소유자와의 조정의 범위를 초과하여 사용권의 제한을 가져오는 것으로서 구분소유자의 권리를 과도하게 제한하는 것으로서 사회관념상 타당성을 잃은 것으로서 무효이다(판례).

79 정답 ⑤

난이도 중

매도인의 명의신탁자에 대한 소유권이전등기의무는 이행불능으로 되고 그 결과 명의신탁자는 신탁부동산의 소유권을 이전받을 권리를 상실하는 손해를 입게 되는 반면, 명의수탁자는 신탁부동산의 처분대금이나 보상금을 취득하는 이익을 얻게 되므로, 명의수탁자는 명의신탁자에게 그 이익을 부당이득으로 반환할 의무가 있다(대판 2009다49193 · 49209).

80 정답 ③

난이도 중

ㄷ. 고의 또는 중과실로 파손한 경우일 것
ㄹ. 임차인이 2기가 아니라 3기의 차임액에 달하도록 차임을 연체한 사실이 있는 경우
ㅁ. 쌍방의 합의가 있을 것

빠른 정답 찾기

제1회 실전 모의고사

≫ 부동산학개론

01	02	03	04	05	06	07	08	09	10
④	③	①	④	②	⑤	⑤	②	⑤	③
11	12	13	14	15	16	17	18	19	20
③	⑤	①	②	⑤	①	②	④	④	③
21	22	23	24	25	26	27	28	29	30
②	⑤	①	②	④	③	③	⑤	②	④
31	32	33	34	35	36	37	38	39	40
②	③	③	⑤	④	④	①	③	②	①

≫ 민법 및 민사특별법

41	42	43	44	45	46	47	48	49	50
⑤	③	④	③	⑤	③	②	②	①	①
51	52	53	54	55	56	57	58	59	60
②	①	②	④	①	⑤	③	③	③	③
61	62	63	64	65	66	67	68	69	70
①	④	③	②	③	②	⑤	②	①	③
71	72	73	74	75	76	77	78	79	80
③	①	④	⑤	④	⑤	②	④	①	③

제2회 실전 모의고사

≫ 부동산학개론

01	02	03	04	05	06	07	08	09	10
②	⑤	④	③	④	①	⑤	①	⑤	④
11	12	13	14	15	16	17	18	19	20
①	③	①	①	④	④	②	②	⑤	④
21	22	23	24	25	26	27	28	29	30
⑤	③	①	②	④	③	⑤	①	①	⑤
31	32	33	34	35	36	37	38	39	40
③	②	⑤	④	③	④	③	①	②	②

≫ 민법 및 민사특별법

41	42	43	44	45	46	47	48	49	50
④	⑤	②	④	④	②	③	④	①	⑤
51	52	53	54	55	56	57	58	59	60
⑤	①	③	②	③	③	④	③	④	②
61	62	63	64	65	66	67	68	69	70
③	④	①	⑤	③	②	①	⑤	⑤	②
71	72	73	74	75	76	77	78	79	80
①	②	③	④	①	④	①	③	①	①

제3회 실전 모의고사

≫ 부동산학개론

01	02	03	04	05	06	07	08	09	10
⑤	①	③	⑤	①	③	①	②	③	①
11	12	13	14	15	16	17	18	19	20
⑤	⑤	②	④	③	⑤	③	④	③	⑤
21	22	23	24	25	26	27	28	29	30
②	⑤	④	②	②	②	④	④	③	⑤
31	32	33	34	35	36	37	38	39	40
②	④	③	②	①	⑤	⑤	③	①	④

≫ 민법 및 민사특별법

41	42	43	44	45	46	47	48	49	50
⑤	④	③	①	③	①	⑤	④	①	①
51	52	53	54	55	56	57	58	59	60
③	②	③	④	④	⑤	⑤	①	⑤	②
61	62	63	64	65	66	67	68	69	70
③	⑤	②	③	⑤	①	⑤	④	③	①
71	72	73	74	75	76	77	78	79	80
⑤	④	②	①	⑤	①	⑤	②	⑤	③

제4회 실전 모의고사

≫ 부동산학개론

01	02	03	04	05	06	07	08	09	10
④	①	③	④	③	③	②	②	①	⑤
11	12	13	14	15	16	17	18	19	20
①	②	③	④	①	⑤	⑤	④	⑤	③
21	22	23	24	25	26	27	28	29	30
②	③	②	⑤	②	①	⑤	①	④	③
31	32	33	34	35	36	37	38	39	40
④	②	④	②	④	①	⑤	④	②	⑤

≫ 민법 및 민사특별법

41	42	43	44	45	46	47	48	49	50
④	③	③	③	⑤	⑤	③	⑤	③	②
51	52	53	54	55	56	57	58	59	60
①	③	②	④	③	②	⑤	①	①	④
61	62	63	64	65	66	67	68	69	70
⑤	④	③	④	④	①	②	③	④	③
71	72	73	74	75	76	77	78	79	80
②	⑤	①	③	④	④	③	④	②	⑤

제5회 실전 모의고사

≫ 부동산학개론

01	02	03	04	05	06	07	08	09	10
③	④	⑤	③	⑤	②	⑤	③	①	④
11	12	13	14	15	16	17	18	19	20
①	②	③	⑤	①	④	②	⑤	②	④
21	22	23	24	25	26	27	28	29	30
②	③	③	④	②	③	⑤	③	⑤	②
31	32	33	34	35	36	37	38	39	40
②	④	④	②	⑤	④	④	③	④	①

≫ 민법 및 민사특별법

41	42	43	44	45	46	47	48	49	50
⑤	④	①	③	⑤	⑤	①	④	⑤	②
51	52	53	54	55	56	57	58	59	60
②	①	③	③	③	③	⑤	③	②	④
61	62	63	64	65	66	67	68	69	70
①	②	②	①	④	②	②	⑤	⑤	④
71	72	73	74	75	76	77	78	79	80
③	①	①	③	④	③	③	②	④	③

제6회 실전 모의고사

≫ 부동산학개론

01	02	03	04	05	06	07	08	09	10
②	③	①	②	④	③	①	②	⑤	④
11	12	13	14	15	16	17	18	19	20
③	④	③	②	③	⑤	①	⑤	①	④
21	22	23	24	25	26	27	28	29	30
②	③	④	③	①	④	④	⑤	②	⑤
31	32	33	34	35	36	37	38	39	40
①	③	④	③	⑤	⑤	②	⑤	①	⑤

≫ 민법 및 민사특별법

41	42	43	44	45	46	47	48	49	50
⑤	③	③	③	②	④	②	②	⑤	②
51	52	53	54	55	56	57	58	59	60
①	①	④	②	②	①	④	③	②	⑤
61	62	63	64	65	66	67	68	69	70
①	④	④	⑤	③	④	②	④	①	⑤
71	72	73	74	75	76	77	78	79	80
④	④	③	①	③	⑤	①	④	⑤	④

제7회 실전 모의고사

≫ 부동산학개론

01	02	03	04	05	06	07	08	09	10
⑤	③	③	④	①	②	⑤	④	④	③
11	12	13	14	15	16	17	18	19	20
①	④	⑤	①	④	③	②	③	⑤	②
21	22	23	24	25	26	27	28	29	30
⑤	①	④	②	④	②	④	③	④	④
31	32	33	34	35	36	37	38	39	40
③	②	⑤	①	①	②	③	③	⑤	①

≫ 민법 및 민사특별법

41	42	43	44	45	46	47	48	49	50
④	②	①	②	②	③	①	④	②	⑤
51	52	53	54	55	56	57	58	59	60
④	①	③	②	⑤	①	①	①	④	⑤
61	62	63	64	65	66	67	68	69	70
②	②	②	④	②	②	③	⑤	③	④
71	72	73	74	75	76	77	78	79	80
②	⑤	④	③	⑤	③	④	①	⑤	③

성 명 (필적감정용)

교시 기재란			
( )교시	①	②	③
형별 기재란	A형		
	Ⓐ		
선택과목 1			
선택과목 2			

수 험 번 호							
⓪	⓪	⓪	⓪	⓪	⓪	⓪	⓪
①	①	①	①	①	①	①	①
②	②	②	②	②	②	②	②
③	③	③	③	③	③	③	③
④	④	④	④	④	④	④	④
⑤	⑤	⑤	⑤	⑤	⑤	⑤	⑤
⑥	⑥	⑥	⑥	⑥	⑥	⑥	⑥
⑦	⑦	⑦	⑦	⑦	⑦	⑦	⑦
⑧	⑧	⑧	⑧	⑧	⑧	⑧	⑧
⑨	⑨	⑨	⑨	⑨	⑨	⑨	⑨

감독위원 확인
㊞

( )년도 ( ) 제( )차 국가전문자격시험 답안카드

1	① ② ③ ④ ⑤	21	① ② ③ ④ ⑤	41	① ② ③ ④ ⑤	61	① ② ③ ④ ⑤	81	① ② ③ ④ ⑤	101	① ② ③ ④ ⑤	121	① ② ③ ④ ⑤
2	① ② ③ ④ ⑤	22	① ② ③ ④ ⑤	42	① ② ③ ④ ⑤	62	① ② ③ ④ ⑤	82	① ② ③ ④ ⑤	102	① ② ③ ④ ⑤	122	① ② ③ ④ ⑤
3	① ② ③ ④ ⑤	23	① ② ③ ④ ⑤	43	① ② ③ ④ ⑤	63	① ② ③ ④ ⑤	83	① ② ③ ④ ⑤	103	① ② ③ ④ ⑤	123	① ② ③ ④ ⑤
4	① ② ③ ④ ⑤	24	① ② ③ ④ ⑤	44	① ② ③ ④ ⑤	64	① ② ③ ④ ⑤	84	① ② ③ ④ ⑤	104	① ② ③ ④ ⑤	124	① ② ③ ④ ⑤
5	① ② ③ ④ ⑤	25	① ② ③ ④ ⑤	45	① ② ③ ④ ⑤	65	① ② ③ ④ ⑤	85	① ② ③ ④ ⑤	105	① ② ③ ④ ⑤	125	① ② ③ ④ ⑤
6	① ② ③ ④ ⑤	26	① ② ③ ④ ⑤	46	① ② ③ ④ ⑤	66	① ② ③ ④ ⑤	86	① ② ③ ④ ⑤	106	① ② ③ ④ ⑤		
7	① ② ③ ④ ⑤	27	① ② ③ ④ ⑤	47	① ② ③ ④ ⑤	67	① ② ③ ④ ⑤	87	① ② ③ ④ ⑤	107	① ② ③ ④ ⑤		
8	① ② ③ ④ ⑤	28	① ② ③ ④ ⑤	48	① ② ③ ④ ⑤	68	① ② ③ ④ ⑤	88	① ② ③ ④ ⑤	108	① ② ③ ④ ⑤		
9	① ② ③ ④ ⑤	29	① ② ③ ④ ⑤	49	① ② ③ ④ ⑤	69	① ② ③ ④ ⑤	89	① ② ③ ④ ⑤	109	① ② ③ ④ ⑤		
10	① ② ③ ④ ⑤	30	① ② ③ ④ ⑤	50	① ② ③ ④ ⑤	70	① ② ③ ④ ⑤	90	① ② ③ ④ ⑤	110	① ② ③ ④ ⑤		
11	① ② ③ ④ ⑤	31	① ② ③ ④ ⑤	51	① ② ③ ④ ⑤	71	① ② ③ ④ ⑤	91	① ② ③ ④ ⑤	111	① ② ③ ④ ⑤		
12	① ② ③ ④ ⑤	32	① ② ③ ④ ⑤	52	① ② ③ ④ ⑤	72	① ② ③ ④ ⑤	92	① ② ③ ④ ⑤	112	① ② ③ ④ ⑤		
13	① ② ③ ④ ⑤	33	① ② ③ ④ ⑤	53	① ② ③ ④ ⑤	73	① ② ③ ④ ⑤	93	① ② ③ ④ ⑤	113	① ② ③ ④ ⑤		
14	① ② ③ ④ ⑤	34	① ② ③ ④ ⑤	54	① ② ③ ④ ⑤	74	① ② ③ ④ ⑤	94	① ② ③ ④ ⑤	114	① ② ③ ④ ⑤		
15	① ② ③ ④ ⑤	35	① ② ③ ④ ⑤	55	① ② ③ ④ ⑤	75	① ② ③ ④ ⑤	95	① ② ③ ④ ⑤	115	① ② ③ ④ ⑤		
16	① ② ③ ④ ⑤	36	① ② ③ ④ ⑤	56	① ② ③ ④ ⑤	76	① ② ③ ④ ⑤	96	① ② ③ ④ ⑤	116	① ② ③ ④ ⑤		
17	① ② ③ ④ ⑤	37	① ② ③ ④ ⑤	57	① ② ③ ④ ⑤	77	① ② ③ ④ ⑤	97	① ② ③ ④ ⑤	117	① ② ③ ④ ⑤		
18	① ② ③ ④ ⑤	38	① ② ③ ④ ⑤	58	① ② ③ ④ ⑤	78	① ② ③ ④ ⑤	98	① ② ③ ④ ⑤	118	① ② ③ ④ ⑤		
19	① ② ③ ④ ⑤	39	① ② ③ ④ ⑤	59	① ② ③ ④ ⑤	79	① ② ③ ④ ⑤	99	① ② ③ ④ ⑤	119	① ② ③ ④ ⑤		
20	① ② ③ ④ ⑤	40	① ② ③ ④ ⑤	60	① ② ③ ④ ⑤	80	① ② ③ ④ ⑤	100	① ② ③ ④ ⑤	120	① ② ③ ④ ⑤		

수험자 여러분의 합격을 기원합니다.

절취선

성 명 (필적감정용)

교시 기재란			
( )교시	①	②	③
형별 기재란	A형		
	Ⓐ		
선택과목 1			
선택과목 2			

수 험 번 호							
⓪	⓪	⓪	⓪	⓪	⓪	⓪	⓪
①	①	①	①	①	①	①	①
②	②	②	②	②	②	②	②
③	③	③	③	③	③	③	③
④	④	④	④	④	④	④	④
⑤	⑤	⑤	⑤	⑤	⑤	⑤	⑤
⑥	⑥	⑥	⑥	⑥	⑥	⑥	⑥
⑦	⑦	⑦	⑦	⑦	⑦	⑦	⑦
⑧	⑧	⑧	⑧	⑧	⑧	⑧	⑧
⑨	⑨	⑨	⑨	⑨	⑨	⑨	⑨

감독위원 확인
㊞

( )년도 ( ) 제( )차 국가전문자격시험 답안카드

1	① ② ③ ④ ⑤	21	① ② ③ ④ ⑤	41	① ② ③ ④ ⑤	61	① ② ③ ④ ⑤	81	① ② ③ ④ ⑤	101	① ② ③ ④ ⑤	121	① ② ③ ④ ⑤
2	① ② ③ ④ ⑤	22	① ② ③ ④ ⑤	42	① ② ③ ④ ⑤	62	① ② ③ ④ ⑤	82	① ② ③ ④ ⑤	102	① ② ③ ④ ⑤	122	① ② ③ ④ ⑤
3	① ② ③ ④ ⑤	23	① ② ③ ④ ⑤	43	① ② ③ ④ ⑤	63	① ② ③ ④ ⑤	83	① ② ③ ④ ⑤	103	① ② ③ ④ ⑤	123	① ② ③ ④ ⑤
4	① ② ③ ④ ⑤	24	① ② ③ ④ ⑤	44	① ② ③ ④ ⑤	64	① ② ③ ④ ⑤	84	① ② ③ ④ ⑤	104	① ② ③ ④ ⑤	124	① ② ③ ④ ⑤
5	① ② ③ ④ ⑤	25	① ② ③ ④ ⑤	45	① ② ③ ④ ⑤	65	① ② ③ ④ ⑤	85	① ② ③ ④ ⑤	105	① ② ③ ④ ⑤	125	① ② ③ ④ ⑤
6	① ② ③ ④ ⑤	26	① ② ③ ④ ⑤	46	① ② ③ ④ ⑤	66	① ② ③ ④ ⑤	86	① ② ③ ④ ⑤	106	① ② ③ ④ ⑤		
7	① ② ③ ④ ⑤	27	① ② ③ ④ ⑤	47	① ② ③ ④ ⑤	67	① ② ③ ④ ⑤	87	① ② ③ ④ ⑤	107	① ② ③ ④ ⑤		
8	① ② ③ ④ ⑤	28	① ② ③ ④ ⑤	48	① ② ③ ④ ⑤	68	① ② ③ ④ ⑤	88	① ② ③ ④ ⑤	108	① ② ③ ④ ⑤		
9	① ② ③ ④ ⑤	29	① ② ③ ④ ⑤	49	① ② ③ ④ ⑤	69	① ② ③ ④ ⑤	89	① ② ③ ④ ⑤	109	① ② ③ ④ ⑤		
10	① ② ③ ④ ⑤	30	① ② ③ ④ ⑤	50	① ② ③ ④ ⑤	70	① ② ③ ④ ⑤	90	① ② ③ ④ ⑤	110	① ② ③ ④ ⑤		
11	① ② ③ ④ ⑤	31	① ② ③ ④ ⑤	51	① ② ③ ④ ⑤	71	① ② ③ ④ ⑤	91	① ② ③ ④ ⑤	111	① ② ③ ④ ⑤		
12	① ② ③ ④ ⑤	32	① ② ③ ④ ⑤	52	① ② ③ ④ ⑤	72	① ② ③ ④ ⑤	92	① ② ③ ④ ⑤	112	① ② ③ ④ ⑤		
13	① ② ③ ④ ⑤	33	① ② ③ ④ ⑤	53	① ② ③ ④ ⑤	73	① ② ③ ④ ⑤	93	① ② ③ ④ ⑤	113	① ② ③ ④ ⑤		
14	① ② ③ ④ ⑤	34	① ② ③ ④ ⑤	54	① ② ③ ④ ⑤	74	① ② ③ ④ ⑤	94	① ② ③ ④ ⑤	114	① ② ③ ④ ⑤		
15	① ② ③ ④ ⑤	35	① ② ③ ④ ⑤	55	① ② ③ ④ ⑤	75	① ② ③ ④ ⑤	95	① ② ③ ④ ⑤	115	① ② ③ ④ ⑤		
16	① ② ③ ④ ⑤	36	① ② ③ ④ ⑤	56	① ② ③ ④ ⑤	76	① ② ③ ④ ⑤	96	① ② ③ ④ ⑤	116	① ② ③ ④ ⑤		
17	① ② ③ ④ ⑤	37	① ② ③ ④ ⑤	57	① ② ③ ④ ⑤	77	① ② ③ ④ ⑤	97	① ② ③ ④ ⑤	117	① ② ③ ④ ⑤		
18	① ② ③ ④ ⑤	38	① ② ③ ④ ⑤	58	① ② ③ ④ ⑤	78	① ② ③ ④ ⑤	98	① ② ③ ④ ⑤	118	① ② ③ ④ ⑤		
19	① ② ③ ④ ⑤	39	① ② ③ ④ ⑤	59	① ② ③ ④ ⑤	79	① ② ③ ④ ⑤	99	① ② ③ ④ ⑤	119	① ② ③ ④ ⑤		
20	① ② ③ ④ ⑤	40	① ② ③ ④ ⑤	60	① ② ③ ④ ⑤	80	① ② ③ ④ ⑤	100	① ② ③ ④ ⑤	120	① ② ③ ④ ⑤		

수험자 여러분의 합격을 기원합니다.

메가랜드

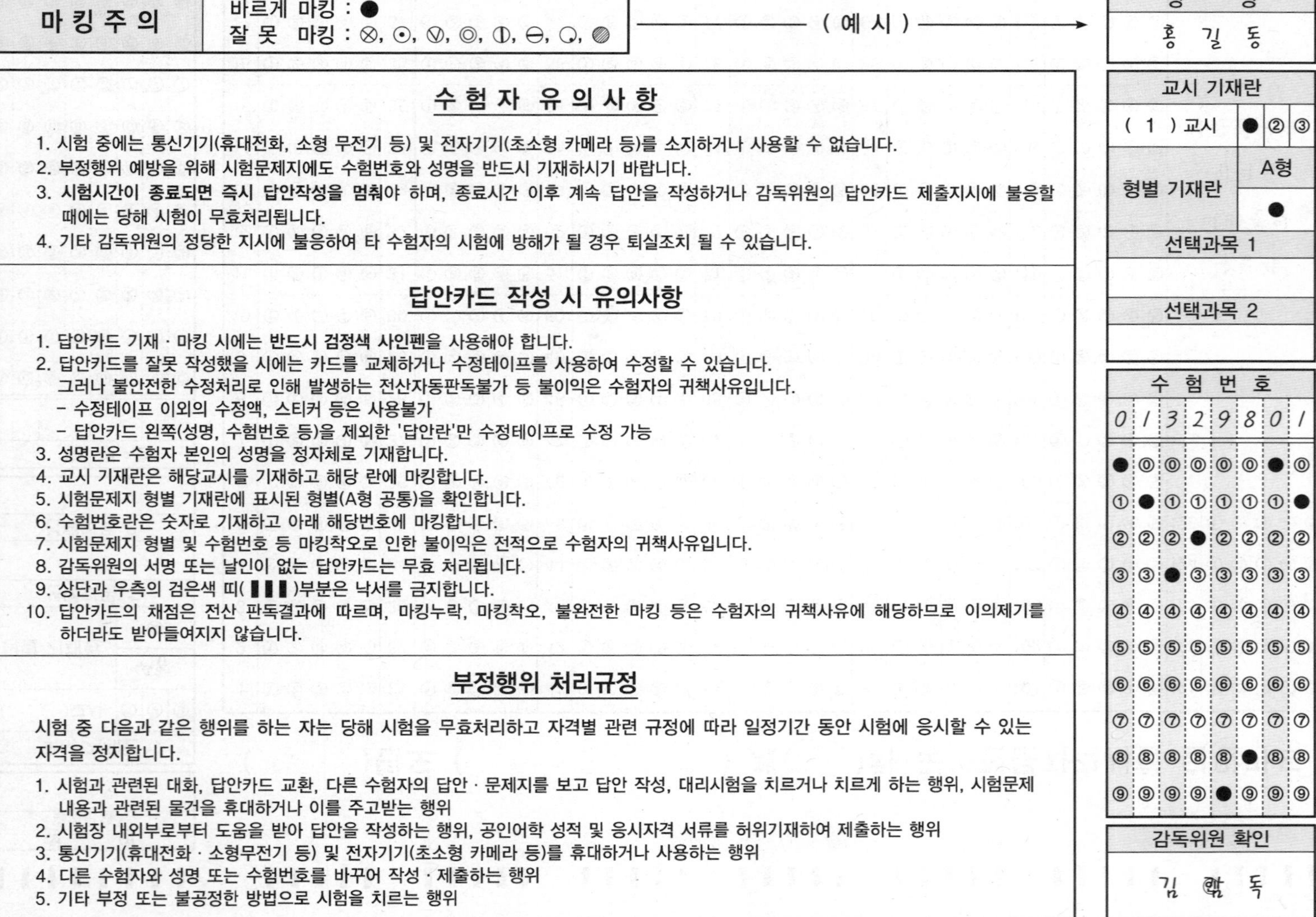

마킹주의
바르게 마킹 : ●
잘 못 마킹 : ⊗, ⊙, ⊘, ◎, ⦶, ⊖, ◌, ◍

—— (예 시) ——→

성 명
홍 길 동

수험자 유의사항

1. 시험 중에는 통신기기(휴대전화, 소형 무전기 등) 및 전자기기(초소형 카메라 등)를 소지하거나 사용할 수 없습니다.
2. 부정행위 예방을 위해 시험문제지에도 수험번호와 성명을 반드시 기재하시기 바랍니다.
3. **시험시간이 종료되면 즉시 답안작성을 멈춰**야 하며, 종료시간 이후 계속 답안을 작성하거나 감독위원의 답안카드 제출지시에 불응할 때에는 당해 시험이 무효처리됩니다.
4. 기타 감독위원의 정당한 지시에 불응하여 타 수험자의 시험에 방해가 될 경우 퇴실조치 될 수 있습니다.

답안카드 작성 시 유의사항

1. 답안카드 기재 · 마킹 시에는 **반드시 검정색 사인펜**을 사용해야 합니다.
2. 답안카드를 잘못 작성했을 시에는 카드를 교체하거나 수정테이프를 사용하여 수정할 수 있습니다.
   그러나 불안전한 수정처리로 인해 발생하는 전산자동판독불가 등 불이익은 수험자의 귀책사유입니다.
   - 수정테이프 이외의 수정액, 스티커 등은 사용불가
   - 답안카드 왼쪽(성명, 수험번호 등)을 제외한 '답안란'만 수정테이프로 수정 가능
3. 성명란은 수험자 본인의 성명을 정자체로 기재합니다.
4. 교시 기재란은 해당교시를 기재하고 해당 란에 마킹합니다.
5. 시험문제지 형별 기재란에 표시된 형별(A형 공통)을 확인합니다.
6. 수험번호란은 숫자로 기재하고 아래 해당번호에 마킹합니다.
7. 시험문제지 형별 및 수험번호 등 마킹착오로 인한 불이익은 전적으로 수험자의 귀책사유입니다.
8. 감독위원의 서명 또는 날인이 없는 답안카드는 무효 처리됩니다.
9. 상단과 우측의 검은색 띠(▌▌▌)부분은 낙서를 금지합니다.
10. 답안카드의 채점은 전산 판독결과에 따르며, 마킹누락, 마킹착오, 불완전한 마킹 등은 수험자의 귀책사유에 해당하므로 이의제기를 하더라도 받아들여지지 않습니다.

부정행위 처리규정

시험 중 다음과 같은 행위를 하는 자는 당해 시험을 무효처리하고 자격별 관련 규정에 따라 일정기간 동안 시험에 응시할 수 있는 자격을 정지합니다.

1. 시험과 관련된 대화, 답안카드 교환, 다른 수험자의 답안 · 문제지를 보고 답안 작성, 대리시험을 치르거나 치르게 하는 행위, 시험문제 내용과 관련된 물건을 휴대하거나 이를 주고받는 행위
2. 시험장 내외부로부터 도움을 받아 답안을 작성하는 행위, 공인어학 성적 및 응시자격 서류를 허위기재하여 제출하는 행위
3. 통신기기(휴대전화 · 소형무전기 등) 및 전자기기(초소형 카메라 등)를 휴대하거나 사용하는 행위
4. 다른 수험자와 성명 또는 수험번호를 바꾸어 작성 · 제출하는 행위
5. 기타 부정 또는 불공정한 방법으로 시험을 치르는 행위

교시 기재란			
(1) 교시	●	②	③
형별 기재란	A형		
	●		
선택과목 1			
선택과목 2			

수험번호							
0	1	3	2	9	8	0	1

감독위원 확인
김 (인) 독

절취선

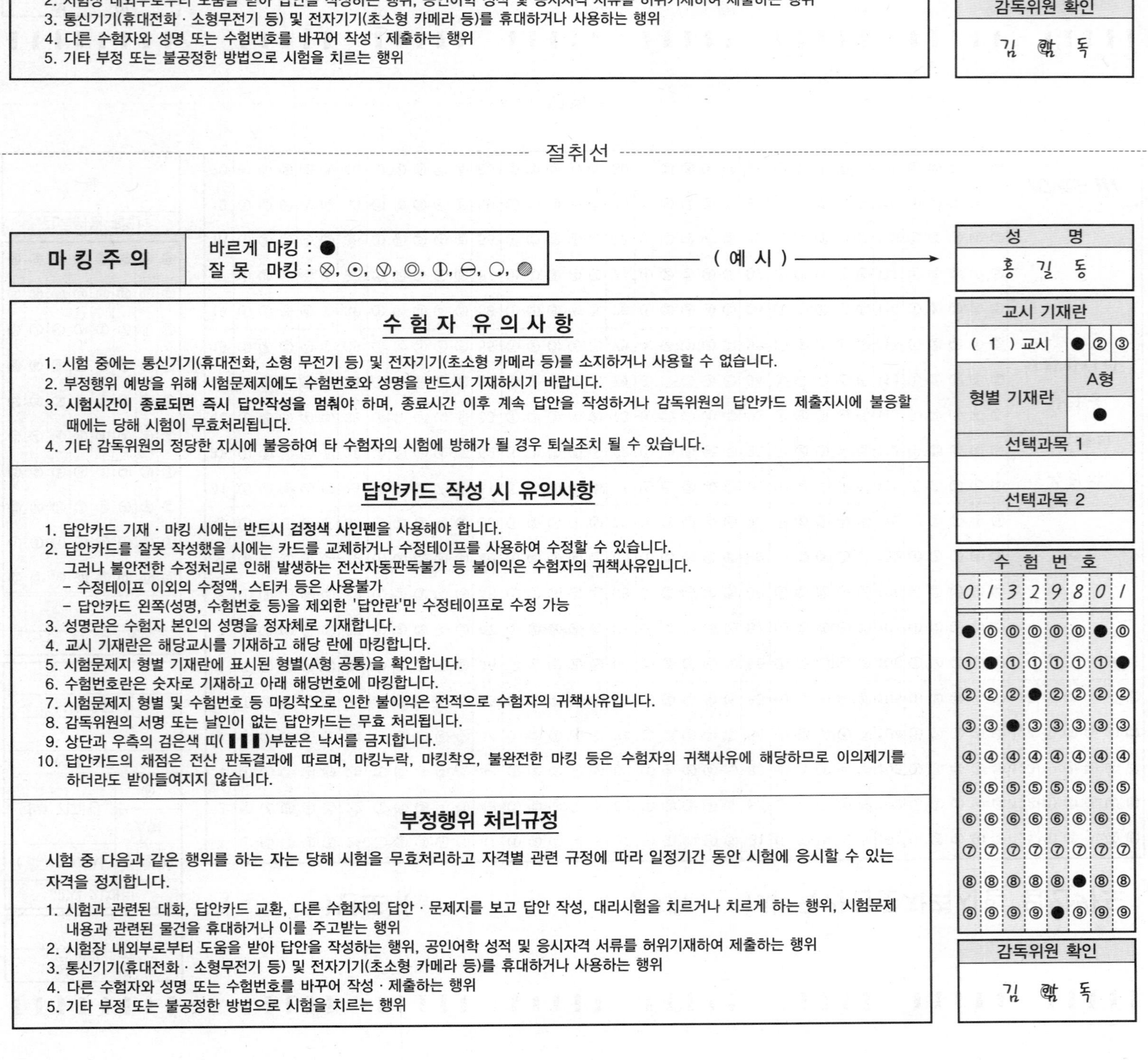

마킹주의
바르게 마킹 : ●
잘 못 마킹 : ⊗, ⊙, ⊘, ◎, ⦶, ⊖, ◌, ◍

—— (예 시) ——→

성 명
홍 길 동

수험자 유의사항

1. 시험 중에는 통신기기(휴대전화, 소형 무전기 등) 및 전자기기(초소형 카메라 등)를 소지하거나 사용할 수 없습니다.
2. 부정행위 예방을 위해 시험문제지에도 수험번호와 성명을 반드시 기재하시기 바랍니다.
3. **시험시간이 종료되면 즉시 답안작성을 멈춰**야 하며, 종료시간 이후 계속 답안을 작성하거나 감독위원의 답안카드 제출지시에 불응할 때에는 당해 시험이 무효처리됩니다.
4. 기타 감독위원의 정당한 지시에 불응하여 타 수험자의 시험에 방해가 될 경우 퇴실조치 될 수 있습니다.

답안카드 작성 시 유의사항

1. 답안카드 기재 · 마킹 시에는 **반드시 검정색 사인펜**을 사용해야 합니다.
2. 답안카드를 잘못 작성했을 시에는 카드를 교체하거나 수정테이프를 사용하여 수정할 수 있습니다.
   그러나 불안전한 수정처리로 인해 발생하는 전산자동판독불가 등 불이익은 수험자의 귀책사유입니다.
   - 수정테이프 이외의 수정액, 스티커 등은 사용불가
   - 답안카드 왼쪽(성명, 수험번호 등)을 제외한 '답안란'만 수정테이프로 수정 가능
3. 성명란은 수험자 본인의 성명을 정자체로 기재합니다.
4. 교시 기재란은 해당교시를 기재하고 해당 란에 마킹합니다.
5. 시험문제지 형별 기재란에 표시된 형별(A형 공통)을 확인합니다.
6. 수험번호란은 숫자로 기재하고 아래 해당번호에 마킹합니다.
7. 시험문제지 형별 및 수험번호 등 마킹착오로 인한 불이익은 전적으로 수험자의 귀책사유입니다.
8. 감독위원의 서명 또는 날인이 없는 답안카드는 무효 처리됩니다.
9. 상단과 우측의 검은색 띠(▌▌▌)부분은 낙서를 금지합니다.
10. 답안카드의 채점은 전산 판독결과에 따르며, 마킹누락, 마킹착오, 불완전한 마킹 등은 수험자의 귀책사유에 해당하므로 이의제기를 하더라도 받아들여지지 않습니다.

부정행위 처리규정

시험 중 다음과 같은 행위를 하는 자는 당해 시험을 무효처리하고 자격별 관련 규정에 따라 일정기간 동안 시험에 응시할 수 있는 자격을 정지합니다.

1. 시험과 관련된 대화, 답안카드 교환, 다른 수험자의 답안 · 문제지를 보고 답안 작성, 대리시험을 치르거나 치르게 하는 행위, 시험문제 내용과 관련된 물건을 휴대하거나 이를 주고받는 행위
2. 시험장 내외부로부터 도움을 받아 답안을 작성하는 행위, 공인어학 성적 및 응시자격 서류를 허위기재하여 제출하는 행위
3. 통신기기(휴대전화 · 소형무전기 등) 및 전자기기(초소형 카메라 등)를 휴대하거나 사용하는 행위
4. 다른 수험자와 성명 또는 수험번호를 바꾸어 작성 · 제출하는 행위
5. 기타 부정 또는 불공정한 방법으로 시험을 치르는 행위

교시 기재란			
(1) 교시	●	②	③
형별 기재란	A형		
	●		
선택과목 1			
선택과목 2			

수험번호							
0	1	3	2	9	8	0	1

감독위원 확인
김 (인) 독

성 명 (필적감정용)

교시 기재란			
( )교시	①	②	③
형별 기재란	A형		
	Ⓐ		
선택과목 1			
선택과목 2			

수 험 번 호							
⓪	⓪	⓪	⓪	⓪	⓪	⓪	⓪
①	①	①	①	①	①	①	①
②	②	②	②	②	②	②	②
③	③	③	③	③	③	③	③
④	④	④	④	④	④	④	④
⑤	⑤	⑤	⑤	⑤	⑤	⑤	⑤
⑥	⑥	⑥	⑥	⑥	⑥	⑥	⑥
⑦	⑦	⑦	⑦	⑦	⑦	⑦	⑦
⑧	⑧	⑧	⑧	⑧	⑧	⑧	⑧
⑨	⑨	⑨	⑨	⑨	⑨	⑨	⑨

감독위원 확인
인

( )년도 ( ) 제( )차 국가전문자격시험 답안카드

1	① ② ③ ④ ⑤	21	① ② ③ ④ ⑤	41	① ② ③ ④ ⑤	61	① ② ③ ④ ⑤	81	① ② ③ ④ ⑤	101	① ② ③ ④ ⑤	121	① ② ③ ④ ⑤
2	① ② ③ ④ ⑤	22	① ② ③ ④ ⑤	42	① ② ③ ④ ⑤	62	① ② ③ ④ ⑤	82	① ② ③ ④ ⑤	102	① ② ③ ④ ⑤	122	① ② ③ ④ ⑤
3	① ② ③ ④ ⑤	23	① ② ③ ④ ⑤	43	① ② ③ ④ ⑤	63	① ② ③ ④ ⑤	83	① ② ③ ④ ⑤	103	① ② ③ ④ ⑤	123	① ② ③ ④ ⑤
4	① ② ③ ④ ⑤	24	① ② ③ ④ ⑤	44	① ② ③ ④ ⑤	64	① ② ③ ④ ⑤	84	① ② ③ ④ ⑤	104	① ② ③ ④ ⑤	124	① ② ③ ④ ⑤
5	① ② ③ ④ ⑤	25	① ② ③ ④ ⑤	45	① ② ③ ④ ⑤	65	① ② ③ ④ ⑤	85	① ② ③ ④ ⑤	105	① ② ③ ④ ⑤	125	① ② ③ ④ ⑤
6	① ② ③ ④ ⑤	26	① ② ③ ④ ⑤	46	① ② ③ ④ ⑤	66	① ② ③ ④ ⑤	86	① ② ③ ④ ⑤	106	① ② ③ ④ ⑤		
7	① ② ③ ④ ⑤	27	① ② ③ ④ ⑤	47	① ② ③ ④ ⑤	67	① ② ③ ④ ⑤	87	① ② ③ ④ ⑤	107	① ② ③ ④ ⑤		
8	① ② ③ ④ ⑤	28	① ② ③ ④ ⑤	48	① ② ③ ④ ⑤	68	① ② ③ ④ ⑤	88	① ② ③ ④ ⑤	108	① ② ③ ④ ⑤		
9	① ② ③ ④ ⑤	29	① ② ③ ④ ⑤	49	① ② ③ ④ ⑤	69	① ② ③ ④ ⑤	89	① ② ③ ④ ⑤	109	① ② ③ ④ ⑤		
10	① ② ③ ④ ⑤	30	① ② ③ ④ ⑤	50	① ② ③ ④ ⑤	70	① ② ③ ④ ⑤	90	① ② ③ ④ ⑤	110	① ② ③ ④ ⑤		
11	① ② ③ ④ ⑤	31	① ② ③ ④ ⑤	51	① ② ③ ④ ⑤	71	① ② ③ ④ ⑤	91	① ② ③ ④ ⑤	111	① ② ③ ④ ⑤	수험자	
12	① ② ③ ④ ⑤	32	① ② ③ ④ ⑤	52	① ② ③ ④ ⑤	72	① ② ③ ④ ⑤	92	① ② ③ ④ ⑤	112	① ② ③ ④ ⑤	여러분의	
13	① ② ③ ④ ⑤	33	① ② ③ ④ ⑤	53	① ② ③ ④ ⑤	73	① ② ③ ④ ⑤	93	① ② ③ ④ ⑤	113	① ② ③ ④ ⑤	합격을	
14	① ② ③ ④ ⑤	34	① ② ③ ④ ⑤	54	① ② ③ ④ ⑤	74	① ② ③ ④ ⑤	94	① ② ③ ④ ⑤	114	① ② ③ ④ ⑤	기원합니다.	
15	① ② ③ ④ ⑤	35	① ② ③ ④ ⑤	55	① ② ③ ④ ⑤	75	① ② ③ ④ ⑤	95	① ② ③ ④ ⑤	115	① ② ③ ④ ⑤		
16	① ② ③ ④ ⑤	36	① ② ③ ④ ⑤	56	① ② ③ ④ ⑤	76	① ② ③ ④ ⑤	96	① ② ③ ④ ⑤	116	① ② ③ ④ ⑤		
17	① ② ③ ④ ⑤	37	① ② ③ ④ ⑤	57	① ② ③ ④ ⑤	77	① ② ③ ④ ⑤	97	① ② ③ ④ ⑤	117	① ② ③ ④ ⑤		
18	① ② ③ ④ ⑤	38	① ② ③ ④ ⑤	58	① ② ③ ④ ⑤	78	① ② ③ ④ ⑤	98	① ② ③ ④ ⑤	118	① ② ③ ④ ⑤		
19	① ② ③ ④ ⑤	39	① ② ③ ④ ⑤	59	① ② ③ ④ ⑤	79	① ② ③ ④ ⑤	99	① ② ③ ④ ⑤	119	① ② ③ ④ ⑤	메가랜드	
20	① ② ③ ④ ⑤	40	① ② ③ ④ ⑤	60	① ② ③ ④ ⑤	80	① ② ③ ④ ⑤	100	① ② ③ ④ ⑤	120	① ② ③ ④ ⑤		

절취선

성 명 (필적감정용)

교시 기재란			
( )교시	①	②	③
형별 기재란	A형		
	Ⓐ		
선택과목 1			
선택과목 2			

수 험 번 호							
⓪	⓪	⓪	⓪	⓪	⓪	⓪	⓪
①	①	①	①	①	①	①	①
②	②	②	②	②	②	②	②
③	③	③	③	③	③	③	③
④	④	④	④	④	④	④	④
⑤	⑤	⑤	⑤	⑤	⑤	⑤	⑤
⑥	⑥	⑥	⑥	⑥	⑥	⑥	⑥
⑦	⑦	⑦	⑦	⑦	⑦	⑦	⑦
⑧	⑧	⑧	⑧	⑧	⑧	⑧	⑧
⑨	⑨	⑨	⑨	⑨	⑨	⑨	⑨

감독위원 확인
인

( )년도 ( ) 제( )차 국가전문자격시험 답안카드

1	① ② ③ ④ ⑤	21	① ② ③ ④ ⑤	41	① ② ③ ④ ⑤	61	① ② ③ ④ ⑤	81	① ② ③ ④ ⑤	101	① ② ③ ④ ⑤	121	① ② ③ ④ ⑤
2	① ② ③ ④ ⑤	22	① ② ③ ④ ⑤	42	① ② ③ ④ ⑤	62	① ② ③ ④ ⑤	82	① ② ③ ④ ⑤	102	① ② ③ ④ ⑤	122	① ② ③ ④ ⑤
3	① ② ③ ④ ⑤	23	① ② ③ ④ ⑤	43	① ② ③ ④ ⑤	63	① ② ③ ④ ⑤	83	① ② ③ ④ ⑤	103	① ② ③ ④ ⑤	123	① ② ③ ④ ⑤
4	① ② ③ ④ ⑤	24	① ② ③ ④ ⑤	44	① ② ③ ④ ⑤	64	① ② ③ ④ ⑤	84	① ② ③ ④ ⑤	104	① ② ③ ④ ⑤	124	① ② ③ ④ ⑤
5	① ② ③ ④ ⑤	25	① ② ③ ④ ⑤	45	① ② ③ ④ ⑤	65	① ② ③ ④ ⑤	85	① ② ③ ④ ⑤	105	① ② ③ ④ ⑤	125	① ② ③ ④ ⑤
6	① ② ③ ④ ⑤	26	① ② ③ ④ ⑤	46	① ② ③ ④ ⑤	66	① ② ③ ④ ⑤	86	① ② ③ ④ ⑤	106	① ② ③ ④ ⑤		
7	① ② ③ ④ ⑤	27	① ② ③ ④ ⑤	47	① ② ③ ④ ⑤	67	① ② ③ ④ ⑤	87	① ② ③ ④ ⑤	107	① ② ③ ④ ⑤		
8	① ② ③ ④ ⑤	28	① ② ③ ④ ⑤	48	① ② ③ ④ ⑤	68	① ② ③ ④ ⑤	88	① ② ③ ④ ⑤	108	① ② ③ ④ ⑤		
9	① ② ③ ④ ⑤	29	① ② ③ ④ ⑤	49	① ② ③ ④ ⑤	69	① ② ③ ④ ⑤	89	① ② ③ ④ ⑤	109	① ② ③ ④ ⑤		
10	① ② ③ ④ ⑤	30	① ② ③ ④ ⑤	50	① ② ③ ④ ⑤	70	① ② ③ ④ ⑤	90	① ② ③ ④ ⑤	110	① ② ③ ④ ⑤		
11	① ② ③ ④ ⑤	31	① ② ③ ④ ⑤	51	① ② ③ ④ ⑤	71	① ② ③ ④ ⑤	91	① ② ③ ④ ⑤	111	① ② ③ ④ ⑤	수험자	
12	① ② ③ ④ ⑤	32	① ② ③ ④ ⑤	52	① ② ③ ④ ⑤	72	① ② ③ ④ ⑤	92	① ② ③ ④ ⑤	112	① ② ③ ④ ⑤	여러분의	
13	① ② ③ ④ ⑤	33	① ② ③ ④ ⑤	53	① ② ③ ④ ⑤	73	① ② ③ ④ ⑤	93	① ② ③ ④ ⑤	113	① ② ③ ④ ⑤	합격을	
14	① ② ③ ④ ⑤	34	① ② ③ ④ ⑤	54	① ② ③ ④ ⑤	74	① ② ③ ④ ⑤	94	① ② ③ ④ ⑤	114	① ② ③ ④ ⑤	기원합니다.	
15	① ② ③ ④ ⑤	35	① ② ③ ④ ⑤	55	① ② ③ ④ ⑤	75	① ② ③ ④ ⑤	95	① ② ③ ④ ⑤	115	① ② ③ ④ ⑤		
16	① ② ③ ④ ⑤	36	① ② ③ ④ ⑤	56	① ② ③ ④ ⑤	76	① ② ③ ④ ⑤	96	① ② ③ ④ ⑤	116	① ② ③ ④ ⑤		
17	① ② ③ ④ ⑤	37	① ② ③ ④ ⑤	57	① ② ③ ④ ⑤	77	① ② ③ ④ ⑤	97	① ② ③ ④ ⑤	117	① ② ③ ④ ⑤		
18	① ② ③ ④ ⑤	38	① ② ③ ④ ⑤	58	① ② ③ ④ ⑤	78	① ② ③ ④ ⑤	98	① ② ③ ④ ⑤	118	① ② ③ ④ ⑤		
19	① ② ③ ④ ⑤	39	① ② ③ ④ ⑤	59	① ② ③ ④ ⑤	79	① ② ③ ④ ⑤	99	① ② ③ ④ ⑤	119	① ② ③ ④ ⑤	메가랜드	
20	① ② ③ ④ ⑤	40	① ② ③ ④ ⑤	60	① ② ③ ④ ⑤	80	① ② ③ ④ ⑤	100	① ② ③ ④ ⑤	120	① ② ③ ④ ⑤		

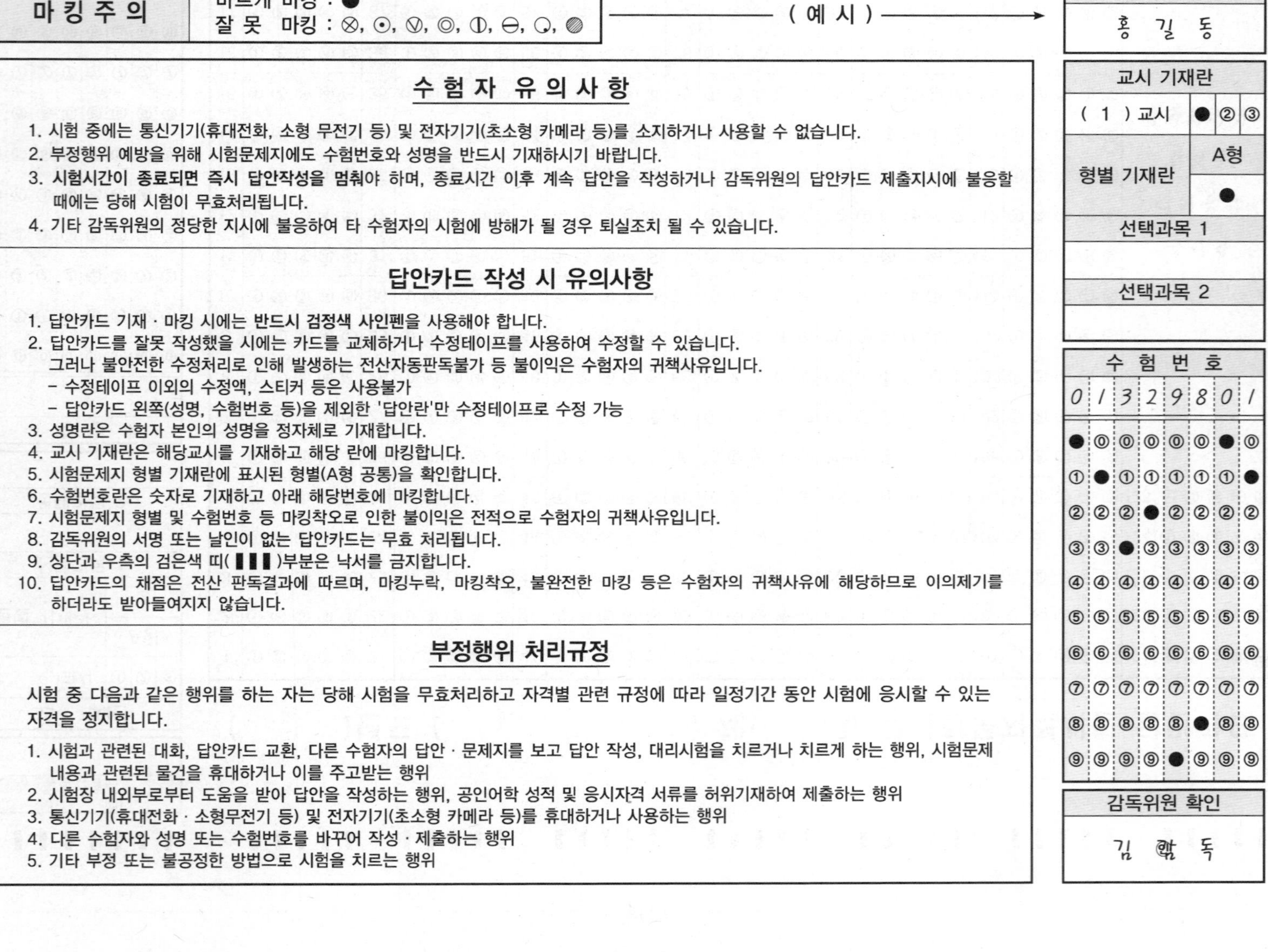

마 킹 주 의	바르게 마킹 : ● 잘 못 마킹 : ⊗, ⊙, ⊘, ◎, ⦶, ⊖, ◌, ◍

(예 시) →

성 명
홍 길 동

수 험 자 유 의 사 항

1. 시험 중에는 통신기기(휴대전화, 소형 무전기 등) 및 전자기기(초소형 카메라 등)를 소지하거나 사용할 수 없습니다.
2. 부정행위 예방을 위해 시험문제지에도 수험번호와 성명을 반드시 기재하시기 바랍니다.
3. **시험시간이 종료되면 즉시 답안작성을 멈춰**야 하며, 종료시간 이후 계속 답안을 작성하거나 감독위원의 답안카드 제출지시에 불응할 때에는 당해 시험이 무효처리됩니다.
4. 기타 감독위원의 정당한 지시에 불응하여 타 수험자의 시험에 방해가 될 경우 퇴실조치 될 수 있습니다.

답안카드 작성 시 유의사항

1. 답안카드 기재 · 마킹 시에는 **반드시 검정색 사인펜**을 사용해야 합니다.
2. 답안카드를 잘못 작성했을 시에는 카드를 교체하거나 수정테이프를 사용하여 수정할 수 있습니다.
   그러나 불안전한 수정처리로 인해 발생하는 전산자동판독불가 등 불이익은 수험자의 귀책사유입니다.
   - 수정테이프 이외의 수정액, 스티커 등은 사용불가
   - 답안카드 왼쪽(성명, 수험번호 등)을 제외한 '답안란'만 수정테이프로 수정 가능
3. 성명란은 수험자 본인의 성명을 정자체로 기재합니다.
4. 교시 기재란은 해당교시를 기재하고 해당 란에 마킹합니다.
5. 시험문제지 형별 기재란에 표시된 형별(A형 공통)을 확인합니다.
6. 수험번호란은 숫자로 기재하고 아래 해당번호에 마킹합니다.
7. 시험문제지 형별 및 수험번호 등 마킹착오로 인한 불이익은 전적으로 수험자의 귀책사유입니다.
8. 감독위원의 서명 또는 날인이 없는 답안카드는 무효 처리됩니다.
9. 상단과 우측의 검은색 띠(▌▌▌)부분은 낙서를 금지합니다.
10. 답안카드의 채점은 전산 판독결과에 따르며, 마킹누락, 마킹착오, 불완전한 마킹 등은 수험자의 귀책사유에 해당하므로 이의제기를 하더라도 받아들여지지 않습니다.

부정행위 처리규정

시험 중 다음과 같은 행위를 하는 자는 당해 시험을 무효처리하고 자격별 관련 규정에 따라 일정기간 동안 시험에 응시할 수 있는 자격을 정지합니다.

1. 시험과 관련된 대화, 답안카드 교환, 다른 수험자의 답안 · 문제지를 보고 답안 작성, 대리시험을 치르거나 치르게 하는 행위, 시험문제 내용과 관련된 물건을 휴대하거나 이를 주고받는 행위
2. 시험장 내외부로부터 도움을 받아 답안을 작성하는 행위, 공인어학 성적 및 응시자격 서류를 허위기재하여 제출하는 행위
3. 통신기기(휴대전화 · 소형무전기 등) 및 전자기기(초소형 카메라 등)를 휴대하거나 사용하는 행위
4. 다른 수험자와 성명 또는 수험번호를 바꾸어 작성 · 제출하는 행위
5. 기타 부정 또는 불공정한 방법으로 시험을 치르는 행위

교시 기재란		
(1) 교시	● ② ③	
형별 기재란	A형	●
선택과목 1		
선택과목 2		

수 험 번 호							
0	1	3	2	9	8	0	1

감독위원 확인
김 확 독

절취선

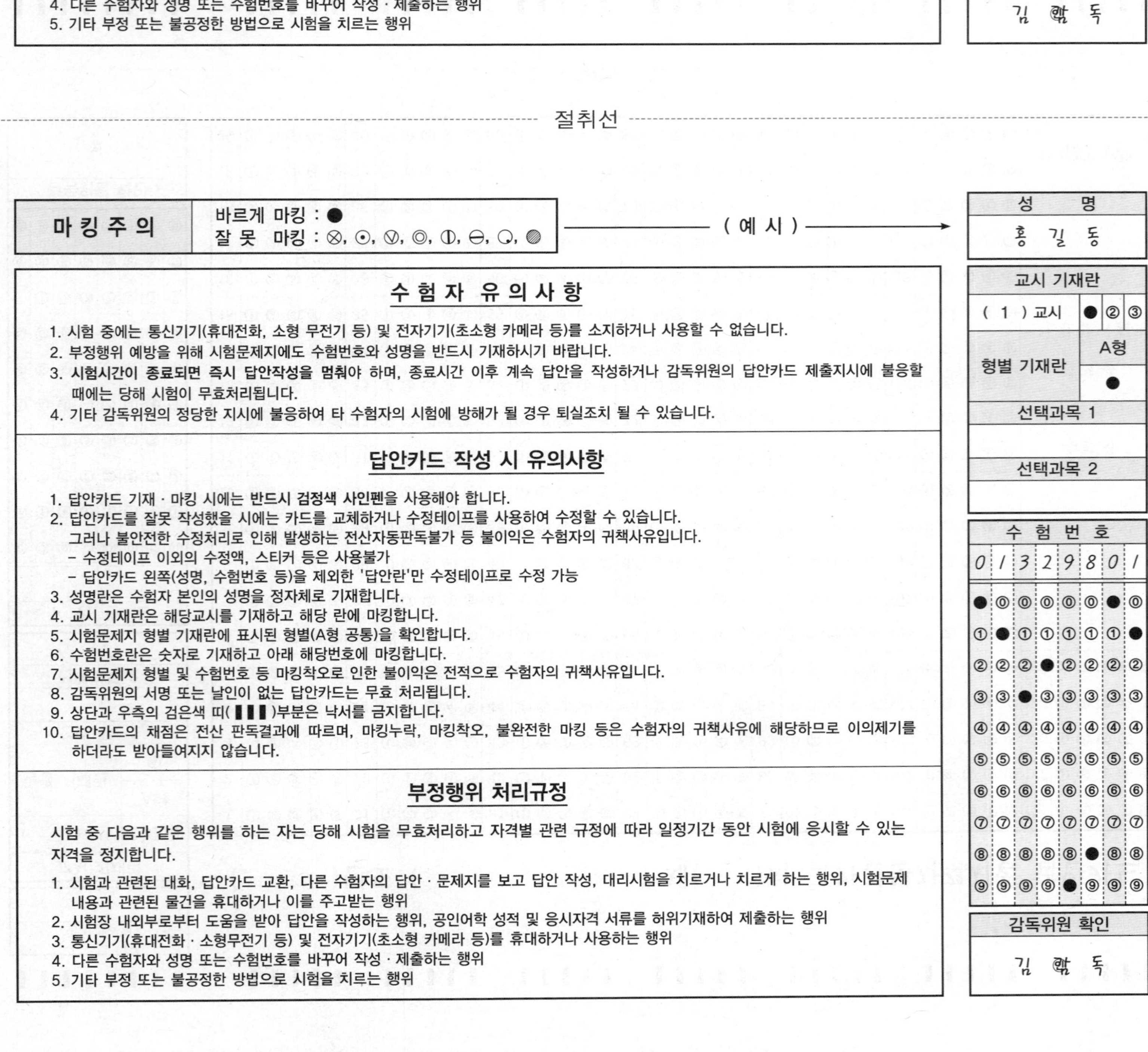

마 킹 주 의	바르게 마킹 : ● 잘 못 마킹 : ⊗, ⊙, ⊘, ◎, ⦶, ⊖, ◌, ◍

(예 시) →

성 명
홍 길 동

수 험 자 유 의 사 항

1. 시험 중에는 통신기기(휴대전화, 소형 무전기 등) 및 전자기기(초소형 카메라 등)를 소지하거나 사용할 수 없습니다.
2. 부정행위 예방을 위해 시험문제지에도 수험번호와 성명을 반드시 기재하시기 바랍니다.
3. **시험시간이 종료되면 즉시 답안작성을 멈춰**야 하며, 종료시간 이후 계속 답안을 작성하거나 감독위원의 답안카드 제출지시에 불응할 때에는 당해 시험이 무효처리됩니다.
4. 기타 감독위원의 정당한 지시에 불응하여 타 수험자의 시험에 방해가 될 경우 퇴실조치 될 수 있습니다.

답안카드 작성 시 유의사항

1. 답안카드 기재 · 마킹 시에는 **반드시 검정색 사인펜**을 사용해야 합니다.
2. 답안카드를 잘못 작성했을 시에는 카드를 교체하거나 수정테이프를 사용하여 수정할 수 있습니다.
   그러나 불안전한 수정처리로 인해 발생하는 전산자동판독불가 등 불이익은 수험자의 귀책사유입니다.
   - 수정테이프 이외의 수정액, 스티커 등은 사용불가
   - 답안카드 왼쪽(성명, 수험번호 등)을 제외한 '답안란'만 수정테이프로 수정 가능
3. 성명란은 수험자 본인의 성명을 정자체로 기재합니다.
4. 교시 기재란은 해당교시를 기재하고 해당 란에 마킹합니다.
5. 시험문제지 형별 기재란에 표시된 형별(A형 공통)을 확인합니다.
6. 수험번호란은 숫자로 기재하고 아래 해당번호에 마킹합니다.
7. 시험문제지 형별 및 수험번호 등 마킹착오로 인한 불이익은 전적으로 수험자의 귀책사유입니다.
8. 감독위원의 서명 또는 날인이 없는 답안카드는 무효 처리됩니다.
9. 상단과 우측의 검은색 띠(▌▌▌)부분은 낙서를 금지합니다.
10. 답안카드의 채점은 전산 판독결과에 따르며, 마킹누락, 마킹착오, 불완전한 마킹 등은 수험자의 귀책사유에 해당하므로 이의제기를 하더라도 받아들여지지 않습니다.

부정행위 처리규정

시험 중 다음과 같은 행위를 하는 자는 당해 시험을 무효처리하고 자격별 관련 규정에 따라 일정기간 동안 시험에 응시할 수 있는 자격을 정지합니다.

1. 시험과 관련된 대화, 답안카드 교환, 다른 수험자의 답안 · 문제지를 보고 답안 작성, 대리시험을 치르거나 치르게 하는 행위, 시험문제 내용과 관련된 물건을 휴대하거나 이를 주고받는 행위
2. 시험장 내외부로부터 도움을 받아 답안을 작성하는 행위, 공인어학 성적 및 응시자격 서류를 허위기재하여 제출하는 행위
3. 통신기기(휴대전화 · 소형무전기 등) 및 전자기기(초소형 카메라 등)를 휴대하거나 사용하는 행위
4. 다른 수험자와 성명 또는 수험번호를 바꾸어 작성 · 제출하는 행위
5. 기타 부정 또는 불공정한 방법으로 시험을 치르는 행위

교시 기재란		
(1) 교시	● ② ③	
형별 기재란	A형	●
선택과목 1		
선택과목 2		

수 험 번 호							
0	1	3	2	9	8	0	1

감독위원 확인
김 확 독

성 명 (필적감정용)	

교시 기재란			
( )교시	①	②	③
형별 기재란	A형		
	Ⓐ		
선택과목 1			
선택과목 2			

수험번호							
⓪	⓪	⓪	⓪	⓪	⓪	⓪	⓪
①	①	①	①	①	①	①	①
②	②	②	②	②	②	②	②
③	③	③	③	③	③	③	③
④	④	④	④	④	④	④	④
⑤	⑤	⑤	⑤	⑤	⑤	⑤	⑤
⑥	⑥	⑥	⑥	⑥	⑥	⑥	⑥
⑦	⑦	⑦	⑦	⑦	⑦	⑦	⑦
⑧	⑧	⑧	⑧	⑧	⑧	⑧	⑧
⑨	⑨	⑨	⑨	⑨	⑨	⑨	⑨

감독위원 확인
인

( )년도 ( ) 제( )차 국가전문자격시험 답안카드

1	① ② ③ ④ ⑤	21	① ② ③ ④ ⑤	41	① ② ③ ④ ⑤	61	① ② ③ ④ ⑤	81	① ② ③ ④ ⑤	101	① ② ③ ④ ⑤	121	① ② ③ ④ ⑤
2	① ② ③ ④ ⑤	22	① ② ③ ④ ⑤	42	① ② ③ ④ ⑤	62	① ② ③ ④ ⑤	82	① ② ③ ④ ⑤	102	① ② ③ ④ ⑤	122	① ② ③ ④ ⑤
3	① ② ③ ④ ⑤	23	① ② ③ ④ ⑤	43	① ② ③ ④ ⑤	63	① ② ③ ④ ⑤	83	① ② ③ ④ ⑤	103	① ② ③ ④ ⑤	123	① ② ③ ④ ⑤
4	① ② ③ ④ ⑤	24	① ② ③ ④ ⑤	44	① ② ③ ④ ⑤	64	① ② ③ ④ ⑤	84	① ② ③ ④ ⑤	104	① ② ③ ④ ⑤	124	① ② ③ ④ ⑤
5	① ② ③ ④ ⑤	25	① ② ③ ④ ⑤	45	① ② ③ ④ ⑤	65	① ② ③ ④ ⑤	85	① ② ③ ④ ⑤	105	① ② ③ ④ ⑤	125	① ② ③ ④ ⑤
6	① ② ③ ④ ⑤	26	① ② ③ ④ ⑤	46	① ② ③ ④ ⑤	66	① ② ③ ④ ⑤	86	① ② ③ ④ ⑤	106	① ② ③ ④ ⑤		
7	① ② ③ ④ ⑤	27	① ② ③ ④ ⑤	47	① ② ③ ④ ⑤	67	① ② ③ ④ ⑤	87	① ② ③ ④ ⑤	107	① ② ③ ④ ⑤		
8	① ② ③ ④ ⑤	28	① ② ③ ④ ⑤	48	① ② ③ ④ ⑤	68	① ② ③ ④ ⑤	88	① ② ③ ④ ⑤	108	① ② ③ ④ ⑤		
9	① ② ③ ④ ⑤	29	① ② ③ ④ ⑤	49	① ② ③ ④ ⑤	69	① ② ③ ④ ⑤	89	① ② ③ ④ ⑤	109	① ② ③ ④ ⑤		
10	① ② ③ ④ ⑤	30	① ② ③ ④ ⑤	50	① ② ③ ④ ⑤	70	① ② ③ ④ ⑤	90	① ② ③ ④ ⑤	110	① ② ③ ④ ⑤		
11	① ② ③ ④ ⑤	31	① ② ③ ④ ⑤	51	① ② ③ ④ ⑤	71	① ② ③ ④ ⑤	91	① ② ③ ④ ⑤	111	① ② ③ ④ ⑤		
12	① ② ③ ④ ⑤	32	① ② ③ ④ ⑤	52	① ② ③ ④ ⑤	72	① ② ③ ④ ⑤	92	① ② ③ ④ ⑤	112	① ② ③ ④ ⑤		
13	① ② ③ ④ ⑤	33	① ② ③ ④ ⑤	53	① ② ③ ④ ⑤	73	① ② ③ ④ ⑤	93	① ② ③ ④ ⑤	113	① ② ③ ④ ⑤		
14	① ② ③ ④ ⑤	34	① ② ③ ④ ⑤	54	① ② ③ ④ ⑤	74	① ② ③ ④ ⑤	94	① ② ③ ④ ⑤	114	① ② ③ ④ ⑤		
15	① ② ③ ④ ⑤	35	① ② ③ ④ ⑤	55	① ② ③ ④ ⑤	75	① ② ③ ④ ⑤	95	① ② ③ ④ ⑤	115	① ② ③ ④ ⑤		
16	① ② ③ ④ ⑤	36	① ② ③ ④ ⑤	56	① ② ③ ④ ⑤	76	① ② ③ ④ ⑤	96	① ② ③ ④ ⑤	116	① ② ③ ④ ⑤		
17	① ② ③ ④ ⑤	37	① ② ③ ④ ⑤	57	① ② ③ ④ ⑤	77	① ② ③ ④ ⑤	97	① ② ③ ④ ⑤	117	① ② ③ ④ ⑤		
18	① ② ③ ④ ⑤	38	① ② ③ ④ ⑤	58	① ② ③ ④ ⑤	78	① ② ③ ④ ⑤	98	① ② ③ ④ ⑤	118	① ② ③ ④ ⑤		
19	① ② ③ ④ ⑤	39	① ② ③ ④ ⑤	59	① ② ③ ④ ⑤	79	① ② ③ ④ ⑤	99	① ② ③ ④ ⑤	119	① ② ③ ④ ⑤		
20	① ② ③ ④ ⑤	40	① ② ③ ④ ⑤	60	① ② ③ ④ ⑤	80	① ② ③ ④ ⑤	100	① ② ③ ④ ⑤	120	① ② ③ ④ ⑤		

수험자
여러분의
합격을
기원합니다.

절취선

성 명 (필적감정용)	

교시 기재란			
( )교시	①	②	③
형별 기재란	A형		
	Ⓐ		
선택과목 1			
선택과목 2			

수험번호							
⓪	⓪	⓪	⓪	⓪	⓪	⓪	⓪
①	①	①	①	①	①	①	①
②	②	②	②	②	②	②	②
③	③	③	③	③	③	③	③
④	④	④	④	④	④	④	④
⑤	⑤	⑤	⑤	⑤	⑤	⑤	⑤
⑥	⑥	⑥	⑥	⑥	⑥	⑥	⑥
⑦	⑦	⑦	⑦	⑦	⑦	⑦	⑦
⑧	⑧	⑧	⑧	⑧	⑧	⑧	⑧
⑨	⑨	⑨	⑨	⑨	⑨	⑨	⑨

감독위원 확인
인

( )년도 ( ) 제( )차 국가전문자격시험 답안카드

1	① ② ③ ④ ⑤	21	① ② ③ ④ ⑤	41	① ② ③ ④ ⑤	61	① ② ③ ④ ⑤	81	① ② ③ ④ ⑤	101	① ② ③ ④ ⑤	121	① ② ③ ④ ⑤
2	① ② ③ ④ ⑤	22	① ② ③ ④ ⑤	42	① ② ③ ④ ⑤	62	① ② ③ ④ ⑤	82	① ② ③ ④ ⑤	102	① ② ③ ④ ⑤	122	① ② ③ ④ ⑤
3	① ② ③ ④ ⑤	23	① ② ③ ④ ⑤	43	① ② ③ ④ ⑤	63	① ② ③ ④ ⑤	83	① ② ③ ④ ⑤	103	① ② ③ ④ ⑤	123	① ② ③ ④ ⑤
4	① ② ③ ④ ⑤	24	① ② ③ ④ ⑤	44	① ② ③ ④ ⑤	64	① ② ③ ④ ⑤	84	① ② ③ ④ ⑤	104	① ② ③ ④ ⑤	124	① ② ③ ④ ⑤
5	① ② ③ ④ ⑤	25	① ② ③ ④ ⑤	45	① ② ③ ④ ⑤	65	① ② ③ ④ ⑤	85	① ② ③ ④ ⑤	105	① ② ③ ④ ⑤	125	① ② ③ ④ ⑤
6	① ② ③ ④ ⑤	26	① ② ③ ④ ⑤	46	① ② ③ ④ ⑤	66	① ② ③ ④ ⑤	86	① ② ③ ④ ⑤	106	① ② ③ ④ ⑤		
7	① ② ③ ④ ⑤	27	① ② ③ ④ ⑤	47	① ② ③ ④ ⑤	67	① ② ③ ④ ⑤	87	① ② ③ ④ ⑤	107	① ② ③ ④ ⑤		
8	① ② ③ ④ ⑤	28	① ② ③ ④ ⑤	48	① ② ③ ④ ⑤	68	① ② ③ ④ ⑤	88	① ② ③ ④ ⑤	108	① ② ③ ④ ⑤		
9	① ② ③ ④ ⑤	29	① ② ③ ④ ⑤	49	① ② ③ ④ ⑤	69	① ② ③ ④ ⑤	89	① ② ③ ④ ⑤	109	① ② ③ ④ ⑤		
10	① ② ③ ④ ⑤	30	① ② ③ ④ ⑤	50	① ② ③ ④ ⑤	70	① ② ③ ④ ⑤	90	① ② ③ ④ ⑤	110	① ② ③ ④ ⑤		
11	① ② ③ ④ ⑤	31	① ② ③ ④ ⑤	51	① ② ③ ④ ⑤	71	① ② ③ ④ ⑤	91	① ② ③ ④ ⑤	111	① ② ③ ④ ⑤		
12	① ② ③ ④ ⑤	32	① ② ③ ④ ⑤	52	① ② ③ ④ ⑤	72	① ② ③ ④ ⑤	92	① ② ③ ④ ⑤	112	① ② ③ ④ ⑤		
13	① ② ③ ④ ⑤	33	① ② ③ ④ ⑤	53	① ② ③ ④ ⑤	73	① ② ③ ④ ⑤	93	① ② ③ ④ ⑤	113	① ② ③ ④ ⑤		
14	① ② ③ ④ ⑤	34	① ② ③ ④ ⑤	54	① ② ③ ④ ⑤	74	① ② ③ ④ ⑤	94	① ② ③ ④ ⑤	114	① ② ③ ④ ⑤		
15	① ② ③ ④ ⑤	35	① ② ③ ④ ⑤	55	① ② ③ ④ ⑤	75	① ② ③ ④ ⑤	95	① ② ③ ④ ⑤	115	① ② ③ ④ ⑤		
16	① ② ③ ④ ⑤	36	① ② ③ ④ ⑤	56	① ② ③ ④ ⑤	76	① ② ③ ④ ⑤	96	① ② ③ ④ ⑤	116	① ② ③ ④ ⑤		
17	① ② ③ ④ ⑤	37	① ② ③ ④ ⑤	57	① ② ③ ④ ⑤	77	① ② ③ ④ ⑤	97	① ② ③ ④ ⑤	117	① ② ③ ④ ⑤		
18	① ② ③ ④ ⑤	38	① ② ③ ④ ⑤	58	① ② ③ ④ ⑤	78	① ② ③ ④ ⑤	98	① ② ③ ④ ⑤	118	① ② ③ ④ ⑤		
19	① ② ③ ④ ⑤	39	① ② ③ ④ ⑤	59	① ② ③ ④ ⑤	79	① ② ③ ④ ⑤	99	① ② ③ ④ ⑤	119	① ② ③ ④ ⑤		
20	① ② ③ ④ ⑤	40	① ② ③ ④ ⑤	60	① ② ③ ④ ⑤	80	① ② ③ ④ ⑤	100	① ② ③ ④ ⑤	120	① ② ③ ④ ⑤		

수험자
여러분의
합격을
기원합니다.

메가랜드

마킹주의	바르게 마킹 : ● 잘 못 마킹 : ⊗, ⊙, ⓥ, ◎, ⦶, ⊖, ◌, ◍

(예 시) →

성 명
홍 길 동

수 험 자 유 의 사 항

1. 시험 중에는 통신기기(휴대전화, 소형 무전기 등) 및 전자기기(초소형 카메라 등)를 소지하거나 사용할 수 없습니다.
2. 부정행위 예방을 위해 시험문제지에도 수험번호와 성명을 반드시 기재하시기 바랍니다.
3. **시험시간이 종료되면 즉시 답안작성을 멈춰**야 하며, 종료시간 이후 계속 답안을 작성하거나 감독위원의 답안카드 제출지시에 불응할 때에는 당해 시험이 무효처리됩니다.
4. 기타 감독위원의 정당한 지시에 불응하여 타 수험자의 시험에 방해가 될 경우 퇴실조치 될 수 있습니다.

답안카드 작성 시 유의사항

1. 답안카드 기재 · 마킹 시에는 **반드시 검정색 사인펜**을 사용해야 합니다.
2. 답안카드를 잘못 작성했을 시에는 카드를 교체하거나 수정테이프를 사용하여 수정할 수 있습니다.
   그러나 불안전한 수정처리로 인해 발생하는 전산자동판독불가 등 불이익은 수험자의 귀책사유입니다.
   - 수정테이프 이외의 수정액, 스티커 등은 사용불가
   - 답안카드 왼쪽(성명, 수험번호 등)을 제외한 '답안란'만 수정테이프로 수정 가능
3. 성명란은 수험자 본인의 성명을 정자체로 기재합니다.
4. 교시 기재란은 해당교시를 기재하고 해당 란에 마킹합니다.
5. 시험문제지 형별 기재란에 표시된 형별(A형 공통)을 확인합니다.
6. 수험번호란은 숫자로 기재하고 아래 해당번호에 마킹합니다.
7. 시험문제지 형별 및 수험번호 등 마킹착오로 인한 불이익은 전적으로 수험자의 귀책사유입니다.
8. 감독위원의 서명 또는 날인이 없는 답안카드는 무효 처리됩니다.
9. 상단과 우측의 검은색 띠(▌▌▌)부분은 낙서를 금지합니다.
10. 답안카드의 채점은 전산 판독결과에 따르며, 마킹누락, 마킹착오, 불완전한 마킹 등은 수험자의 귀책사유에 해당하므로 이의제기를 하더라도 받아들여지지 않습니다.

부정행위 처리규정

시험 중 다음과 같은 행위를 하는 자는 당해 시험을 무효처리하고 자격별 관련 규정에 따라 일정기간 동안 시험에 응시할 수 있는 자격을 정지합니다.

1. 시험과 관련된 대화, 답안카드 교환, 다른 수험자의 답안 · 문제지를 보고 답안 작성, 대리시험을 치르거나 치르게 하는 행위, 시험문제 내용과 관련된 물건을 휴대하거나 이를 주고받는 행위
2. 시험장 내외부로부터 도움을 받아 답안을 작성하는 행위, 공인어학 성적 및 응시자격 서류를 허위기재하여 제출하는 행위
3. 통신기기(휴대전화 · 소형무전기 등) 및 전자기기(초소형 카메라 등)를 휴대하거나 사용하는 행위
4. 다른 수험자와 성명 또는 수험번호를 바꾸어 작성 · 제출하는 행위
5. 기타 부정 또는 불공정한 방법으로 시험을 치르는 행위

교시 기재란	
(1) 교시	● ② ③
형별 기재란	A형 ●
선택과목 1	
선택과목 2	

수 험 번 호							
0	1	3	2	9	8	0	1
●	⓪	⓪	⓪	⓪	⓪	●	⓪
①	●	①	①	①	①	①	●
②	②	②	●	②	②	②	②
③	③	●	③	③	③	③	③
④	④	④	④	④	④	④	④
⑤	⑤	⑤	⑤	⑤	⑤	⑤	⑤
⑥	⑥	⑥	⑥	⑥	⑥	⑥	⑥
⑦	⑦	⑦	⑦	⑦	⑦	⑦	⑦
⑧	⑧	⑧	⑧	⑧	●	⑧	⑧
⑨	⑨	⑨	⑨	●	⑨	⑨	⑨

감독위원 확인
김 (인) 독

절취선

마킹주의	바르게 마킹 : ● 잘 못 마킹 : ⊗, ⊙, ⓥ, ◎, ⦶, ⊖, ◌, ◍

(예 시) →

성 명
홍 길 동

수 험 자 유 의 사 항

1. 시험 중에는 통신기기(휴대전화, 소형 무전기 등) 및 전자기기(초소형 카메라 등)를 소지하거나 사용할 수 없습니다.
2. 부정행위 예방을 위해 시험문제지에도 수험번호와 성명을 반드시 기재하시기 바랍니다.
3. **시험시간이 종료되면 즉시 답안작성을 멈춰**야 하며, 종료시간 이후 계속 답안을 작성하거나 감독위원의 답안카드 제출지시에 불응할 때에는 당해 시험이 무효처리됩니다.
4. 기타 감독위원의 정당한 지시에 불응하여 타 수험자의 시험에 방해가 될 경우 퇴실조치 될 수 있습니다.

답안카드 작성 시 유의사항

1. 답안카드 기재 · 마킹 시에는 **반드시 검정색 사인펜**을 사용해야 합니다.
2. 답안카드를 잘못 작성했을 시에는 카드를 교체하거나 수정테이프를 사용하여 수정할 수 있습니다.
   그러나 불안전한 수정처리로 인해 발생하는 전산자동판독불가 등 불이익은 수험자의 귀책사유입니다.
   - 수정테이프 이외의 수정액, 스티커 등은 사용불가
   - 답안카드 왼쪽(성명, 수험번호 등)을 제외한 '답안란'만 수정테이프로 수정 가능
3. 성명란은 수험자 본인의 성명을 정자체로 기재합니다.
4. 교시 기재란은 해당교시를 기재하고 해당 란에 마킹합니다.
5. 시험문제지 형별 기재란에 표시된 형별(A형 공통)을 확인합니다.
6. 수험번호란은 숫자로 기재하고 아래 해당번호에 마킹합니다.
7. 시험문제지 형별 및 수험번호 등 마킹착오로 인한 불이익은 전적으로 수험자의 귀책사유입니다.
8. 감독위원의 서명 또는 날인이 없는 답안카드는 무효 처리됩니다.
9. 상단과 우측의 검은색 띠(▌▌▌)부분은 낙서를 금지합니다.
10. 답안카드의 채점은 전산 판독결과에 따르며, 마킹누락, 마킹착오, 불완전한 마킹 등은 수험자의 귀책사유에 해당하므로 이의제기를 하더라도 받아들여지지 않습니다.

부정행위 처리규정

시험 중 다음과 같은 행위를 하는 자는 당해 시험을 무효처리하고 자격별 관련 규정에 따라 일정기간 동안 시험에 응시할 수 있는 자격을 정지합니다.

1. 시험과 관련된 대화, 답안카드 교환, 다른 수험자의 답안 · 문제지를 보고 답안 작성, 대리시험을 치르거나 치르게 하는 행위, 시험문제 내용과 관련된 물건을 휴대하거나 이를 주고받는 행위
2. 시험장 내외부로부터 도움을 받아 답안을 작성하는 행위, 공인어학 성적 및 응시자격 서류를 허위기재하여 제출하는 행위
3. 통신기기(휴대전화 · 소형무전기 등) 및 전자기기(초소형 카메라 등)를 휴대하거나 사용하는 행위
4. 다른 수험자와 성명 또는 수험번호를 바꾸어 작성 · 제출하는 행위
5. 기타 부정 또는 불공정한 방법으로 시험을 치르는 행위

교시 기재란	
(1) 교시	● ② ③
형별 기재란	A형 ●
선택과목 1	
선택과목 2	

수 험 번 호							
0	1	3	2	9	8	0	1
●	⓪	⓪	⓪	⓪	⓪	●	⓪
①	●	①	①	①	①	①	●
②	②	②	●	②	②	②	②
③	③	●	③	③	③	③	③
④	④	④	④	④	④	④	④
⑤	⑤	⑤	⑤	⑤	⑤	⑤	⑤
⑥	⑥	⑥	⑥	⑥	⑥	⑥	⑥
⑦	⑦	⑦	⑦	⑦	⑦	⑦	⑦
⑧	⑧	⑧	⑧	⑧	●	⑧	⑧
⑨	⑨	⑨	⑨	●	⑨	⑨	⑨

감독위원 확인
김 (인) 독

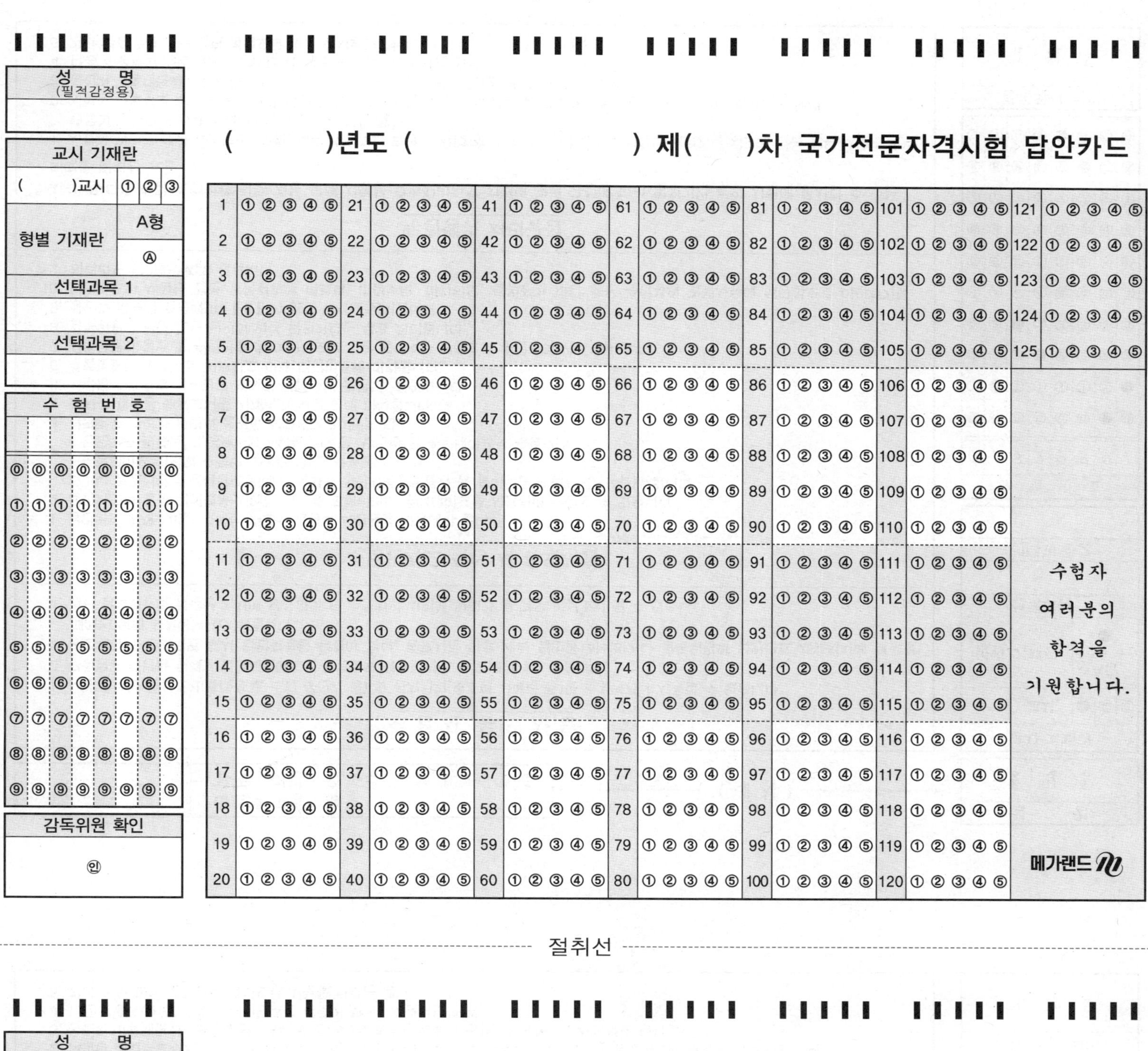

성 명 (필적감정용)

교시 기재란

( )교시 ① ② ③

형별 기재란 A형 Ⓐ

선택과목 1

선택과목 2

수 험 번 호

⓪	⓪	⓪	⓪	⓪	⓪	⓪	⓪
①	①	①	①	①	①	①	①
②	②	②	②	②	②	②	②
③	③	③	③	③	③	③	③
④	④	④	④	④	④	④	④
⑤	⑤	⑤	⑤	⑤	⑤	⑤	⑤
⑥	⑥	⑥	⑥	⑥	⑥	⑥	⑥
⑦	⑦	⑦	⑦	⑦	⑦	⑦	⑦
⑧	⑧	⑧	⑧	⑧	⑧	⑧	⑧
⑨	⑨	⑨	⑨	⑨	⑨	⑨	⑨

감독위원 확인

㊞

( )년도 ( ) 제( )차 국가전문자격시험 답안카드

1	① ② ③ ④ ⑤	21	① ② ③ ④ ⑤	41	① ② ③ ④ ⑤	61	① ② ③ ④ ⑤	81	① ② ③ ④ ⑤	101	① ② ③ ④ ⑤	121	① ② ③ ④ ⑤
2	① ② ③ ④ ⑤	22	① ② ③ ④ ⑤	42	① ② ③ ④ ⑤	62	① ② ③ ④ ⑤	82	① ② ③ ④ ⑤	102	① ② ③ ④ ⑤	122	① ② ③ ④ ⑤
3	① ② ③ ④ ⑤	23	① ② ③ ④ ⑤	43	① ② ③ ④ ⑤	63	① ② ③ ④ ⑤	83	① ② ③ ④ ⑤	103	① ② ③ ④ ⑤	123	① ② ③ ④ ⑤
4	① ② ③ ④ ⑤	24	① ② ③ ④ ⑤	44	① ② ③ ④ ⑤	64	① ② ③ ④ ⑤	84	① ② ③ ④ ⑤	104	① ② ③ ④ ⑤	124	① ② ③ ④ ⑤
5	① ② ③ ④ ⑤	25	① ② ③ ④ ⑤	45	① ② ③ ④ ⑤	65	① ② ③ ④ ⑤	85	① ② ③ ④ ⑤	105	① ② ③ ④ ⑤	125	① ② ③ ④ ⑤
6	① ② ③ ④ ⑤	26	① ② ③ ④ ⑤	46	① ② ③ ④ ⑤	66	① ② ③ ④ ⑤	86	① ② ③ ④ ⑤	106	① ② ③ ④ ⑤		
7	① ② ③ ④ ⑤	27	① ② ③ ④ ⑤	47	① ② ③ ④ ⑤	67	① ② ③ ④ ⑤	87	① ② ③ ④ ⑤	107	① ② ③ ④ ⑤		
8	① ② ③ ④ ⑤	28	① ② ③ ④ ⑤	48	① ② ③ ④ ⑤	68	① ② ③ ④ ⑤	88	① ② ③ ④ ⑤	108	① ② ③ ④ ⑤		
9	① ② ③ ④ ⑤	29	① ② ③ ④ ⑤	49	① ② ③ ④ ⑤	69	① ② ③ ④ ⑤	89	① ② ③ ④ ⑤	109	① ② ③ ④ ⑤		
10	① ② ③ ④ ⑤	30	① ② ③ ④ ⑤	50	① ② ③ ④ ⑤	70	① ② ③ ④ ⑤	90	① ② ③ ④ ⑤	110	① ② ③ ④ ⑤		
11	① ② ③ ④ ⑤	31	① ② ③ ④ ⑤	51	① ② ③ ④ ⑤	71	① ② ③ ④ ⑤	91	① ② ③ ④ ⑤	111	① ② ③ ④ ⑤		
12	① ② ③ ④ ⑤	32	① ② ③ ④ ⑤	52	① ② ③ ④ ⑤	72	① ② ③ ④ ⑤	92	① ② ③ ④ ⑤	112	① ② ③ ④ ⑤		
13	① ② ③ ④ ⑤	33	① ② ③ ④ ⑤	53	① ② ③ ④ ⑤	73	① ② ③ ④ ⑤	93	① ② ③ ④ ⑤	113	① ② ③ ④ ⑤		
14	① ② ③ ④ ⑤	34	① ② ③ ④ ⑤	54	① ② ③ ④ ⑤	74	① ② ③ ④ ⑤	94	① ② ③ ④ ⑤	114	① ② ③ ④ ⑤		
15	① ② ③ ④ ⑤	35	① ② ③ ④ ⑤	55	① ② ③ ④ ⑤	75	① ② ③ ④ ⑤	95	① ② ③ ④ ⑤	115	① ② ③ ④ ⑤		
16	① ② ③ ④ ⑤	36	① ② ③ ④ ⑤	56	① ② ③ ④ ⑤	76	① ② ③ ④ ⑤	96	① ② ③ ④ ⑤	116	① ② ③ ④ ⑤		
17	① ② ③ ④ ⑤	37	① ② ③ ④ ⑤	57	① ② ③ ④ ⑤	77	① ② ③ ④ ⑤	97	① ② ③ ④ ⑤	117	① ② ③ ④ ⑤		
18	① ② ③ ④ ⑤	38	① ② ③ ④ ⑤	58	① ② ③ ④ ⑤	78	① ② ③ ④ ⑤	98	① ② ③ ④ ⑤	118	① ② ③ ④ ⑤		
19	① ② ③ ④ ⑤	39	① ② ③ ④ ⑤	59	① ② ③ ④ ⑤	79	① ② ③ ④ ⑤	99	① ② ③ ④ ⑤	119	① ② ③ ④ ⑤		
20	① ② ③ ④ ⑤	40	① ② ③ ④ ⑤	60	① ② ③ ④ ⑤	80	① ② ③ ④ ⑤	100	① ② ③ ④ ⑤	120	① ② ③ ④ ⑤		

수험자 여러분의 합격을 기원합니다.

메가랜드

절취선

성 명 (필적감정용)

교시 기재란

( )교시 ① ② ③

형별 기재란 A형 Ⓐ

선택과목 1

선택과목 2

수 험 번 호

⓪	⓪	⓪	⓪	⓪	⓪	⓪	⓪
①	①	①	①	①	①	①	①
②	②	②	②	②	②	②	②
③	③	③	③	③	③	③	③
④	④	④	④	④	④	④	④
⑤	⑤	⑤	⑤	⑤	⑤	⑤	⑤
⑥	⑥	⑥	⑥	⑥	⑥	⑥	⑥
⑦	⑦	⑦	⑦	⑦	⑦	⑦	⑦
⑧	⑧	⑧	⑧	⑧	⑧	⑧	⑧
⑨	⑨	⑨	⑨	⑨	⑨	⑨	⑨

감독위원 확인

㊞

( )년도 ( ) 제( )차 국가전문자격시험 답안카드

1	① ② ③ ④ ⑤	21	① ② ③ ④ ⑤	41	① ② ③ ④ ⑤	61	① ② ③ ④ ⑤	81	① ② ③ ④ ⑤	101	① ② ③ ④ ⑤	121	① ② ③ ④ ⑤
2	① ② ③ ④ ⑤	22	① ② ③ ④ ⑤	42	① ② ③ ④ ⑤	62	① ② ③ ④ ⑤	82	① ② ③ ④ ⑤	102	① ② ③ ④ ⑤	122	① ② ③ ④ ⑤
3	① ② ③ ④ ⑤	23	① ② ③ ④ ⑤	43	① ② ③ ④ ⑤	63	① ② ③ ④ ⑤	83	① ② ③ ④ ⑤	103	① ② ③ ④ ⑤	123	① ② ③ ④ ⑤
4	① ② ③ ④ ⑤	24	① ② ③ ④ ⑤	44	① ② ③ ④ ⑤	64	① ② ③ ④ ⑤	84	① ② ③ ④ ⑤	104	① ② ③ ④ ⑤	124	① ② ③ ④ ⑤
5	① ② ③ ④ ⑤	25	① ② ③ ④ ⑤	45	① ② ③ ④ ⑤	65	① ② ③ ④ ⑤	85	① ② ③ ④ ⑤	105	① ② ③ ④ ⑤	125	① ② ③ ④ ⑤
6	① ② ③ ④ ⑤	26	① ② ③ ④ ⑤	46	① ② ③ ④ ⑤	66	① ② ③ ④ ⑤	86	① ② ③ ④ ⑤	106	① ② ③ ④ ⑤		
7	① ② ③ ④ ⑤	27	① ② ③ ④ ⑤	47	① ② ③ ④ ⑤	67	① ② ③ ④ ⑤	87	① ② ③ ④ ⑤	107	① ② ③ ④ ⑤		
8	① ② ③ ④ ⑤	28	① ② ③ ④ ⑤	48	① ② ③ ④ ⑤	68	① ② ③ ④ ⑤	88	① ② ③ ④ ⑤	108	① ② ③ ④ ⑤		
9	① ② ③ ④ ⑤	29	① ② ③ ④ ⑤	49	① ② ③ ④ ⑤	69	① ② ③ ④ ⑤	89	① ② ③ ④ ⑤	109	① ② ③ ④ ⑤		
10	① ② ③ ④ ⑤	30	① ② ③ ④ ⑤	50	① ② ③ ④ ⑤	70	① ② ③ ④ ⑤	90	① ② ③ ④ ⑤	110	① ② ③ ④ ⑤		
11	① ② ③ ④ ⑤	31	① ② ③ ④ ⑤	51	① ② ③ ④ ⑤	71	① ② ③ ④ ⑤	91	① ② ③ ④ ⑤	111	① ② ③ ④ ⑤		
12	① ② ③ ④ ⑤	32	① ② ③ ④ ⑤	52	① ② ③ ④ ⑤	72	① ② ③ ④ ⑤	92	① ② ③ ④ ⑤	112	① ② ③ ④ ⑤		
13	① ② ③ ④ ⑤	33	① ② ③ ④ ⑤	53	① ② ③ ④ ⑤	73	① ② ③ ④ ⑤	93	① ② ③ ④ ⑤	113	① ② ③ ④ ⑤		
14	① ② ③ ④ ⑤	34	① ② ③ ④ ⑤	54	① ② ③ ④ ⑤	74	① ② ③ ④ ⑤	94	① ② ③ ④ ⑤	114	① ② ③ ④ ⑤		
15	① ② ③ ④ ⑤	35	① ② ③ ④ ⑤	55	① ② ③ ④ ⑤	75	① ② ③ ④ ⑤	95	① ② ③ ④ ⑤	115	① ② ③ ④ ⑤		
16	① ② ③ ④ ⑤	36	① ② ③ ④ ⑤	56	① ② ③ ④ ⑤	76	① ② ③ ④ ⑤	96	① ② ③ ④ ⑤	116	① ② ③ ④ ⑤		
17	① ② ③ ④ ⑤	37	① ② ③ ④ ⑤	57	① ② ③ ④ ⑤	77	① ② ③ ④ ⑤	97	① ② ③ ④ ⑤	117	① ② ③ ④ ⑤		
18	① ② ③ ④ ⑤	38	① ② ③ ④ ⑤	58	① ② ③ ④ ⑤	78	① ② ③ ④ ⑤	98	① ② ③ ④ ⑤	118	① ② ③ ④ ⑤		
19	① ② ③ ④ ⑤	39	① ② ③ ④ ⑤	59	① ② ③ ④ ⑤	79	① ② ③ ④ ⑤	99	① ② ③ ④ ⑤	119	① ② ③ ④ ⑤		
20	① ② ③ ④ ⑤	40	① ② ③ ④ ⑤	60	① ② ③ ④ ⑤	80	① ② ③ ④ ⑤	100	① ② ③ ④ ⑤	120	① ② ③ ④ ⑤		

수험자 여러분의 합격을 기원합니다.

메가랜드

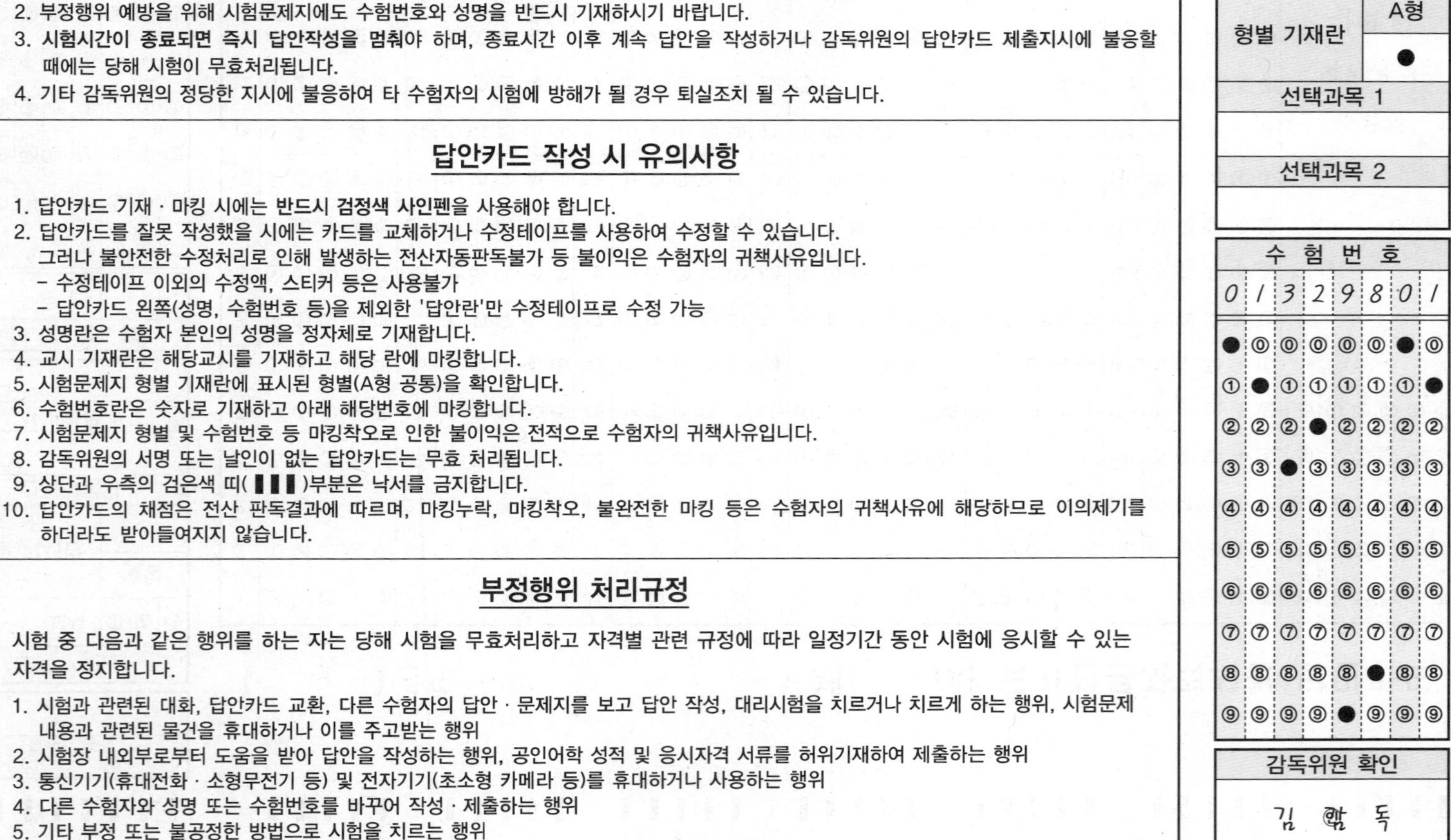

마킹주의	바르게 마킹 : ● 잘 못 마킹 : ⊗, ⊙, ⊘, ◎, ⦶, ⊖, ◌, ◍

(예 시) →

성 명
홍 길 동

수험자 유의사항

1. 시험 중에는 통신기기(휴대전화, 소형 무전기 등) 및 전자기기(초소형 카메라 등)를 소지하거나 사용할 수 없습니다.
2. 부정행위 예방을 위해 시험문제지에도 수험번호와 성명을 반드시 기재하시기 바랍니다.
3. **시험시간이 종료되면 즉시 답안작성을 멈춰**야 하며, 종료시간 이후 계속 답안을 작성하거나 감독위원의 답안카드 제출지시에 불응할 때에는 당해 시험이 무효처리됩니다.
4. 기타 감독위원의 정당한 지시에 불응하여 타 수험자의 시험에 방해가 될 경우 퇴실조치 될 수 있습니다.

답안카드 작성 시 유의사항

1. 답안카드 기재 · 마킹 시에는 **반드시 검정색 사인펜**을 사용해야 합니다.
2. 답안카드를 잘못 작성했을 시에는 카드를 교체하거나 수정테이프를 사용하여 수정할 수 있습니다.
   그러나 불안전한 수정처리로 인해 발생하는 전산자동판독불가 등 불이익은 수험자의 귀책사유입니다.
   - 수정테이프 이외의 수정액, 스티커 등은 사용불가
   - 답안카드 왼쪽(성명, 수험번호 등)을 제외한 '답안란'만 수정테이프로 수정 가능
3. 성명란은 수험자 본인의 성명을 정자체로 기재합니다.
4. 교시 기재란은 해당교시를 기재하고 해당 란에 마킹합니다.
5. 시험문제지 형별 기재란에 표시된 형별(A형 공통)을 확인합니다.
6. 수험번호란은 숫자로 기재하고 아래 해당번호에 마킹합니다.
7. 시험문제지 형별 및 수험번호 등 마킹착오로 인한 불이익은 전적으로 수험자의 귀책사유입니다.
8. 감독위원의 서명 또는 날인이 없는 답안카드는 무효 처리됩니다.
9. 상단과 우측의 검은색 띠(▌▌▌)부분은 낙서를 금지합니다.
10. 답안카드의 채점은 전산 판독결과에 따르며, 마킹누락, 마킹착오, 불완전한 마킹 등은 수험자의 귀책사유에 해당하므로 이의제기를 하더라도 받아들여지지 않습니다.

부정행위 처리규정

시험 중 다음과 같은 행위를 하는 자는 당해 시험을 무효처리하고 자격별 관련 규정에 따라 일정기간 동안 시험에 응시할 수 있는 자격을 정지합니다.

1. 시험과 관련된 대화, 답안카드 교환, 다른 수험자의 답안 · 문제지를 보고 답안 작성, 대리시험을 치르거나 치르게 하는 행위, 시험문제 내용과 관련된 물건을 휴대하거나 이를 주고받는 행위
2. 시험장 내외부로부터 도움을 받아 답안을 작성하는 행위, 공인어학 성적 및 응시자격 서류를 허위기재하여 제출하는 행위
3. 통신기기(휴대전화 · 소형무전기 등) 및 전자기기(초소형 카메라 등)를 휴대하거나 사용하는 행위
4. 다른 수험자와 성명 또는 수험번호를 바꾸어 작성 · 제출하는 행위
5. 기타 부정 또는 불공정한 방법으로 시험을 치르는 행위

교시 기재란	
(1)교시	● ② ③
형별 기재란	A형 ●
선택과목 1	
선택과목 2	

수 험 번 호
0 1 3 2 9 8 0 1

감독위원 확인
김 확 독

절취선

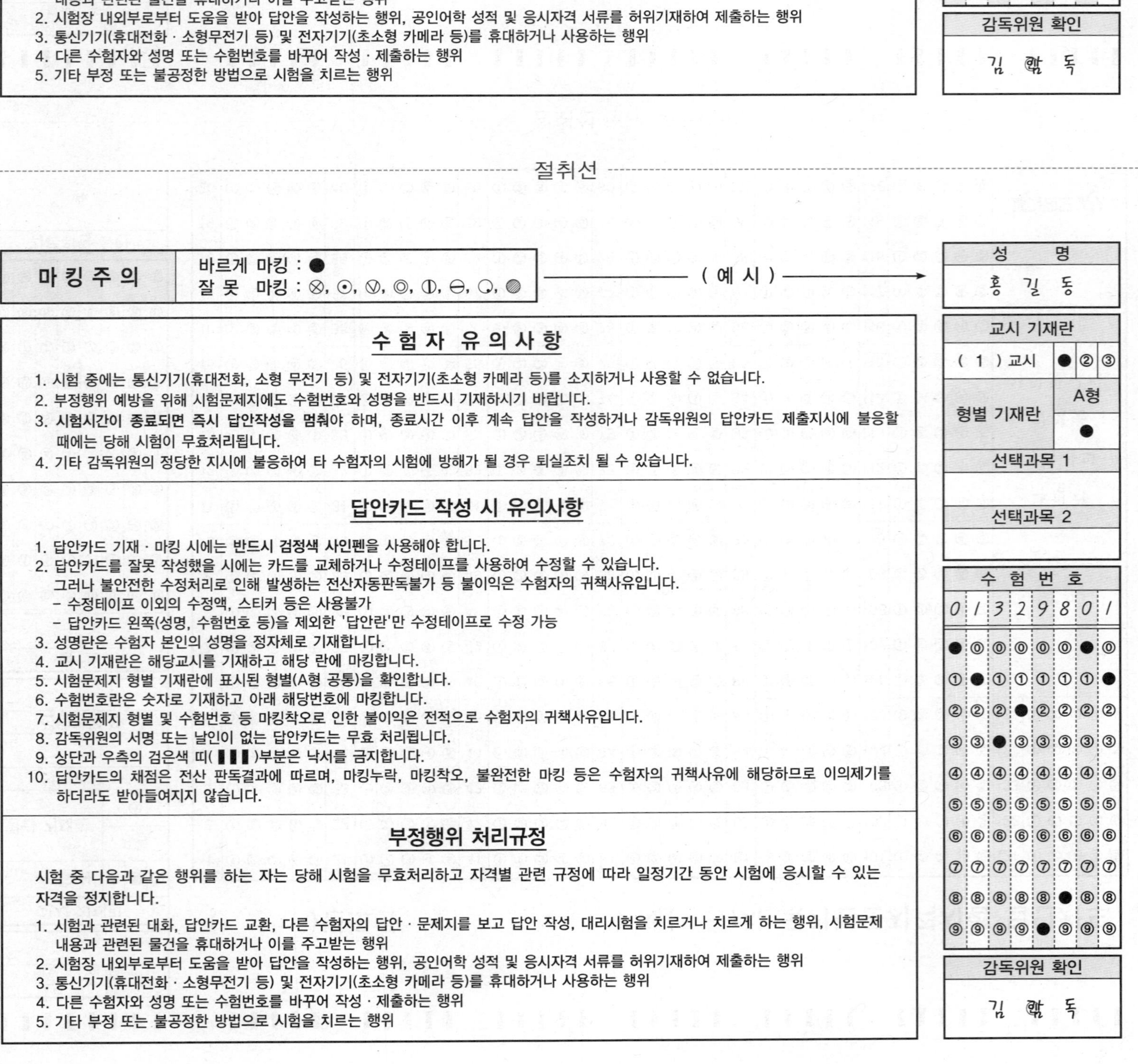

마킹주의	바르게 마킹 : ● 잘 못 마킹 : ⊗, ⊙, ⊘, ◎, ⦶, ⊖, ◌, ◍

(예 시) →

성 명
홍 길 동

수험자 유의사항

1. 시험 중에는 통신기기(휴대전화, 소형 무전기 등) 및 전자기기(초소형 카메라 등)를 소지하거나 사용할 수 없습니다.
2. 부정행위 예방을 위해 시험문제지에도 수험번호와 성명을 반드시 기재하시기 바랍니다.
3. **시험시간이 종료되면 즉시 답안작성을 멈춰**야 하며, 종료시간 이후 계속 답안을 작성하거나 감독위원의 답안카드 제출지시에 불응할 때에는 당해 시험이 무효처리됩니다.
4. 기타 감독위원의 정당한 지시에 불응하여 타 수험자의 시험에 방해가 될 경우 퇴실조치 될 수 있습니다.

답안카드 작성 시 유의사항

1. 답안카드 기재 · 마킹 시에는 **반드시 검정색 사인펜**을 사용해야 합니다.
2. 답안카드를 잘못 작성했을 시에는 카드를 교체하거나 수정테이프를 사용하여 수정할 수 있습니다.
   그러나 불안전한 수정처리로 인해 발생하는 전산자동판독불가 등 불이익은 수험자의 귀책사유입니다.
   - 수정테이프 이외의 수정액, 스티커 등은 사용불가
   - 답안카드 왼쪽(성명, 수험번호 등)을 제외한 '답안란'만 수정테이프로 수정 가능
3. 성명란은 수험자 본인의 성명을 정자체로 기재합니다.
4. 교시 기재란은 해당교시를 기재하고 해당 란에 마킹합니다.
5. 시험문제지 형별 기재란에 표시된 형별(A형 공통)을 확인합니다.
6. 수험번호란은 숫자로 기재하고 아래 해당번호에 마킹합니다.
7. 시험문제지 형별 및 수험번호 등 마킹착오로 인한 불이익은 전적으로 수험자의 귀책사유입니다.
8. 감독위원의 서명 또는 날인이 없는 답안카드는 무효 처리됩니다.
9. 상단과 우측의 검은색 띠(▌▌▌)부분은 낙서를 금지합니다.
10. 답안카드의 채점은 전산 판독결과에 따르며, 마킹누락, 마킹착오, 불완전한 마킹 등은 수험자의 귀책사유에 해당하므로 이의제기를 하더라도 받아들여지지 않습니다.

부정행위 처리규정

시험 중 다음과 같은 행위를 하는 자는 당해 시험을 무효처리하고 자격별 관련 규정에 따라 일정기간 동안 시험에 응시할 수 있는 자격을 정지합니다.

1. 시험과 관련된 대화, 답안카드 교환, 다른 수험자의 답안 · 문제지를 보고 답안 작성, 대리시험을 치르거나 치르게 하는 행위, 시험문제 내용과 관련된 물건을 휴대하거나 이를 주고받는 행위
2. 시험장 내외부로부터 도움을 받아 답안을 작성하는 행위, 공인어학 성적 및 응시자격 서류를 허위기재하여 제출하는 행위
3. 통신기기(휴대전화 · 소형무전기 등) 및 전자기기(초소형 카메라 등)를 휴대하거나 사용하는 행위
4. 다른 수험자와 성명 또는 수험번호를 바꾸어 작성 · 제출하는 행위
5. 기타 부정 또는 불공정한 방법으로 시험을 치르는 행위

교시 기재란	
(1)교시	● ② ③
형별 기재란	A형 ●
선택과목 1	
선택과목 2	

수 험 번 호
0 1 3 2 9 8 0 1

감독위원 확인
김 확 독

2023

메가랜드 공인중개사

실전 모의고사

부동산학개론/민법 및 민사특별법

발행일 2023년 6월 20일 **초판 1쇄**

편 저 메가랜드 부동산교육연구소

발행인 윤용국

발행처 메가랜드(주)
등 록 제2018-000177호(2018.9.7.)
주 소 (06657) 서울특별시 서초구 반포대로 81
전 화 1833 - 3329
팩 스 02 - 6918 - 3792

정 가 22,000원
ISBN 979-11-6601-342-3(13320)

잘못 만들어진 책은 구입하신 서점에서 교환해 드립니다.
본 책의 내용은 사전고지 없이 변경될 수 있습니다.